지르박 1000가지 완전 정복 I

지르박 1000가지 완전 정복 I

지르박 1000가지 완전 정복 Ⅰ

발 행 | 2024년 3월 25일
저 자 | 엄승민
펴낸이 | 한건희
펴낸곳 | 주식회사 부크크
출판사등록 | 2014.07.15.(제2014-16호)
주 소 | 서울특별시 금천구 가산디지털1로 119 SK트윈타워 A동 305호
전 화 | 1670-8316
이메일 | info@bookk.co.kr

ISBN | 979-11-410-7771-6

www.bookk.co.kr
ⓒ 지르박 1000가지 완전정복 | 2024

지르박 1000가지 완전정복 ㅡ

엄승민 지음

CONTENT

5. 지르박 기본스텝
남성

여성

기본 패턴 및 리드

6. 지르박 완전 정복

춤사위가

바람결처럼 스친다.

가볍게 한 포즈 한 동작이 연결되나 오랫동안

질곡1)(桎梏)의 늪 속에 빠져있다.

더 빠른 템포-

환희, 희열로 충만하다.

대단원의 막은 내렸다.

오선지의 숱한 음표들

그들은 복잡하게 얽혀 있었다.

그러나

나의 바이올린은 부드럽게,

때로 격정2)(激情)스런 선율을 자아내며

아름다움을 구사해 갔다.

머리말

댄스 관련 자격증

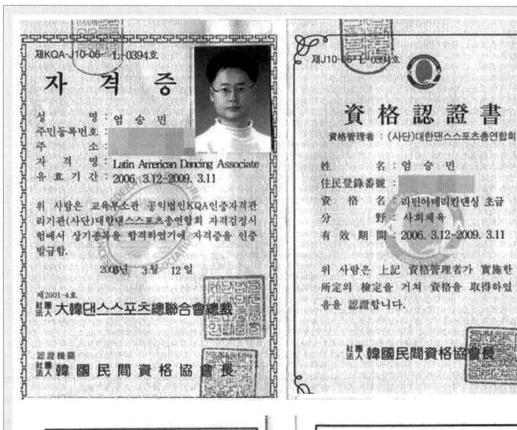

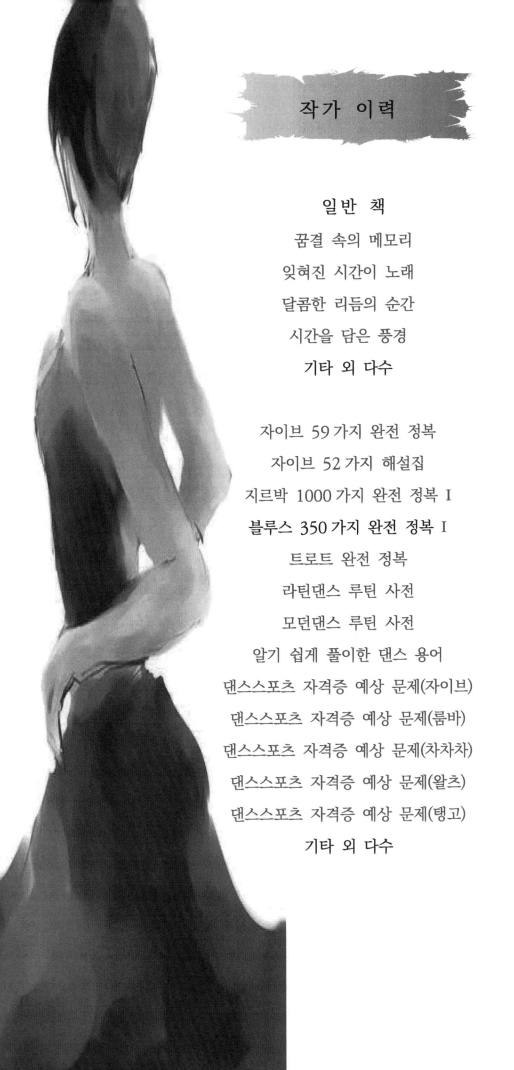

작가 이력

일반 책

꿈결 속의 메모리

잊혀진 시간이 노래

달콤한 리듬의 순간

시간을 담은 풍경

기타 외 다수

자이브 59 가지 완전 정복

자이브 52 가지 해설집

지르박 1000 가지 완전 정복 I

블루스 350 가지 완전 정복 I

트로트 완전 정복

라틴댄스 루틴 사전

모던댄스 루틴 사전

알기 쉽게 풀이한 댄스 용어

댄스스포츠 자격증 예상 문제(자이브)

댄스스포츠 자격증 예상 문제(룸바)

댄스스포츠 자격증 예상 문제(차차차)

댄스스포츠 자격증 예상 문제(왈츠)

댄스스포츠 자격증 예상 문제(탱고)

기타 외 다수

지르박 루틴

초급

0. 초급 스타트

1번 초급 남: 반 삼각 스텝 여: L/180°턴

2번 초급 남: 반 삼각 스텝 여: L/180°턴

3번 초급 여성 L/180°턴, 남 십자 스텝

4번 초급 제자리 앞 돌리기

5번 초급 제자리 손목 밀기

6번 초급 제자리 손 당겨 놓기

7번 초급 댄스 라인(평행봉) 건너기 2회

8번 초급 후진 6박 어깨걸이, 여성 R/540°턴

9번 초급 제자리 전-후진 스텝

10번 초급 사이드 스텝

11번 초급 후진 6박 어깨걸이, L/180°턴

12번 초급 핸드 체인지

13번 초급 크게 돌리기

14번 초급 남: 사이드 스텝 여: L/180°턴

15번 초급 그림자(여성 따라다니기)

16번 초급 자리바꿈(오른손 머리 위)

17번 초급 크게 돌리고(양손)

18번 초급 후진 6박 Wrap

19번 초급 당겨 손 놓기

20번 초급 등 뒤 손 체인지, R/540°턴

21번 초급 아치(터널) 목감아 풀기

22번 초급 자리바꿈(악수)

23번 초급 자리바꿈(손 놓고)

24번 초급 목감아 풀기 8박, 10박

25번 초급 후진 6박 어깨걸이, 목-감아 풀기

26번 초급 등 뒤 손 체인지 턴

27번 초급 후진 6박 허리 걸이, R/540°턴

28번 초급 후진 6박 어깨걸이, R/900°턴

29번 초급 아치(터널), 손 당겨 손 놓기

30번 초급 사이드에서 여성 당겨 회전

31번 초급 손 놓고 자리바꿈

32번 초급 기차놀이(꼬리 자르기)

33번 초급 아치(터널), 목걸이, R/540°턴

34번 초급 등 뒤로 기본 8박

35번 초급 옆걸음 자리바꿈

36번 초급 후진 6박 어깨걸이, 제자리 전&후진 8박, R/540°턴

37번 초급 겨드랑이 걸이 여성 빽 턴

38번 초급 목감아 풀기

39번 초급 아치(터널) 목걸이, 여성 허리 걸이, L/180°턴

40번 초급 L/180°, 어깨 밀기

41번 초급 등 뒤로 어깨 잡고, 전&후진 스텝, R/540°턴

42번 초급 뒤돌아 기차놀이(꼬리 자르기)

43번 초급 제자리 목감아 풀기

44번 초급 여성 제자리 2회전

45번 초급 R/540°턴

46번 초급 L/180°, 어깨 턴

47번 초급 어깨걸이&허리 걸이, 목걸이&허리 걸이

48번 초급 남성 허리감기, 그림자, 등 턴(R/540°)

49번 초급 기차놀이(어깨)

50번 초급 4박 6박 여성 턴(R/180°, R/540°)

51번 초급 등 뒤로 8박, 여성 겨드랑이 턴

52번 초급 6박 홀드

53번 초급 목걸이&허리 걸이, L/180°턴

54번 초급 목걸이, 허리 걸이, L/540°턴

55번 초급 남성 턴 허리 걸이, 전&후진 4.4박, R/540°턴

56번 초급 등 뒤로 기본 8박, R/540°턴

57번 초급 후진 6박 목걸이&허리 걸이, R/540°턴, L/180°턴

58번 초급 헤드-록

59번 초급 기차놀이(어깨) 전 후진 8박 손 놓기

60번 초급 남성 제자리 턴

61번 초급 R/540°턴, L/540°턴

62번 초급 허리, 목 뒤 핸드 체인지

63번 초급 후진 6박 목걸이(오, 왼) L/180°턴

64번 초급 후진 6박 목걸이(오. 왼), 전&후진 4박, L/180°턴

65번 초급 여성 L/180° 2회

66번 초급 남성 목걸이, 전&후진 8박, 외곽 돌기(겹 돌기)

67번 초급 제자리 뒤돌아(겨드랑이 걸이), 기차놀이(꼬리 자르기)

68번 초급 등 뒤로 넘기면서 L/180°턴(여성)

69번 초급 목 뒤로 넘기기, 등 뒤로 넘기기, 전&후진 8박

70번 초급 후진 6박 어깨걸이, 전진 4박 브레이크, R/180°턴

71번 초급 남성 허리감기, 여성 R/900°턴

72번 초급 제자리 360°, 여성 빽 턴

73번 초급 터널, 여성 그림자

74번 초급 후진 6박 어깨걸이, 900°턴 브레이크

75번 초급 후진 6박 허리 걸이, L/180°턴

76번 초급 악수 자리바꿈(2회)

77번 초급 남성 허리 걸이, 여성 어깨걸이, 남성 어깨동무, R/540°턴

78번 초급 목걸이, 허리 걸이, 여성 어깨걸이 빽 턴

79번 초급 여성 그림자

80번 초급 외곽 돌기(손 놓으면서 회전)

81번 초급 빽 턴 목걸이, 목걸이 풀기

82번 초급 제자리 손 바꾸고, 꼬리 자르기(손 놓기)

83번 초급 제자리 회전, 여성 등 뒤로 4박

84번 초급 8박 홀드

85번 초급 기차놀이(꼬리 자르기)

86번 초급 6박 후진 어깨걸이, 전&후진 4박 후 여성 빽 턴

87번 초급 터널, R/900°턴

88번 초급 후진 6박 어깨걸이(왼. 오), 전진 4박 브레이크

89번 초급 터널, 기차놀이(꼬리 자르기)

90번 초급 제자리 회전 어깨 손 얹기, 꼬리 자르기

91번 초급 꼬리잡기, 여성 제자리 회전

92번 초급 후진 어깨걸이 10박

93번 초급 후진 겨드랑이 턴 10박

94번 초급 여성 허리 걸이 턴

95번 초급 제자리 어깨걸이 커트(정면)

96번 초급 남성 허리 걸이, 두리벙, 여성 어깨 턴

97번 초급 남성 허리 걸이, 여성 허리 걸이, 여성 L/540°턴

98번 초급 후진 6박 목걸이, 오른쪽으로 이동, L/180°턴

99번 초급 남성 허리 걸이, 여성 허리 걸이, 8박, 여성 10박 브레이크

100번 초급 R/540°턴 목걸이, L/360°턴 브레이크, R/540°턴

101번 초급 후진 4박 어깨걸이, R/540°턴

중급

1번 중급 후진 10박 포장

2번 중급 사이드에서 크게 회전, 어깨 커트 후 회전

3번 중급 후진 6박 여성 180° 턴, 남성 터널

4번 중급 여성 당겨 자리바꿈, 트위스트 2번, 손 놓기

5번 중급 뒤돌아 겨드랑이 걸이

6번 중급 여성 등 뒤 어깨걸이 백 턴

7번 중급 후진 6박 전진 4박 남성 허리감기

8번 중급 남성 제자리 180° 턴 어깨 손(손 놓기)

9번 중급 목걸이 6박 손위로 다시 목걸이 2회

10번 중급 남 등 뒤 자리바꿈 팔 당겨 놓기

11번 중급 손들어 뒤로 돌리기

12번 중급 여성 등 뒤로 8박 손 놓고, 어깨 터치 백 턴

13번 중급 제자리 남성 턴, 기차놀이 후 여성 등 뒤로 이동, 여성 백 턴

14번 중급 후진 6박 어깨걸이. 목감기·반대편 손들어 여성 돌리기

15번 중급 후진 6박 어깨걸이 전 후진 8박 하면서 외곽 돌기(겹 돌기)

16번 중급 후진 6박 어깨걸이 스윗하트 6박

17번 중급 제자리 여성 목감기, 턴 후 풀기

18번 중급 제자리 남·여 동시 턴

19번 중급 제자리 여성 2회전(여성 어깨 터치)

20번 중급 후진 6박 어깨걸이, 전진 4박 여성 제자리 회전

21번 중급 여성 양손 잡고 역으로 포장 후 풀기

22번 중급 제자리 남성 목걸이, 여성 목걸이 후 턴

23번 중급 후진 어깨걸이 14박

24번 중급 사이드에서 여성 역회전 후 R/회전

25번 중급 여성 등 뒤 전후 4박, 전진 4박 후 커트

26번 중급 여성 등 뒤로 8박 후 꼬리 자르기(기차놀이)

27번 중급 아치(터널) 커트

28번 중급 남성 허리 걸이, 남·여 같이 회전

29번 중급 여성 당겨 회전, 여성 따라가면서 다시 회전

30번 중급 오른손 외곽 돌기

31번 중급 남성 외곽 돌기 손 놓고

32번 중급 남성 배-걸이

33번 중급 겹 돌기 남성 사이드 회전 후 외곽 돌기

34번 중급 제자리 헤드록 후 터널(아치)

35번 중급 제자리 여성 2회전, 1회전 손들고 2회전 손 놓으면서

36번 중급 후진 6박 어깨걸이 전 후진 8박 홀딩

37번 중급 후진 12박 목걸이 왼. 오

38번 중급 제자리 남성 회전(목덜미 손 체인지)

39번 중급 왼. 오 후진 10박

40번 중급 터널 후 기본 커트

41번 중급 후진 12박 오. 오 손들고

42번 중급 왼손 외곽 돌기(겹돌기), 여성 사이드 커트

43번 중급 등 뒤로 8박 후 외곽 돌기(겹 돌기)

44번 중급 사이드 정면에서 여성 당겨 손 놓고 외곽 돌기

45번 중급 후진 6박 어깨걸이, 전 후진 8박 하면서 남성 사이드 이동

46번 중급 후진 6박 어깨걸이, 전 후진 4박 남성 사이드 이동

47번 중급 여성 등 뒤 후진 2박 여성 돌리기

48번 중급 여성 등 뒤 후진 2박 손들어 여성 턴

49번 중급 홀딩 2회전 후 여성 손 올려 턴

50번 중급 사이드 이동 4박, 6박 턴 마무리

51번 중급 손 크로스 상태에서 제자리 스텝. 손 여성·남성 목 넘기기

52번 중급 등 뒤로 여성 어깨 커트 2회 손 커트

53번 중급 후진 6박 오른손 목걸이 4박 커트

54번 중급 남성 제자리 허리 손 체인지 회전

55번 중급 홀딩 후 남성 꼬리 자르기(기타놀이)

56번 중급 기차길 건너기. 꼬리 자르기

57번 중급 제자리 어깨 밀기(제자리 커트)

58번 중급 제자리 커트

59번 중급 제자리 180도 여성 턴, 어깨 커트 후 여성 턴

60번 중급 양손 쓰기 1

61번 중급 양손 쓰기 2

62번 중급 여성 사이드에서 당겨 회전 후 여성 중심으로 손 놓고 빙빙 돌기

63번 중급 터널 후 여성 중심으로 손 놓고 빙빙 돌기

64번 중급 제자리 여성 2회전, 역 4박 커트 여성 제자리 턴

65번 중급 제자리 남성 턴 후 외곽 돌기(겹 돌기)

66번 중급 홀딩 후, 손 들어 여성 턴

67번 중급 후진 6박 왼. 오 목걸이. 여성 허리 걸이 백 풀기

68번 중급 후진 6박 어깨걸이. 머리 위로 1회전 후 목감기·풀기 전 후진 후 여성 회전

69번 중급 후진 6박 여 역회전

70번 중급 제자리 스텝, 오. 왼쪽 이동

71번 중급 사이드 목감기 상태에서 남·여 동시 회전

72번 중급 제자리 남성 180도 턴 후. 180도 턴

73번 중급 후진 10박 오. 왼 목걸이. 허리 걸이

74번 중급 제자리 남성 턴 왼·왼

75.76.77번 중급 왼손 겹 돌기 3가지

78번 중급 스윗핫트 후진 6박 전진 6박 턴

79번 중급 남성 허리 걸이 사이드에서 홀딩

80번 중급 앞 돌리기 커트 후 터널

81번 중급 왼. 오 터널 통과(제자리 남성 돌고) 여성 제자리 회전

82번 중급 터널 목걸이·여성 허리 걸이 백 풀기

83번 중급 6박 어깨걸이 2회

84번 중급 제자리 한 바퀴 반 후 꼬리 자르기

85번 중급 등 뒤로 허리 걸이 여성 백 턴

86번 중급 기본 옆 커트 2회

87번 중급 후진 10박 왼·오, 목걸이 풀기

88번 중급 후진 6박 포장. 풀기 헤드록 컷

89번 중급 오른손, 목감기

90번 중급 기찻길 건네기 홀드

91번 중급 손 허리·목덜미 손 체인지 여성 제자리 턴

92번 중급 리프 낫 6박

93번 중급 남성 허리 걸이. 남성 턴 후 여성 어깨 터치, 여성 왼손 회전 컷

94번 중급 여성 따라가면서 남성 허리 걸이

95번 중급 오. 왼 터널 후 여성 따라가기

96번 중급 남성 허리 걸이 후 양손 잡고 굴 통과

97번 중급 남성 허리 걸이. 어깨 회전

98번 중급 후진 6박 포장, 4박 풀기·커트

99번 중급 제자리 여성 회전 커트 회전

100번 중급 목을 감아 풀고 사이드에서 여성 전진 트위스트

101번 중급 목감아 풀면서 헬리콥터

102번 중급 후진 6박. 4박 스윗하트

상급

24번 상급 남성 사이드 후진하면서 목-감고 풀기

25번 상급 터널. 허리 걸이. 기차놀이 여성 턴

26번 상급 후진 6박 어깨걸이, 전진 4박 역회전

27번 상급 사이드 팔짱 끼고 남·여 같이 돌기

28번 상급 뉴욕 2회 후 커트

29번 상급 홀딩 후 터널 통과. 목덜미·허리 걸이 기찻길 건네면서

30번 상급 팔짱 끼고 같이 회전 후 데리고 오기

31번 상급 제자리 목걸이 후 전진 6박

32번 상급 후진 6박 어깨걸이 후 손들어 여성 180° 턴 남성 턴

33번 상급 후진 6박 어깨걸이, 전진 목걸이

34번 상급 남성 허리 걸이 후 풀고 제자리 여성 회전

35번 상급 외곽 돌기. 터널. 커트

36번 상급 제자리 3.3박 커트, 2.2박 커트

37번 상급 터널 2회 여성 당겨 3.3박 커트 후 목감기

38번 상급 풍차 돌리기, 어깨동무 남·여 같이 턴

39번 상급 헬리콥터. 뉴욕스프링

40번 상급 여성과 홀드 후 기차 건너면서 돌기

41번 상급 제자리 여성 180°턴 어깨 컷 후 지그재그

42번 상급 양손(목·허리 연속 동작)

43번 상급 터널 후 어깨 턴

44번 상급 남성 허리 걸이, 기찻길 건네기. 여성 따라다니기

45번 상급 4박 턴 지그재그

46번 상급 제자리 회전·터널

47번 상급 양손 포장 후 남·여 동시 회전, 커트 연속

48번 상급 사이드 터널 만들고 여성 허리 걸이

49번 상급 남성 허리 걸이 2회

50번 상급 기차 건너면서 돌기, 여성 주위 돌기(겹 돌기)

51번 상급 헤드록 남·여 동시 회전, 헤드록 커트

52번 상급 양손 잡고 여성 턴 후 여성 등 뒤

53번 상급 어깨걸이·목덜미 기찻길 건네기

54번 상급 여성 크게 돌리고 목 뒤로 손 체인지

55번 상급 역회전 목걸이 후 남·여 같이 회전

56번 상급 사이드 여성 커트, 여성 회전

57번 상급 여성 180° 턴, 남성 턴. 오른손 들어 여성 턴

58번 상급 여성 받아들이고 보내면서 남성 턴

59번 상급 홀딩, 여성 따라다니기

60번 상급 남성 허리 걸이 후 풀고 여성 잡아 회전

61번 상급 외곽 돌기·남성 외곽 돌기 하면서 손 체인지 여성 회전

62번 상급 왼. 오 목걸이 허리 걸이 커트

63번 상급 후진 6박 제자리 트위스트 백 턴

64번 상급 후진 6박 역회전 어깨걸이

65번 상급 남성 허리 걸이 손 놓고 외곽 돌기

66번 상급 남성 겨드랑이 걸기. 남·여 동시 회전 후 외곽 돌기

67번 상급 후진 6박 어깨걸이 커트 후 2회 커트

68번 상급 남성 허리 걸이 턴, 풀기

69번 상급 양손 꼬이기

70번 상급 사이드에서 여성 4박 턴 2회. 커트. 마무리 턴

71번 상급 사이드 여성 역회전 어깨걸이

72번 상급 터널(아치) 커트 연속 2회, 손 놓고 남·여 동시 턴

73번 상급 여성 허리 걸이 상태에서 남·여 동시 회전 후 여성 턴

74번 상급 양손 잡고 기차놀이

75번 상급 외곽 돌기 여성 4박 턴, 6박 턴

76번 상급 여성 180° 턴 남 사이드 턴

77번 상급 여성 정면·뒷면 커트

78번 상급 후진 6박. 손 놓고 사이드 스텝

79번 상급 터널 후 팔꿈치 걸이

80번 상급 오프닝 아웃

81번 상급 제자리 역으로 회전 컷 후 회전

82번 상급 터널 후 목감기·여성 전진 스위블

83번 상급 어깨 턴. 남성 솔로 턴

84번 상급 터널, 목감기, 펼치기

85번 상급 후진 6박, 어깨 터치

86번 상급 여성 당겨 회전, 남성 2회전

87번 상급 양손 잡고 기찻길 건너기

88번 상급 연인

89번 상급 왼, 오 어깨걸이 후 어깨걸이, 허리 걸이 후 역회전

고급

1번 고급 외곽 역회전 여성 커트

2번 고급 후진 6박 어깨걸이, 전진 4박 턴, 역회전

3번 고급 제자리 남성 순간 턴 여성 턴

4번 고급 남성 허리 걸이 후 여성 커트

5번 고급 여성 백 역회전

6번 고급 오. 왼 후진 6박 목걸이 연속 커트

7번 고급 목걸이, 3번 커트

8번 고급 팔꿈치 터치

9번 고급 헬리콥터 남성 허리 걸이 남·여 같이 턴 꼬리 자르기

10번 고급 전진 외곽 돌기

11번 고급 사이드 손들고 턴 후 목걸이 양손 크로스 스텝

12번 고급 남성 허리 걸이 후 여성 턴

13번 고급 갈까 말까

14번 고급 핸드 크로스에서 오. 오 목감기

15번 고급 허리 동무 여성 따라 다니기

16번 고급 외곽 돌기 솔로 턴

17번 고급 제자리 남성 반대로 회전

18번 고급 손등으로 여성 회전

19번 고급 터널, 풍차

20번 고급 후진 6박. 허리 동무 동시 회전

21번 고급 팔짱 끼기, 여성 남성 배 스치면서 턴

22번 고급 기차놀이 남성 솔로 턴, 홀딩

23번 고급 제자리 여성 컷 후 회전

24번 고급 제자리 헤드록 턴 커트

25번 고급 목걸이, 허리 걸이, 남녀 턴, 여성 마무리 턴

26번 고급 기차놀이(꼬리 자르기) 제자리 커트, 여성 마무리 턴

27번 고급 등 뒤에서 손 체인지

28번 고급 톱니바퀴

29번 고급 터널. 4박. 헬리콥터

30번 고급 남성 사이드 2회전

31번 고급 후진 6박 목감기. 8박(여성 등 뒤) 남·여 동시 턴

32번 고급 제자리 머리 반대로 겨드랑이 손 놓기

33번 고급 헬리콥터, 사이드 남녀 턴

34번 고급 제자리 여성 손들고 6박, 4박 6박 회전

35번 고급 후진 6박 어깨걸이, 손들어 여성 회전 2번 컷

36번 고급 등 뒤로 3바퀴 돌기

37번 고급 제자리 응용 동작

38번 고급 여성 역회전 후 보내기

39번 고급 남성 허리, 여성 목걸이

40번 고급 왼·왼 남·여 동시 턴

41번 고급 등 뒤로 이동하면서 여성 오른손 어깨걸이 후 턴

42번 고급 제자리 커트 후 여성 회전

43번 고급 남성 심플 턴. 리프 낫 남·여 같이 회전

44번 고급 터널. 허리 걸이. 외곽 돌기

45번 고급 사이드 등 키스

46번 고급 터널, 남성 회전하면서 손 바꾸면서 여성 턴

47번 고급 제자리 전진 남성 3@ 턴

48번 고급 팔짱, 풀기 연속

49번 고급 사이드 여성 4박 턴 후 마무리 턴

50번 고급 쳐킹

51번 고급 오. 왼 후진 6박 목걸이 풀면서 여성 허리 걸이 목걸이 풀기

52번 고급 톱니바퀴

53번 고급 양손 쓰기, 남 백 헤드록·목감기, 허리감기, 마무리턴

54번 고급 제자리 왼·왼 남 후진 여·전진 뱀 스텝

55번 고급 당겨 놓으면서 여성 턴, 사이드 컷

56번 고급 남녀 우회전 후 연속 커트

57번 고급 그림자 회전하면서 기찻길 건너기

58번 고급 제자리 여성. 남서턴

59번 고급 제자리 u 턴(커트)

60번 고급 후진 6박 역회전 팽이

61번 고급 왼·왼 어깨걸이 후 브레이크

62번 고급 목 겹 돌기(외곽 돌기)

63번 고급 남성 허리 걸이, 후진 6박, 전진 여성 회전 컷

64번 고급 겹 돌기(남 역회전)

65번 고급 여성 허리 걸이 풀면서 남성 턴

66번 고급 여성 허리 걸이 컷 연속

100번 고급 터널

101번 고급 터널

102번 고급 터널

103번 고급 8박 여성 포장, 남성 포장 후 풀기

104번 고급 남·여 전 후진 6박 회전

105번 고급 남 정면에서 뒤로 회전. 여성 180° 턴

106번 고급 양손 어깨걸이 손 체인지

107번 고급 제자리 남성 한 바퀴 반

108번 외곽 돌기, 목 뒤, 허리 손 체인지

109번 고급 오리.

110번 고급 터널 후 치킨 업

111번 남성 허리 걸이, 전후 자리바꿈 6박

112번 고급 포박

113번 고급 남성 목덜미 걸어 여성 따라다니기

114번 고급 처킹, 여성 손들어 회전

115번 고급 홀딩 후 남성 심플 턴

116번 고급 4박 후까시 기본

117번 고급 배 감고 풀기 후까시

118번 고급 후까시

119번 고급 회전하면서 커트

120번 고급 양손 크로스 4박 후까시

121번 고급 4박 후까시 응용

122번 고급 4박 후까시

123번 고급 후까시 응용 펼치기, 접기

124번 고급 터널, 후까시

125번 고급 6박 후까시 홀딩

126번 고급 양쪽 펼치기(후까시)

127번 고급 헤어락 후까시

128번 고급 남성 허리 걸이 전진 4박, 펼치기

129번 고급 후까시

130번 고급 홀드 후까시 펼치기

131번 고급 4박 홀딩 후까시

132번 고급 펼치기. 자리바꿈

마스터

바레이션(응용)

250개+@

20대~30대를 위한 스텝

웨이브, 헤드 롤, 바디 롤, 히프 롤 등 50개+@

춤과 음악

예술의 정의

춤의 정의

춤의 기원

음악의 기원

초기의 음악과 가장 오래된 악기

춤과 음악

볼룸댄스(ballroom dance)의 역사

대한민국 댄스 역사와 발전과정

예술의 정의

　언어는 우리가 사회를 이루고 소통하는 데 핵심적인 역할을 합니다. 초기에는 원시적인 형태의 손짓, 발짓, 소리 등이 소통 수단으로 사용되었을 것으로 추정됩니다. 이런 원시적인 소통 방식은 사회 발전과 함께 발전하며, 각 지역이나 문화마다 다양한 언어가 형성되었습니다. 언어는 문명의 발전과 함께 발전하며, 소통과 정보 전달을 원활하게 하고 사회 구조를 유지하는 데 중요한 도구가 되었습니다. 뿐만 아니라, 언어는 문화와 예술의 발전을 이끌어내는데도 큰 역할을 합니다. 언어를 통해 아이디어와 감정을 표현하고 전달함으로써 예술과 문화가 형성되고 발전할 수 있었습니다. 언어는 우리가 사회적으로 연결되며 서로를 이해하는 데 필수적인 도구입니다. 이것이 우리가 서로 소통하고 문화적으로 교류하는 기반이 되었습니다. 이로 인해 미를 추구하는 것은 인간의 본성 중 하나로 여겨져 왔습니다. 진, 선, 미의 추구는 예술을 통해 표현되고, 이는 역사적으로도 인류의 발전과 함께해왔습니다. 각-시대마다 예술은 그 시대의 특색과 가치를 반영하여 발전해왔죠. 문화는 정치나 경제와 매우 밀접하게 연결되어 있습니다. 어떤 나라의 문화 발전 수준은 그 나라의 제반 발전을 보여주는 척도 중 하나입니다. 문화는 그 나라의 정체성과 가치를 보여주며, 예술은 문화의 핵심 부분 중 하나입니다. 예술을 통해 우리는 우리의 정체성과 가치를 표현하고 공유할 수 있습니다. 우리나라가 예술을 중시하고 문화를 자부하는 것은 우리의 정체성과 자부심을 표현하는 것이기도 합니다. 문화적인 유산을 보존하고 존중함으로써 우리는 우리 자신의 가치와 정체성을 인정받을 수 있고, 그것이 미래 세대에게 전달될 수 있도록 할 수 있죠.

　예술은 우리가 삶을 표현하고 이해하는 데 중요한 역할을 합니다. 현대 사회에서 물질문화가 급속하게 성장하고 있지만, 이로 인해 우리 삶이 단조롭고 감정이 소외되거나 무미건조해질 수 있는 부작용이 생기기도 합니다. 예술은 이런 문제를 해결하고 우리의 삶을 더 풍요롭게 만들어 줄 수 있는 도구입니다. 예술은 우리의 감성과 상상력을 자극하며, 우리가 단순히 물질적인 것뿐만이 아니라 정서적, 정신적으로도 풍부한 존재로 성장할 수 있도록 돕습니다. 또한, 예술은 우리의 창의성을 키우고, 자유롭게 사고하고 표현할 수 있는 환경을 제공합니다. 물질만능주의 시대에 있어서도 예술은 우리가 자신의 내면을 탐구하고 표현할 수 있는 도구로서 중요성을 더욱 강조 받고 있습니다. 예술은 우리를 더욱 성숙하고 인간적인 존재로 만들어 주며, 우리가 물질적인 것 이상의 가치와 의미를 찾을 수 있도록 돕습니다. 이러한 이유로 예술은 현대 사회에서 더욱 중요하게 여겨지고 있습니다.

　예술은 다양한 정의와 해석이 있을 수 있는 개념입니다. 이는 예술이 단순히 한 가지로 정의되기 어렵기 때문입니다. 예술은 다양한 형태와 표현 방식을 가지고 있으며, 예술가들은 자신의 의도와 감정, 아이디어를 표현하기 위한 독특한 방법을 가지고 있습니다. 미술가는 캔버스 위에 그림을 창조하고, 음악가는 음악을 통해 감정을 전달하며, 무용가는 아름다운 움직임을 통해 예술을 표현합니다. 이처럼 예술은 다양한 형태로 나타날 수 있으며, 예술가의 의도와 창의력, 기술적 능력 등이 결합하여 작품을 만들어내게 됩니다. 예술은 문화적, 감성적, 정신적인 측면에서 다양한 경험을 주고, 사람들에게 영감을 주며 생각을 유도합니다. 예술의 정의를 명확하게 정의하기는 어렵지만, 그 다양성과 풍부한 영향력으로 인해 인류 역사와 삶의 일부로 인정받고 있습니다.

예술에 대한 정의는 매우 복잡하고 다양한데, 그 이유는 예술의 본질적 특성 때문입니다. 예술은 감정, 생각, 관찰을 표현하는 것이지만, 더 나아가서는 새로운 것을 창조하는 창의성과 독창성을 갖추고 있습니다. 이러한 이유로 예술을 짧게 정의하기는 어렵습니다. 또한, 기존의 규칙이나 질서에서 벗어나 새로운 것을 창출하는 것입니다. 예술은 예상치 못한 것을 만들어내거나 전통적인 경계를 넘어서는 경향이 있어서, 그 정의를 단순하게 명시하기 어렵습니다. 실제로, 예술이라는 개념은 계속해서 변화하고 진화하며 새로운 형태로 나타나기도 합니다. 따라서 예술을 이해하려면 오로지 논리적이고 정확한 정의를 찾기보다는 예술이 어떻게 나타날 수 있는지, 예술과 관련된 조건과 가능성들을 생각하는 것이 중요합니다. 예술은 창조성의 표현이며 소통의 수단이며, 아름다움과 사랑의 표현이기도 합니다. 예술은 단순히 즐거움의 수단으로만 볼 수 있는 것이 아니라, 인간의 삶과 조건, 가치와 연관되어 있습니다. 이러한 맥락에서 예술을 이해하고 존중하는 것이 중요하다고 생각합니다.

30년 전 큰 인기를 얻었던 KBS2에서 방영한 드라마 "왕릉일가"에서 조연으로 출연한 최주봉(쿠웨이트 박)이 유행시킨 춤 추자는 말 대신 "예술 한 번 합시다", 2004년에 상영한 춤바람을 예술로 승화시킨 영화 바람의 전설에서 배우 이성재가 대사 중에 "예술-하는 사람입니다."

「인생은 짧고 예술은 길다.」

춤의 정의

춤은 매우 다양한 형태와 의미를 지닌 예술입니다. 정확한 정의를 찾기 어려운 것은, 춤이 단순한 운동 이상으로 사람들의 감정, 문화적 정체성, 예술적 표현, 그리고 심지어는 개인적 경험까지도 투영되기 때문입니다. 일반적으로 춤은 음악이나 리듬에 맞춰 몸을 움직여 표현하는 것으로 설명될 수 있지만, 이것만으로 춤의 다양성과 심도를 설명하기에는 부족합니다. 각 문화와 지역은 독특한 춤의 형태와 의미를 가지고 있습니다. 춤은 종종 그 문화나 사회의 가치, 역사, 신념을 반영합니다. 어떤 춤은 특정한 의례나 전통에 연관돼 있고, 때로는 사회적 연결성을 형성하거나, 축제와 이벤트의 일부로 존재합니다. 춤은 예술의 한 형태로서 감정과 생각을 전달하고 표현하는 방법일 수도 있습니다. 또한, 단순히 즐거움과 휴식을 위한 활동으로서 존재하기도 합니다.

춤은 감정과 연결된 복합적인 예술입니다. 춤을 통해 사람들은 자신의 감정을 자유롭게 표현하고, 그것을 다른 이들과 공유하며, 때로는 자신의 내면 세계를 탐구하거나 타인과 소통하는 방법을 찾습니다. 심지어 춤은 우리 감정을 치유하고, 정서적인 삶을 조화롭게 만들어주는 역할도 할 수 있습니다. 춤에 대한 정확한 정의를 내리기 어렵지만, 그 다양성과 복잡성으로 우리에게 다양한 경험과 이해를 선사하는 것은 분명합니다. 춤은 인류의 역사와 문화를 빛내고, 우리의 삶과 연결되어 오늘날까지 이어져 왔습니다. 이러한 다양성은 춤을 특별하게 만들어 주고, 우리가 서로의 문화와 감정을 이해하고 공유할 수 있는 특별한 수단이 되고 있습니다.

춤은 우리 문명의 시작과 함께했던 예술 중 하나입니다. 역사 이전의 초기 인류 문명에서부터 춤이 존재했으며, 문화와 함께 변화하고 발전해왔습니다. 춤은 고대부터 현대에 이르기까지 우리의 삶과 연결되어 왔으며, 역사의 여러 단계를 거치며 다양한 형태와 의미를 갖추고 변화해왔습니다. 인류의 여정과 함께 춤은 대륙을 넘나들며 퍼져나갔고, 각 지역과 문화에서 그 특색을 발전시켜왔습니다. 지역마다 고유한 춤의 형태와 스타일이 생겨나며, 각 문화의 가치관과 전통을 반영했습니다. 춤은 음악과 함께 연결되어 있어, 인간의 감정과 신체의 움직임을 통해 표현되는 예술의 한 형태입니다. 그리고 이는 우리의 역사와 문화에서 중요한 역할을 해왔죠. 역사 이전부터 현재까지 춤은 우리의 삶과 함께하여 우리 문명의 기초를 이루었고, 현대 문화에서도 여전히 그 중요성을 유지하고 있습니다.

춤은 예술의 한 형태로, 우리의 사고와 감정을 신체적 움직임을 통해 아름답게 표현하는 창작 예술입니다. 다른 예술 분야와 마찬가지로, 춤은 인간의 미적 욕구를 충족시키고 자기 표현을 할 수 있는 창조적 사고와 심미적 욕구를 충족시켜주며 단순히 신체의 움직임을 넘어서 마음의 상상력과 감정을 표현하는 종합적인 예술입니다. 음악, 미술과 같은 다른 예술 분야와는 끊임없는 교류가 필요하며, 이들과 상호작용하면서 다양한 예술이 풍요로워지며 미적 가치와 상징적 의미를 지니며 사회적 상호작용과 운동의 형태로 사용됩니다. 춤은 영적, 문화적, 의식적인 목적으로 이루어지기도 하며, 축하, 교육, 직업, 치료, 오락, 스포츠의 한 부분으로 자리 잡고 있습니다. 그 다양성과 형태는 거리, 예술, 광고, 영화, 콘서트, 방송, 스포츠 등 다양한 곳에서 찾아볼 수 있습니다.

춤은 때로는 치료의 일환으로 사용되기도 합니다. 음악과 조화된 리듬과 움직임을 통해 감정을 표현하고 운동 자체에서 큰 즐거움을 느낄 수 있습니다. 또한, 언어를 사용하지 않는 비언어적 의사소통의 한 형태로도 인식될 수 있습니다. 이처럼 춤은 우리의 삶과 예술, 문화, 건강에 큰 영향을 미치며, 다양한 목적과 형태로 다-방면에서 필요한 사회적 요소 중 하나입니다. 이는 우리의 감정, 사고, 몸과의 연결을 돕고, 우리의 경험을 풍부하게 만들어 줍니다.

춤은 단순한 운동 이상으로, 감정의 표현과 감정의 강력한 충동, 또는 우리의 삶과 문화를 표현하는 수단으로 작용할 수 있습니다. 옛날에는 춤이 가뭄 해소, 수확 증진, 식량 확보, 싸움 전 용기를 내기 등 다양한 목적으로 이뤄졌던 것으로 알려져 있습니다. 이제 현대에 이르러서도 춤은 우리의 감정을 표현하고, 정서를 정화하며 창조적 삶을 영위하는 데 도움을 줍니다. 특히 지금은 빠르게 변화하는 물질문화 속에서 춤이 가지는 중요성에 대한 인식이 높아지고 있습니다. 기계 문명으로 인해 우리 삶이 무미건조하고 단조로워졌다고 느낄 때, 춤은 우리에게 새로운 의미와 연결을 제공해줄 수 있습니다. 춤은 우리의 감정을 해방시키고, 우리 자신과 다른 사람들과의 연결을 강화시켜줄 뿐만 아니라, 창의적인 표현을 통해 우리의 내면-세계를 탐구하고 표현할 수 있는 방법을 제공해줍니다. 이러한 면에서 춤은 우리의 삶을 풍요롭게 만들고, 우리의 감정을 표현하며, 우리의 연결과 소통을 도와주는 소중한 예술 중 하나입니다. 춤은 우리의 감정, 경험, 그리고 문화적 맥락을 표현하는 예술의 한 형태로, 우리의 감정과 경험을 전달하고 소통하는 데에 사용됩니다. 종종 특정한 문화나 환경을 나타내는 데 사용되며, 때로는 우리의 감정, 사회적 상황, 심지어 우리의 개성과 자아를 나타내는 데에도 활용됩니다. 일부 춤은 전통적이거나 역사적인 의미를 지니며 특정 문화나 환경과 연관되기도 합니다. 또한, 창의적으로 안무를 통해 만들어지는 춤도 있습니다. 이러한 모든 춤들은 우리의 삶과 경험을 다양한 방식으로 표현하는 예술의 한 형태입니다. 또한, 언어를 넘어서 우리의 내면 세계를 드러내며, 우리가 표현하고자 하는 감정과 이야기를 전달하는 동시에, 특정 문화나 시대정신을 반영하는 중요한 매체가 됩니다. 각각의 춤은 그 특성과 의미를 가지고 있으며, 우리의 다양한 경험과 삶의 다양성을 풍부하게 나타내는 예술의 한 부분입니다.

현대 사회에서 춤이 갖는 중요성과 역할은 상당히 큽니다. 물질만능주의와 같은 현대 사회에서 춤은 감정의 표현과 개인적인 정체성의 발견에 중요한 도구로 작용합니다. 춤은 우리의 내면세계를 드러내고, 우리의 감정과 생각을 표현하는 유용한 수단으로 작용합니다. 감정을 표현하고자 할 때 춤은 언어로 표현하기 어려운 복잡한 감정이나 생각을 표현하는 데 도움을 줄 수 있습니다. 또한, 춤은 우리의 심리적인 상태나 정서를 해방시키고 개인적인 창의성을 자유롭게 표현하는데에도 도움이 됩니다. 뿐만 아니라, 사회적 소통의 수단으로서도 작용합니다. 사회적인 모임이나 이벤트에서 춤은 사람들 간의 유대감을 형성하고, 다양성과 문화를 나타내며, 사회적 상호작용을 촉진합니다. 춤은 운동의 형태로서 건강한 삶을 즐기고 유지하는 데에도 기여할 수 있습니다.

춤은 사회적으로 다양한 목적을 갖고 있으며, 구애나 사회적 상호작용을 포함한 여러 사회적 관습들과 관련이 있습니다. 구애 댄스는 자신의 매력과 힘을 드러내며 성별 간의 사회적으로 승인된 신체적 접촉의 기회를 제공합니다. 왈츠와 같은 구애춤은 댄서들 간의 밀접한 접촉으로 인해 음란하다고 여겨져 금지되었던 적도 있었습니다. 특히 과거에는 이러한 춤이 사회적 허용 수준을 넘어선다고 여겨져 문화적인 규제를 받았던 측면이 있었습니다. 전통 무용이나 구애춤에서는 종종 다산과 관련된 주제나 성적인 행위의 움직임이 묘사되는 경우가 있었으며, 또한, 구애춤은 인간뿐만 아니라 동물 사이에서도 관찰됩니다. 동물들은 파트너 선택이나 번식을 위해 특정한 춤이나 움직임을 통해 서로를 유혹하거나 구애합니다. 이러한 행동은 종종 동물의 사회적 행동과 번식 전략의 일환으로 나타납니다. 춤은 사회적 관습과 문화의 일부로써 다양한 형태로 나타나며, 각 문화나 시대마다 다양한 의미와 제약이 존재하는 복잡한 현상입니다.

춤은 사회, 문화, 예술, 미학, 도덕적 제약 등 다양한 영역에 영향을 받으며 다양한 형태를 가지고 있습니다. 발레와 같은 고난도 기술을 요하는 춤부터 남녀노소 누구나 쉽게 배울 수 있는 춤까지 다양한 스타일이 존재합니다. 인류가 생겨나고 나서 춤은 우리의 일상생활, 관습, 종교적 의식의 일부가 되면서 인간 사회에 큰 영향을 미치고 있습니다. 특히 유럽 르네상스 이후 음악과 춤은 다양성을 띠며 발전해왔습니다. 여행과 이민으로 인해 춤은 다양한 문화와 혼합되면서 새로운 춤의 형태가 생겨나고, 오늘날에도 많은 새로운 춤이 창조되고 있습니다. 음악과 춤은 서로 영향을 주고받으며 점차 복잡성을 더해가고 있습니다. 또한, 춤은 사교적인 목적과 함께 공연의 형태로서도 이용됩니다. 공연 춤은 관객들에게 감동을 주거나 특정 이야기를 전달하기도 합니다. 춤은 단순한 몸의 움직임을 넘어서서 예술적 표현의 수단으로서도 인정받고 있습니다. 춤은 문화적, 역사적, 사회적인 맥락 안에서 다양한 형태와 의미를 지니고 있으며, 계속해서 변화하고 발전해가고 있습니다. 사회와 문화의 다양성, 창의성, 그리고 예술적인 표현의 수단으로써 춤은 계속해서 새로운 모습을 보여주고 있습니다.

춤은 사회학에서 문화적 활동의 한 부분으로 간주되며 우리가 속한 문화적, 사회적 맥락에서 움직임을 통해 감정을 표현하고 소통하는 중요한 수단입니다. 이를 통해 우리는 기쁨이나 슬픔과 같은 다양한 감정을 전달하고 공유할 수 있습니다. 또한, 춤은 종종 특정 문화나 시대의 특징을 반영하며, 그 시대의 사회적, 문화적인 요소들을 보여줍니다. 춤은 각기 다른 스타일과 형태로 나누어지며, 이들 각각은 고유한 움직임, 음악, 문화적 배경을 가지고 있습니다. 이러한 다양성은 문화적 다양성과 창의성을 반영하며, 새로운 춤 스타일이 지속적으로 발전하고 형성되고 있습니다. 이것은 문화적, 사회적 변화와 함께 춤의 의미와 형태가 다양화되고 발전해 나가고 있다는 것을 보여줍니다. 춤은 특정 지역마다 그 지역의 역사, 전통, 미학, 그리고 사회적 특성을 반영하는 경우가 많습니다. 이러한 춤은 종종 지역 사회의 연대감을 형성하고 전승되며, 그 문화를 보존하고 발전시키는 역할을 합니다. 또한, 글로벌화와 문화 교류가 증가함에 따라, 다양한 문화가 서로 영향을 주고받으며 새로운 춤 스타일과 형태를 창출하고 있습니다. 이것은 다양성과 창의성을 통해 춤이 지속적으로 발전하고 확장되는 모습을 보여줍니다.

춤은 우리 몸과 마음에 많은 이점을 제공하는데요. 춤은 우리 몸을 활발하게 움직이게 하면서 산소를 공급받아 몸 전체를 활성화시키는데 큰 역할을 합니다. 특히 복부, 엉덩이, 등 근육을 강화하고 신체의 균형을 개선하는 데 도움이 되죠. 이로 인해 몸이 유연해지고 민첩성이 향상되는 것은 물론, 심혈관 질환 예방과 함께 "행복 호르몬"인 세로토닌과 엔돌핀을 분비하여 기분을 개선시키고 스트레스를 완화시키는 데도 도움이 됩니다. 음악을 통해 춤을 추면, 마음을 진정시키면서 부정적인 감정을 줄여주고 체력을 향상시키는데 도움을 줍니다. 춤은 정서적이고 육체적인 발달에 긍정적인 영향을 미치는 좋은 방법 중 하나입니다. 댄스 요법이나 음악 요법은 심리적, 정서적인 힐링에서도 춤이 큰 역할을 합니다. 이는 재활의 한 형태로 사용되며, 몸과 마음의 조화를 이루는 데 도움을 주고, 자신과 감정을 더 잘 이해하게 해줍니다. 춤을 통해 내부적인 균형을 찾아가며 근육을 형성하고 체력을 향상 시키는 데 도움이 됩니다. 뿐만 아니라 춤은 불필요한 지방을 태우는 데도 효과적한데, 1시간 동안 춤을 춘다면 200~400 칼로리를 소모할 수 있습니다.

스포츠나 예술, 혹은 다른 활동들과는 별개로 춤은 그 자체로 즐거움을 주는 것이 가장 중요합니다. 이를 통해 자유롭게 감정을 표현하고 즐거움을 느낄 수 있습니다. 춤은 우리가 서로 소통하고 연결되 며 삶의 다양한 측면을 경험할 수 있는 방법 중 하나입니다.

춤의 기원

알타미라(Altamira) 동굴 벽화는 인류의 예술과 문화의 놀라운 증거 중 하나입니다. 이 동굴 벽화 는 석기시대에 그려졌으며, 9000년에서 10000년 전의 시기로 거슬러 올라가며 우리에게 그 당시의 삶과 문화에 대한 소중한 정보를 제공합니다. 이러한 벽화들은 당시 사회와 종교에 대한 중요한 흔적 을 남겼습니다. 특히 춤에 대한 증거가 발견되었는데, 이는 초기 종교적인 의미와 함께 전설, 신화, 천문학적 사건 등을 묘사하는 데 사용되었습니다. 이러한 춤의 장면들은 당시 종교의식, 사냥, 출산, 무덤 등 다양한 측면을 다루면서, 당시 사회에서 춤이 얼마나 중요한 의미를 지녔는지를 보여줍니다. 알타미라 동굴 벽화는 당시의 예술과 문화 발전을 이해하는 데 매우 중요한 자료입니다. 이러한 벽화 들은 당시 사람들이 어떻게 살았는지, 그들의 정서적, 종교적 측면을 이해하는 데 큰 도움을 주었습 니다. 또한, 춤은 당시 사회에서 중요한 의미를 갖고 있었으며 종교적 의식과 사회적 의미를 함께 담 고 있었던 것으로 보입니다.

춤은 우리의 역사와 함께 존재해왔고, 인류의 다양한 문화와 사회에서 중요한 부분을 차지했으며 우리가 살아가는 과정에서 영적인 의미나 의식, 소통의 수단으로 사용되었으며, 종교적인 모임이나 고대의식, 사회적 사건들과도 연결되어왔습니다. 또한, 우리의 정서적인 표현이자 문화적인 기록으로, 예술적인 면모를 함께 지닌 중요한 요소입니다. 음악과 함께 춤은 우리의 본성에 깊게 뿌리내려 있으 며, 우리의 감정, 생각, 신념을 표현하는 강력한 수단 중 하나로 작용했습니다. 예로 들면, 춤은 특별 한 의식이나 행사에서 사용-되어 왔는데 이를 통해 고대 문화나 전통을 유지하는데 기여를 했습니다. 춤은 인간 사회의 형성과 함께 발전해 왔고 문명의 시작과 함께 춤은 사회적인 모임의 중요한 부분이 되었습니다. 이를 통해 인간들은 서로 소통하고 연결되는 방법을 찾았고 이러한 다양한 모습의 춤은 우리의 역사와 문화를 이해하는 데 중요한 단서가 되었으며, 오늘날에도 예술과 문화의 풍요로운 영 역 중 하나로 남아 있습니다.

플라톤은 모든 예술은 모든 종류의 형태와 표현을 포함하는 하나의 천상의 생각을 반영한다고 말 했듯 대부분 고대 종교는 춤과 밀접한 관련이 있으며 춤의 시작인 신의 기원에 대한 신화가 남아 있 습니다. 고대 인도의 위대한 시바, 이집트의 오시리스, 아폴로는 창조와 평화의 원칙을 상징합니다.

춤이 널리 퍼진 시기는 BC 3000년 전으로 거슬러 올라갈 수 있으며 BC 3000년 전 이집트인들은 종교적 의식의 필수적인 부분은 간결하고 간단하지만, 시간이 지남에 따라 점점 역동적인 춤을 사용하기 시작했습니다. 장례식에서 여성들은 애도자의 슬픔을 표현하기 위해 춤을 추었습니다. 또한, 신 앞에서 춤을 추는 것은 종교의식에 있어서 중요한 요소로 신들에 관한 이야기와 움직이는 별과 태양의 우주적 패턴을 표현 즉 묘사하기 위해 악기와 댄서들을 이용했습니다. 합창단은 원래 신을 기리기 위해 원을 그리며 공연된 춤이며, 그리스인들은 춤이 신들의 선물이라고 믿었고, 스파르타 전사들은 전투 전에 춤을 추었습니다. 군사적 춤은 몸을 발달시키고 전사의 정신을 자극하며 화합과 합의를 끌어냈습니다. 로마에서는 성직자들이 의식적인 의식을 행하며 춤을 추었으며 비극 속에서 춤은 신에게 영웅들의 감정을 전달했습니다.

로마의 춤 문화가 변화한 과정 중 하나는 기원전 150년경에 발생했으며 그 시기에 로마의 귀족들은 춤을 위험한 활동으로 여겼고, 이로 인해 로마의 무용학교들이 문을 닫게 되었으며 이러한 환경 속에서 춤 문화는 많은 어려움을 받아 예술적 표현의 폭이 좁아지게 되었습니다. 그러나 이후 아우구스투스 황제의 시대에는 춤의 형식 중 하나인 팬터마임(pantomime)이 등장했고 이 춤은 대사 없이 몸짓 표현만으로 사상과 감정을 표현하는 춤의 형태였습니다. 말이 없어도 몸짓과 표정을 통해 이야기를 전달하며, 상황이나 감정을 표현하는 것에 중점을 두었습니다. 팬터마임은 로마 예술의 한 영역으로 자리매김하며, 예술적인 표현의 방식으로 큰 주목을 받아 대중들에게 즐거움과 감동을 전달하면서도, 대사 없이도 감정과 이야기를 효과적으로 전달하는 능력으로 유명해졌습니다.

팬터마임은 몸짓과 표정을 통해 다양한 이야기를 표현하고, 로마 예술의 새로운 방향을 제시했으며, 이러한 춤은 말이 없어도 예술적 표현을 가능케 했습니다. 아우구스투스 황제 시대의 문화적 변화와 함께 예술의 다양성을 확장시키는 중요한 역할을 하게 되었습니다.

힌두 신화에서 춤은 브라흐마(Brahma) 신에 의해 고안되었다고 믿어져 왔으며 고대 인도에서 춤은 예배, 오락, 또는 여가를 위한 기능적인 활동으로 여겨졌습니다. 이들 춤은 종교적 의식의 중요한 부분을 이루었고, 무용수들은 종종 절에서, 축제나 계절적인 수확 때에 공연을 했습니다. 춤은 신을 숭배하는 형태로서 정기적으로 행해졌는데, 종교 의식과 결합되어 신성한 의미를 지니고 있었으며 종교적인 의미와 예배의 일환으로서 신과의 소통, 숭배를 위한 표현으로 쓰였습니다. 힌두교의 경우 춤은 신성한 의미를 담고 있는데, 예를 들어 마하 쉬키 라트리(Mahashivaratri) 축제에서는 신 쉽바(Siva)를 기리기 위한 춤과 음악이 행해졌습니다.

춤은 기독교와 유대교에서 중요한 의미를 지니고 있습니다. 특히 유대교의 예배 의식에서 춤과 음악은 중요한 역할을 했으며 성서 속에서 춤과 음악은 기쁨과 찬양의 표현으로 나타나며, 유대교의 축제나 의식에서 춤은 기쁨과 경배의 중요한 수단으로 자리 잡았으며 다양한 종교적 문맥에서 인간과 신과의 소통, 숭배, 예배의 수단으로 사용되어 왔습니다. 종교적 의식과 결합 되어 춤과 음악은 사람들의 영적인 경험과 조화를 이루어 왔고 이것은 종교적 활동 중 춤과 음악이 예배와 신과의 관계 형성을 돕고, 종교의식과 조화를 이루며, 인도와 세계의 다양한 종교 문화에서 춤의 중요성과 역할을 강조했습니다.

중세 시대의 기독교 지도자 중에서 성 어거스틴(Aurelius Augustinus)은 그 당시의 문화와 이에 따른 도덕적, 종교적인 요소들을 고려해 춤을 거부하는 입장을 취했지만 다른 기독교 지도자들은 종교적 의식과 행위들을 통합하면서 다른 문화들의 요소들을 수용하는 노력을 기울였는데 특히 켈트족, 앵글로색슨족, 갈리아 등 다양한 문화들의 춤이나 음악을 기독교의 의식 일부로 흡수하려는 시도가 있었습니다. 이러한 시도는 춤이나 음악을 새로운 이름과 새로운 목적 아래서 종교의식의 일환으로 편입시키는 것을 목표로 했습니다. 그러나 당시 일부 기독교 신자들은 종교 행사나 의식에서 춤의 사용을 금지하는 입장을 취했습니다. 이는 종교의식의 순수성을 유지하거나, 춤과 음악이 도덕적인 문제를 야기한다는 관점에서 비롯된 것으로 보입니다. 하지만 대다수의 기독교 신자들은 춤과 음악을 긍정적으로 받아들였고, 오늘날에도 기독교 의식이나 행사에서 다양한 음악 장르와 춤이 사용되고 있습니다. 이러한 춤과 음악은 종교의식뿐만 아니라 일상생활에서도 큰 영향을 끼치며, 다양한 형태로 발전하고 있습니다.

1000년 전 고대 그림들이 말해 주듯 춤에 대한 그리스 사람들의 의식은 그리스 문화에 깊게 뿌리박혀 있었습니다. 대표적인 예로는 올림픽아 경기 시작 전 공연에는 언제나 춤이 있었으며 수 세기 동안 수많은 종교가 종교의식의 핵심에 춤을 주입했는데, 이것은 오늘날까지 이어져 내려오고 있습니다. 물론, 고대의 모든 춤이 종교적, 정치적 목적으로 의도된 것은 아니었지만 일반적으로 사람들은 오락, 축하, 유혹, 그리고 열광적인 흥분의 분위기를 유도하기 위해서 춤을 사용했습니다. 지금의 각 나라의 축제나 고대의 와인축제 바쿠스 축제(디오니소스 축제)처럼 며칠 동안 춤과 음주를 포함했습니다. 이집트의 고대 그림은 군중을 위해 남성이 춤을 추고, 반나체인 소녀들이 춤을 추는 모습을 보여주고 있습니다. 이런 오락적인 춤은 르네상스 전까지 계속되었지만 춤에 대해 기록되지 않았고 부분적으로만 오늘까지 남아 있습니다,

13세기 이후 유럽에서 춤과 음악은 활발한 발전을 이루었습니다. 이 시기에 경제적인 번영과 무역의 증가로 상인들과 귀족층의 발전이 이루어졌고, 이들 사회층에서 음악과 춤에 대한 관심이 높아졌습니다. 엘리자베스 1세 여왕은 춤을 매일 연습할 정도로 열정적으로 다루었으며, 그녀의 열렬한 관심으로 인해 댄스 문화가 크게 발전했습니다. 특히 1533년에서 1603년 사이의 엘리자베스 1세 여왕 시대에는 음악과 춤이 혁신적으로 발전했습니다. 여왕의 관심과 영향으로 무용과 음악은 극적으로 진보하였고, 궁내에서는 다양한 무용단과 작곡가들이 활동하며 댄스와 음악의 기술적인 발전이

이루어졌습니다. 이 시기의 댄스는 화려하고 다채로운 스타일로 발전하여 유럽의 예술과 문화에 새로운 차원을 부여하였으며 엘리자베스 1세 여왕의 시대는 무용과 음악 분야에서의 혁신과 발전에 큰 영향을 끼쳤습니다.

르네상스 시대는 음악과 춤의 새로운 형태와 스타일의 발전을 이끌었지만, 바로크 시대의 춤이 프랑스와 영국에서 큰 인기를 끌며 주목을 받게 되었습니다. 그러나 프랑스 혁명 후, 간편한 여성복을 강조하는 새로운 춤들이 등장하게 되었습니다. 이 시기에 폴카와 왈츠와 같은 춤이 등장하여 1844년에 폴카 열풍이 일고 세계적으로 유명한 왈츠가 등장하게 되었습니다. 그러나 동시에 유럽의 정치적 세력이 아프리카, 아시아 및 폴리네시아를 식민지로 만들면서, 이 지역의 춤과 드럼을 거칠고 성적으로 여겨 박해를 받기도 했습니다. 다른 문화에서 춤에 대한 오해와 금지는 1차 세계 대전이 끝날 때 변화하였으며 특히 아프리카와 카리브해의 민속춤은 유럽과 미국에서 새로운 춤 형태를 탄생시키는 데 기여하게 되었습니다. 이러한 춤은 문화적 경험과 표현의 다양성을 증가시키며, 다양한 춤 형태가 세계적으로 퍼지는 계기가 되었습니다.

제1차 세계 대전 이후, 러시아에서는 발레가 큰 부흥을 이루었습니다. 가장 화려한 안무가, 작곡가, 시각 예술가와 디자이너들이 발레를 이끌었으며 이 시기에 현대 무용의 첫 징후가 나타났습니다. 이러한 변화 속에서 발레의 양식화된 움직임과 여성의 진보적인 해방에 대한 반응으로, 새로운 춤 형식이 등장하여 자유로운 표현을 가능하게 했습니다.

아프리카와 캐리비안의 음악적 영향으로는 룸바, 삼바, 탱고 등의 댄스가 퍼지는 데 영향을 주었습니다. 할렘의 부활은 Lindy Hop과 같은 춤의 등장을 이끌었고, 1950년대부터는 로큰롤, 트위스트, 그리고 프리 스타일과 같은 다양한 춤이 나타나기 시작했습니다. 1960년대에는 디스코가 출현하여 세계적으로 유행하게 되었습니다. 이러한 다양한 춤 형태와 스타일은 음악과 함께 새로운 문화적 흐름과 함께 발전하며, 인류 속에 스며든 춤의 역사와 다양성을 더욱 풍부하게 만들었습니다.

프리 스타일과 같은 춤이 출현하는 동시에 무도장 춤이 등장했으며 폭스트롯[fox trot], 원 스텝[one step], 탱고[Tango], 찰스톤[Charleston], Swing[스윙], 포스트모던[post modern], 힙합[hip-hop], 브레이크댄스[break dance] 등 많은 현대춤이 탄생하였고 이러한 춤들은 세계적으로 인기를 끌었습니다.

"댄스는 처음부터 인류 역사의 일부다."

음악의 기원

음악과 춤은 우리 종의 역사와 발전에서 핵심적인 부분을 차지한다. 그러나 우리가 왜 음악적 능력을 획득했는지, 이것이 우리 종의 진화에 어떤 역할을 하는지에 대한 정확한 이유에 대해서는 명확한 해답이 아직까지는 없다. 인간이 음악적 능력을 발전시킨 이유는 여러 가설과 이론이 있지만, 결정적인 답은 아직 발견되지 않았다. 기독교 성경이나 다른 종교적 유물에서 음악의 기원이 언급되기도 하지만, 이것이 정확한 과학적 설명으로서 받아들여지지는 않는다. 고고학적 발견들 역시 고대 유물이나 벽화 등을 통해 고대 음악의 형태나 존재에 대한 정보를 제공하지만, 우리가 음악을 왜 만들고 이해하는지에 대한 근본적인 원인에 대해서는 설명해 주지 않는다.

일부 과학자들은 음악이 인간의 사회적 상호작용과 감정 표현, 문화적 결속력을 증진시키는 데 중요한 역할을 한다고 주장했다. 음악은 고대 시대부터 인류의 사회적 모임과 소통에 사용되어왔으며, 감정을 표현하고 공동체의 유대를 강화하는 도구로 기능했다. 음악은 인간의 뇌 활동과 심리적인 면에 영향을 미치며, 우리의 감정과 인식에 큰 영향을 준다는 연구 결과도 있으며 다른 연구들은 음악이 진화적 관점에서 중요한 역할을 한다고 주장한다. 인간이 음악적 감각을 가진 이유는, 우리 종이 사회적으로 발전하고 진화하는 과정에서 음악이 인간의 신체와 뇌에 영향을 미치며 생존과 번성에 도움을 준 것으로 설명된다. 음악은 진화적 관점에서 선택적 이점을 가졌을 가능성이 있으며, 사회적 상호작용, 인간 감정의 표현, 그리고 문화적 결속력을 높여 인간 집단의 형성과 유지에 도움이 되었을 것으로 추측된다.

음악의 기원과 인간이 음악적 능력을 획득한 정확한 원인에 대한 근본적인 답을 찾는 것은 여전히 어려운 과제이다. 기독교적 관점에서는 성경이 음악의 기원과 역할에 대한 해답을 제공할 수 있을 것으로 생각된다. 예를 들어, 성경에서는 다양한 음악적 표현과 예배, 기도를 통해 음악이 종교적인 의미와 연결되어 있다고 보고됐지만, 이것이 과학적인 입장에서 완전한 해답이라고 받아들여지는 것은 아니다. 고고학적인 발견들은 고대 유물, 벽화, 그림, 기록 등을 통해 고대 음악의 형태나 존재에 대한 정보를 제공할 수 있다. 이러한 발견들은 고대 문화에서 음악이 어떻게 사용되었는지 어떤 종류의 악기가 사용되었는지 등에 대한 힌트를 줄 수 있지만, 음악이 우리 종의 진화와 어떻게 연관되었는지에 대한 근본적인 이해에는 한계가 있다. 사실, 음악의 기원과 왜 인간이 음악적 능력을 획득했는지에 대한 정확한 이유는 여전히 이상한 측면이 있다. 인간이 음악적 능력을 얻은 것이 생존에 필수적인 기능이었는지, 사회적 상호작용을 향상시키는데 기여했는지 아니면 다른 진화적 이점이 있었는지에 대해서도 명확한 답을 찾기는 어렵다. 종교적 관점에서는 성경과 같은 문서들이 음악과 종교의 연관성을 설명하는데 도움을 줄 수 있지만, 과학적인 연구와 함께 결합하여 우리 종의 역사와 진화에서 음악과 춤이 어떤 역할을 했는지 더욱 잘 이해할 수 있을 것으로 기대된다. 그러나 음악의 기원과 인간이 음악적 능력을 획득한 구체적인 원인에 대해서는 여전히 많은 의문이 남아 있다.

음악의 기원을 정확히 결정하는 것은 여전히 어려운 문제지만, 학자들과 연구자들은 고대 인류의 삶에서 음악이 발전했을 가능성을 제기하고 있다. 고대 인류가 생겨나고 자연스럽게 음악이 발전했을 가능성에 대한 가설은 매력적이며, 고대 유적물에서 발견되는 증거들을 통해 어느 정도 추론될 수 있다. 고대 벽화나 유물에서 음악과 예술의 형태를 보여주는 것들이 발견되었고, 이는 고대 문화에서 이미 음악이 중요한 부분이었음을 시사한다. 진화론자들은 음악이 감정을 조절하고, 메시지를 전달하는 도구로 사용되었으며, 그룹 간의 유대감을 형성하고 지원하는 데 도움을 주었다고 믿는다. 사람들이 함께 춤을 추거나 음악을 만들면서 그룹의 일원으로서의 동일성을 강조했을 것으로 생각된다. 이러한 문화적 요소는 사회적 상호작용과 소통을 강화하고, 집단의 생존과 발전에 이바지했을 것으로 추정된다. 음악은 언어 이전의 소통 도구로 기능했을 가능성도 있으며 감정이나 메시지를 전달하고 공유하기 위한 방법으로 음악이 사용되었을 것으로 생각된다. 또한, 음악이 인간의 정서와 표현을 돕는 중요한 수단이었을 것으로 여겨진다. 전체적으로, 고대 인류의 삶에서 음악이 중요한 역할을 했을 가능성은 높으나 정확한 음악의 기원과 과정은 여전히 연구가 진행 중이며, 증거와 가설들을 토대로 많은 이론들이 제시되고 있다.

원시시대에는 파종과 추수, 재난과 영광 그리고 제천의식에서도 모두 음악으로 그 표현의 수단으로 삼았었다. 이러한 점은 오늘날에도 그대로 전승되어 생활에 있어서 음악이 떠난 적은 잠시도 없다. 피비린내 나는 전장에서 적군을 향해 돌진하는 것도 진군의 나팔 소리 때문이요, 타국에서 조국을 그려보는 것도 음악 때문이다. 음악이란 꼭 좋은 악기나 고운 목소리로 부르는 것만은 아닐 것이다. 흐르는 시냇물 소리, 출렁거리는 파도의 선율, 바람 소리, 새들의 울음, 그리고 아스팔트 길의 자동차 물결까지도 하나의 리듬이며 그것이 곧 음악일 수 있는 것이다. 예술의 본질이 아름다움이라고 할 때 이질적인 요소가 서로 대화를 나누어 그 사이에서 이루어지는 조화를 우리는 흔히 사랑이라고 표현하는데, 그게 바로 리듬의 반복이며 음악이라고 생각한다. 낙천적인 음악가인 하이든은 "인생은 심각하게, 그러나 예술은 즐겁게"라고 말했다. 그는 명랑한 유머를 금가루처럼 작품 속에 뿌렸고, 그의 리듬 속에서 우리는 유려3)한 흐름과 함께 친밀감을 느끼는 것이다. 불안정한 인간을 인도할 수 있는 강한 존재가 바로 음악인 것이다. 또한, 문화의 한 부분이 아니라 개인의 느낌과 행동에 영향을 미치는 힘이었다. 의심할 여지 없이 음악은 즐거움과 감정을 표현하는 가장 오래된 방법 중 하나이다. 그것은 전 세계를 아우르며 어떤 지리적 또는 정치적 경계도 모르기 때문에 '국제 언어'라고 불린다.

음악은 우리 생활에 많은 영향을 미치는 강력한 도구 중 하나로 광고, 의료, 종교, 그리고 우리의 일상에서도 음악은 활용되며 강력한 영향을 미친다. 광고 산업에서 음악은 제품이나 서비스를 소비자에게 매력적으로 소개하는 데 핵심적인 역할을 한다. 음악은 감정적 반응을 일으키고, 제품과 연결되는 이미지를 강화하고 사람들의 감정을 자극하여 제품에 대한 긍정적인 인식을 조성하거나, 상품의 특징을 강조하는 데 사용된다. 음악은 광고 메시지를 강화하고 기억에 남도록 도와주는 효과적인 도구이다. 의료 분야에서도 음악은 치료적 효과를 가지고 있는데 음악 치료사들은 환자의 정서적, 정신적, 물리적 회복을 돕기 위해 음악을 사용한다. 음악은 스트레스를 줄이고 긴장을 완화시키며, 질병에 대한 치유 과정을 돕는 데 활용되고, 인지기능을 개선하고 우울증이나 불안감을 완화하는 데에도 도움을 줄 수 있다.

기독교 예배나 종교적인 행사에서 음악은 중요한 역할을 한다. 음악은 신자들에게 영감을 주고 감동적인 경험을 제공하며, 종교적인 경험을 강화하는 데에 사용된다. 예배 음악은 신앙의 깊이를 표현하고 공동체 의식을 형성하는 데에 도움을 주고 또한, 기도와 연결되며, 교회에서의 분위기를 형성하고 공감대를 형성하는 데에 큰 역할을 한다. 이러한 다양한 분야에서 음악은 강력한 영향력을 발휘한다. 감정을 다루고 행동을 변화시키며, 사람들의 연결과 소통을 촉진한다. 음악의 힘은 인간의 삶과 사회적 상호작용에 큰 영향을 미치며, 이는 우리의 일상에 깊숙이 뿌리내린 것이다.

유명한 철인 플라톤은 음악의 양상이 변하면 국가의 모든 양상이 변하게 된다고 했다. 음악의 흐름이 달라지면 정치, 경제, 문화, 사회의 모든 흐름이 변한다.

초기의 음악과 가장 오래된 악기

음악의 역사는 인류의 초기부터 시작됐습니다. 1995년 슬로베니아 동굴에서 발견된 플루트와 같은 고대 악기들은 우리가 생각했던 것보다 훨씬 오래된 것으로 확인되었습니다. 이러한 악기들은 6만에서 3만 3천 년 전 사람들이 사용한 것으로 추정되는데, 이것은 음악이 기록된 역사가 아니더라도 이미 초기 인류의 일상생활에서 중요한 역할을 했다는 것을 시사합니다. 그리고 더 오래된 시기인 43000년 전에 독수리 날개 뼈로 만들어진 악기나 35000년 전 매머드 상아로 만들어진 악기 등의 발견도 있습니다. 이러한 증거들은 음악이 초기 인류의 삶에서 중요한 부분이었음을 나타냅니다.

기원전 3000년부터 음악 이론이 발전하기 시작했습니다. 고대 이집트에서는 노래하는 가수를 묘사한 점토 그림들이 발견되었는데, 이것은 음악이 고대 문명에서 중요하게 여겨졌음을 시사합니다.

초기 음악은 종교의식이나 오락적인 목적으로 사용되었습니다. 오늘날 우리가 음악을 경험하는 방식은 초기 인류와 유사하게 종교적, 오락적인 용도로 사용되었던 것으로 생각됩니다. 음악은 사회적 네트워크를 형성하고 유지하는데 중요한 도구였습니다. 사회적으로 연결되고 상호작용하는데 음악은 중요한 매개체였고, 이것은 오늘날에도 계속되고 있습니다. 이러한 사회적 연결을 통해 인류는 문화를 공유하고 넓히며, 그들의 삶에 대한 통찰을 깊이 있게 이해할 수 있게 되었습니다.

춤과 음악

인류의 역사에 춤과 음악은 끊임없이 어울려왔죠. 9000년 전의 동굴 벽화를 보면, 춤이 자연을 달래거나 의식에 동반되는 요소였던 것처럼 보입니다. 그러나 더 중요한 것은 춤이 사람들 간의 연결과 자아 표현에 큰 역할을 했다는 점입니다. 춤은 우리 감정과 생각을 표현하는 동시에 사회적인 연결을 형성하는데 도움이 되었습니다. 리듬은 춤에서 핵심적인 역할을 하죠. 음악의 기본 요소이자 춤에서 필수적인 측면입니다. 춤은 음악의 박자에 맞추어 움직임으로 표현되며, 이는 우리의 자연스러운 반응입니다. 우리는 춤과 음악을 통해 서로를 이해하고 연결하며, 종종 이들은 함께 사용되어 우리의 경험과 감정을 표현하는데 도움을 줍니다. 또한, 음악과 춤은 서로를 형성하고 영감을 주며 서로 영향을 끼쳤습니다. 음악의 스타일에 따라 춤이 발전했고, 반대로 춤의 형태에 따라 음악도 새로운 방향으로 나아갔죠. 이들은 함께 다양한 문화와 예술을 풍부하게 만들어주는 데 기여했습니다. 춤과 음악은 우리의 삶에 깊은 뿌리를 두고 있으며, 우리의 일상을 더욱 풍요롭게 만들어줍니다.

볼룸댄스(ballroom dance)의 역사

영국에서 사교춤은 특권층의 사교적 행사와 관련이 깊었죠. 이는 그 시대의 사회적 상징이었습니다. 무도회장에서의 춤에 대한 최초의 기록은 16세기 프랑스에서 발견되었으며 ballroom은 라틴어 "ballare"에서 유래되었습니다.

20세기에 들어서면서 영국의 기관들이 사교춤에 대한 체계적인 기술 발전에 큰 영향을 주었습니다. 볼룸댄스는 그러한 사교적 행사를 위한 주요한 형태 중 하나로 여겨졌으며, 레크리에이션(재미를 위한)을 목적으로 하는 모든 춤을 사교춤의 범주에 포함시켰습니다. 사교춤은 사람들이 모여 함께 춤추고 소통하는 장소로, 사회적 상호작용과 문화적 교류를 촉진하는데 기여했습니다.

그 당시의 참치는 부위마다 먹는 신분 계층이 달랐으며 댄스 또한 신분 계층에 따라 사교댄스는 상류층들을 위한 춤이었고, 민속춤은 하층민들만의 춤이었습니다. 사교댄스는 주로 상류층의 파티나 축하 행사에서 즐겨졌는데, 수세기 동안 상류층 사회에서 사회적 위치를 나타내거나 강화하기 위한 수단으로 기능했습니다. 이는 그 시대 사회의 계급 구조와 깊은 관련이 있었습니다. 그러나 계급 간 경계가 희석되면서 유럽 전역의 무도장은 상류층과 하류층 사이의 사회적 구분을 뛰어넘어 민속춤과 세련된 춤이 모두 공연될 수 있는 장소로 변모했습니다. 이는 사회적인 변화와 함께 춤의 의미와 기능이 다양화되고 확장되는 과정이었습니다. 계급 간 상호작용이 증가함에 따라 춤은 단순히 계급을 나타내는 것을 넘어 문화적인 교류와 다양성을 즐길 수 있는 공간으로 변화했습니다.

미뉴에트가 1650년 프랑스에 도착한 것은 사교춤의 역사를 형성하는데 매우 중요한 이정표 중 하나였습니다. 루이 14세가 직접 대중 앞에서 춤을 추고 이것이 프랑스에서 널리 알려지게 되면서, 이러한 춤은 프랑스 전역에서 대중들에게 접근되었고, 18세기 말까지 유럽의 무도장에서 계속해서 사용되었습니다. 미뉴에트 도착 후 수십 년이 지난 뒤, 루이 14세는 사교춤의 연구와 발전을 위해 첫 번째 조직적인 댄스 아카데미를 설립했습니다. 그리고 빅토리아 시대에는 왈츠에 대한 기록을 남긴 춤 중 하나였습니다. 19세기 초에 소개된 왈츠는 1819년 칼 마리아 폰 베버의 교서 덕분에 매우 인기를 얻었습니다. 처음에는 일반 대중과 귀족층 사이에 반발이 있었지만, 이 춤은 결국 모든 사람들에게 채택되었고 역대 가장 인기 있는 춤 중 하나로 자리매김하게 되었습니다.

왈츠의 인기는 폴카, 마주르카(Mazurkas), 쇼티쉬와 같은 많은 새로운 종류의 춤을 만들어 냈습니다. 1910년에서 1930년 사이에는 끊임없는 새로운 춤의 물결이 무도회장을 휩쓸었는데, 이러한 춤들은 빠르고 활기차며, 무용수들의 독특하고 독립적인 움직임이 특징이었습니다. 댄스 장르마다 고유의 기원과 독립적인 역사적 스토리를 가지고 있는데, 이는 춤의 다양성과 문화적인 풍부함을 보여줍니다. 춤은 그 시대와 문화를 반영하며, 인간의 연기와 감정을 표현하는 중요한 방식 중 하나입니다. 이러한 다양한 춤들은 역사의 흐름과 사회적 변화를 따라 발전해왔으며, 그들만의 아름다운 이야기를 가지고 있습니다.

대한민국 댄스 역사와 발전과정

모 방송에서 가수 배XX이 자기 부친이 부산 최초로 카바레를 운영했다고 밝혔다. 그럼 한국 최초의 카바레는 언제 생겨났을까? 1940년 후반에는 별별 사건 사고가 잦았던 대한민국, 여수 순천 10.19 사건, 제주 4.3사건, 2.28 사건 등 이런 큼직큼직한 사건 속에서도 어진 사람들이 많이 모여 살았던 데서 유래된 서울시 중구 회현동에 대한민국 최초의 카바레가 생겨났다. 8.15 광복 이후 미군정 시대에 지터버그가 유행했고, 미군만을 위한 카바레가 생겨난 것이다. 6.25 전쟁 전까지 서울 시내에 카바레가 유행처럼 생겨났으며 전쟁 이후에도 댄스는 생각 이상으로 유행했다.

한국전쟁 이후에 댄스가 한국에서 더욱더 유행한 이유는 여러 가지 복합적인 요인들로 설명될 수 있다. 1·4 후퇴와 한국전쟁으로 인해 분단된 상황에서 많은 이북 출신 무도인들이 남한으로 이주하고, 댄스 교사들이 활발하게 활동한 것이 한 가지 이유일 수 있지만, 댄스 유행의 근본적인 이유는 전쟁 이후의 사회적, 경제적 변화와 문화적인 요인들이 결합된 결과일 수도 있다. 한국전쟁 이후, 사회와 경제가 빠르게 변화하면서 도시화와 산업화가 진행되었다. 이러한 변화는 새로운 문화 요소들이 도입되고 수용되는 기회를 열었고, 댄스는 그 중 하나로 주목받게 되었다. 댄스는 새로운 흐름과 흥분을 주는 활동으로서 사람들의 관심을 끌었고, 특히 전쟁으로 어려움을 겪은 상황에서 문화적으로 활력을 되찾으려는 욕구가 댄스 인기의 배경이 되었을 것이다. 또한, 1950년대 서울은 미군 기지가 있었고, 미군의 문화적 영향을 받았다. 미군이 가져온 음악과 댄스 스타일이 한국 사회에 퍼지며 인기를 끌었을 가능성도 있다. 댄스는 전통적인 가치관과는 다른 자유로운 분위기를 전달했고, 특히 자유부인과 박인수 사건만 봐도 그 당시의 사회적 변화와 댄스의 인기를 알 수 있다.

전쟁으로 인한 어려움과 황폐화 속에서도 문화와 예술의 발전이 이뤄졌던 사례로 1953년에 경남 사교 무도 교사협회가 설립되고 1954년에 댄스 경기대회가 개최된 것은 전쟁 이후에도 문화 활동과 예술 분야에서의 노력과 열정이 계속되고 있었음을 보여준다. 경남 사교 무도 교사협회에 이어서 서울 무도 교사협회 설립은 댄스 분야에서 지역적인 협회와 활동이 확산되고 있음을 보여주고 댄스 분야에서의 교사들의 모임과 협회의 설립은 이 분야의 교육과 발전을 위한 노력이 시작되었음을 시사한다. 또한, 1959년에 제1회 전국 댄스 경기선수권대회가 개최된 것은 이 분야에서의 대회와 경쟁의 장이 마련되었음을 의미로 이러한 대회들은 댄스를 비롯한 예술 분야의 성장과 발전을 도모하고, 선수들에게 경쟁의 기회를 제공하여 이 분야의 수준 향상에 기여한 것으로 볼 수 있다. 전쟁 이후에도 예술과 문화는 삶의 중요한 부분으로 남아 있었고, 특히 댄스 분야에서의 노력과 활동을 통해 이 분야의 발전과 성장이 이뤄졌음을 알 수 있다.

이승만 대통령의 시대, 1960년 전까지는 댄스가 번영·자유의 시대라면 박정희 대통령의 시대, 1960년 후부터는 자유를 탄압받던 시련의 시대라 할 수 있다. 그 시기에 한국의 정치적인 변화와 함께 무도계도 큰 변화와 어려움을 겪는다. 박정희 대통령의 시기는 1960년대 후반부터 1970년대까지 한국 사회가 빠르게 변화하고 정치적인 압박이 강화되었던 시기였다. 군부정권은 사회적인 통제를 강화하고 의도하지 않은 활동들을 탄압하는 경향이 있었는데, 이는 무도계에도 영향을 미쳤다. 그 예로 삼청교육대로 댄스인 7명이 끌려간 사건은 그 중 하나로, 정치적인 이유로 인해 댄스인들이 교육대로 끌려가면서 댄스 교육이 제약을 받았던 사례 중 하나이다. 이런 정치적인 압박으로 인해 무도 교습이 양지에서 음지로 옮겨가는 경우가 많아 졌다는 것은, 그 당시의 정치적인 분위기가 문화적인 활동에도 제약을 가하고 있음을 보여주는 부분이다. 이러한 상황 속에서도, 예술과 문화는 항상 저항과 창조의 영역으로 남아 있었다. 비록 제약과 어려움이 있었지만, 댄스를 사랑하는 사람들은 자신들의 예술적인 활동을 계속했고, 이를 통해 문화적인 표현의 자유를 지키려는 노력을 보여주었다. 이러한 어려움을 극복하면서도, 한국의 무도계는 변화를 거치면서 성장하고 발전해 왔다.

1960년대 후반과 1970년대 초반, 트위스트와 고고 춤은 그 시기에 전 세계적인 인기를 끌었고, 특히 한국에서는 젊은 세대를 중심으로 큰 인기를 끌었다. 이런 춤 문화가 번창하던 시기에, 한국 무도 교육협회가 사단법인으로 허가받아 설립되었다. 그 당시의 춤 문화는 한국뿐 아니라 전 세계적인 트렌드에 민감하게 반응했으며, 트위스트와 고고 춤은 열정적이고 자유로운 춤으로 인기를 끌며, 한국의 무도 교육협회 설립은 이와 같은 문화적 변화를 지지하는 한편, 무도와 댄스 교육의 표준화와 발전을 목표로 했다. 그 시기의 무도 교육협회 설립은 예술의 발전과 함께, 한국 사회의 문화적인 성장을 보여주는 중요한 사건으로 춤의 매력과 예술의 중요성이 부각되며, 교육협회의 설립은 이를 지원하고 키우는 역할을 했을 것이다. 이러한 노력은 한국의 예술적인 발전과 함께 문화적인 변화와 성장을 이루는 중요한 부분이다.

1970년대, 사단법인으로 허가된 한국 무도 교육협회의 설립은 댄스 분야에서 큰 발전을 이끌었으며 이후, 대한 무도 예술협회는 경기대회를 더욱 활성화하고 발전시키기 위해 유명한 댄서를 초청하여 시범을 보여주었다. 이러한 노력 덕분에 많은 대회가 주최되었고, 이를 통해 댄스 문화가 더욱 확산되었다. 무도 예술협회가 유명 댄서를 초청하여 시범을 보이면서 대회를 활성화했던 것은 댄스의 경쟁력을 높이고, 예술적 수준을 끌어올리기 위한 노력의 일환이다. 이러한 노력 덕분에 대회가 활발하게 개최되면서, 이는 일반인들에게도 댄스 문화를 접할 기회를 제공했다. 1971년에는 부산에서 대한민국 표준무도협회가 설립되었고, 이후 매년 한일 친선무도회를 개최하면서 한일 간의 문화교류와 친선을 증진하는 계기가 되었으며, 1974년에는 ICBD(국제 무도 연맹) 준회원으로 가입되었고, 1976년에는 한국 무도 교육협회가 ICBD에 가입하여 국제적으로도 활발한 활동을 이어가게 되었다.

1980년대에는 대중 매체인 KBS와 MBC, 그리고 신문사 및 문화센터가 댄스 강좌를 개최하는 등 댄스에 대한 관심과 지원이 늘어났다. 이후로 댄스 스포츠는 일반인들 사이에서 더욱 활성화되었으며, 다양한 경기대회가 열렸고 동사무소와 같은 장소에서도 사교댄스 및 스포츠 댄스 강좌가 열려 댄스에 대한 관심이 높아지고, 일반인들도 댄스를 배우고 즐기는 문화가 확산 되었다. 이는 무도와 댄스의 발전으로 연결되어, 한국의 무도와 댄스 문화가 다양하게 발전해온 중요한 시기였다.

1990년 이후 댄스는 우리의 삶과 문화에 뿌리를 내리며 자리를 잡았다. 이는 단순히 춤을 춘다는 것 이상의 의미를 지니고 있다. 댄스는 친구와의 소통 수단이 되었고, 사랑하는 이와의 감정을 전달하는 수단이기도 했다. 댄스인들은 무대 위에서 우리는 우리만의 이야기를 춤으로 표현했으며 우리의 삶에 활력을 불어넣고, 즐거움과 열정을 안겨 주었으며 우리의 문화적 풍경을 더욱 풍성하게 만들어 주었다. 댄스는 우리에게 새로운 가능성과 자유를 보여주었으며, 우리의 삶에 다채로운 활기를 불어넣어 주었다. 또한, 단순한 예술이 아니라 우리의 삶을 더욱 풍요롭게 만들어 주는 특별한 의미를 지니고 있다.

댄스 입문 및 건강

댄스 입문

댄스 스타일 선택

댄스와 걷기

보행 종류

올바르게 걷는 연습

춤과 건강

과도한 스트레스로 인한 인체 반응

장수의 비결

춤의 가장 주목할 만한 장점들

댄스 다이어트

댄스 입문

댄스는 나이나 시간이 절대로 제한하지 않는 예술로 어떤 나이에도 언제든 춤을 배우고 즐길 수 있습니다. 댄스는 생동감 있고 역동적인 활동으로, 몸과 마음을 활력 넘치게 만들어-주는 동시에, 삶에 즐거움과 만족감을 선사합니다. 우리는 역사 속에서도 많은 사례를 볼 수 있습니다. 톨스토이, 괴테, 윈스턴 처칠부터 루빈스타인, 버틀란드 럿셀경까지 많은 위대한 인물들이 나이에 구애받지 않고 자신의 열정을 살렸습니다. 그들은 나이를 뛰어넘는 열정과 목표로 자신의 삶을 보낸 증거입니다. 댄스 또한 마찬가지입니다. 나이는 단지 숫자일 뿐, 춤을 배우고 즐길 수 있는 무한한 기회를 제공합니다. 댄스는 몸과 마음을 활기차게 만들어주며, 새로운 경험과 친구들과의 소통을 가능케 합니다. 나이가 들더라도, 새로운 무언가를 배우고 즐길 수 있는 가능성은 항상 열려있습니다. 무엇보다도 댄스는 나이에 상관없이 즐거움과 만족감을 주는 예술입니다. 새로운 도전을 위해 항상 시간이 있다는 것을 기억하며, 우리는 끝없는 성장과 발전을 위해 노력할 수 있습니다. 댄스의 매력은 그 어느 때보다도 나이와 경험을 뛰어넘어 우리를 홀릴 수 있는 힘이 있습니다.

춤은 나이나 상황에 상관없이 누구나 즐길 수 있는 아름다운 예술이죠. 그리고 춤은 어디서든 출 수 있는데, 댄스 학원, 댄스파티 장, 클럽, 무도장과 같은 다양한 장소에서 춤을 즐길 수 있습니다. 이런 다양한 장소들은 사람들에게 춤을 즐기는 환경을 제공합니다. 또한, 건강한 생활에도 도움이 되고, 활동적인 라이프 스타일을 유지하는 데 도움이 됩니다. 다양한 춤 스타일은 운동으로서 효과를 가지며, 정신적인 편안함과 즐거움을 제공합니다. 또한, 실내에서 춤을 추는 것은 날씨나 환경에 구애받지 않으므로, 언제든 즐길 수 있다는 장점이 있습니다.

사람들이 춤을 취미 생활로 선택하는데, 주변에서 영감을 받거나 지인의 권유로 시작하는 경우가 많습니다. 그러나 중요한 점은 자신에게 맞는 춤 스타일을 선택하고 입문하는 것입니다. 자신이 좋아하고 자연스럽게 따라갈 수 있는 춤을 찾는 것이 중요하며, 이를 통해 삶의 즐거움을 더할 수 있습니다. 그렇지만, 때로는 잘못된 선택으로 돈과 시간을 들여서 배우다가 중도에 포기하는 경우도 많습니다. 이는 매우 일반적인 문제인데, 처음에 적절한 선택을 할 수 없거나 적합한 춤 스타일을 찾지 못해 발생하는 경우가 많습니다. 따라서, 춤을 시작할 때는 자신에게 맞는 춤 스타일을 선택하는 것이 중요합니다. 이를 위해서는 춤 스타일을 살펴보고 직접 체험해보는 것이 좋습니다. 이렇게 선택해서 배우면 즐거움과 만족감을 경험할 수 있을 것입니다. 춤은 우리의 삶에 활력을 불어넣고 새로운 가능성을 열어줍니다.

댄스는 예술과 운동의 조화로, 각각의 스타일은 특유의 독특한 표현과 기술을 요구합니다. 적절한 장비는 그 스타일을 향한 첫걸음을 의미합니다. 각각의 춤 스타일은 고유한 동작과 움직임을 강조하기 때문에, 그에 따른 장비 선택은 중요합니다. 옷과 신발은 편안함과 자유로운 움직임을 제공하는 데 중요한 역할을 합니다. 다양한 댄스 종목에 맞는 옷과 신발을 선택하는 방법은 다음과 같습니다.

1. **댄스 스타일에 맞는 옷과 신발 선택**: 각 댄스 스타일에 따라 옷과 신발의 요구사항이 다를 수

있습니다. 모던댄스에는 모던화를 라틴댄스에는 라틴화를 선택해야하며, 힙합이나 재즈 댄스에는 편안한 운동화나 팬츠를 고를 수 있습니다. 댄스의 특성에 맞춰 적합한 스타일을 고려해야 합니다.

2. **편안함과 움직임의 자유**: 옷과 신발은 움직임을 방해하지 않고 편안해야 합니다. 신발은 발을 지지하고 필요한 유연성과 편안함을 제공해야 하며, 옷은 너무 타이트하거나 너무 느슨해서 춤추는 데 방해가 되지 않아야 합니다.

3. **재료와 품질**: 댄스복과 신발의 재료와 품질은 중요합니다. 특히 댄스복은 움직임에 따라 신축성이 있고 통기성이 좋은 소재로 만들어져야 하며, 신발은 내구성과 지지력을 고려해야 합니다.

4. **컬러와 디자인**: 스테이지 또는 댄스파티에서 자주 춤추게 된다면, 댄스복의 색상과 디자인도 고려해야 합니다. 때로는 특정한 색상이나 디자인의 댄스복이 필요할 수 있습니다.

5. **전문가의 조언**: 댄스복과 신발을 선택할 때는 전문가의 조언을 듣는 것이 도움이 됩니다. 댄스 스튜디오나 전문 매장에서 전문가의 의견을 듣고 적절한 제품을 찾는 것이 좋습니다.

댄스 스타일 선택

춤을 선택하는 것은 즐거운 여정일 테니, 함께 고민해봅시다! 춤은 특히 체력과 유연성을 향상시키고 마음과 몸을 연결시키는 멋진 방법입니다. 춤을 통해 자신의 취향과 목표에 부합하는 스타일을 찾는 것이 중요합니다.

1. **체력 향상을 위한 춤**: 체력 향상을 위한 춤은 다양한 스타일로, 빠른 템포의 춤들은 높은 에너지 소모와 유산소 운동을 통해 체력을 향상시킬 수 있습니다. 예를 들면, 줌바, 힙합, 라틴댄스는 빠른 움직임으로 심장 박동수를 높이고 근육을 강화하는 데 도움을 줄 수 있으며 운동량을 조절하기 쉽고, 실내나 실외에서도 춤출 수 있어서 접근성이 높습니다. 이런 춤을 꾸준하게 즐기신다면 체력이 높아지고 순차적으로 지구력이 좋아집니다. 에너지가 많이 필요한 춤을 통해 높은 운동량과 체력 향상을 동시에 챙길 수 있답니다.

2. **유연성 및 조절 능력 향상을 위한 춤**: 유연성과 조절 능력은 우리 일상에서 건강하고 활동적인 삶을 살기 위해 중요한 능력입니다. 이를 향상시키기 위해 다양한 방법이 있지만, 춤은 몸의 유연성과 조절 능력을 향상시키는데 매우 유용한 방법 중 하나입니다. 먼저, 발레는 몸의 균형을 유지하는 데 도움이 되며, 근육을 연장시키고 유연성을 향상시키는 데 좋은 춤입니다. 발레 수업은 몸의 자세와 포즈를 개선하여 몸을 더 우아하고 조절하기 쉽게 만들어줍니다. 또한, 모던은 다양한 움직임과 리듬을 포함하여 몸의 유연성과 조정 능력을 향상시키는 데 도움을 주고 몸의 운동 범위를 확대하고 균형을 향상시키는데 도움이 되며, 이를 통해 자신의 몸을 더 잘 이해하고 조절할 수 있게 됩니다. 춤은 단순히 유연성을 향상시키는 것뿐만 아니라 신체적 능력을 향상시키고 정신적으로도 안정감을 주는 면이 있습니다. 춤을 통해 몸을 다양한 방향으로 움직이며 자유롭게 조절하는 능력을 키울 수

있습니다. 따라서, 발레나 모던 같은 춤을 선택하여 몸의 유연성과 조절 능력을 향상시키는 것은 건강한 라이프 스타일을 위한 좋은 선택 중 하나일 수 있습니다. 이러한 춤을 통해 몸과 마음을 건강하게 유지하면서도 즐거운 시간을 보낼 수 있습니다.

3. 빠른 vs. 느린 춤: 빠른 춤과 느린 춤은 각각의 매력과 장점이 있습니다. 빠른 템포의 춤은 에너지를 많이 소모하고 강렬한 운동을 제공해 심장 박동을 증가시키고 유산소 운동 효과를 가져다줄 수 있습니다. 빠른 춤은 동적이고 활기차며 스트레스 해소에도 도움을 줄 수 있지만 빠른 템포의 춤은 더 많은 에너지와 체력을 요구하기 때문에 일정 수준의 체력과 에너지를 필요로 할 수 있습니다. 한편, 느린 템포의 춤은 여유롭고 부드러운 움직임으로 몸의 유연성을 향상시키고 균형을 개선하는-데 도움을 줄 수 있습니다. 또한, 느린 춤은 근육을 조절하고 강화하는 데도 도움이 되며 스트레스를 줄여주고 몸과 마음을 진정시키는 데 효과적일 수 있습니다.

어떤 스타일이든, 개인의 운동 요구사항과 취향에 맞추어 선택하는 것이 중요합니다. 빠른 춤과 느린 춤은 각각의 방식으로 운동량과 신체적 혜택을 제공하므로, 자신의 목표와 즐거움을 고려하여 적절한 춤을 선택하는 것이 좋겠죠.

4. 파트너 vs. 솔로 춤: 파트너와 함께 춤추는 것과 솔로 춤을 추는 것은 각자의 매력과 장점을 가지고 있어요. 파트너와 춤을 추는 것은 협력과 조화를 통해 연습하고 함께 즐기는 측면이 있습니다. 파트너와의 춤은 소통과 협력을 강조하여 서로를 이끌고 흥미로운 움직임을 만들어 내는 것을 중요시합니다. 이는 사회적 측면과 연습하는 동안 다른 사람과의 유대감을 형성할 수 있게 해줍니다. 한편, 솔로 춤을 추는 것은 개인적인 공간과 창의력을 펼칠 수 있는 기회를 제공합니다. 자유롭게 자신의 움직임과 스타일을 발휘할 수 있으며, 자기 자신에 대한 인식과 신체적인 조절 능력을 향상시킬 수 있습니다. 또한, 혼자 춤을 추는 것은 개인적인 시간을 즐기고 음악에 몰입하여 스트레스를 해소하는 데 효과적일 수 있습니다. 어떤 스타일이든, 개인의 성향과 취향에 따라 다를 수 있습니다. 파트너와의 춤은 협력과 소통을 중시하는 반면, 혼자 춤은 개인적인 자유와 창의력을 중요시하는 경우가 많습니다. 둘 다 장점이 있으며, 자신에게 맞는 스타일을 선택하여 춤을 즐기는 것이 중요합니다.

5. 단체 vs. 개인 교습: 단체 교습과 개인 교습은 각각 장단점이 있습니다.

개인 교습은 개별 학습자에게 더 맞춤형으로 지도를 받을 수 있는 장점이 있습니다. 개인의 강점과 약점을 더 신속하게 파악하여 개별적인 피드백과 지도를 받을 수 있습니다. 또한, 개인의 학습 목표와 속도에 맞게 진행되므로 보다 개인적인 발전을 이룰 수 있습니다. 심층적인 기술 향상과 함께, 개인 교습은 학습자의 자신감을 향상시키고 개인적인 목표 달성에 도움을 줄 수 있습니다. 한편, 단체 교습은 다양한 사람들과 함께하는 경험을 제공합니다. 다른 사람들과의 상호작용을 통해 소통과 협력

능력을 향상시킬 수 있으며, 그들과의 경쟁과 협력을 통해 서로 영감을 주고 받을 수 있습니다. 또한, 그룹 내에서의 지지와 동기부여를 받을 수 있어 학습 동기를 유지하거나 새로운 관점을 배울 수 있습니다. 또한, 단체 교습은 사회적인 측면에서 다양한 사람들과의 관계를 형성할 수 있는 기회를 제공합니다. 어떤 교습 방식이든 장단점이 있습니다. 개인 교습은 보다 개인적인 지도를 받을 수 있지만, 단체 교습은 다양한 인간관계를 형성하고 협력과 소통 능력을 키울 수 있습니다. 개인의 우선순위와 목표에 맞게 교습 방식을 선택하는 것이 중요합니다.

6. 대회 참가 여부: 대회 참가 여부를 결정할 때는 개인의 우선순위와 목표를 고려하는 것이 중요합니다. 대회 참가를 통해 춤을 경쟁적으로 즐기고 싶다면, 경쟁과 도전을 통해 자신의 실력을 측정하고 발전시킬 수 있는 기회를 가질 수 있습니다. 대회는 목표를 설정하고 그것을 달성하기 위한 동기부여를 줄 수 있습니다. 또한, 경쟁에서 영감을 받고 다른 댄서들과의 경쟁을 통해 성장할 수 있는 기회를 제공합니다. 반면에 취미로 춤을 즐기는 측면에 중점을 두고 싶다면, 대회 참가보다는 즐거움과 흥미를 중시하는 것이 중요할 것입니다. 취미로 춤을 즐기면서 스트레스 해소와 즐거운 시간을 보낼 수 있습니다. 경쟁이나 압박보다는 춤을 통해 즐거움을 느끼며, 새로운 기술을 배우고 자신의 스타일을 발전시킬 수 있는 것에 초점을 맞출 수 있습니다. 어떤 선택을 하든, 춤은 즐겁고 건강한 방식으로 시간을 보내는 좋은 방법입니다. 경쟁적인 측면을 강조하거나 즐거움을 중시하는 측면을 선택하는 것은 개인의 취향과 목표에 따라 다를 수 있습니다. 중요한 것은 자신의 욕구와 관심사에 맞게 춤을 즐기고 즐거움을 느끼는 것입니다.

7. 댄스 마니아 및 환경: 댄스를 즐기는 사람들의 수와 연령대는 함께 연습하고 영감을 받는 데 매우 중요한 요소입니다. 우선, 댄스를 즐기는 사람들이 많은 환경에서는 다양한 스타일과 기술을 배울 수 있는 기회가 많습니다. 다양한 경험과 스타일을 가진 사람들로부터 영감을 받고, 서로의 경험을 공유하며 발전할 수 있는 기회를 제공합니다. 또한, 연령대도 중요한 요소입니다. 서로 다른 연령대의 사람들과 함께 춤을 추면 서로 다른 관점과 경험을 공유할 수 있습니다. 어린이부터 어른까지 다양한 연령대의 사람들이 함께 춤을 즐길 때, 서로의 열정과 에너지를 공유하며 새로운 아이디어를 얻고 자신의 춤 스타일을 발전시킬 수 있습니다. 주변 환경에서 춤을 즐기는 사람들의 수와 연령대를 고려하면, 다양한 사람들과의 교류와 연습이 가능한 환경을 조성할 수 있습니다. 서로에게 영감을 주고 받으며 발전하는 과정에서 즐거움과 성장을 동시에 누릴 수 있을 것입니다.

8. 무릎 관절에 미치는 영향: 춤을 즐기면서 무릎 관절 건강을 유지하는 것이 중요합니다. 특히 몇몇 춤 스타일은 무릎에 부담을 줄 수 있으므로 이를 고려하여 안전한 방법으로 춤을 추는 것이 중요합니다. 무릎 관절은 춤을 추는 데 매우 중요한 부분 중 하나입니다. 무릎은 춤추는 동안 상당한 압력과 스트레스를 받을 수 있는데, 특히 고정된 자세나 과도한 힘을 주는 동작이 있을 때 무릎에 더

큰 부담이 가해질 수 있습니다. 따라서, 무릎 관절 건강을 유지하려면 몇 가지 주의해야 할 점이 있습니다. 먼저, 올바른 자세와 기술을 사용하는 것이 중요합니다. 올바른 자세를 유지하고 힘을 분산시키며, 과도한 스트레칭이나 무리한 동작을 피하는 것이 좋습니다. 또한, 춤을 추기 전에 충분한 스트레칭과 워밍업을 통해 근육을 준비시키고 무릎을 보호하는 것이 중요합니다. 춤을 추는 동안 자주 휴식을 취하고, 자신의 한계를 인식하며 과도한 부담을 피하는 것이 좋습니다. 무릎 관절에 부담을 줄 수 있는 춤 스타일을 연습할 때는 특별한 주의가 필요하며, 자신의 몸 상태와 무릎 건강을 지속적으로 확인하고 적절한 쉬는 시간을 가지는 것이 중요합니다. 만약 무릎에 불편함을 느끼거나 부상을 경험한다면 전문가의 조언을 구하는 것이 좋습니다. 최종적으로, 여러 가지 요소를 종합하여 자신에게 가장 맞는 춤을 선택하는 것이 중요합니다. 춤은 즐거움과 건강을 동시에 챙길 수 있는 멋진 방법입니다.

댄스와 걷기

걷기는 심혈관 건강을 향상시키고 다양한 질병을 예방하는 데 매우 효과적인 운동이라고 여겨지고 있습니다. 수많은 의학 연구들이 규칙적인 걷기가 심혈관 질환의 위험을 감소시키며, 다양한 건강 이점을 제공한다는 사실을 입증하고 있습니다. 걷기는 콜레스테롤 수치를 개선하고 혈압을 안정시키는데 도움을 주며, 당뇨병, 비만, 혈관 경직과 염증을 예방하고 향상시킵니다. 뿐만 아니라 정신적 스트레스를 감소시키고 다양한 심장 위험 요소를 개선하는 역할을 합니다. 그러나 걷기도 어떻게 하는가에 따라 그 효과가 크게 달라질 수 있습니다. 바른 자세와 올바른 보행 기술을 사용하는 것이 중요하며, 규칙적으로 운동을 하여 근력을 유지하는 것도 중요합니다. 걷는 방식이나 자세가 잘못된 경우에는 오히려 부상의 위험이 있을 수 있습니다.

댄스와 걷기는 밀접한 관련이 있습니다. 댄스는 운동의 한 형태로서 걷기보다 더 다양한 움직임과 동작을 포함하고 있습니다. 댄스는 전신 근육을 강화하고 유연성을 향상시키는 데 도움을 주며, 리듬감과 조화를 통해 심신의 조화를 이루는 데 도움이 됩니다. 그러나 댄스나 걷기 모두에 있어서 중요한 것은 올바른 자세와 기술을 유지하는 것입니다. 특히 댄스는 다양한 동작과 자세를 포함하기 때문에, 올바른 교육과 지도를 받는 것이 중요합니다. 잘못된 자세나 동작은 부상의 원인이 될 수 있으므로 주의가 필요합니다. 좋은 자세와 올바른 기술을 유지하면서 걷거나 댄스를 즐기는 것은 건강에 매우 긍정적인 영향을 미칠 것입니다. 건강 전문가나 댄스 강사와 상담하여 적절한 운동 계획을 수립하는 것이 중요합니다.

잘못된 보행 종류

발바닥의 압력이 안쪽으로 실리는 회내 보행이나 팔자걸음은 몸의 균형을 잡기 어렵게 만들 수 있고, 춤의 움직임을 어렵게 만들 수 있습니다. 원 회전 보행, 트렌델렌버그 보행, 웅크림 보행, 가위 보행, O자 보행 등 다른 보행 양식들도 마찬가지입니다. 이러한 보행 방식들은 몸의 균형과 움직임에 제약을 가할 수 있어 춤추기에는 적합하지 않을 수 있습니다.

춤을 출 때는 몸의 자유로운 움직임과 균형을 유지하는 것이 중요합니다. 따라서, 춤을 배우는 사람들은 올바른 보행 자세와 움직임을 연습하여 춤출 때 더욱 자연스럽고 아름다운 모습을 보일 수 있도록 노력해야 합니다. 올바른 자세와 움직임은 춤추기를 더욱 즐겁게 만들어줄 거예요!

올바르게 걷는 연습

올바른 보행은 정말 중요해요! 올바르게 걷는 것은 우리 몸에 큰 영향을 미치죠. 올바른 걷기 자세는 우리의 건강에 많은 이점을 제공하는데, 그것은 단순히 운동만 하는 것 이상입니다. 올바른 걷기는 우리 몸 전체의 균형을 유지하고 운동을 통해 심지어 우리 뇌의 기능까지 향상시킬 수 있어요.

우리가 걷는 방식은 우리의 관절과 척추에 직접적인 영향을 미치기 때문에 중요합니다. 몸의 균형을 잘 유지하면서 걷는 것은 우리 척추와 관절에 부담을 덜어줄 뿐만 아니라 우리 몸 전체에 에너지를 골고루 흘려주는 데 도움이 됩니다. 일상생활에서 올바른 걷기 자세를 유지하는 것은 그저 몇 가지 간단한 지침을 따르면 됩니다. 아랫배를 중심으로 하고 코어 근육에 힘을 주며 목을 곧게 세우고, 시선은 멀리 있는 곳에 둔다면 어깨와 허리의 부담을 줄일 수 있습니다. 걷는 동안에도 편안하고 자연스럽게 어깨를 내리고 가슴을 펴주는 것도 중요합니다.

올바르게 걷는 것도 중요한데요, 발을 내딛을 때 발뒤꿈치부터 땅바닥에 닿도록 하고 체중을 발의 가장자리로 옮기면서 걷고 뒤로 걷는 경우에는 발끝에서 발의 가장자리, 그리고 발뒤꿈치로 걸어야 합니다. 또한, 걷으면서 자연스럽게 숨을 쉬어야 합니다. 깊게 들이마시고 천천히 내쉬는 것이 좋습니다. 팔은 자연스럽게 몸과 함께 움직여야 합니다. 팔을 약간 굽히고 편 상태로 흔들면서 걷는 것이 좋습니다. 올바른 보행은 몸을 유연하게 만들어주고 춤추는 데 자연스러운 움직임을 가능하게 해줍니다. 올바른 걷기는 우리 몸과 마음의 건강을 함께 챙겨주는 데 도움이 됩니다.

보폭 + 자신의 키(cm) × 0.45(보폭 구하는 공식)

춤과 건강

건강은 정말 중요한 자산이죠. 그것은 우리 삶의 토대이자 핵심입니다. 건강은 우리가 할 수 있는 모든 것의 출발점이자 기반입니다. 체력적으로나 정신적으로 건강한 상태를 유지하는 것은 우리가 이루고자 하는 모든 목표와 꿈을 달성하는 데 필수적입니다.

인생은 여러 도전과 장애물이 있는 긴 여정입니다. 우리가 튼튼한 건강을 가지고 있다면 이러한 여정을 더욱 수월하게 이끌어 나갈 수 있습니다. 건강한 신체는 우리가 삶을 즐기고, 일을 성취하며, 우리의 목표를 달성하는 데 큰 영향을 미칩니다. 간디의 말씀처럼, 자신의 심신을 강건하게 하는 것은 우리의 가장 큰 의무 중 하나입니다.

강건한 몸과 마음을 가진 사람은 삶의 도전에 대처하는 데 강력한 요소 중 하나이며 건강을 유지하는 것은 우리의 의지와 노력에 달려 있으며 모든 사람이 지속적으로 노력하고 관리한다면 건강한 삶을 살아갈 수 있습니다. 건강한 삶을 유지하고 살아가는 것은 우리가 할 수 있는 가장 중요하고 소중한 일 중 하나입니다.

춤은 말이 아닌, 몸이 말하는 것이라고 할 수 있는데, 이것은 건강에 매우 중요한 비언어적 의사소통 수단 중 하나입니다. 정서적, 신체적으로 춤은 우리에게 많은 이점을 제공합니다. 스트레스 해소, 긴장 완화, 정서적 표현, 심지어는 치료와 재활에까지 도움이 되는 것으로 확인되었습니다. 춤은 여러 가지 장애와 질병의 치료에 도움이 되는데, 섭식 장애부터 ADHD, 우울증, 중독, 심지어는 외상 후 스트레스까지 다양한 문제에 대한 치료나 지원 수단으로 사용될 수 있습니다. 특히 심부전 환자들의 경우, 춤이 재활에 많은 도움을 주고 있습니다. 심장 건강, 호흡 기능, 삶의 질을 향상시키는 데 도움이 되며, 뇌의 활성화와 뉴런 기능 향상을 통해 기억력을 강화하고 치매를 예방하는 데에도 도움이 될 수 있습니다.

춤은 또한 새로운 기술을 학습할 때 뇌의 활동을 촉진시키고 기억력을 향상시키는 데에도 도움이 됩니다. 뇌 내의 연결성을 촉진시키고 뉴런의 활동을 높여 새로운 학습과 기억 형성을 돕는 역할을 합니다. 춤은 건강과 삶의 질을 향상시키는 데에 큰 도움이 되며 많은 사람이 춤을 통해 자신의 건강과 정신적 안녕을 유지하고 더욱 즐거운 삶을 누릴 수 있습니다.

춤추는 과정에서 우리 몸은 다양한 근육을 활용하며 운동량을 증가시킵니다. 이를 통해 우리는 적절한 체중을 유지하고, 심폐 기능을 향상시키며 유연성과 균형을 강화할 수 있습니다. 춤추는 동안에는 많은 칼로리를 소모하기 때문에, 운동으로써도 효과적입니다. 뿐만 아니라, 춤은 우리의 정신적인 측면에도 많은 도움을 줍니다. 춤을 추는 동안 우리는 기분이 개선되고 스트레스를 줄일 수 있습니다. 댄스를 즐기는 순간에 우리의 뇌는 행복 호르몬인 엔돌핀을 분비하는데, 이것이 우울증과 같은 정신적 문제에 도움을 주기도 합니다. 또한, 우리의 몸은 긴장을 풀고, 부정적인 감정을 제거하며 자신감을 높이게 됩니다. 그리고 이러한 자신감은 우리의 삶과 인간관계에도 긍정적인 영향을 미칩니다.

춤은 다양한 형태와 스타일을 가지고 있어, 각각의 춤이 우리 신체에 다양한 영향을 줍니다. 발레는 균형과 자세를 개발하고 운동 조절 능력을 향상시키는 데 도움이 되며, 자세 결함이나 평발을 치료하는 데 도움이 될 수 있습니다. 또한, 발레는 몸을 길고 날씬하게 만들어 주는데 도움이 되기도 합니다. 다른 춤들도 마찬가지로 특정 부분에 큰 도움을 줍니다. 왈츠나 살사와 같은 춤들은 많은 칼로리를 태우면서도 우리의 운동 능력과 균형을 향상시켜 줍니다. 볼룸댄스는 하부 근육을 강화하고 신체 자세를 개선하는 데에 도움을 주며, 라틴 댄스는 근육 이완과 순환계통 개선에 도움을 줄 수 있습니다. 현대 무용은 우리 몸 전체를 향상시키고 우리의 세계관에 긍정적인 영향을 미치며, 벨리 댄스는 중동에서 유럽으로 온 춤으로 여성들의 몸매와 성적인 매력을 향상시키는 데 도움이 됩니다. 벨리 댄스는 특히 허리와 골반 근육을 강화하고 여성스러운 매력을 부각시키는 데 효과적입니다. 춤을 추는 것은 칼로리를 태우는 것뿐만 아니라, 신체의 균형과 기억력을 향상시키고 척추와 자세에 긍정적인 영향을 주며 근육을 강화하는 데에도 큰 도움을 줍니다. 또한, 춤은 뼈를 자극하여 신체가 새로운 조직을 만들어 골격을 강화하는 데 도움을 줄 수 있습니다. 이러한 다양한 춤의 장점들을 고려하면, 우리의 신체와 건강을 챙기는 데에 춤이 미치는 긍정적인 영향이 얼마나 큰지 알 수 있습니다.

과다한 스트레스로 인한 인체 반응

스트레스는 우리 몸에 다양한 반응을 일으키는데, 이러한 반응들은 신체가 위기 상황에 대비하고 자신을 방어하려는 자연스러운 반응입니다. 하지만 지나치게 많은 스트레스는 신체에 해로울 수 있습니다.

1. **호흡이 평상시보다 빨라집니다:** 스트레스 상황에서 호흡이 빨라지는 것은 우리 몸이 스트레스에 대처하기 위한 자연스러운 반응입니다. 호흡이 빨라지면 신체는 산소를 더 빨리 공급하여 근육과 기관에 에너지를 공급하고, 더 많은 산소를 혈액으로 운반하여 뇌와 다른 중요한 기관에 공급합니다. 이것은 심박수와 호흡수가 증가하고 신체에 더 많은 에너지를 공급하는 신체의 방어 반응 중 하나입니다. 그래서 스트레스 상황에서 호흡이 빨라지는 것은 우리 몸이 스트레스를 극복하고 대처하기 위한 생존 메커니즘 중 하나인 것입니다.

2. **심장 박동수 증가:** 스트레스는 심장 박동을 빠르게 하고 혈압을 높일 수 있습니다. 이것은 신체가 스트레스에 대처하기 위해 즉각적으로 필요한 에너지를 공급하고 신체의 기능을 강화하기 위한 생리적인 반응 중 하나입니다. 스트레스 상황에서 심장은 더 많은 혈액을 몸 전체로 퍼뜨리기 위해 빠르게 박동하게 됩니다. 이 과정에서 혈압이 일시적으로 상승하여 근육과 기관에 더 많은 혈액을 공급합니다. 이는 신체가 긴장을 풀거나 위기 상황을 극복하기 위해 필요한 더 많은 에너지를 제공하기 위한 방어 메커니즘입니다. 하지만 장기적으로는 지속적인 스트레스로 인해 심장 박동이 지나치게 빠르거나 혈압이 지속적으로 높아지면 건강에 해로운 영향을 줄 수 있으니, 스트레스를 관리하고 적절히 대처하는 것이 중요합니다.

3. 근육 긴장: 스트레스는 우리 몸의 근육에도 영향을 미치며, 스트레스 상황에서는 근육이 지속적으로 긴장될 수 있습니다. 스트레스 호르몬인 코티솔과 에피네프린의 분비가 증가하면서 근육이 긴장되고, 이러한 근육의 지속적인 긴장은 피로와 통증을 유발할 수 있습니다. 긴장된 근육은 혈액순환이 저하되고 산소와 영양분 공급이 충분하지 않아 근육이 지속적인 스트레스 상태에 노출되면서 통증을 느낄 수 있어요. 또한, 근육의 긴장은 몸 전체적으로 불안정한 상태를 유지하고, 이로 인해 피로감과 스트레스 증상이 더 심해질 수 있습니다. 스트레스 관리를 통해 근육의 긴장을 완화하고, 근육을 이완시키는 활동이 도움이 될 수 있습니다. 규칙적인 운동, 명상, 심호흡, 요가 등은 근육의 긴장을 완화시키고 스트레스를 관리하는 데 도움이 될 수 있습니다.

4. 눈의 동공이 팽창: 스트레스 상황에서 눈의 동공이 팽창되는 것은 우리 몸이 더 많은 시야를 확보하려는 생리적 반응 중 하나입니다. 스트레스 상황에서는 주변 환경을 더 잘 파악하고 위험을 감지하기 위해 몸이 빠르게 대응하기 때문에 눈의 동공이 확대됩니다. 동공이 팽창되면 빛을 더 많이 받아들이고 시야를 확장시킬 수 있습니다.

이것은 뇌가 주변 상황을 더 정확하게 인식하고 반응할 수 있도록 도와줍니다. 스트레스로 인해 몸이 위기 상황에 빠르게 대처하기 위해 눈의 동공이 팽창되는 것은 생존 메커니즘입니다.

5. 뇌의 긴장: 스트레스는 뇌에도 영향을 미치며, 일시적으로는 뇌를 긴장시켜 몸이 위기 상황에 집중하도록 도와줄 수 있습니다. 스트레스 상황에서는 스트레스 호르몬이 분비되면서 뇌가 경계 상태로 전환됩니다. 이는 몸이 문제에 집중하고 빠르게 반응할 수 있도록 해주는 동시에 주의력과 집중력을 높일 수 있습니다. 하지만 지속적이고 과도한 스트레스는 뇌에 부담을 줄 수 있습니다. 지속적인 스트레스는 뇌에 부담을 주고, 신경 전달물질의 불균형을 유발하여 정서적인 문제나 학습, 기억 등의 기능에 영향을 줄 수 있으며 스트레스가 지속되면 뇌의 구조와 기능에도 변화를 일으킬 수 있습니다. 따라서 적절한 스트레스 관리가 중요하며, 스트레스를 완화하고 뇌를 휴식시키는 방법들을 찾아 이를 관리하는 것이 중요합니다. 명상, 규칙적인 운동, 깊은 호흡, 충분한 휴식 등은 뇌에 휴식을 주고 스트레스를 관리하는데 도움이 될 수 있습니다.

6. 혈당 수치 증가: 스트레스 상황에서는 스트레스 호르몬인 코르티솔과 에피네프린 등이 분비되면서 혈당 농도가 증가할 수 있습니다. 이는 급격한 에너지 소비를 위한 몸의 반응 중 하나입니다.

스트레스 호르몬들은 간에서 글루코스를 방출하여 혈중에 더 많은 당분을 공급하고, 근육과 기관에 더 많은 에너지를 제공하기 위해 혈당 농도를 증가시킬 수 있습니다. 이는 신체가 위기 상황에 대비하여 급격한 활동에 대비하기 위한 생리적인 대응입니다. 그러나 과도한 혈당의 증가는 당뇨병과 같은 건강 문제를 악화시킬 수 있으므로, 지속적인 스트레스와 그로 인한 혈당의 지속적인 상승은 건강에 부정적인 영향을 미칠 수 있습니다. 따라서 스트레스를 관리하고, 건강한 생활습관을 유지하는 것이 중요합니다.

7. 아드레날린 분비: 스트레스 상황에서는 주로 에피네프린(아드레날린)과 같은 호르몬들이 분비되어 몸이 위험 상황에 빠르게 대응하도록 도와줍니다. 에피네프린은 스트레스 상황에서의 생리적인 변화를 유발하는 주요 호르몬 중 하나입니다.

스트레스 상황에서는 뇌가 위험을 감지하면 에피네프린이 부신에서 분비되어 혈액순환에 들어가고, 심장 박동과 호흡을 증가시키며 근육의 혈액 공급을 늘리고 혈당 수치를 증가시키는 등의 생리적인 변화를 일으킵니다. 이렇게 몸이 스트레스 상황에 빠르게 대응할 수 있도록 도와줍니다. 에피네프린은 필요한 상황에서는 유용하지만, 지나치게 높은 수준의 에피네프린 분비는 신체에 부정적인 영향을 줄 수 있으므로, 지속적인 스트레스와 과도한 에피네프린 분비는 건강에 해를 끼칠 수 있습니다. 따라서 스트레스를 관리하고, 긴장을 완화시키는 방법들을 찾는 것이 중요합니다. 이러한 반응들은 일시적인 스트레스 상황에서는 유용할 수 있지만, 장기적으로 과도한 스트레스는 건강에 악영향을 줄 수 있으니, 스트레스 관리에 신경 써야 합니다. 규칙적인 운동, 명상, 규칙적인 휴식, 친구나 가족과 대화하는 등의 방법을 통해 스트레스를 관리하는 것이 중요합니다.

장수의 비결

장수의 비결은 다양한 측면에서 영양과 건강에 대한 주의를 기울이며 삶을 균형 있게 유지하는 것에 있습니다. 여러 가지 요소들이 건강에 영향을 미칩니다.

1. 적어도 하루에 2km 걸어라: 걷기는 꾸준한 운동으로써 매우 효과적입니다. 하루에 2km를 걷는 것은 건강을 유지하고 증진시키는 데 도움이 될 수 있어요. 걷기는 심장 건강을 증진시키고 혈액순환을 촉진하여 혈액 내의 산소 공급을 향상시키는 데 도움을 줍니다. 또한, 근육과 뼈를 강화하고 유지하는 데도 좋은 운동입니다. 꾸준한 걷기는 근육의 유연성을 향상시키고, 관절을 유연하게 해주며, 체중을 조절하고 대사를 촉진하여 건강한 몸을 유지하는 데 도움이 됩니다. 또한, 걷기는 스트레스 해소에도 도움을 주며, 마음의 건강을 증진 시키고 정신적인 안정감을 가져다 줄 수 있고, 그래서 하루에 2km 정도의 걷기는 건강한 라이프 스타일을 유지하는 데 큰 도움이 될 수 있습니다.

2. 근심 걱정하지 말라: 스트레스와 걱정은 우리의 건강에 부정적인 영향을 줄 수 있습니다. 지나치게 걱정하거나 지속적인 스트레스는 신체적, 정신적 건강에 해를 끼칠 수 있으며, 더 나아가 일상적인 기능을 방해하고, 삶의 질을 저하시킬 수 있어요. 긍정적인 마인드와 스트레스 관리가 중요한 이유는 우리가 스트레스를 경험할 때 우리 몸과 뇌가 생리학적으로 변화하기 때문입니다. 스트레스 호르몬이 분비되고 심장 박동이 빨라지며 호흡이 증가하고 근육이 긴장될 수 있어요. 이러한 생리적인 변화는 단기적으로는 문제를 해결하는 데 도움을 주지만, 장기적으로는 건강에 해를 끼칠 수 있습니

다. 긍정적인 마인드와 스트레스 관리는 스트레스를 줄이고 적절하게 대처하는 데 도움을 줄 수 있습니다. 이를 위해서는 명상, 규칙적인 운동, 취미 활동, 깊은 호흡, 충분한 휴식 등의 스트레스 관리 기술을 활용하는 것이 중요합니다. 또한, 문제를 해결하고 긍정적인 마음가짐을 유지하는 것도 스트레스 관리에 도움이 됩니다.

3. 충분한 수면을 취하라: 충분한 수면은 우리 건강에 매우 중요한 역할을 합니다. 충분한 휴식은 우리 몸과 마음을 회복시키고 기능을 유지하는 데에 큰 영향을 미칩니다. 수면은 우리 몸의 대부분의 기능에 영향을 미치는 중요한 역할을 합니다. 충분한 수면을 취하는 것은 면역체계를 강화하고, 대사를 조절하며, 정신적인 건강을 증진시키는 데 도움을 줍니다. 또한, 충분한 수면은 학습 능력과 기억력을 향상시키고, 스트레스를 감소시키는 데에도 도움을 줍니다. 하지만 많은 사람들이 현대의 바쁜 생활에서 충분한 수면을 취하기 어려워하곤 합니다. 스마트폰이나 컴퓨터의 블루 라이트, 스트레스, 불규칙한 생활 패턴 등은 수면의 질을 저하시키고 수면 부족을 초래할 수 있어요. 그래서 건강한 수면습관을 위해 정해진 수면 시간을 유지하고, 수면 전 스마트폰이나 TV를 사용하는 것을 피하고, 편안한 환경을 조성하여 휴식을 취하는 것이 중요합니다. 이렇게 함으로써 충분한 수면을 통해 몸과 마음을 지속적으로 건강하게 유지할 수 있어요.

4. 술·담배를 금해라: 술과 담배는 건강에 해로운 영향을 줄 수 있는 습관입니다. 음주와 흡연은 여러 가지 신체적, 정신적 건강 문제를 야기할 수 있습니다. 흡연은 암, 심장 질환, 호흡기 질환 등 많은 심각한 건강 문제와 연관되어 있습니다. 담배에 함유된 수많은 유해 물질들이 체내에 흡수되어 건강을 저해하고, 특히 폐 건강에 심각한 영향을 줄 수 있습니다. 특히, 흡연자들은 폐암, 만성폐쇄성폐질환(COPD), 기관지염 등의 질환 위험이 증가할 수 있습니다.

음주 역시 간 건강을 해치고, 심장 질환, 고혈압, 암 등의 위험을 증가시킬 수 있습니다. 과도한 음주는 사회적, 가족적 문제를 일으키거나 사고 발생 가능성을 높일 수도 있습니다. 그러므로 건강을 위해 술과 담배를 피하는 것이 중요합니다. 금연과 금주는 건강한 라이프스타일을 유지하고, 질병 발생 위험을 줄여줄 수 있습니다. 의지력과 도움을 받을 수 있는 방법들을 활용하여 술과 담배를 피하고, 건강한 삶을 살 수 있도록 노력하는 것이 중요합니다.

5. 은퇴 후 지속해서 일하라: 은퇴 후에도 활동적인 삶을 유지하는 것은 정신적, 신체적 건강에 도움이 될 수 있습니다. 은퇴 후에도 자신이 원하는 활동이나 일에 관심을 가지고 노력하는 것은 삶의 만족도를 높일 수 있습니다. 은퇴 후에는 자신의 관심사를 찾거나 새로운 취미를 개발하거나, 자원봉사 활동에 참여하거나, 취미로 시작한 작은 사업을 운영하는 등의 방법으로 활동적인 삶을 유지할 수 있습니다. 이러한 활동들은 삶의 의미를 찾고, 사회적 연결성을 유지하는 데에 도움이 될 뿐 아니라, 정신적으로도 활력을 유지하고 신체적 활동량을 유지할 수 있도록 도와줍니다. 또한, 은퇴 후에도 자

신의 경험과 노하우를 공유하거나 조언하는 일에 참여하는 것도 좋은 방법입니다. 자신이 가진 지식과 경험을 다른 이들과 나누는 것은 자아 존중감과 만족감을 높일 수 있습니다. 은퇴 후에도 자신의 휴식과 여가를 충분히 가지고, 스트레스를 관리하고 적절한 휴식을 취하는 것도 중요하며 이를 통해 몸과 마음을 건강하게 유지할 수 있습니다.

6. 은퇴 후 취미를 찾아 즐겨라: 은퇴 후에는 자신의 취미나 관심사를 찾아서 그것을 통해 행복하고 의미 있는 시간을 보내는 것이 매우 중요합니다. 취미는 건강한 삶을 유지하는 데 큰 역할을 할 뿐 아니라, 스트레스 해소와 창의성을 증진 시키는 데에도 도움을 줄 수 있습니다. 취미를 가지는 것은 자아실현과 만족감을 얻을 수 있는 좋은 방법입니다. 예를 들어, 그림 그리기, 음악, 연주, 정원 가꾸기, 요리, 여행 등 자신에게 맞는 취미를 찾아 즐겨보세요. 이를 통해 자신의 흥미를 발견하고, 새로운 기술을 배우며 창의성을 발휘하는 등의 효과를 볼 수 있습니다. 또한, 취미는 새로운 사람들과의 소통의 기회를 제공하고, 취미를 공유하는 사람들과의 사회적 연결성을 증진시킬 수 있습니다. 이를 통해 자신의 삶에 새로운 의미와 기쁨을 더할 수 있어요. 취미를 통해 느끼는 만족감은 일상적인 스트레스를 줄여주고, 긍정적인 마음가짐을 유지하는 데에도 도움이 됩니다. 따라서 은퇴 후에는 자신의 관심과 취미를 찾아 즐기는 것이 건강하고 행복한 삶을 유지하는 데에 큰 도움이 될 수 있습니다. 이러한 요소들을 균형 있게 유지하면서 건강한 삶을 살아가는 것이 장수의 비결 중 하나일 수 있습니다. 하지만 각 개인의 상황과 건강 상태에 따라 적절한 조언과 개별적인 건강 관리가 필요합니다.

다음은 춤의 가장 주목할 만한 장점들이다.

가. 노년층을 위한 건강한 춤의 장점:

1. 관절 통증 완화: 춤은 노년층에서 관절 통증 없이 뼈와 근육을 안전하게 강화하는 효과가 있습니다. 관절 운동으로 더 유연해지면서 통증이 완화될 수 있습니다.

2. 체중 관리: 춤은 과도한 체중을 조절하는 데 도움을 줍니다. 운동으로 칼로리 소모가 증가하며, 규칙적인 춤은 체중을 조절하는 데 기여할 수 있습니다.

3. 다양한 연령층의 참여: 춤은 다양한 연령층이 무리 없이 안전하게 즐길 수 있는 활동입니다. 어린이부터 노년층까지 누구나 즐길 수 있는 적응성이 뛰어난 특징이 있습니다.

4. 전신 운동 효과: 규칙적인 춤은 체력과 인내력을 향상시키는 데 도움을 주며, 폐의 용량, 심장 건강, 근육의 양을 증진시킬 수 있습니다.

5. 사회적 상호작용 향상: 춤은 새로운 사람들을 만나고 사회적 상호작용 기술을 향상시킬 기회를 제공합니다.

나. 유연성 및 신체적 이점:

1. **유연성 향상**: 춤을 정기적으로 추면 얻을 수 있는 신체적 이점 중 하나로, 모든 범위의 신체 움직임을 달성함으로써 유연성을 향상시킬 수 있습니다.

2. **골다공증 예방**: 춤은 골다공증 발생 가능성을 최소화하는 데 도움이 됩니다. 춤은 뼈에 부담을 주면서 뼈의 밀도를 높일 수 있습니다.

3. **공간적 인지 및 균형 향상**: 춤은 공간적 방향, 균형, 주변 시력을 향상시킵니다. 특히, 춤 동작 중에 몸을 조절하고 공간을 인식하게 되어 균형 능력이 향상됩니다.

4. **신체적 운동과 조정 향상**: 춤은 신체적인 운동과 조절을 촉진하며, 이는 정신적인 기능과 기억력을 증가시키는 데 도움이 됩니다.

5. **스트레스와 좌절감 감소**: 춤은 스트레스와 좌절감을 줄이는 데 효과적입니다. 리듬에 맞춰 움직이면서 긍정적인 감정을 불러일으켜 스트레스를 해소할 수 있습니다.

다. 건강 및 질병 예방 효과:

1. **동맥질환 및 고혈압 예방**: 춤은 관상동맥질환 및 고혈압의 위험을 감소시킬 수 있습니다. 규칙적인 운동은 혈관 건강을 지원하고 혈압을 안정시키는 데 도움이 됩니다.

2. **칼로리 소모 향상**: 특히 볼룸댄스는 60분 안에 180~400kcal를 제거하는 데 도움이 되어 체중 관리에 도움을 줄 수 있습니다.

3. **특정 근육 활성화**: 각 춤 유형은 복부, 등, 허벅지, 엉덩이의 근육을 활성화시키는 데 도움이 됩니다.

4. **체지방 감소**: 춤은 배, 엉덩이, 다리 주변에 지방을 태울 수 있는 효과적인 운동 방법입니다. 꾸준한 춤은 체지방을 감소시키는 데 도움이 됩니다.

5. **특정 스타일의 댄스와 체지방 감소**: 차차차, 자이브, 룸바, 삼바, 살사 등은 엉덩이와 배의 지방을 빼는 데에 가장 적합한 스타일의 댄스로 알려져 있습니다.

라. 심리적 및 정서적 이점:

1. **춤의 치료 효과**: 춤은 심리적인 치료 효과가 있다고 알려져 있습니다. 음악과 움직임은 마음을 안정시키고 긍정적인 정서를 유발합니다. 스트레스 해소 및 마음의 안정에 도움을 줄 수 있습니다.

2. **다양한 통증 완화**: 다양한 유형의 통증, 특히 월경통이나 요통을 줄일 수 있는 효과가 있습니다. 춤은 근육 조직을 이완시키고 통증을 완화하는 데 도움이 됩니다.

3. **산부인과 의사의 강조**: 산부인과 의사들은 춤이 여성의 근육을 자연 분만을 할 때 도움이 된다고 강조합니다. 춤은 임신과 분만 과정에서 근육을 지원하고 강화하는 데 도움을 줄 수 있습니다.

4. **관능적인 신체와 노폐물 제거**: 춤은 관능적인 신체로 만들어주며, 노폐물을 제거하는 데 도움을 줍니다. 신체적 활동으로 인해 체내의 노폐물을 배출하는 데 효과적입니다.

5. **면역력 향상:** 춤을 추는 사람들은 면역력이 더 뛰어난 경향이 있습니다. 규칙적인 운동은 면역 체계를 강화하는 데 도움을 줄 수 있습니다.

마. 나이와 관련 없는 대중성 및 다양성:

1. **나이와 상관없는 춤:** 춤은 나이와 관계없이 누구나 즐길 수 있는 활동입니다. 어린이부터 노인 까지 누구나 쉽게 접근할 수 있는 이점이 있습니다.

2. **건강의 다양한 측면 강화:** 춤은 우리의 몸을 여러 가지 방면으로 강화합니다. 신체적, 정신적, 정서적, 사회적인 면에서 다양한 측면의 건강을 촉진시킬 수 있습니다.

3. **춤이 제공하는 효과들의 종합:** 춤은 우리의 몸을 심장과 근육 단련, 면역체계 강화, 스트레스 호르몬 감소, 내구성 향상, 체중 관리, 유연성 향상, 균형 및 공간 인식 향상, 신뢰와 자부심 증대 등 다양한 효과를 제공합니다.

4. **심리적 안정과 행복:** 춤은 심리적 안정과 행복을 가져다줍니다. 춤은 긍정적인 감정과 연결되 며, 마음을 치유하고 긍정적인 태도를 유지하는 데 도움이 됩니다.

5. **마음의 안정과 평온:** 음악과 춤은 마음의 안정과 평온을 가져다줍니다. 감정을 표현하고 스트레 스를 감소시키며, 마음의 안정과 균형을 찾는 데 도움이 됩니다.

바. 다양한 장점의 종합:

1. **신체적 향상:** 춤은 몸의 신체적 향상을 돕습니다. 규칙적인 춤은 유연성, 근력, 균형, 밸런스를 개선 시키며, 신체의 다양한 부분을 조절하고 강화합니다.

2. **성호르몬 증가와 스트레스 감소:** 춤은 성호르몬인 테스토스테론의 분비를 촉진하고, 스트레스 호르몬인 코르티솔의 감소를 유도하여 신체적 및 정신적 스트레스를 줄여줍니다.

3. **신뢰와 자부심:** 춤을 통해 우리는 우리 자신에 대한 신뢰를 키우고 자부심을 느낄 수 있습니 다. 새로운 댄스 기술을 습득하고 완성함으로써 자신감을 높일 수 있습니다.

4. **대인 관계 강화:** 춤은 사람들 간의 상호작용과 소통을 촉진합니다. 춤을 함께 춰보면 새로운 친구들을 사귈 수 있고, 기존의 관계를 더욱 튼튼하게 유지할 수 있습니다.

5. **건강한 마음과 정신:** 춤은 건강한 마음과 정신을 증진시키는 데 도움을 줍니다. 긍정적인 감정 과 행복을 유발하며, 마음의 안정을 가져다줍니다.

사. 예방적 효과와 건강한 라이프 스타일:

1. **우울증과 치매 예방:** 춤은 우울증과 치매를 예방하는 데 도움이 됩니다. 활발한 운동은 뇌 기 능을 촉진하고 인지기능을 향상시켜줍니다.

2. **향상된 정신 기능:** 춤은 정신 기능을 향상시키는 데 도움을 줍니다. 음악과 움직임은 뇌를 자 극하여 집중력과 기억력을 향상시킬 수 있습니다.

3. **정서적 안정과 평온**: 춤은 감정을 표현하고 정서적 안정과 평온을 가져다줍니다. 스트레스를 줄이고 긍정적인 정서를 유지하는 데 도움을 줍니다.

4. **자아실현과 창조성 증진**: 춤은 자아실현과 창조성을 증진시키는 데 도움이 됩니다. 춤을 통해 자유롭게 표현하고 창의적인 행동을 즐기게 될 수 있습니다.

5. **건강한 라이프 스타일 유도**: 춤은 건강한 라이프 스타일을 유지하도록 도와줍니다. 꾸준한 운동으로 건강한 습관을 길러 건강한 삶을 영위할 수 있습니다. 춤은 우리가 신체적, 정신적으로 발전하고 건강한 삶을 살도록 돕는 매우 유용한 도구입니다. 함께 춤을 추면서 즐거움과 건강을 동시에 누릴 수 있습니다.

댄스 다이어트

댄스 다이어트는 운동량을 높이면서도 즐겁게 활동할 수 있어서 많은 사람들에게 인기 있는 운동 방법 중 하나입니다. 댄스는 즐거움과 건강 효과를 동시에 누릴 수 있는데요. 댄스를 통해 운동량을 높여 체지방을 감소시키고 근육을 강화할 수 있습니다. 다양한 움직임을 통해 몸의 유연성과 균형을 향상시키는 데 도움이 되며, 심장 박동수를 증가시켜 유산소 효과를 가져다 줄 수 있습니다.

다양한 댄스 스타일을 선택하여 자신에게 맞는 운동량과 칼로리 소모량을 찾을 수 있습니다. 발레, 힙합, 사교댄스, 라틴댄스 등 다양한 스타일은 각기 다른 운동 효과를 제공합니다. 댄스를 통해 몸을 활동적으로 유지하는 것 외에도 마음과 정신적인 측면에서도 많은 이점을 얻을 수 있습니다. 스트레스를 줄이고 긍정적인 마음을 유지하는 데 도움을 주며, 사회적 연결성을 증진시키는 데에도 도움이 됩니다. 하지만 어떤 운동이든 먼저 건강 상태를 상담하고 적절한 안내를 받는 것이 중요합니다. 건강한 식습관과 규칙적인 운동은 댄스 다이어트를 포함하여 건강에 많은 도움을 줄 수 있습니다. 자신에게 맞는 댄스를 선택하여 즐겁게 운동하며 건강한 삶을 유지해보세요!

종목	시간	55kg	60kg	65kg	70kg
걷기	1시간	219kcal	239kcal	259kcal	279kcal
달리기	1시간	404kcal	441kcal	478kcal	515kcal
계단	1시간	404kcal	441kcal	478kcal	515kcal
자전거	1시간	462kcal	504kcal	546kcal	588kcal
줄넘기	1시간	578kcal	630kcal	683kcal	735kcal
사이클	1시간	404kcal	441kcal	478kcal	515kcal
윗몸일으키기	1시간	462kcal	504kcal	546kcal	588kcal
스쿼트	1시간	404kcal	441kcal	478kcal	515kcal
요가	1시간	144kcal	158kcal	171kcal	184kcal
등산	1시간	462kcal	504kcal	546kcal	588kcal
복싱	1시간	578kcal	630kcal	683kcal	735kcal
수영	1시간	520kcal	567kcal	614kcal	662kcal
스쿼시	1시간	693kcal	756kcal	819kcal	882kcal
러닝머신	1시간	608kcal	663kcal	718kcal	773kcal
훌라후프	1시간	231kcal	252kcal	273kcal	294kcal

댄스 종목	시간	칼로리 소모
Jazz	30분	170kcal
Bolero	30분	175kcal
Hip Hop	30분	490kcal
Argentina tango	30분	105kcal
Salsa	30분	255kcal
Ballet	30분	462kcal
Tap	30분	350kcal
Zumba	30분	285kcal
Street	30분	606kcal
Cha-cha-cha	30분	200kcal
Samba	30분	250kcal
Swing	30분	586kcal
Waltz	30분	108kcal
Jive	30분	200kcal
Country swing	45~50분	200-300kcal
Blues	45~50분	200-300kcal
Tango	45~50분	200-300kcal
Waltz	45~50분	200-300kcal
Fox Trot	45~50분	200-300kcal
Rumba	45~50분	200-300kcal
Samba	45~50분	300-400kcal
Cha-cha-cha	45~50분	300-400kcal
Swing	45~50분	300-400kcal
Jive(fast tempo)	45~50분	400-500kcal
Salsa	45~50분	400-500kcal
Quickstep	45~50분	400-500kcal
Jazzercise	45~50분	500-600kcal
Quickstep	1시간	600이상kcal
Samba	1시간	600kcal
Salsa	1시간	600kcal
Jive(fast tempo)	1시간	600kcal
Waltz	1시간	550kcal
Cha-cha-cha	1시간	550kcal
Tango	1시간	500kcal
Jazz	1시간	500kcal
Paso Doble	1시간	500kcal
Aero Dancing	1시간	500kcal
Street	1시간	500kcal
Zumba	1시간	450kcal
Tap	1시간	450kcal
Flamenco	1시간	450kcal
Ballet	1시간	900-1000kcal
Slow Waltz	1시간	450kcal
Slow Fox Trot	1시간	400kcal
Pole	1시간	400kcal
Rhumba	1시간	400-600kcal
West Coast Swing	1시간	388kcal
Bachata	1시간	230kcal
Disco	1시간	390kcal

East Coast Swing	1시간	450kcal
Mambo	1시간	354kcal
Polka	1시간	432kcal

댄스 에티켓

 메모장

댄스 에티켓

댄스는 음악과 움직임이 결합-된 아름다운 예술이자, 사람들 간의 소통과 상호작용을 중요하게 하는 활동이기도 합니다. 따라서 댄스 세계에서는 에티켓이 매우 중요한 부분을 차지합니다. 댄스에서의 에티켓은 서로를 존중하고 배려하는 것부터 시작됩니다. 댄스를 즐기는 모든 이들에게 즐거움을 주기 위해 댄스 공간에서는 상대방과의 적절한 거리 유지, 안전을 위한 움직임, 그리고 상호간의 예의와 친절함이 중요합니다.

1. **존중과 배려:** 댄스를 할 때에는 상대방을 존중하고 배려하는 것이 중요합니다. 자신의 움직임과 공간을 존중하면서 함께 춤추는 이들과의 조화를 이루는 것이 필요합니다.

2. **안전을 위한 주의:** 춤을 추는 동안 주변 환경과 다른 춤추는 이들을 주의 깊게 살펴야 합니다. 다른 이들과 충돌하지 않도록 주의하고, 춤을 추는 공간의 안전을 유지하는 것이 중요합니다.

3. **소통과 협력:** 춤추는 동안, 의사소통과 협력은 필수적입니다. 파트너 댄스의 경우에는 효과적인 소통이 필요하며, 그들과의 협력을 통해 완벽한 조화를 이룰 수 있습니다.

4. **의복과 외모:** 어떤 댄스를 추든, 적절한 의복과 외모가 중요합니다. 옷차림은 춤추는 활동에 적합하고, 춤을 추는 동안 편안함을 제공해야 합니다.

5. **개인위생과 청결:** 춤추는 과정에서 개인위생은 매우 중요합니다. 청결을 유지하고, 자신의 몸과 옷에 주의를 기울여야 합니다. 또한, 다른 이들에게 불쾌함을 주지 않도록 주의해야 합니다.

6. **타인의 공간 존중:** 춤추는 동안에는 주변 사람들의 공간을 존중해야 합니다. 과도한 침범이나 다른 이들을 방해하는 행동을 자제해야 합니다.

무도장에서의 춤 신청

무도장에서 춤을 신청하는 것은 예의와 존중의 표현으로 간주됩니다. 이는 대화보다는 제스처와 몸짓을 통해 이루어지기도 합니다. 일반적으로 무도장이나 파티장에서 춤을 청하거나 춤을 추기 위해서는 다음과 같은 절차와 에티켓을 준수하는 것이 좋습니다.

1. **직접 댄스를 권하고 눈을 똑바로 바라보기:** 춤을 출 준비가 되어 있는지 물어보는 것이 좋습니다. 상대방이 춤을 추기에 적합한 상태인지 확인하고 서로의 편의를 고려하는 것이 중요합니다.

2. **거절에 대한 이해와 존중:** 상대방이 춤을 거절할 경우, 낙담하지 않고 존중하는 것이 중요합니다.

3. **손을 내밀어 춤 신청:** 남성이 여성 앞에서 정중하게 손을 내밀어 춤을 청하는 것은 일반적인 방법 중 하나입니다. 여성은 거절할 경우 정중하게 머리를 숙이는 것이 예의에 맞는 행동입니다.

4. **강제적인 행동을 피하기:** 거절당한 경우에도 강제로 상대방을 끌어 춤을 추도록 강요하는 것은

매너에 어긋나는 행동입니다.

5. 여성이 남성에게 춤을 신청하는 경우: 여성이 먼저 남성에게 춤을 신청하는 경우도 있습니다.

무도장에서는 대부분 음악이 크게 나오기 때문에 말보다는 제스처로 춤을 신청하는 것이 일반적입니다. 이러한 에티켓은 서로의 편안함과 존중을 중요시하는 춤의 문화를 유지하는 데 도움이 됩니다.

파티 장에서의 춤 신청

파티장에서의 춤은 사람들 간의 소통과 유대 관계를 형성하는 장소입니다. 그러나 최근에는 파티장에서의 춤 문화가 변화하고 있는 것으로 보입니다. 일반적으로 파티장에서는 모든 참석자들이 자유롭게 춤을 즐길 수 있도록 만들어져 있지만, 최근에는 일부 사람들이 독점적으로 춤을 추거나 특정 그룹끼리만 춤을 추는 경향이 늘어나고 있는 것으로 보입니다.

파티의 본래 취지는 다양한 사람들이 모여 즐거운 시간을 보내고 서로의 경험과 문화를 공유하는 것입니다. 그러나 일부 사람들이 고수들과 춤을 추고 싶어도 그들의 실력이 부족하다는 이유로 자기들끼리만 춤을 추는 행동은 파티의 분위기를 무너뜨릴 수 있습니다. 파티에서는 서로를 존중하고 함께 춤을 즐기며 소통하는 것이 중요합니다. 파티장은 다양한 사람들이 함께 즐길 수 있는 분위기를 조성해야 합니다. 고수들은 자신의 실력을 기준으로 다른 사람들과 춤을 즐기는 것이 아니라, 서로를 배려하고 도와주며 함께 춤을 추는 것이 중요합니다. 파티 문화가 주춤하고 있다는 것은 서로 다양한 경험과 지식을 공유하는 기회를 놓치고 있는 것일 수 있습니다.

파티장에서 춤을 즐길 때는 자기들끼리만 춤을 추는 것보다는 다양한 사람들과 소통하고 즐기는 것이 중요합니다. 모두가 서로를 존중하고 다양성을 즐기며 파티를 즐기는 것이 파티의 본래 취지를 잊지 않는 가장 좋은 방법입니다.

댄서 라인

'댄서 라인'이란 춤을 추는 공간에서의 배치나 움직임을 일컫는 용어로, 다양한 춤의 스타일에서 사용됩니다. 예를 들어, 왈츠와 탱고와 같은 전통적인 무용에서는 "댄서 라인"이 시계 반대 방향으로 진행됩니다. 이것은 춤을 추는 공간에서 댄서들이 어떤 위치에 있고, 어떤 방향으로 움직이는지를 의미합니다.

또한, 무도장이나 댄스 학원에서는 춤을 추는 공간과 마루의 형태에 따라 춤을 추는 방향이나 위치가 조절될 수 있습니다. 지르박과 같은 춤에서는 전통적으로 마루 결에 따라 세로로 서서 춤을 추는 경우가 많습니다. 이렇게 춤을 추는 것은 공간의 효율성과 마루의 마찰력을 고려하는 것입니다. 가로로 춤을 추는 것보다 세로로 춤을 추면 마루의 저항력이 적기 때문에 움직임이 더욱 부드럽고 효율적일 수 있습니다. 이렇게 댄서 라인은 특정 춤의 특성과 춤을 추는 환경, 공간 등을 고려하여 결정되는데, 각각의 춤 스타일이나 장소에 따라 다양한 방식으로 적용될 수 있습니다.

남성

춤을 출 때 플로어에서의 위치와 방향은 중요합니다. 춤을 추는 곳에서 다른 커플들이 세로로 춤을 추고 있다면, 그 상황에 맞춰서 나 또한 세로로 춤을 추는 것이 예의에 맞을 것입니다. 또한, 특정한 춤 스타일이나 장소의 분위기에 맞춰서 춤을 추는 것이 중요합니다.

일자 지르박, 모던, 라틴 등 다양한 춤 스타일을 추는 무도장에서는 춤을 추는 자리가 구분되는 경우가 많습니다. 따라서 어떤 춤을 추는 자리인지 확인하고 그에 맞게 춤을 추는 것이 중요합니다.

춤을 출 때는 주위의 분위기와 춤을 추는 사람들의 모습을 살피며 자신의 위치와 방향을 결정하는 것이 좋습니다. 상황에 맞게 적절한 위치에서 춤을 추고, 주변 사람들과 협조하여 춤을 즐기는 것이 춤을 즐기는 사람들 간의 예의와 배려에 부합합니다.

여성

춤을 추는 상황에서는 남성이 주로 리드하는 역할을 맡는 경우가 많습니다. 따라서 남성이 선택한 플로어의 위치나 방향에서 춤을 춥니다. 일부 여성은 리드하는 역할을 맡기도 하지만, 대부분의 경우 여성은 남성의 리딩을 따르기 때문에, 남성이 결정한 위치와 방향에서 춤을 춥니다. 그러나 중요한 점은 춤을 추는 도중에 비매너한 행동이나 불순한 의도를 느낄 때는 단호하게 이를 거부할 수 있어야 합니다. 누구든 춤을 즐기며 존중받을 권리가 있으며, 만약 상대방의 행동이 경계를 넘거나 불쾌함을 느끼게 한다면 그것을 단호하게 거부하는 것이 올바른 선택입니다. 본인의 안전과 편안함을 우선시하는 것이 중요하며, 비매너한 행동에 대해서는 확고하게 이를 거부하고 상황을 종결하는 것이 올바른 조치입니다.

음악의 흐름에 따라 맞는 춤을 춰라

음악과 춤은 상호작용하면서 인간의 감정과 에너지를 이어주는 특별한 표현 수단입니다. 무대 위에서 음악은 그 특유의 흐름과 감정을 전달하며, 춤은 이를 시각적으로 표현합니다. 음악의 특성과 분위기에 따라 적절한 춤을 선택하는 것이 중요합니다. 특정한 음악 스타일에 맞는 춤은 전체적인 분위기를 유지하고 더욱 즐겁고 조화로운 경험을 제공합니다.

예를 들면 현장에서는 대부분 지르박, 블루스, 지르박, 트로트 음악으로 나오는데 지르박 음악에 지르박을 블루스 음악에 블루스를, 트로트 음악에 트로트를 춰야 하는데 블루스 음악에 지르박을 추면 전체의 무드를 깨뜨리게 됩니다.

혼잡한 공간에서 춤을 즐길 때는 공간을 주의 깊게 살펴야 합니다. 보폭을 넓게 하거나 주변 사람들과 부딪히지 않도록 주의하는 것이 중요합니다. 댄스 파트너와 함께 공간을 공유하며, 다양한 춤을 즐기는 사람들과 함께 분위기를 조절하고 맞추는 것이 좋습니다. 음악은 춤을 추는 사람들에게 큰 영감을 주고, 춤은 음악을 더욱 풍부하게 표현합니다. 따라서 음악과 춤 사이에는 서로를 이해하고 조화롭게 어우러져야 댄스가 완벽한 표현으로 다가올 수 있습니다.

댄스 플로어 진입 및 이탈

춤을 즐기면서 다른 사람들의 춤을 방해하지 않는 것은 댄스에서 중요한 예절 중 하나에요. 플로어에 진입할 때는 주변 사람들을 고려하며 이동하는 것이 좋습니다. 특히 혼잡한 상황에서는 주위를 살피고 춤을 추는 사람들의 움직임에 맞춰 자연스럽게 합류하는 것이 좋아요. 다른 사람들이 춤을 추는 동안 플로어를 이탈할 때도 주변 사람들을 주의하고, 빠르고 안전하게 이동하여 다른 이들에게 혼란을 주지 않도록 해야 합니다.

플로어를 떠날 때, 파트너에게 칭찬과 감사의 말을 건네는 것은 귀요미한 예절 중 하나입니다. 파트너에게 고마움을 표현하고 칭찬을 해주는 것은 서로의 노력을 인정하고 존중하는 의미가 있죠. 이는 댄스를 즐기는 모든 이들에게 긍정적인 분위기를 전달하고, 상호간의 친밀감과 존중을 도모하는 데 도움을 줍니다. 더불어, 춤추는 과정에서 상대방에게 거짓 칭찬을 하지 않는 것도 중요합니다. 진실된 칭찬과 격려는 모두에게 좋은 영향을 줄 수 있고, 더욱 긍정적인 댄스 경험을 만들어 줄 거예요. 따라서 춤을 마치고 플로어를 떠날 때에도 파트너에게 진심 어린 칭찬과 감사의 마음을 전해주는 것이 좋습니다.

댄스 실력에 대한 배려

댄스 경력이 10년이든, 30년이든, 강사이든 원장이든, 프로선수든 아마추어 선수든, 춤 실력이 뛰어나다고 해도 파트너의 능력을 고려하지 않고 춤추는 행동은 여성을 배려하지 않는 행동입니다. 대부분 이런 남성들은 그 자리에서 가르쳐주는 경우가 있습니다. 그러나 여성들이 가장 싫어하는 행동 중 하나는 학원이 아닌 곳에서 남성이 여성에게 춤을 가르치는 것입니다.

춤추는 동안 남성은 여성을 존중하고, 그들의 능력과 편안함을 고려해야 합니다. 남성의 춤 실력이 뛰어나다 해도 여성의 능력을 존중하고 적절한 스텝과 리드로 리드해야 합니다. 이는 파트너와의 협업이 원활하고 즐거운 춤 경험을 만들어냅니다. 댄스에서는 자신의 능력보다도 파트너의 능력과 편안함을 중시해야 합니다.

댄스는 3곡 이상

음악에 따라 춤을 추는 것은 즐거움의 한 방식이지만, 때로는 상대방과의 호흡이 맞지 않을 수도 있습니다. 상대방의 춤 실력이나 취향이 맞지 않는 경우, 예의를 지키며 상황을 해결하는 것이 중요합니다. 일반적으로 댄스를 즐기는 사람들은 노래가 바뀔 때까지 춤을 추는 것이 일반적입니다. 그러나 때로는 파트너 간의 호흡이 맞지 않거나 상대의 춤 스타일이 마음에 들지 않을 수 있습니다. 이럴 때 최소한 3곡 정도는 함께 춤을 추고 댄스를 끝내는 것이 예의에 맞는 선택일 수 있습니다. 이는 댄스 파트너에게 최소한의 존중과 예의를 표하는 것이며, 더 이상 상대방에게 불편함을 주지 않도록 하는 것입니다. 또한, 춤을 추는 과정에서 상대방에게 상처를 주거나 불편함을 주는 행동은 피해야 합니다. 3곡 이상 춤을 추는 것이 일반적인 예의라 할지라도, 무엇보다 중요한 것은 상호 간의 배려와 존중입니다.

따라서, 상황을 판단하여 즐거운 분위기를 유지하고 상대방에게 불쾌함을 느끼지 않도록 하는 것이 좋습니다.

댄스 실수의 극복

춤은 즐거움과 자유로움을 주는 취미입니다. 실수는 모두가 겪는 일이며, 그것이 춤을 추는 매력적인 부분 중 하나입니다. 원장이나 강사, 심지어 전문 댄서들도 실수를 범하곤 합니다. 실력 차이는 당신과 파트너 간의 능력 차이일 수 있지만, 이는 무언가를 책임지거나 비난하는 것과는 전혀 상관이 없습니다. 오히려 그것은 서로의 차이를 존중하고 즐기는 과정입니다.

새로운 파트너와 춤을 출 때, 기초 스텝에 집중하는 것이 좋습니다. 처음부터 높은 난이도의 스텝을 시도하기보다는 기본스텝부터 시작해서 고난도 스텝을 시도하는 것이 실수를 줄일 수 있는 지름길이 될 수 있습니다. 고수들은 짧은 시간 내에 파트너의 춤 스타일을 파악할 수 있지만, 대부분의 초, 중급자들은 상대 여성의 춤 스타일을 알려면 더 많은 시간이 걸릴 것입니다. 그러니 실수를 줄이기 위해서는 어떠한 복잡한 스텝을 성급하게 하지 말아야 합니다. 이는 자연스러운 과정이며, 함께 춤을 추면서 서로에게 익숙해지고 적응하는 것이 중요합니다. 중요한 것은 실수를 두려워하지 않고, 자신과 파트너의 차이를 존중하는 것입니다. 춤을 추는 과정에서 오류가 생길 수 있지만, 그것을 통해 더 나은 댄서가 될 수 있습니다. 모든 경험이 소중하고, 함께 춤을 즐기며 성장하는 것이 중요합니다.

춤을 이끌 때 세부적인 힘보다는 섬세한 리드가 중요합니다. 너무 세게 밀거나 당기는 것은 파트너에게 불편함을 줄 수 있습니다. 특히 남성이 여성을 힘으로 이끌려고 하다 보면 실수하기 쉬운데, 이렇게 되면 여성이 춤을 추는 데 어려움을 겪게 됩니다. 힘으로 리드하는 것은 춤을 향한 즐거운 경험을 방해할 수 있습니다. 여성들은 힘으로 리드하는 것보다 섬세하고 부드러운 리드를 선호합니다. 너무 강하게 힘을 주면 춤이 잘 이끌리지 않을 뿐 아니라 춤을 마친 후에는 몸에 불편함을 느낄 수 있습니다. 춤은 서로의 조화와 협력을 기반으로 하는 것이 중요하죠. 힘보다는 서로의 움직임에 맞춰 조율하고, 파트너의 반응을 주시하며 리드하는 것이 좋습니다. 이렇게 함으로써 서로가 편안하고 즐거운 춤의 경험을 할 수 있을 거예요.

청결에 대하여

댄스는 밀접하고 가까운 상황에서 이뤄지기 때문에 청결은 매우 중요한 요소입니다. 특히 여성은 남성보다 냄새에 민감하기에 더 신경 써야 합니다. 땀 냄새, 입 냄새, 담배 냄새, 옷의 냄새 등은 상대방에게 불편함을 줄 수 있습니다.

먼저, 개인적인 청결은 기본입니다. 춤을 추기 전에 적당한 샤워를 하고 깨끗한 옷을 입는 것이 좋습니다. 특히 땀을 많이 흘리는 경우에는 여분의 옷을 가지고 있는 것이 도움이 될 수 있습니다. 또한, 춤을 추면서 땀을 피하기는 어렵지만, 필요하다면 춤을 멈추고 조금 쉬는 시간을 가지고 땀을 닦거나 상쾌한 느낌을 살려줄 수 있는 방법들을 찾아보는 것도 좋습니다. 냄새를 줄이기 위해 향수를 사용하는 것은 좋지만, 강한 향수나 머릿결 향수는 피하는 것이 좋습니다. 춤을 추면서 향수와 땀 냄새, 그리고 다른 냄새들이 섞여 상대방에게 불편함을 줄 수 있기 때문입니다. 부드럽고 상쾌한 향수를 사용하는 것이 좋습니다. 또한, 머리에 사용하는 제품 역시 강한 냄새를 줄 수 있으므로 사용을 자제하는 것도 좋은 방법입니다.

춤을 즐기는 모든 사람들이 편안하고 즐거운 경험을 할 수 있도록, 상대방의 냄새에 대한 민감성을 고려하며 청결을 유지하는 것이 좋습니다.

복장

무도장이나 댄스 행사에 참석할 때, 옷차림은 중요한 부분입니다. 예전에는 정장이나 격식을 차린 의상이 무도장 출입에 요구되는 경우가 있었지만 현재는 보다 편안하고 자유로운 스타일의 복장이 허용되는 편입니다. 그렇지만 특정 행사나 무도장에 따라 복장 규정이나 요구사항이 다를 수 있습니다. 무도장이나 콜라텍, 카바레 같은 일반적인 무도장에서는 편한 복장으로 출입하는 것이 일반적입니다. 특별한 규정이나 제약이 없는 한, 춤추기에 적합하고 움직임이 편한 복장을 선택하는 것이 좋습니다. 신발 역시 춤추기에 적합하고 편안한 것을 고르는 것이 좋습니다.

하지만 파티장에 따라 복장 요구사항이 다를 수 있습니다. 일부 파티장에서는 격식 있는 복장이나 특정 드레스 코트를 준수하도록 요청할 수 있습니다. 따라서 파티에 참석할 때는 파티장의 복장 규정을 확인하고, 그에 맞는 복장을 선택하는 것이 중요합니다. 요즘은 무도장이나 파티에서도 다양한 스타일의 복장을 수용하는 경향이 있으나, 특정 행사나 파티장의 요구에 맞춰 적절한 복장을 선택하는 것이 예의이자 좋은 에티켓으로 평가될 수 있습니다. 춤을 즐기면서도 주변의 분위기와 요구사항을 고려하는 것이 중요합니다.

신발

댄스를 추는 데 사용하는 신발은 춤의 종류와 스타일에 따라 다양합니다. 일반적으로 라틴댄스와 모던 댄스를 출 때는 해당하는 댄스화를 신는 것이 바람직한 규칙입니다. 라틴 댄스화는 발끝이 노출되고 발을 안정적으로 지탱하면서 민첩하게 움직일 수 있도록 디자인되었으며, 모던 댄스화는 발을 더 안정적으로 고정하면서도 유연한 움직임을 가능케 하는 디자인입니다.

요즘은 운동화로 춤을 추는 사람들도 많습니다. 특히 편안함과 움직임의 자유로움을 중시하는 사람들은 운동화를 선호하는 경향이 있습니다. 운동화의 특성상 발을 더 편안하게 감싸며 움직임이 자유롭고 편안한 면이 있어, 특히 일상적인 춤 뿐만 아니라 댄스파티나 무도장에서도 선호되는 경우가 있습니다. 무도장이나 행사에 따라 신발의 복장 요구사항은 다를 수 있습니다. 예전에는 정장과 구두가 필수였지만, 요즘은 신발에 대한 자유도가 높아졌습니다. 운동화나 샌들 등을 신고 춤을 추는 사람들도 많이 있습니다. 하지만 특정 파티장이나 행사에는 참석 전에 파티장의 복장 요구사항을 확인하는 것이 좋습니다. 무엇보다도 본인이 춤을 추는 동안 가장 편안하고 안정감이 있는 신발을 선택하는 것이 중요합니다.

지르박 기본 지식

지르박 히스토리

세계에서 唯一無二 [유일무이]한 댄스이자 한국에서 사랑받는 댄스인 지르박은 1950년대에 등장했으며 한국에서 사랑과 비판을 동시에 받아온 댄스입니다. 이 춤은 오랜 세월 동안 많은 이들에게 사랑받아왔으며, 한 사람의 삶을 변화시킬 만한 힘을 지니고 있습니다. 2024년까지 이어져온 이 춤은 수많은 장년층이 즐기는 댄스 중 하나로 자리매김하고 있습니다. 이러한 인기와 함께, 지르박은 그만큼 많은 사람들에게 특별한 감정과 추억을 선사해왔습니다.

동족상잔[同族相殘]으로 시작된 비극, 1950년대 한국전쟁 발발 당시, 미군을 통해 지르바가 한국에 보급되었습니다. 이후 한국에서는 지르바를 변형하여 초창기 지르박을 만들었는데, 이는 미국 지르바 스텝을 변형한 삼각 스텝으로 알려졌습니다. 1970년대 초까지 이 스텝은 큰 인기를 끌며 카바레 등에서 유행했습니다. 이러한 변화는 한국 사회가 겪은 한국전쟁으로 인한 어려움 속에서 미군의 문화적 영향으로 해석됩니다. 이로 인해 지르박은 초기에 미국 지르바를 변형하면서 독자적으로 성장하였고, 이는 한국의 댄스 문화에 영향을 주었으며 많은 사람에게 인기를 얻었습니다.

1970년대 초, 삼각 스텝이 한국 전역의 카바레를 휩쓸었습니다. 그러나 이후 삼각 스텝과는 다른 춤인 일자 스텝이 등장했습니다. 이 춤은 일자 지르박으로 불렸으나 춤의 출처나 창조자, 등장 시기에 대한 명확한 정보는 전혀 알려져 있지 않습니다. 그럼에도 불구하고, 일자 스텝은 단 불과 10년 만에 전국에서 큰 인기를 얻게 되었습니다. 1990년 초에는 일자 스텝이 큰 인기를 끌며 삼각 스텝은 시간과 함께 사라지게 되었습니다. 또한, 삼각 스텝 지르박과 삼각 스텝 지르박을 사랑한 춤꾼들 또한, 바람과 세월과 인생 따라 시간 속으로 사라져버렸습니다.

일자 스텝은 세계에서 有一無二 [유일무이]한 한국식 사교댄스이다. 이 춤의 한 가지 장점은 공간을 효과적으로 활용할 수 있다는 것인데, 삼각 스텝보다는 좁은 공간에서도 많은 사람들이 춤을 즐길 수 있습니다. 이를 통해 사람들은 좁은 공간에서도 춤을 출 수 있고, 이는 특히 혼잡한 장소에서 매우 유용하게 사용됩니다. 또한, 이 춤은 자연스러운 움직임과 쉬운 스텝으로 사람들이 쉽게 배우고 즐길 수 있습니다. 이를 통해 춤을 추는 사람들은 서로의 공간을 침범하지 않으면서도 자유롭게 춤을 즐길 수 있는 장점이 있습니다.

1980년대 초까지는 일자 스텝이 지존을 차지하고 있었지만, 후반에는 논스텝 또는 짤짤이라 불리는 춤이 대두되었습니다. 이 춤은 일자 스텝과는 다르게 삼각 스텝의 변형으로, 단조롭고 정적인 춤 동작을 특징으로 하고 있었습니다. 한때 한국의 경제 성장 속도보다 더 빠르게 보급되어서 카바레 문화에 큰 영향을 끼쳤습니다. 그러나 이 춤은 너무 단조롭고 동작이 한 가지로 고정되어 있어 대중적으로 오래 강세를 유지하지 못했습니다. 비눗방울처럼 한-순간에 인기를 잃고 사라지게 되었습니다. 이 춤은 일자 스텝과는 다르게 자연스러운 움직임이 부족하고, 춤의 다양성과 흥미를 유지하지 못한 측면이 있었습니다. 이러한 이유로 인해 인기를 잃고 사라지게 되었는데요, 이 춤의 독특한 특징은 특정한 동작으로 고정되어 있어 춤의 재미와 다채로움을 느끼기 어려웠던 측면이 있습니다.

그 후 짤짤이는 2008년도에 방송한 인기 드라마 아내의 유혹처럼 짝난, 쿵난, 서울 난, 정난, 역난, 리듬 짝, 투투, 송장 춤(비석 춤), 135발 춤, 잔발 춤, 246짝 춤, 까닥 발, 66 통합 발, 따닥발, 비빔 발등으로 변형, 지금 또한 계속 진행형입니다. 이런저런 이유로 짤짤이의 후손들을 섬기는 자들과 삼각 스텝 동생 일자 스텝 지르박을 섬기자는 자, 서양전통 댄스를 섬기는 자들로 구분되어 항상 경계를 나누어 서로 침범을 하지 아니하고 있으며, 요즘은 짤짤이 후손들이 너무 많아 자기들끼리 까고 까이는 중입니다. 짤짤이의 후손들은 단명할 팔자로 태어나 오래 살지 못하는 경우가 허다하지만, 일자 지르박은 남다른 특이한 성격과 개성, 그리고 강한 생명력을 갖고 태어나 지금까지 큰 인기를 받고 있습니다.

일자 지르박

한국의 대표적인 댄스인 일자 스텝 지르박은 여성이 평행봉 위에서 전후로 왕래하듯 일자(一字)로 움직이는 모습에서 비롯하여 일자 지르박이라는 명칭을 얻었습니다. 여성이 일자 모양으로 이동하면서 춤을 추는 모습이 이 춤의 특징 중 하나인데, 이러한 독특한 형태가 이 춤에 이름을 지을 때 영감을 주었습니다. 그래서 이 춤은 "일자 지르박"이라고도 불리고 있습니다.

일자 지르박에서 여성의 진행 궤도는 약 1-2m 길이의 가상 평행봉을 상상하면 됩니다. 여성은 이 가상의 선 위에서 다양한 스텝과 동작을 펼치며 춤을 춥니다. 이때 여성의 발 폭과 선택하는 스텝의 종류에 따라서 1m 미만에서 2m 이상까지 다양한 범위의 선에서 춤을 춥니다. 여성은 가상의 선 위에서 전진, 후진, 브레이크, 제자리 스텝, 비비기, 회전 등 다양한 동작을 펼치는데, 중요한 점은 여성이 이러한 동작을 가상의 선의 궤도를 벗어나지 않고 수행한다는 것입니다.

한편, 남성은 이러한 가상의 선에서 벗어나 정통 스텝인 삼각 스텝이나 십자 스텝(찍는 스텝) 등을 사용하여 춤을 춥니다.

한국의 많은 사교댄스 학원 원장들이 자신들이 한국 정통 지르박을 가르친다고 주장하지만, 실제로 정통 지르박의 뿌리나 출처에 대해서는 명확히 알지 못하는 경우가 많습니다. 지르박의 계보나 뿌리는 모호하며, 한국의 독특한 춤 스타일로 간주됩니다. 이 춤은 라틴 춤에서 비롯되었다는 주장도 있지만, 춤의 계보나 정확한 출처를 확인하기는 어렵습니다. 일자 지르박이 다른 춤과 구분되는 점 중 하나는 춤의 일체감이 부족하다는 것입니다. 보통 블루스, 트로트, 왈츠, 탱고와 같은 춤에서는 춤의 일관성이나 통일성이 강조되는데, 일자 지르박에서는 이러한 일체감이 부족하다고 할 수 있습니다. 그러나 이러한 특징들이 오히려 일자 지르박의 독특한 매력으로 작용하기도 합니다. 이런 특색과 독특함으로 많은 이들에게 사랑받고 있으며, 이 춤이 가지고 있는 독특한 스타일이 특별한 장점으로 떠오르기도 합니다. 이러한 차이로 인해 여성과 남성의 춤 스타일이 조화롭게 어우러져 일자 지르박의 독특하고 아름다운 춤이 완성됩니다.

전통적인 여성 일자 지르박에서 사용되던 기본적인 카운트는 QQSS로서, 찍는 스텝이나 투스텝으로 알려져 있습니다. 이것은 2번 걷고 2번 찍는 스텝을 의미합니다. 그러나 1980년 후반, 여성 일자 지르박은 큰 변화를 겪게 되었습니다. 기존의 전통적인 스텝에서 걷는 스텝(walking step)이나 뛰는 스텝(jogging step)으로 변화되었습니다. 이것은 조깅 스텝이나 원스텝으로도 불립니다. 이 두 스텝의 차이는 스텝 자체는 같지만, 음악의 속도에 따라 걷는 스텝이나 뛰는 스텝으로 움직인다는 것입니다. 걷는 스텝과 뛰는 스텝의 구분은 음악의 리듬이나 속도에 맞춰 춤을 추는 방식으로, 걷는 스텝은 느린 음악에 맞춰서 편안하게 걸어가는 느낌이고, 뛰는 스텝은 빠른 음악에 맞춰서 좀 더 활기차게 움직이는 느낌을 줍니다.

지르박 입문

1. 기초 연습

댄스에서 기초 연습은 마치 건물을 세우기 위한 토대와 같아요. 견고한 구조물을 만들기 위해서는 확고한 기반을 갖추어야 하듯, 춤을 추는 데도 기본적인 동작과 자세를 이해하고 연습하는 것이 핵심이에요. 이것은 댄서가 발전하고 성장하는 데 필수적인 요소죠. 기초 연습은 댄서가 자신의 몸을 이해하고 움직임을 확립하는 데 도움을 줘요. 몸과 운동에 대한 감각을 향상시키며, 올바른 자세와 동작을 습득하는 데 기여합니다. 또한, 기초 연습을 통해 댄스의 핵심을 습득하고, 이를 토대로 더 다양하고 복잡한 움직임을 할 수 있는 능력을 기를 수 있죠. 기초 연습은 실력 향상뿐만 아니라 부상을 예방하는 데에도 중요한 역할을 합니다. 올바른 자세와 움직임을 통해 근육 균형과 유연성이 향상되어 부상을 예방하는 데 도움이 되죠.

튼튼한 기초를 가진 댄서는 다양한 스텝과 자유로운 춤을 즐길 수 있을 뿐 아니라, 부상의 위험을 줄일 수 있습니다. 기초 연습은 댄서의 자신감과 안정감을 키우는 데도 도움이 됩니다. 올바른 자세와 기본적인 움직임을 확실히 익히면 댄서는 스텝 및 피겨에 대해 더 잘 이해하게 되어 자신감을 갖고 안정적으로 춤을 출 수 있죠. 그래서 댄스를 배울 때 기초 연습은 굉장히 중요합니다. 댄서들은 기본 동작과 자세를 꾸준히 반복하고 연습함으로써 자신의 댄스 실력을 향상시키고, 안정성과 자신감을 기를 수 있어 댄스를 더욱 즐겁고 멋지게 추는 데 큰 영향을 미칩니다.

2. "초급 댄스 수업에서 세부 기술에 집중하지 않는 이유"

기초가 중요한 이유는 댄서로서 발전하기 위해 필수적이기 때문입니다. 기술과 기초를 익히는 것이 댄스 공부의 핵심이죠. 그러나 많은 학생들은 실력을 빠르게 키우고 싶은 마음에 기초를 소홀히 하곤 합니다. 이는 보편적인 문제입니다. 초보자들은 낮은 단계를 뛰어넘고 싶은 욕구로 미숙한 기초를 갖게 되는 경우가 많습니다. 그러나 진정한 발전을 위해서는 꾸준한 기초 연습이 중요합니다. 강사들은 학생들이 지루해하지 않으면서도 기초의 중요성을 이해하고 습득할 수 있도록 도와야 합니다. 이를 위해선 왜 특정 동작을 하는지 설명하고 실제로 어떻게 적용되는지, 그리고 기초가 중급이나 고급 단계에서 어떻게 도움이 되는지를 함께 보여줘야 합니다. 이러한 방식으로 학생들은 지루함을 느끼지 않으면서도 댄스의 심도와 의미를 이해할 수 있습니다. 튼튼한 기초를 갖추면 중급과 고급 단계에서의 응용이 보다 쉬워지며, 댄스는 더욱 흥미롭고 만족스러운 경험이 될 것입니다. 따라서, 댄스를 배우는 학생들에게 기초의 중요성을 강조하고 꾸준한 기초 연습의 필요성을 이해시켜 주는 것이 중요합니다.

초급반에서 세부적인 테크닉을 가르치지 않는 이유는 다양한 이유가 있을 수 있습니다.

첫째, 초보자들에게는 기초 움직임과 자세를 익히는 것이 중요합니다. 초급반은 대개 기본적인 스텝과 포지션, 기초적인 춤의 움직임에 집중하며, 너무 세부적인 테크닉에 집중하기보다는 기본적인 움직임과 자세에 익숙해지는 것이 목표입니다. 초보자들이 너무 많은 정보를 한 번에 받아들이는 것은 혼란을 초래할 수 있으므로, 기초부터 차근차근 학습하는 것이 중요합니다.

둘째, 초보자들은 흥미를 잃지 않도록 해야 합니다. 초반에는 댄스를 즐겁게 느끼고 자신감을 키우도록 하는 것이 중요합니다. 세부적인 테크닉을 과도하게 가르치면 지루함을 느낄 수 있고, 이로 인해 댄스에 대한 흥미를 잃을 수 있습니다. 따라서 초보자들이 춤을 즐기고 진지하게 배우기 위해서는 기초적인 요소에 집중하는 것이 좋습니다.

셋째, 초급반이 다양한 수준과 배경을 가진 학생들로 구성되어 있을 수 있습니다. 일부 학생들은 이미 어느 정도의 경험이 있을 수 있고, 다른 학생들은 완전히 처음 접하는 경우일 수 있습니다. 이런 다양한 수준을 고려하여 기본적인 움직임에 집중하는 것이 효과적입니다.

"댄스 프로그레션: 단계별 발전을 위한 효과적인 접근 방식"

1.기초 발 단계: 발의 위치, 무게 이동 및 기초적인 스텝을 익힙니다.

2.자세와 균형: 올바른 자세와 균형을 유지하면서 기초 움직임을 학습하고 강화합니다.

3.리듬 인식: 음악의 리듬에 맞춰 간단한 스텝을 실행하며 리듬 감각을 키웁니다.

4.플로어 크래프트: 바닥에서의 움직임에 대한 이해를 높입니다.

5.바디 컨트롤: 상체와 하체의 조화로운 움직임을 통해 바디 컨트롤을 강화합니다.

6.테크닉 강화: 다양한 스텝과 움직임에 대한 테크닉-적 측면을 향상 시키고 연습합니다.

7.스타일과 특색: 개성을 부각시키고 자신만의 스타일과 특색을 찾아 나갑니다.

8.속도와 유연성: 신속하고 유연한 움직임을 위해 속도와 유연성을 향상시킵니다.

9.힘과 에너지: 댄스 동작에 필요한 근육력과 에너지를 강화하여 댄스를 보다 강렬하게 표현합니다.

10.창의성과 표현력: 감정과 이야기를 담아내며 창의적이고 표현력 있는 댄스를 연구합니다.

11.파트너와 소통: 댄스 파트너와의 원활한 소통과 동작의 연결을 위한 기술을 향상시킵니다.

12.무대 프레즌스: 무대에서의 자신감과 카리스마를 향상시키고 퍼포먼스를 강화합니다.

13.퍼포먼스 개선: 더 크고 강렬한 퍼포먼스를 위한 댄스 기술을 보완합니다.

14.자기 평가: 자신의 발전과 성장을 평가하고 발전이 필요한 부분을 식별합니다.

15.연습과 반복: 배운 기술을 고찰하고 반복적으로 연습하여 능숙도를 향상시킵니다.

16.다이내믹한 모션: 댄스 동작의 다양한 모션과 움직임을 연마하고 다채로운 표현력을 구사합니다.

17.프로페셔널리즘: 프로페셔널한 태도와 댄서로써의 자질을 갖추기 위해 노력합니다.

18.창의적 발전: 새로운 움직임, 스타일, 기술 등을 배우고 발전해 나갑니다.

19.지속적 성장: 자기 발전을 위해 끊임없이 학습하고 발전하는 과정을 이어나갑니다.

20.댄스 마스터: 다양한 영역에서 자신의 댄스를 마스터하고 완벽한 통제력과 표현력을 갖추게 됩니다.

댄스 레벨

1. **하수는 댄스의 초석을 닦는 사람들이다.** 그들은 기본스텝을 익히고, 리듬을 타기 위해 노력한다. 무거운 발걸음도, 어색한 동작들도 그들에게는 단순한 시작에 불과하다. 이들은 자신의 부족함을 받아들이고, 지속적인 연습과 열정을 통해 끊임없이 성장하고자 한다.

2. **중수는 이미 하수의 단계를 넘어선 사람들이다.** 그들은 댄스의 기본을 익혔고, 기술적인 면에서 조금 더 자신감을 가진다. 하지만 아직은 완벽하지 않다. 그들은 자신의 한계를 극복하기 위해 노력하며, 더 나은 춤을 추기 위해 끊임없이 연마하고자 한다.

3. **고수는 댄스의 전문가이다.** 그들은 뛰어난 기술과 탁월한 표현력으로 사람들을 매료시킨다. 그러나 그들의 고수가 된 길은 결코 쉽지 않았다. 수많은 시간과 노력, 그리고 자기희생을 통해 그들은 자신만의 특유한 스타일을 완성하였다.

4. **초일류는 댄스의 창조자이자 혁신자들이다.** 그들은 새로운 기술과 예술적 표현을 통해 댄스의 경계를 넓히고, 새로운 가능성을 탐구한다. 그들은 예술의 경지에 다다르기 위해 끝없는 탐구와 창의성을 지니고 있다.

5. **댄스 마스터는 이들 모두를 포용하는 존재다.** 그들은 댄스의 본질을 깨우치고, 새로운 시각과 지혜를 가지고 있다. 그들은 댄스의 정수를 이해하며, 자신의 경험을 통해 다른 이들을 가르치고 영감을 주는 존재이다.

일자 지르박 스타트 카운트

피아노, 색소폰 등 악기를 연주하기 전에는 몸을 풀고 악기를 점검하는 시간이 필요하고, 가수는 목을 풀고, 100m 달리기를 시작하려면 스타트 동작이 필요하며, 건설기계나 자동차를 운전하기 전에

시동을 걸고, 워밍업을 하듯, 춤에도 예비 동작이 필요합니다. 세계적으로 유행하고 있는 왈츠, 룸바, 차차차 등 모든 커플 춤에는 예비 동작이 있으며 한국의 지르박 춤 또한 예외는 아닙니다. 첫 단추가 매우 중요하므로 첫 스텝부터 꼬이면 음악이 끝날 때까지 꼬이므로 첫 박자를 잘 맞춰야 합니다.

춤을 출 때 가장 중요한 부분 중 하나는 음악의 리듬과 박자에 맞춰 춤을 출 수 있도록 하는 것입니다. 음악의 박자와 함께 춤을 시작하고, 서로의 움직임을 조화롭게 이어가며 춤의 흐름을 유지하는 것이 중요합니다. 춤의 시작은 그 후의 흐름을 결정짓는 부분이기 때문에, 첫 스텝부터 서로의 움직임을 조율하고 조화롭게 춤을 이끌어가는 것이 중요합니다. 춤은 함께하는 즐거움을 나누는 것이기도 하니, 예비 동작을 통해 시작을 제대로 준비하고 서로의 흐름을 익히면 음악이 끝날 때까지 즐거운 경험을 만들 수 있습니다.

사교댄스에서 스타트 동작의 박자 길이는 2박자 S&로 통일되어 있지만, 카운트에 대해서는 각 학원이나 원장의 개성과 교육 방식에 따라 다양한 형태를 보입니다. 이런 다양성은 사람들에게 다른 시각과 경험을 제공할 수는 있지만, 학습자들이나 입문자들에게 혼란을 줄 수도 있습니다. 통일된 교재나 가르침이 있으면 좋겠지만, 이를 위해서는 다양한 사교댄스 전문가들과 학원들이 함께 모여서 통일된 가이드-라인이나 교재를 만들어야 할 것 같습니다.

지르박 스타트 하는 법

지르박 스타트 방법은 전국팔도 통일이 안 됐으나 전국에서 통용되는 스타트 방법은 1번과 2번입니다. 어떤 학원은 1번 방법으로 어떤 학원은 2번 방법으로 레슨해줍니다. 남성의 경우 스타트 방법을 1번 아니면 2번을 통용 적으로 사용하기 때문에 여성은 1번과 2번 스타트 방법을 알아야 하며 4번과 6번 같은 경우 어느 정도 경력이 있는 춤꾼이 사용하며 3번~6번은 아주 드물게 사용되는 스타트 법입니다.

번호	남성	여성
1번	L/90°(BF, T 선택)	여성 후진(BF, T 선택)
2번	L/Side(BF, T 선택)	R/Side(BF, T 선택)
3번	R/90°(BF, T 선택)	여성 후진(BF, T 선택)
4번	L/Side(BF, T 선택)	여성 후진(BF, T 선택)
5번	R/Side(BF, T 선택)	여성 후진(BF, T 선택)
6번	남성 후진(BF, T 선택)	여성 후진(BF, T 선택)

지르박 리듬

학원마다 리듬은 다르다. S Q Q S 나 S S Q Q 아니면 Q Q S S를 많이 사용한다.

리듬	박자 값
S Q Q S	2 1 1 2
S S Q Q	2 2 1 1

Q Q Q Q Q Q	1 1 1 1 1 1
S& Q Q S&	S:1 &:1 1 1 S:1 &:1

댄스 종목별 템포&박자 값

종목	템포/1분간	박자 값
왈츠(waltz)	30소절	1.1.1
탱고(tango)	33-34소절	S:2 Q:1/2
폭스트롯(fox trot)	30소절	S:2 Q:1
비엔나왈츠(Viennese waltz)	58-60소절	1.1.1
퀵스텝(Quick step)	50소절	S:2 Q:1
룸바(Rumba)	27~28소절	1.1.1.1
삼바(Samba)	52~54소절	3/4 1/4 1 (카운트에 따라 달라짐)
자이브(Jive)	42~44소절	1.1.3/4.1/4.1.3/4.1/4.1
차차차(Cha cha cha)	30~32소절	1.1.1/2.1/2.1
파소도블레(Paso Doble)	60~62소절	1. 1.

댄스 종목별 타임 시그니처 & 카운트 및 악센트

종목	타임 시그니처	카운트	악센트
왈츠(waltz)	3/4박자	1.2.3	카운트 1
탱고(tango)	2/4박자	1& 2&	각 박자마다
폭스트롯 (fox trot)	4/4박자	1.2.3.4	1(강) 2(약) 3(중강) 4(중약)
비엔나왈츠 (Viennese waltz)	3/4박자	1.2.3	카운트 1
퀵스텝 (Quick step)	4/4박자	1.2.3.4	1(강) 2(약) 3(중강) 4(중약)
룸바(Rumba)	4/4박자	2.3.4.1	카운트 4
삼바(Samba)	2/4박자	1 a2	카운트 2
자이브(Jive)	4/4박자	1.2.3a4.3a4	카운트 2&4
차차차 (Cha cha cha)	4/4박자	2.3.4&.1	카운트 1
파소도블레 (Paso Doble)	2/4박자	1. 2.	카운트 1

사교댄스 타임 시그니처 & 템포 및 리듬

종목	타임 시그니처	템포/1분간	리듬
지르박	4/4박자	40	SSQQ
도롯트	4/4박자	26	QSS
블루스	4/4박자	28	SQQ
탱고	4/4박자	32	SQQ
리듬짝	4/4박자	36	QQQQ

카운트 변천사

년도	리듬	카운트
1940년, 정삼각	S - S - Q - Q	12 - 34 - 5 - 6
1950년 삼각	S - Q - Q - S	23 - 4 - 5 - 61
1970년, 일자	S - Q - Q - S	23 - 4 - 5 - 61
1980년	S - Q - Q - S	56 - 1 - 2 - 34
1990년 초반	S - S - Q - Q	61 - 23 - 4 - 5
1990년 중반	Q - Q - S - S	3 - 4 - 56 - 12
1990년 말	S - & - Q - Q - S - &	5 - 6 - 1 - 2 - 3 - 4
2000년 초	S - Q - Q - S	12 - 3 - 4 - 56

덧박 설명

춤의 각 스텝과 타이밍을 정확히 익히기 위해 사용되는 박자 표기법은 해당하는 움직임과 음악의 박자를 일치시켜 연습하는데 중요한 역할을 합니다. 이러한 표기법은 특정 스텝의 슬로우 또는 빠른 부분을 표시하며, '&'는 다음 스텝으로의 연결을 나타냅니다. 'Q'는 빠른 움직임을 나타내고, '1. 2'는 추가된 2박자, '1. 2. 3. 4'는 추가된 4박자, '1. 2. 3. 4. 5. 6'은 추가된 6박자를 나타냅니다. 이러한 표기법은 춤의 각 움직임을 시간적으로 분해하여 음악에 맞춰 연습할 수 있도록 도와줍니다.

특히, '(S)'와 '(&)'에서 '(&)'는 왼발의 'S' 스텝 이후 오른발의 동작을 나타내며, 오른발의 동작을 1/2박자로 표현합니다. 이러한 표기법은 오른발의 간단한 움직임을 '&(셋)'으로 나타내어 초보자가 이해하고 학습하는 데 도움을 줍니다. 이러한 표기법은 춤을 처음 배우는 사람들에게 특히 유용하며, 기본 움직임을 파악하는 데 도움이 됩니다. 다만, 이 표기법은 스타일이나 레슨에 따라 조금씩 다를 수 있으며, 개인의 익숙함에 따라 변형될 수 있습니다.

카운트 알고리즘

춤이나 댄스의 카운트 방식은 그 특성과 스타일에 따라 다양한데요. 일반적으로는 춤의 카운트를 움직임이 시작되는 지점을 '하나'로 설정합니다. 춤이 시작되는 자세를 취하고 첫 번째 움직임을 '하나'로 간주하며, 그 다음의 동작을 '둘', '셋', '넷', '다섯', '여섯' 등으로 순차적으로 카운트합니다. 음악과 춤은 서로 밀접한 관계를 맺고 있기 때문에 음악의 리듬에 맞춰 춤을 카운트하는 것이 중요합니다. 음악의 비트에 맞춰 춤을 시작하고, 이를 유지하면서 움직이는 것이 효과적인 춤 연습을 가능케 합니다. 그러나 각 춤이나 댄스 스타일은 그 독특한 특성 때문에 카운트 방식이 상이할 수 있습니다. 때로는 각각의 스타일이나 레슨에 따라서도 차이가 있을 수 있죠. 개인적인 스타일에 따라 카운트를 조절하기도 하며, 특정한 움직임이나 패턴에 맞춰서도 카운트가 다를 수 있습니다.

춤을 배우거나 연습할 때는 해당 춤의 가이드나 지도자의 지시를 따르는 것이 가장 중요합니다. 그렇게 하면 올바른 기술을 습득하고, 자신의 춤을 더욱 발전시킬 수 있을 거예요. 춤의 고유한 특성과 스타일을 이해하고 존중하는 것이 중요하며, 그에 따라 카운트 방식을 적절히 조절하여 춤을 연습하고 발전시키는 것이 좋습니다.

댄스의 종착지: 피날레의 화려한 막

소셜 댄스는 종종 엄격한 규칙이나 특정한 종료점이 없는 예술로, 연속성과 자유로운 흐름을 강조합니다. 특히 이런 종류의 댄스는 끊임없이 변화하고, 남성과 여성 간의 조화와 협업, 그리고 그 순간의 흐름에 따라 움직임이 결정되는 경우가 많습니다. 소셜 댄스에서 가장 중요한 것은 남녀 간의 상호작용과 의사소통입니다. 이런 댄스에서 종료점을 명확하게 정하는 것은 흔하지 않으며, 일반적으로 춤의 진행과 끝을 결정하는 것은 춤을 즐기는 사람들의 상호작용과 흐름에 따라 유연하게 이뤄집니다. 물론, 댄스를 배우거나 연습하는 과정에서 특정 동작을 카운트하여 학습하는 것은 흔합니다. '하나'부터 '여섯'까지의 카운트로 춤을 시작하고 끝내는 것이 흔한 예시입니다.

그러나 이는 보통 춤의 흐름을 나타내는 하나의 방식이며, 상황에 따라 자연스런 춤의 흐름을 중요시합니다.

템포와 지르박의 미묘한 보폭: 춤의 리듬적 흐름

거리가 넓을 때에는 같은 시간 내에 많은 공간을 이동해야 하므로 보폭이 크며 반면에 거리가 짧을 때는 같은 시간 동안에 보폭이 짧으므로 시간의 여유가 생길 수 있습니다. 춤은 공간을 향해 펼쳐지는 예술입니다. 그것은 단순히 리듬에 맞춰 움직이는 것을 넘어, 스타일, 템포, 그리고 공간을 활용하여 표현의 폭을 넓히는 예술이기도 합니다. 춤은 보통 특정한 패턴이나 카운트에 따라 진행됩니다. 그러나 그 안에서의 움직임은 춤의 특성과 스타일, 심지어는 춤을 추는 환경과 상황에 따라 다양하게 조절될 수 있습니다. 이런 유연성은 춤을 보다 독창적으로 만들고, 댄서의 개성을 반영하며, 더욱 감동적인 공연을 만들어냅니다.

거리와 보폭은 춤에서 중요한 개념입니다. 거리는 춤을 추며 이동하는 공간의 범위를 나타내며, 보폭은 한 보를 걸어가는 간격을 말합니다. 이 둘은 서로 연결되어 있어 춤을 통제하고 조절하는 데 중요한 역할을 합니다. 거리가 넓을수록 더 큰 공간을 이동해야 하므로, 빠르고 화려한 움직임이 필요할 수 있습니다. 반면에 제자리에서 춤을 추거나 거리가 좁을 때는 시간의 여유가 생겨 섬세하고 정교한 동작을 표현할 수 있습니다.

춤의 템포나 스타일 또한 거리와 보폭에 큰 영향을 미칩니다. 빠른 템포의 음악에 맞추어 더 넓은 공간을 활용하고, 느린 템포에서는 작은 공간에서의 섬세한 움직임이 더 매력적일 수 있습니다. 스타일도 춤의 표현과 연결돼 있습니다. 현대무용, 힙합, 발레 등 각각의 스타일은 다양한 보폭과 거리를 표현하는 방식이 다릅니다. 따라서 춤을 배울 때, 단순히 동작만을 익히는 것이 아니라 보폭과 거리를 조절하고 템포에 맞춰 춤을 추는 연습이 중요합니다. 이를 통해 춤은 더욱 풍부하고 표현력이 풍부한 예술로 거듭날 수 있습니다. 그리고 자신만의 독특한 스타일과 개성을 뽐낼 수 있게 될 것입니다.

레벨업된 움직임: 각 카운트별 텐션 및 손의 정교한 기술

순차적으로 설명된 각 단계에서는 움직임의 흐름과 상대와의 상호작용에 대한 세부 지침이 명시되어 있습니다. 카운트는 1,2,3,4,5,6이나 5,6,1,2,3,4 및 3,4,5,6,1,2 등 카운트 방식만 틀리지만 텐션 및 손 액션은 같습니다.

첫 번째 단계에서는 받친 힘을 활용하여 앞으로 나아가며 힘을 풀어야 합니다. 이는 움직임의 흐름을 유지하면서 상대와의 조화를 이루는 데 도움이 됩니다.

두 번째 단계에서는 움직임을 멈추기 위해 텐션을 유지해야 합니다. 이 행동은 움직임의 변화를 조절하고 다음 동작을 준비하는 데 중요합니다.

세 번째 단계는 다음 동작을 위해 손의 힘을 풀면서 상대의 손을 잡은 채로 유지하는 것이며,

네 번째와 다섯 번째 단계에서도 상대의 손을 계속 잡은 상태를 유지하면서 힘을 적절히 조절해야 합니다.

여섯 번째 단계에서는 다음 동작을 위해 준비하는 과정에서 상대방의 손을 받쳐야 합니다. 이러한 단계적인 행동은 춤이나 움직임에서 상대와의 상호작용을 조절하고 흐름을 유지하는 데 사용되며, 각 단계에서 손의 힘과 상호작용을 조절하는 방법을 자세하게 설명하고 있습니다.

순차적으로 설명한 단계는 기본 단계로 피겨 및 스텝에 따라 텐션 및 손 사용법은 달라질 수 있습니다.

지르박은 굴신(屈伸) 운동

인간은 걷거나 움직일 때 항상 오금-질 즉 굴신 운동을 하게 됩니다. 팔과 다리를 굽히고 펼치면서 걸어 다니는 것이죠. 굴신 운동은 인간의 일상생활에서 빼놓을 수 없는 움직임 중 하나입니다.

댄스는 굴신 운동의 대표적인 형태 중 하나로, 발의 움직임과 함께 무릎의 굴신 운동을 포함하고 있습니다. 이는 댄스에서의 핵심 요소 중 하나로, 다양한 댄스 장르에서 이러한 움직임을 찾아볼 수 있습니다. 댄스 종목마다 굴신 운동의 정도나 각도가 다를 수 있습니다. 왈츠나 볼레로와 같은 댄스에서는 큰 굴신 운동이 요구될 수 있고, 반면에 지르박 댄스나 블루스와 같은 스타일에서는 굴신 각도가 작을 수 있습니다. 일반적으로 모던계 댄스는 청년층과 잘 어울리는 댄스로 여겨지고, 라틴계 댄스는 중장년층에게 맞는 댄스로 생각될 수 있습니다. 이러한 경향은 댄스의 특성과 음악, 운동의 성격 등에 따라 다를 수 있습니다. 그러나 이것이 절대적인 규칙은 아닙니다. 연령에 상관없이 누구나 댄스를 통해 즐거움과 건강을 누릴 수 있습니다. 댄스는 개인의 취향과 몸의 상태, 관심사 등을

반영하며 누구에게나 맞춤형으로 즐길 수 있는 활동입니다.

지르박의 특색

지르박과 라틴댄스의 특색은 그들만의 독특한 스타일과 특유의 자유로움에 있습니다. 라틴댄스는 그 어느 다른 댄스 스타일과도 다른 진행 방향, 춤을 추는 위치 및 방향, 그리고 홀드의 자유로움으로 눈에 띕니다. 지르박과 라틴댄스(살사, 메렝게, 바차타, 맘보, 자이브, 차차차 등)는 진행 방향이 고정되어 있지 않으며, 춤을 추는 위치나 방향 또한 자유롭습니다. 특히 홀드가 자유롭고, 베이식 룰에 따라 춤을 자유롭게 표현하는 것이 지르박과 라틴댄스의 큰 특징 중 하나입니다. 라틴댄스와 지르박의 홀드 특성은 파트너와의 거리를 조절하면서 춤을 출 수 있도록 해주는데, 이는 한 손이나 양손을 사용하여 춤을 추는 것을 가능하게 합니다. 또한, 샤인 포지션 즉, 서로 손을 잡지 않은 상태에서 자신의 동작을 자유롭게 표현하는 것이 가능합니다. 이는 모던 댄스와는 매우 다른 특성으로, 자유롭고 현란한 동작을 표현할 수 있는 것이 라틴댄스의 매력 중 하나입니다.

이러한 라틴댄스의 특색은 춤을 즐기는 사람들에게 다양한 스타일과 자유로운 표현의 기회를 제공합니다. 각각의 댄서들은 자신만의 개성과 스타일로 춤을 표현할 수 있으며, 이는 지르박, 라틴댄스가 다채롭고 매력적인 댄스 장르로 손꼽히는 이유 중 하나입니다.

블록스 어브 웨이트(Blocks of Weight)

"블록스 어브 웨이트(Blocks of Weight)"는 몸의 다섯 부분을 명명하여 무게 중심과 균형을 이해하고 조절하는 데 도움이 되는 개념입니다. 이 부분들은 다음과 같은 역할을 합니다:

1.머리: 머리는 우리 몸의 정상에 자리하고 있지만, 그 무게와 위치는 우리의 전체적인 자세와 균형에 많은 영향을 미칩니다. 머리는 상당한 무게를 갖고 있으며, 목과 척추를 통해 지탱됩니다. 이것이 몸의 균형을 조절하는 데에 큰 역할을 합니다. 머리가 올바른 위치에 있고 균형을 잡는다면, 몸 전체의 자세도 안정되고 올바르게 유지될 가능성이 높아집니다. 이는 우리가 일상 생활에서 걷거나 서 있는 동안에도 중요합니다. 머리의 위치가 자연스럽게 곧바로 느껴지고, 목과 척추가 수직을 이루며 자연스러운 곡선을 이루도록 하는 것이 중요합니다. 적절한 머리의 위치는 몸의 중심에 있는 것처럼 느껴지게 하고, 몸의 안정성과 균형을 도와줍니다. 이것이 올바른 자세를 유지하는 데에 있어서 중요한 부분 중 하나입니다. 몸의 균형은 머리와 목의 위치와 밀접한 관련이 있으며, 이를 조절하여 올바른 자세를 유지하는 것이 중요합니다.

2.어깨: 어깨는 상체의 지지를 담당하고 있어요. 팔과 상체의 움직임을 조절하고, 우리가 다양한 동작을 할 수 있도록 도와주는 중요한 부위입니다. 어깨의 위치는 팔이 자유롭게 움직일 수 있도록

함께 연결돼 있죠. 적절한 어깨 위치는 우리가 팔을 높이 들거나 움직일 때 더 많은 자유로움을 제공합니다. 잘못된 어깨 위치는 팔의 움직임에 제약을 주고, 근육들에 부담을 줄 수 있습니다. 때로는 잘못된 자세나 너무 많은 스트레스가 있는 경우 어깨에 통증이나 불편함이 생길 수도 있어요. 따라서 올바른 자세를 유지하고 어깨를 제대로 지탱하는 것이 중요합니다. 정확한 어깨의 위치와 움직임은 팔과 상체의 움직임을 원활하게 만들어주며, 몸의 균형과 편안함을 유지하는 데에 도움을 줄 수 있습니다.

3.갈비뼈: 갈비뼈는 가슴에서 복부까지 이어지는 중요한 부분입니다. 몸의 중심 부분으로, 호흡과 같은 핵심적인 기능을 조절하고 몸의 균형을 유지하는 데 큰 역할을 합니다. 갈비뼈는 몸의 중심에 위치하여 척추를 지지하고 있으며, 이는 몸의 안정성과 균형을 제공합니다. 또한, 호흡과 관련하여 중요한 역할을 하는데, 갈비뼈는 효율적인 호흡을 도와주고 호흡 용량을 확보하는 데 도움을 줍니다. 몸의 중심 부분에 위치한 갈비뼈는 우리가 움직일 때 몸의 균형을 유지하는 데에도 중요한데, 이것이 안정적이고 올바른 자세를 유지하는 데 큰 역할을 합니다. 갈비뼈가 제대로 지탱되고 균형을 유지하면, 몸 전체가 안정되고 건강한 상태를 유지하는 데에 도움이 됩니다.

4.엉덩이: 엉덩이는 몸의 상체와 하체를 연결하는 부분으로, 걷거나 움직일 때 매우 중요한 역할을 합니다. 엉덩이는 몸의 안정성을 제공하고, 운동할 때나 일상적인 활동을 할 때 필수적인 기능을 담당하죠. 엉덩이 근육들은 몸의 균형과 안정성을 유지하는 데 핵심적입니다. 걷거나 달릴 때, 또는 서서 일을 할 때 엉덩이 근육들은 우리 몸을 지탱하고 균형을 유지하는 데 도움을 줍니다.

또한, 엉덩이 근육들은 하체 근육들과 함께 작동하여 움직임의 조절과 힘을 제공합니다. 엉덩이는 몸의 중심 부분이기도 하며, 몸의 자세를 제어하는데 중요한 부분입니다. 강하고 안정된 엉덩이 근육은 움직일 때 우리 몸을 지지하고 안정성을 유지하는 데에 큰 도움이 됩니다. 그래서 엉덩이 근육들을 강화하고 유연하게 유지하는 것이 건강한 움직임과 자세를 유지하는 데 중요합니다.

5.다리: 다리는 엉덩이 아래부터 발끝까지 이어지는 부분으로, 몸의 무게를 지탱하고 서 있거나 움직일 때 필요한 기능을 수행합니다. 몸의 균형을 유지하고 운동 시 올바른 자세를 유지하는 데 매우 중요합니다. 다리는 우리 몸을 지탱하고 무게를 지탱하는 주된 역할을 합니다. 서 있거나 걷거나 뛰면서 몸의 무게를 지탱하고, 운동할 때 몸의 균형을 유지하는데 큰 도움을 줍니다. 또한, 다리 근육들은 운동과 움직임에 필수적이며, 이를 통해 우리는 다양한 동작을 수행할 수 있습니다.

다리는 몸의 하부 근육들과 함께 작동하여 운동과 자세를 조절하고 균형을 유지하는 데 중요한 역할을 합니다. 강하고 유연한 다리 근육은 몸의 안정성을 유지하고 다양한 운동을 할 수 있도록 도와주며 올바른 자세와 균형을 위해서는 다리 근육들을 강화하고 유지하는 것이 중요합니다.

이러한 부분들은 모던, 라틴댄스-뿐만 아니라 운동 전반에서 자세와 균형을 유지하는 데 중요합니다. 이 개념을 이해하고 이를 활용하면 몸의 균형을 유지하고 운동의 효율성을 높일 수 있습니다.

Slot(슬롯)

Slot(슬롯)은 커플이 춤을 출 때 이동할 수 있는 특정한 바닥 영역을 가리키며, 일반적으로 여성의 어깨 폭보다 조금 넓고 길이는 여러 피트(feet)에 이릅니다. (스텝 수 및 피겨 동작에 따라 달라집니다.)

지르박이나 웨스트 코스트 스윙은 슬롯을 중요하게 고려하는 춤 중 하나이며, 이 춤에서 댄서들은 특정한 슬롯 안에서 움직입니다. 이 슬롯은 주로 선형적이고 직선적인 움직임을 허용하며, 댄서들은 서로의 위치를 유지하면서 정해진 방향으로 이동합니다. 슬롯은 춤의 다양한 패턴과 기술을 수용하는 영역으로 사용되며, 댄서들은 이 안에서 다양한 움직임을 펼칩니다. 다른 춤 중에서는 자이브와 같이 더 원형적인 움직임을 즐기는 경우가 있어 슬롯에 묶이지 않고 댄서들은 더 자유롭게 움직일 수 있는 특징을 가집니다. 여기에서는 슬롯의 제한이 상대적으로 적어지며, 춤의 패턴이나 움직임이 더 자유로워집니다.

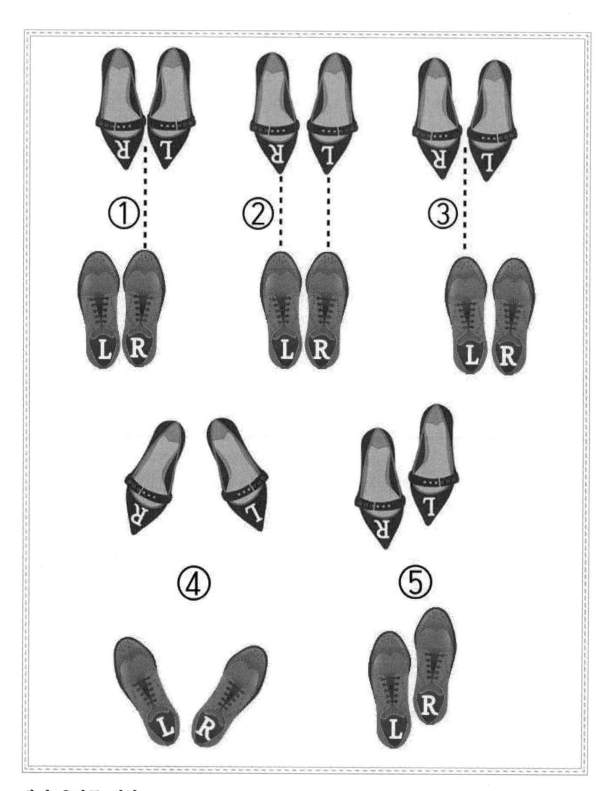

발의 올바른 위치

올바른 발의 위치	2번
나쁜 발의 위치	1, 3번, 4번, 5번

남성의 Standing Poise의 원칙

A. "포지션의 우아한 균형: 11자 모양의 풋 포지션"

댄스에서 양발을 11자로 서는 것은 안정적인 기초 자세를 구축하는 중요한 원리 중 하나입니다. 이 자세는 머리부터 발끝까지 일직선으로 정렬되어 안정성을 제공하며, 댄스 동작 중 다양한 방향으로의 움직임을 용이하게 도와줍니다. 댄스에서는 다양한 회전과 방향 전환이 필요하기 때문에 이러한 안정된 자세는 핵심적입니다. 발끝의 정렬뿐만 아니라 발 중앙도 몸의 중심에 맞춰서 정렬하는 것이 중요합니다. 이것은 밸런스를 유지하고 동작의 흐름을 원활하게 만드는 데 도움이 됩니다.

B. "포지션의 향연: 우아한 자세의 비밀과 미학"

댄스에서 올바른 자세는 춤을 추는 데 있어서 핵심적인 출발점입니다. 올바른 자세를 유지하는 것은 우아하고 정교한 춤을 추는 데 필수적인 기술이며 정확한 자세는 춤을 추는데 필수적인 기반이 됩니다. 등과 골반이 수직으로 일직선을 이루며, 어깨는 편안하게 펴져야 합니다. 체형과 균형을 유지하면서 자세를 잡는 것은 춤의 안정성과 우아함을 결정짓는 중요한 부분입니다. 등의 수직성은 춤을 추는 데 있어 가장 중요한 요소 중 하나입니다. 등을 바르게 세우고 골반이 약간 뒤로 빼어 자연스러운 곡선을 만듭니다. 어깨와 팔은 편안하게 펴져야 합니다. 어깨를 들고 움직이면 답답함을 느낄 수 있으므로 가능한 한 편안하게 유지하는 것이 중요합니다.

올바른 자세는 춤을 표현하는 데 상당한 영향을 미칩니다. 올바른 자세는 춤을 더욱 우아하고 연결성 있게 만들어줍니다. 자세가 제공하는 지탱력은 춤을 추는 데에도 큰 역할을 합니다. 춤을 표현하고 연결성을 유지하기 위해서는 올바른 자세가 필수적입니다. 댄스에서 올바른 자세는 춤의 기반을 이루며, 정확한 자세는 안정성과 연결성을 제공하면서 춤을 더욱 우아하게 표현할 수 있도록 돕습니다. 이는 춤을 자신 있게 표현하고 아름답게 완성하는 데에 큰 도움이 됩니다.

C. "올바른 상체 자세 유지를 위한 방법"

지르박에서의 올바른 자세와 균형 유지는 상체 안정성을 중요시하며, 몸 각 부분의 위치와 균형 조절이 필요합니다. 목 뒤의 옷깃을 끌어 올렸을 때 자연스럽게 상체가 세워지고 명치를 올린 듯한 자세가 나오듯, 상체가 뒤로 뒤집히지 않도록 주의하고, 여성의 경우 명치를 올린 듯한 자세를 유지해야 합니다. 머리도 중요한데, 견갑골 뒤에 머리를 위치시켜야 하며, 팔을 앞으로 내밀어야 올바른 Forward Balance를 유지할 수 있습니다. 춤을 추는 과정에서 이러한 자세 조절을 통해 자연스럽고 우아한 움직임을 연출할 수 있습니다.

D. "상반신 안정성을 위한 가슴"

양옆의 가슴이 좁아지는 것을 막기 위해서는 몸을 제어하고 적절한 자세를 유지하는 것이 필요합니다. 가슴이 좁아지는 것을 막기 위해서는 자연스러운 움직임 속에서도 가슴이 마치 안정된 위치에 고정되어 있다고 느끼는 것이 중요합니다. 상반신 안정성은 춤을 추는 데 매우 중요합니다. 특히, 가슴의 안정성은 춤의 우아함과 자연스러움에 큰 영향을 줍니다. 올바른 가슴의 자세는 몸을 제어하고 춤을 추는 동안 안정된 느낌을 주는 데 도움이 됩니다.

가슴이 좁아지는 것을 막기 위해서는 자세와 몸의 제어가 필요합니다. 여기서 몇 가지 유용한 조언을 소개하겠습니다.

1.**코어 근육 강화**: 춤을 출 때 가슴이 안정적으로 느껴지게 하려면 코어 근육을 강화하는 것이 중요합니다. 복근과 허리 부분의 근육을 강화하여 몸의 안정성을 높이고 가슴의 안정성을 유지할 수 있습니다.

2.**우아한 가슴의 움직임**: 춤을 추면서도 가슴이 자유롭게 움직일 수 있도록 하는 것이 중요합니다. 너무 뻗거나 강하게 움직이지 않으면서도 자연스럽게 가슴이 움직이게 하여 안정성을 유지할 수 있습니다.

3.**자세의 제어와 정렬**: 올바른 자세와 척추의 정렬은 가슴의 안정성을 느끼는 데 중요합니다. 춤을 추는 동안 몸을 올바르게 제어하고 정렬하여 가슴이 안정된 위치에 고정되어 있는 느낌을 유지해야 합니다.

4.**균형 유지와 연결**: 몸 전체의 균형을 유지하고 상체와의 연결을 유지하는 것도 중요합니다. 춤을 출 때 가슴만큼이나 팔, 어깨, 등과의 조화로운 연결을 유지하여 안정성을 높일 수 있습니다.

가슴의 안정성은 춤을 출 때 우아함과 자신감을 더해줍니다. 자세의 제어, 코어 근육 강화, 자연스러운 움직임과 연결된 안정성은 춤을 추는 데 도움이 되는 중요한 요소입니다.

E. "팔의 최대 범위 활용을 위한 팔꿈치 위치 조절"

팔의 움직임은 춤을 출 때 매우 중요한 부분입니다. 특히 팔꿈치의 위치는 자세와 우아함을 결정짓는 중요한 요소 중 하나입니다. 춤을 출 때 팔꿈치는 팔의 움직임을 조절하는 핵심 부위입니다. 팔꿈치가 제대로 조절되지 않으면 팔이 둔감하게 보이고 동작의 우아함을 상실시킬 수 있습니다. 대다수의 남성 초보자들은 어깨가 올라가거나 팔꿈치가 모이는 경향이 있습니다. 이는 팔의 움직임을 제한하고, 춤의 우아함을 해치는 요인이 될 수 있습니다. 팔과 팔꿈치를 자연스럽게 조절하여 둔감한 동작을 피하고, 보다 우아하고 정교한 춤을 추는 데 도움이 됩니다.

팔꿈치를 활용한 팔의 움직임을 향상시키는 것은 다양한 스타일의 춤에서 중요합니다. 여기서 몇 가지 유용한 조언을 소개하겠습니다.

1.**팔꿈치 각도의 조절**: 팔을 움직일 때 팔꿈치의 각도를 조절하는 것이 중요합니다. 팔을 뻗거나 굽힐 때 팔꿈치를 활용하여 자연스러운 곡선을 만들어야 합니다. 이렇게 하면 팔의 움직임이 더 자연스럽고 우아해 보입니다.

2.**균형 유지와 연결**: 팔을 움직일 때는 팔꿈치를 통해 상체와의 연결을 유지하는 것이 중요합니다. 팔을 올리거나 내릴 때 팔꿈치를 활용하여 상체와의 균형을 유지하고 자연스러운 움직임을 만들어야 합니다.

3.**크기와 감도의 조절**: 춤의 스타일과 음악에 따라 팔의 움직임의 크기와 감도를 조절해야 합니다. 빠르고 활발한 음악에는 빠른 속도로 팔을 움직여야 하지만, 느린 음악에는 부드럽고 우아한 팔 움직임이 어울립니다.

4.**연습과 익숙함**: 팔꿈치를 효과적으로 활용하기 위해서는 꾸준한 연습이 필요합니다. 거울을 활용하여 자신의 팔 움직임을 지속적으로 확인하고 보완하는 것이 중요합니다. 익숙해질수록 팔꿈치를 더욱 정확하게 조절할 수 있을 것입니다.

팔의 움직임은 춤을 출 때 중요한 부분입니다. 팔꿈치를 제대로 활용하여 자연스럽고 우아한 움직임을 만들어내는 것이 중요합니다. 팔꿈치를 조절하는 능력은 춤의 표현력을 향상시키고 자신의 춤을 더욱 매력적으로 만들어줄 것입니다.

F. "춤에서의 팔 높이 조절과 협업의 조화"

춤은 아름다움과 조화의 예술입니다. 특히 춤을 추면서 팔의 높이를 조절하는 것은 춤의 우아함과 아름다움을 결정짓는 중요한 요소 중 하나입니다. 남성과 여성이 파트너로서 춤을 추는 과정에서 팔의 높이 차이는 자연스럽게 발생할 수 있습니다. 남성이 여성을 리드 할 때 높이가 서로 다르게 조정되기도 합니다. 하지만 우리는 춤을 추면서도 대칭적인 아름다움을 추구합니다. 팔의 높이를 조절함으로써 우리의 몸은 하나의 조화로움을 이루며, 둘 사이에 조화를 찾는 것이 중요합니다.

이를 위해서는 서로의 레벨을 존중하고, 팔의 높이를 조정하는 것이 필요합니다. 여성은 높이를 맞추려는 것보다 자신의 자연스러운 높이를 유지하는 것이 중요합니다. 또한, 남성과 여성은 서로의 움직임을 공유하고, 팔의 높이를 조율하여 함께 춤을 추는 것이 아름다운 협업을 만들어냅니다. 춤은 협력과 조화의 과정입니다. 팔의 높이를 조절하고 협업하여 춤을 추는 것은 서로를 이해하고 조화롭게 움직이는 것과 같습니다. 이를 통해 춤은 더욱 아름다움과 조화로움을 창출할 수 있습니다.

G. "팔의 완벽한 높이: 균형과 조화를 위한 비밀"(안고 돌기)

춤을 추면서 왼쪽 팔의 높이는 매우 중요한 요소입니다. 보통 왼쪽 손은 남성의 눈과 입 사이의 높이에 유지하는 것이 좋습니다. 그러나 약간 낮추는 것이 시각적 균형을 더 잘 이룰 수 있습니다. 팔의 높낮이를 너무 높이거나 낮추는 것보다 적절한 위치를 찾는 것이 중요합니다. 전문 지도자들은 팔꿈치를 들어야 한다고 가르치지만, 이로 인해 손이 너무 높아지는 경향이 있을 수 있습니다. 팔의 높이를 조절하는 것은 미적인 균형과 조화를 창출합니다. 적당한 높이를 유지하면서 손을 지나치게 높이 들지 않도록 주의하는 것이 춤의 자연스러움과 우아함을 유지하는 데 도움이 됩니다. 따라서, 춤을 추면서 팔의 높이를 조절하는 것은 시각적인 조화와 균형을 유지하여 춤을 더욱 아름답게 만드는 데에 중요한 역할을 합니다.

H. ""춤의 미적 균형을 이루는 남성의 팔꿈치 방향과 각도""

팔꿈치의 각도와 방향은 여성과의 연결을 통해 움직임을 조율하고, 그들의 호흡과 조화로운 이동을 이끌어냅니다. 이것은 파트너 간의 유기적인 협업을 구축하며, 춤의 흐름과 아름다움을 만들어냅니다. 남성은 여성을 리드하고 안내하는 역할을 맡는데, 이때 팔꿈치의 각도 및 방향은 파트너와의 상호작용을 위해 조절되어야 합니다. 이것은 춤의 특성과 파트너십을 고려하여 맞춤형으로 조정되어야 하며, 춤의 우아함과 조화를 이루어내기 위한 필수적인 요소입니다. 여성과의 간격이 멀면 팔꿈치의 각은 커질 것이고 간격이 너무 좁으면 팔꿈치의 각은 작아집니다. 팔꿈치의 각도가 너무 커도, 작아도 남녀 모두 불편함을 느낄 것이며 춤사위 또한 아름답지 못합니다.

여성과의 적절한 간격으로 팔꿈치의 각도는 넘 과하지도 넘 덜하지도 않은 각도를 유지-할 수 있습니다.

I. "확장된 섬세함: 견갑골과 춤의 아름다움"

견갑골의 역할은 댄스에서 몸의 움직임과 자연스러움을 조절하는 데 중요합니다. 이것은 몸의 핵심 부분 중 하나로, 춤의 우아함과 아름다움을 형성하는 데 결정적인 역할을 합니다. 견갑골을 확장하고 넓히는 것은 어깨와 상반신의 움직임을 조정하며, 자연스럽고 우아한 자세를 완성 시킵니다. 견갑골을 넓히는 것은 몸의 안정성과 유연성을 조화롭게 유지하는 데 도움이 되며 이를 위해 가슴 옆과 등 쪽의 근육을 활용하여 몸의 움직임을 자연스럽게 만들어 내는 것이 중요합니다. 이 자세를 취할 때 양쪽 어깨를 아래로 내리고, 가슴을 넓게 펴는 느낌을 주면서 몸의 중심을 유지하는 것이 핵심입니다. 견갑골을 넓힘으로써 양쪽 팔꿈치를 잡아당기는 느낌으로 움직임을 제어하고 조화롭게 춤을 출 수 있습니다. 이는 춤의 흐름과 파트너와의 연결을 조율하여 우아하고 조화로운 춤을 만들어냅니다. 결국, 견갑골의 확장은 댄스에서 우아한 자세와 움직임을 형성하는 핵심적인 요소로 작용하며, 몸의 자연스러운 움직임과 아름다움을 만들어냅니다.

J. "춤의 우아한 투영: 아름다움을 그리는 각도"

춤의 우아함과 아름다움을 그리기 위해서는 몸의 각도와 방향을 균형 있게 유지하는 것이 중요합니다. 춤을 추며 적절한 자세를 취하기 위해서는 몇 가지 요소를 고려해야 합니다.

먼저, 턱밑 선을 마루와 수평하게 유지하는 것이 필요합니다. 이를 위해 턱을 몸쪽으로 부드럽게 당겨 약간의 턱을 살짝 들어 올리는 것이 바람직합니다. 이는 목과 척추의 일관된 직선을 유지하고 몸의 중심을 잡아줍니다. 또한, 코 라인은 약 45도 각도를 유지하는 것이 좋습니다. 이를 통해 머리와 목의 자연스러운 연결을 유지하면서도 눈의 시선은 약 30도 위를 향하도록 조절하는 것이 좋습니다. 이는 자연스러운 시선을 유지하면서도 몸의 균형을 유지하는 데 도움이 됩니다. 머리의 방향은 척추를 중심으로 한 상체의 조임에 따라 정면을 응시합니다.

이러한 자세를 유지하면 춤을 추는 동안 몸의 균형과 우아함을 유지할 수 있습니다. 이것은 자세의 안정성과 우아함을 결합하여 춤의 아름다움을 더욱 빛나게 할 수 있습니다.

여성의 Standing Poise의 원칙

가. "운동의 향연, 목의 23도: 춤에서의 정밀한 조정"(안고 돌기, 여성 턴)

헤드 액션은 춤의 아름다움을 높이고 연결을 강화하는 중요한 요소입니다. 여성은 몸의 정렬과 자세를 유지하면서 목을 살짝 기울이고 상체를 약간 뒤로 기울여 남성과의 연결을 유지합니다. 이런 헤드 액션은 솔로 턴이나 540도 턴과 같은 동작을 할 때도 중요한데, 23도 정도 헤드를 기울여 우아한 회전을 완성할 수 있습니다.

이 헤드 액션을 통해 여성은 춤에서의 연결과 우아함을 강조할 수 있습니다. 헤드의 우아한 움직임은 춤을 더욱 아름답고 우아하게 만들어줍니다. (헤드 사용은 선택)

나. 왼쪽 팔의 법칙(안고 돌기)

일반적으로 여성의 왼쪽 팔꿈치는 남성의 왼쪽 팔꿈치와 겹쳐 맞추는 것보다 약간 왼쪽으로 튀어나오고, 앞으로 약간 밀려나오는 게 보다 자연스럽게 보일 수 있습니다. 이렇게 하면 적절한 공간을 확보하면서도 서로에게 압박을 주지 않으면서 춤을 추는 데 도움이 될 수 있습니다. 또한, 여성이 팔을 너무 내리거나 눌러서 남성의 팔꿈치까지 끌어내리는 것은 피해야 할 행동 중 하나입니다.

춤은 마음의 울림을 담아 표현하는 예술이자, 두 사람의 조화로운 공간입니다. 세심한 디테일이 서로의 편안함과 연결을 만들어냅니다. 서로의 움직임을 존중하고 조화롭게 어우러지며 자연스럽게 춤을 즐기다 보면 더 아름다운 순간을 만들어 낼 수 있습니다. 또한, 리더와 팔로우는 서로를 더욱 깊게 이해하고 연결될 수 있게 되죠.

다. "우아한 곡선, 목선과 쇄골의 우아한 아름다움"

여성의 아름다움은 춤추는 그 순간, 고요함 속에서 마주하는 아름다움이다.

목선에서 시작되어 쇄골을 따라 흐르는 우아한 곡선은 숨겨질 수 없는 매력이며 올바른 자세를 갖춘 순간 그 아름다움이 비로소 느껴집니다. 여성은 예술 작품이며, 남성들은 그 아름다움에 끌리지만, 그것을 항상 스포트라이트 아래 빛나는 존재로 여기는 것이 중요합니다.

우아한 여성의 모습은 단순히 외모의 아름다움이 아니라, 내적인 우아함과도 연결되어 있고 그들은 강인함과 섬세함을 동시에 지니며, 춤을 추는 것과는 별개로 올바른 자세와 내면의 아름다움으로 자신을 표현합니다. 우아한 여성은 마치 예술 작품처럼 주변을 아름답게 만들어주며, 끊임없는 조명이 비추는 스포트라이트 속에서 빛을 발하는 존재로 여겨져야 합니다.

여성은 자신만의 독특한 아름다움을 지니고 있으며 우아함은 외모뿐 아니라, 행동과 자세에도 담겨있습니다. 그리고 그 아름다움은 끝없는 여정이며, 항상 스포트라이트 아래 빛나는 존재로서 그것을 자랑스럽게 가져야 하며 그녀들의 아름다움은 우리가 주목하는 것뿐만 아니라, 자신들도 깨달아야 하는 소중한 보석입니다.

지르박을 추는 자세에서 라틴댄스, 모던 댄스, 혹은 모두를 배운 경우와 지르박만 배운 경우 간의 차이는 자세와 몸의 균형을 잡는 능력에서 비롯됩니다.

일반적으로 라틴댄스나 모던 댄스를 배운 사람들은 몸의 균형과 자세를 제어하는 방법을 배웠기 때문에 지르박을 추는 자세에서도 그들의 자세가 더 아름답게 나타납니다. 이는 몸을 세우는 방법을 숙지하고 있기 때문입니다. 그러나 지르박 레슨이 스텝 중심으로 진행되며 자세를 제대로 가르치지 않는다는 점은 중요한 문제입니다. 자세와 균형은 춤을 추는 데 매우 중요한 요소이지만, 많은 학원이 이를 강조하지 않고 스텝에 집중하는 경우가 많습니다. 이러한 이유로, 자세나 균형을 잘못 잡고 춤을 추는 사람들이 많이 있습니다.

자세가 올바르게 유지되지 않으면 상반신이 흔들리거나 불안정한 모습으로 춤을 추게 됩니다. 자세와 균형을 잡는 것은 댄스에서 아름다움을 더하고 안정감 있는 춤을 추는 데 중요한 요소입니다. 레슨을 받을 때 이러한 요소에 집중하여 자세를 올바르게 잡는 것이 댄스를 보다 아름답게 표현하는 데 도움이 될 것입니다.

라. 섬세하고 아름다운 팔의 우아한 움직임

1.손가락과 손목: 우아한 자세로 표현되는 세심함

여성의 손과 손목 자세는 미학적으로 우아하고 섬세해야 합니다. 손가락은 유연하게 펼쳐지며, 손목은 경련-되지 않은 자연스러운 곡선으로 유지-되어야 합니다. 지나치게 굽히거나 과도하게 곧게 펴지지 않도록 조심해야 합니다. 이렇게 자연스러운 포즈는 여성의 우아함과 섬세함을 강조하는 데 도움이 됩니다. 한편, 남성의 손과 손목 자세는 힘과 안정성을 나타내야 하고 손목에 약간의 압력을 주며, 손은 연결된 상태를 유지하면서 힘을 담은 주먹을 쥐는 듯한 모양을 유지해야 합니다. 이러한 자세는 남성의 단호함과 안정성을 강조하여, 상대방에게 강인한 인상을 전달하는 데 중요합니다.

댄서 모두, 손과 손목의 자세는 각각의 매력을 살리며, 우아하고 단호한 느낌을 전달하기 위해 신경-써야 합니다. 이러한 세심한 자세는 춤이나 상호작용하는 모든 순간에서 감각적인 매력을 부여하며, 자신의 자세와 움직임을 보다 우아하고 매력적으로 만들어줍니다.

2. 춤출 때의 균형: 얼굴 표정과 손동작의 조화를 통한 완벽한 표현

춤추는 과정에서 얼굴 표정과 손동작은 그들만의 연출을 통해 화려한 조화를 이루어야 합니다. 이것은 예쁘고 우아한 여성이라 할지라도 손동작이 자연스럽지 않거나, 제어력을 잃게 되면 인상이 손상될 수 있음을 의미합니다. 강렬한 얼굴 표정과 자연스러운 손동작의 조화로운 유지는 춤의 매력적인 표현을 높여줍니다. 특히, 여성의 세련된 아름다움을 강조하며, 손의 우아한 동작과 얼굴 표정의 조화는 그들의 우아한 매력을 더욱 부각시키는 데 중요한 역할을 합니다.

이는 춤의 아름다움과 연출에 기여하는 고유한 매력 중 하나입니다. 손동작의 자연스러움과 얼굴 표정의 균형을 유지하는 것은 춤을 통해 감정을 전달하고, 춤추는 동안 그들의 아름다움과 표현력을 더욱 부각시키며, 연출의 품격과 완성도를 높여줍니다.

3..여성의 우아함을 강조하는 춤 손동작과 표정의 조화

여성들은 춤을 추면서 너무 과도한 움직임을 피해야 합니다. 지나치게 빠르거나 과장된 동작은 그들의 표현을 부자연스럽게 만들 수 있습니다. 제어된 움직임과 자연스러움을 유지하는 것은 춤추는 과정에서 핵심적인 부분입니다. 손동작은 너무 과하지 않고 부드럽게 표현되어야 하고 너무 강렬하거나 과장된 동작은 그들의 표현력을 손상시킬 수 있으며, 이는 자연스러움과 조절된 움직임의 중요성을 강조합니다. 따라서 춤을 출 때는 강조된 움직임보다는 조절된, 부드럽고 우아한 움직임이 중요합니다. 이는 여성들의 아름다움과 섬세함을 강조하면서도, 그들의 춤추는 모습을 보다 자연스럽게 유지할 수 있게 도와줍니다. 이는 그들의 표현력을 강조하며, 춤을 더욱 아름답고 우아하게 만들어줍니다.

4. 포괄적인 학습과 개인 성장을 위한 조언의 중요성

습관 개선은 연습과 타인의 피드백을 통해 가능해집니다. 각자의 독특한 습관을 개선하기 위해서는 꾸준한 연습과 다른 사람들로부터 비판과 조언을 받아들이는 것이 중요합니다. 이는 우리가 갖고 있는 습관을 이해하고, 그것을 향상시키기 위한 첫걸음이 될 것입니다

지속적인 연습과 지속적인 발전은 자연스럽지 못한 손동작을 보완하고 더 아름다운 춤을 표현하는 데 큰 열쇠가 될 수 있습니다. 손동작은 춤이나 퍼포먼스에서 핵심적인 부분이며, 자연스러움과 조절된 움직임을 요구합니다. 특히 여성분들은 우아하고 조화로운 표현을 위해 노력해야 합니다. 다른 이들로부터 비판적인 시선을 받고, 그들의 조언을 들으면서 자신의 춤에 대한 시야를 넓히고 발전시킬 수 있습니다.

5.우아한 손 모양과 자세: 춤의 섬세한 표현

춤의 감각적인 부분은 손의 위치와 모양에 대한 섬세한 조정을 요구합니다. 춤을 출 때, 손은 팔꿈치 아래에 위치하며 손가락은 부드럽게 모여 둥글게 말려야 합니다. 이렇게 함으로써 손의 모양은

우아하면서도 섬세한 감각을 불러일으킵니다.

남성은 손을 편안하게 놔두는 것이 중요합니다. 과도한 힘을 줄 필요 없이 적절한 감압을 유지하여 손의 모양을 우아하게 유지하는 것이 좋습니다. 춤의 감성과 자연스러움은 손의 자세에서 비롯됩니다. 이러한 세밀한 손 모양의 조정은 춤을 더욱 우아하고 품격 있게 만들어줍니다. 또한, 춤의 표현력과 아름다움을 강조하며, 춤추는 모습을 보다 섬세하고 세련되게 보여줍니다.

6. 손의 우아한 표현: 자연스러운 움직임의 중요성

과장된 손 움직임은 때로는 부자연스러울 수 있으며, 특히 예쁘게 보이려는 노력은 종종 역효과를 낼 수 있습니다. 대신에, 손을 너무 과장되게 벌리거나 움직이는 것보다는, 자연스럽게 손을 모아서 둥글게 약간 말아쥐는 것이 좋습니다. 이러한 자연스러운 모션은 우아함을 강조하면서도 너무 노골적이거나 과장된 행동을 피하게 됩니다. 춤을 출 때 손의 자연스러운 모습은 매우 중요한데, 손가락을 모아 약간 굽히고, 손목을 부드럽게 구부리는 것이 아름답고 우아한 모습을 연출하는 데 도움이 됩니다.

춤을 출 때 자연스러운 모습은 연습을 통해 향상될 수 있습니다. 손을 모으고 모양을 유지하는 것은 손의 자연스러움과 우아함을 강조하는 데 도움이 됩니다. 이는 너무 강조되지 않고 조절된 모습을 보여줄 수 있게 해주는 요소 중 하나입니다.

7.유연한 텐션과 자세의 상호작용

남성이 텐션을 주는 상황에서는 힘을 유지하는 것이 중요하나, 텐션이 풀린 순간에는 어깨를 완전히 편 상태로 전환해야 합니다. 힘이 가해지는 상황과 힘이 느슨한 상황을 명확히 구분하여, 움직임에 유연성과 조절성을 부여해야 합니다. 텐션 상태를 유지하는 것과 풀리는 것 사이에서의 변화를 섬세하게 조절하고, 이를 통해 움직임에 유연성을 부여하여 표현력을 높일 수 있습니다. 이는 춤이나 퍼포먼스에서 중요한 부분이며, 특히 손동작에서 자연스러움과 섬세함을 갖추기 위해 필요한 기술입니다.

마. 균형 잡힌 힘의 조절 방식: 힘 빼는 방법

힘을 너무 많이 주면 몸의 유연성이 감소하고, 움직임이 더 단단해지는 경향이 있습니다. 힘을 빼는 것은 춤의 자연스러움과 부드러움을 유지하고, 기술적인 부분에서도 더 자유롭게 움직일 수 있도록 해줍니다.

초보자들이 춤을 추면서 시선이 바닥에 집중되는 것은 흔한 경향입니다. 이것은 팔에 지나치게 힘이 들어가거나 자세가 앞으로 기울어지는 원인이 될 수 있습니다. 바닥에서 위로 시선을 고정하고 머리를 들면서 몸의 균형을 유지하면 팔에 힘이 들어가는 것도 자연스럽게 빠지게 될 것입니다. 이렇게 조절하면 팔에 가해지는 힘이 줄어들고, 몸의 균형을 잘 유지할 수 있습니다. 연습하는 동안에는 거울을 활용하여 자신의 자세를 관찰하고 조절하는 것이 도움이 됩니다. 또한, 춤을 추는 중간중간에도 자세를 체크하고 조절하는 습관을 들이는 것이 좋습니다. 이렇게 자세를 관찰하고 조절하면 더 자연스럽고 안정적인 춤을 추게 될 것입니다.

팔에 너무 많은 힘이 들어가면 자세가 어색해지고, 움직임이 불안정해질 수 있습니다. 팔을 매달리듯 내리거나 들 때는 너무 많은 힘이 발생하죠. 팔의 힘을 조절하려면 느슨하게, 그리고 자연스럽게 움직이는 연습이 필요합니다. 팔을 약간 들되, 힘이 과하지 않도록 조절하세요. 팔은 능동적으로 움직여야 하지만, 지나치게 경직되거나 너무 많은 힘이 가해지지 않아야 합니다. 자연스러운 팔 움직임을 연습하기 위해 거울 앞에서 연습하는 것이 도움이 됩니다. 팔이 어떻게 움직이는지, 힘이 어떻게 전달되는지를 관찰하고 조절해보세요. 이렇게 연습하면 자세가 더 안정되고, 훨씬 자연스러운 춤을 추실 수 있을 거예요.

댄스에서는 상호작용과 상대방과의 조율이 굉장히 중요합니다. 특히 춤을 추는 동안에는 서로의 움직임과 균형을 유지하면서 조율하는 것이 중요해요. 만약 상대방이 힘을 많이 준다면, 그에 맞춰 힘을 조절하면서 춤을 추는 것이 좋습니다. 댄스 파트너와 조율하기 위해서는 상호 의사소통과 협력이 필요합니다. 서로의 자세와 힘을 조절하는 것이 중요하며, 이를 위해 눈치껏 상대의 동작을 따라가면서 조절하는 것이 도움이 됩니다. 서로의 행동에 맞춰가는 것이 자연스럽고 아름다운 댄스를 만들어내는 데 큰 역할을 합니다. 상대방과의 균형을 맞추면서 즐거운 댄스를 즐겨보세요!

댄스에서 균형을 유지하고 적절한 힘의 조절을 습득하는 것은 연습과 경험을 통해 향상 됩니다. 초보자들이나 처음 댄스를 시작하는 사람들은 힘이 과하게 들어가는 경향을 보이지만, 적절한 자세와 꾸준한 연습으로 이러한 문제를 극복할 수 있습니다. 지속적인 연습과 다양한 경험을 통해 힘을 제어하는 기술을 향상시킬 수 있으며 이러한 과정을 거치면 춤을 더욱 부드럽고 자연스럽게 즐길 수 있을 것입니다.

그립 스타일의 다양성과 적용 방법

손바닥의 방향은 다양한 동작에서 중요한 포인트입니다. 손바닥이 아래로 향하는 것은 일반적으로 특정한 자세를 유지하거나 동작을 수행할 때의 보편적인 방식 중 하나입니다. 손바닥이 아래로 향하도록 하는 것은 몸의 안정성과 움직임을 조절하는 데 도움이 되는 요소 중 하나입니다. 이는 특정한 포즈나 동작에서 유연성과 균형을 유지하기 위해 자주 사용됩니다. 이런 조절은 자세의 안정성과 표현력을 높이는 데 도움을 줍니다. 손가락의 위치와 방향은 특정 동작이나 자세의 완성도와 미적 감각을 강조하고, 움직임의 우아함과 섬세함을 더합니다.

손가락을 너무 곧게 펴지 않는 것이 중요합니다. 손가락을 너무 과도하게 펴는 것은 자연스러운 모양과 움직임을 상실시킬 수 있습니다. 특히 예술이나 퍼포먼스에서는 자연스럽고 우아한 손가락의 모양이 중요한데, 과도한 긴장이나 너무 강한 힘을 주어 손가락을 과도하게 펴면 그 흐름을 방해할 수 있습니다. 손가락을 자연스럽게 모아서 적당한 곡선을 유지하는 것이 바람직합니다. 이렇게 하면 손과 손가락의 움직임이 유연하고 우아하게 표현될 수 있으며, 그 결과로 예술적인 작품이나 퍼포먼스에서 미적으로도 더 매력적으로 보일 수 있습니다. 마지막으로 손가락 중지의 바닥 안쪽 마디 볼록한 곳에 걸고 여성은 자신이 손을 어떻게 하려 하지 말고, 그냥 자연스레 있다가 남성이 걸면 걸고 놓으면 놓으면 됩니다.

춤의 우아한 대화: 남성과 여성의 시선과 공간 조절의 정교한 조율

커플 댄스에서 시선 처리는 특히 중요한데요. 이는 댄서들이 서로를 어떻게 바라보고 조절하는지에 따라 춤의 감정과 의도가 크게 달라지기 때문입니다. 춤의 스타일과 음악에 따라 시선 처리가 달라져야 합니다. 라틴 댄스와 같은 경우, 댄서들이 서로를 자주 바라보는 것이 중요한데, 이는 서로의 눈을 통해 감정을 전달하고 춤의 감각을 강조하는 데 도움이 됩니다.

지르박에서의 시선 처리는 파트너와의 연결을 강화하고 춤의 흐름을 조절하는 데 중요합니다. 보통 남성과 여성은 발끝이 향하는 방향과 일치하도록 시선을 해야 하며, 예를 들어, 발이 3시 방향을 향하면 시선도 3시 방향 약간 위쪽으로 향하며, 발이 12시 방향을 향하면 시선도 12시 방향 약간 위쪽으로 보내는 것이 일반적입니다. 몸통이나 머리는 발끝과 같은 방향으로 향해야 하며 이렇게 함으로써 댄서들은 서로의 움직임을 보다 자연스럽게 이끌고, 서로의 동작을 보다 쉽게 이해하고 반응할 수 있습니다. 머리 및 시선이 어느 방향으로 향하든 정답은 없지만 사소한 몸짓 하나가 춤의 표현을 높일 수 있으며, 춤의 동작에 힘을 실어주고 공간을 조절하여 춤의 아름다움을 극대화, 공간의 경계를 넘어 춤의 표현을 확장시키고, 이를 통해 우아함과 흥미를 더합니다.

초보 운전자들만의 공통점은 운전하면서 스쳐 가는 풍경이나 자연의 소리가 오로지 운전에만 신경이 집중되어 눈과 귀에 안 들어온다는 것입니다. 댄스에서도 마찬가지입니다. 경력이 얼마 안-된 남성이나 여성은 오로지 파트너에게만 신경이 집중되어 있습니다. 여성은 남성의 리드/사인에만 신경이 집중되어 있고 남성은 숙달되지 않은 스텝을 밟으면서 음악에 맞춰 리드해야지, 여성의 움직임을 살펴야지 다른데 신경을 쓸 수가 없습니다. 오로지 신경이 여성에게만 가 있지만, 어느 정도 경력이 있는 남성이나 여성은 다른 남성이나 여성을 찾듯 사방팔방 두리번거리면서 춤을 추는 경향이 있습니다. 이런 행동은 비매너로 상대 파트너가 상당히 기분 나쁠 수가 있습니다.

춤추는 동안에는 상대에게 너무 집중되거나 지나치게 주시하는 것보다는 적당한 미소와 시선을 주는 것이 좋아요. 이렇게 하면 파트너와의 상호작용이 자연스러워지고, 댄스의 즐거움을 함께 공유할 수 있답니다. 상대에게 부담을 주지 않으면서도 적절한 시선과 미소는 댄스 퍼포먼스를 더욱 매력적으로 만들어줄 거예요!

일자 지르박 핸드 홀드(스타드 전 준비 자세)

솔로 댄서와 커플 댄서의 주된 차이는 파트너와 함께 춤을 추냐, 아니냐에 있죠. 솔로 댄서는 혼자 춤을 춥니다. 반면, 커플 댄서는 파트너와 함께 춤을 추며 파트너와의 연결이 중요합니다. 파트너와 손을 잡는 자세는 포지션에 따라 다양합니다. 일반적으로는 커플 댄스에서는 손을 잡는 자세가 중요한데, 이때는 상대방의 손을 부드럽게 잡고, 편안하면서도 균형을 잡을 수 있는 감각적인 압력을 유지하는 것이 좋습니다. 손이 너무 강하게 잡히면 불편할 수 있고, 너무 약하게 잡으면 안정성을 잃을 수 있으니 적당한 강도의 압력을 유지하는 것이 좋습니다. 팔과 손이 춤 동작을 보완하고 파트너와의 연결을 유지하는 데 도움이 됩니다. 그러나 실제로는 학원마다 춤선생 스타일에 따라 손잡기의 형태와 감각이 조금씩 다를 수 있습니다. 결국 춤을 추는 방식과 각각의 스타일과 습관에 따라 파트너와 손을 잡는 방식도 조금씩 다를 수 있습니다.

커플 댄스에서의 손의 그립 방법은 매우 중요하며 피겨에 따라 그립 방법은 달라집니다.

기본적으로 파트너 손을 잡는 법은 남성의 오른손이 여성의 왼손을 잡고 남성의 왼손이 여성의 오른손을 잡는데 이때 남자의 오른 손바닥이 여성의 왼손등을 남성의 왼손이 여성의 오른손등을 부드럽게 포개지도록 잡습니다. 그리고 서로의 가운뎃손가락의 안쪽 볼록한 부분에 상대와 걸릴 수 있어야 합니다. 여성과 남성의 거리는 팔의 길이 등 신체적 조건에 따라 30cm-50cm, 팔의 각도는 15cm-20cm 정도 경사지게 내려서 L자 모양의 자세를 만듭니다. 발은 11자 형태로 편안한 자세를 유지합니다. 여성의 손을 잡는 방법은 사람마다 조금씩 틀리지만, 고수일수록 여유가 많고 초보자들보다 안정감 있고 부드럽게 여성의 손을 잡습니다. 어떤 남성은 너무 긴장을 해 여성의 손을 자기도 모르게 꼭 잡는 경우도 있고, 자기도 모르게 손에서 땀이 많이 나는 경우도 있으며 여성 또한 마찬가지입니다.

홀드 종류

홀드	의미(뜻)
커들 홀드 (cuddle hold)	남성은 여성의 뒤에 서서 양팔로 여성을 감싸고 있는 모습을 말합니다.
정상 홀드(正常hold)	Closed facing position(클로즈드 페이싱 포지션(홀드)라고도 한다.

왼손 오른손 hold (원 핸드 홀드, One Hand Hold)	리더가 왼손으로 팔로우 오른손을 그립한 자세
오른손 왼손 hold (원 핸드홀드, One Hand Hold)	리더가 팔로우 왼손을 오른손으로 그립한 자세
노 홀드(no hold)	서로의 손을 잡지 않고 서 있는 자세
더블 홀드(double hold)	양쪽 손을 잡은 자세
투 핸드홀드 (two hand hold)	이 자세는 남성과 여성이 서로 마주 보며 약간의 거리를 두고 양손으로 서로의 손을 잡는 모습. 더블 홀드라고도 한다.
핸드셰이크 홀드 (Handshake Hold)	남성의 오른손으로 여자의 오른손을 잡는 방법
크로스 홀드(crossed Hold)	파트너와 양쪽 손을 교차해서 잡은 자세
백 홀드 포지션 (back hold)	리더와 팔로우가 서로의 등을 마주하고 있는 상태에서 양손을 맞잡는 자세.
크로스 백 홀드 포지션 (Cross back hold position)	리더와 팔로우가 같은 방향을 향해 서로 양손을 뒤로하여 크로스해서 그립한 자세. 보스 핸드 포지션(Both Hand hold)
보스 핸드 홀드 (Both Hand hold))	두 손으로 잡는 자세를 나타냅니다. 여기서 "Both"는 양쪽을 나타내고, "Hand Hold"는 손을 잡는 것을 의미합니다. 더블 홀드, 투 핸드홀드라고도 한다.
클로즈드 홀드(closed hold)	신체를 밀착한 상태에서 남녀가 서로 바라보는 자세.
싱글 핸드(Single Hand hold)	여성의 오른손(또는 왼손)을 남성의 왼손(또는 오른손)으로 잡는 손잡이 방식입니다. 즉, 남성 한쪽 손으로 여성 한쪽 손을 잡는 방식.
볼룸 홀드(ballroom hold)	"볼룸 홀드(Ballroom Hold)"는 볼룸 댄스에서 사용되는 홀드를 말함.
크러시 댄스 홀드(crush dance hold)	볼룸 홀드(ballroom hold)과 같은 의미.
클로즈 엠브레이스 (Close Embrace)	파트너들이 서로에게 가까이 몸을 붙이고 춤추는 자세를 나타냅니다. 이는 특히 아르헨틴 탱고(Argentine Tango)와 같은 댄스 스타일에서 흔히 사용되는 용어입니다.

지르박 홀드(Hold) & (파트너와 안고 돌기, 여성과 안고 진행하는 피겨들)

양쪽 언덕에 줄이나 쇠사슬 등을 건너질러, 거기에 의지해 매달아 놓은 다리 즉 줄에 의해 지탱되는 조교[4](弔橋)처럼 인체는 비트는 힘, 장력이 적당히 갖추어져 있을 때 가장 잘 작동한다고 한다. 비트는 힘 및 장력이 적당히 갖추어져 있을 때 아무런 인체에 무리 없이 몸을 바르게 세울 수 있다.

홀드는 댄스에서 중요한 부분이며, 다양한 의미를 가지고 있습니다. 사전적으로는 "잡다" "쥐다" "잡는 방식" 등의 뜻을 가지고 있지만, 댄스에서는 더욱 특별한 의미를 갖습니다. 춤추는 동안 파트너와의 연결을 표현하고, 서로의 움직임을 지원하는 데 사용됩니다. 올바른 홀드는 효율적인 움직임과 밸런스를 유지하며, 춤을 아름답게 만들어줍니다. 몸의 균형과 자세는 춤을 출 때 중요한 역할을 하며, 춤의 품격과 매력을 높여줍니다. 볼링이나 활쏘기 같은 활동에서도 자세가 중요하듯이, 댄스에서도 올바른 자세와 홀드가 춤의 완성도를 높이는 데에 중요한 역할을 합니다. 이들은 댄스의 꽃이자 핵심인 것입니다. 댄스에서는 다양한 Hold 방식이 있습니다. 솔로 댄서와 커플 댄서의 차이점은 파트너와 손을 잡거나 홀드를 해야 한다는 것입니다. 어떤 자세로 파트너와 홀드를 해야 할까? 이런 고민은 고민도 아니죠. 조선 팔도 어디를 가나 홀드 하는 방법은 같습니다. 지르박에서 사용되는 포지션은 다양하지만, 기본적으로 Open, Two hand, One Hand 등이 있으며 파트너 사이의 연결과 균형을 유지하며 춤을 안정적으로 이끄는 중요한 요소입니다. 이 홀드는 각 파트너가 서로의 움직임을 조절하고 연결되어 춤을 아름답게 만듭니다. 지르박에서 Closed facing position 또한 중요한 포지션으로 남성은 여성의 견갑골에 오른손을 살짝 가져다 댕겨 놓고, 여성의 왼손은 남성의 오른쪽 어깨에 가볍게 얹습니다. 남성의 왼팔은 90도 각도로 구부러진 "L"자 모양을 유지하고, 이 왼손은 여성의 오른손과 그립을 형성합니다. 이 그립의 높이는 입 또는 눈높이에 위치하며, 남성은 왼쪽 발 끝 상단을 향해 시선을 유지합니다. 이 홀드는 파트너 간의 밸런스와 균형을 유지하고, 움직임의 흐름을 조절하는 데 도움이 되며 서로에게 가벼운 압력을 주어 파트너의 움직임을 읽고 이끌어 나가는 데 사용됩니다. 무엇보다도, 이 홀드는 춤의 운동량과 스타일에 따라 변형될 수 있지만, 춤의 흐름을 유지하고 리더와 팔로우 사이의 연결을 강화하는 데 중요한 역할을 합니다.

홀드의 중요성(안고 돌기)

홀드는 춤에서 매우 중요한 부분입니다. 남성과 여성 사이의 연결고리로서, 춤의 흐름과 리드를 조절하는 핵심적인 역할을 합니다. 적절한 홀드는 춤을 안정적으로 이끄는 데 필수적이며, 파트너들 간에 흔들림 없는 움직임을 촉진합니다. 이는 춤의 흐름을 조절하고 파트너들 간의 조화를 높이며, 댄스의 전문성과 연결성을 높이는 데 도움이 됩니다. 홀드는 춤을 출 때 감정과 의도를 전달하는데도 큰 역할을 하며, 이를 통해 춤의 아름다움과 의미를 높여줍니다.

남성과 여성의 위치(안고 돌기)

남성과 여성은 약간 뒤틀린 대각선 방향으로 서서 서로에게 적절한 거리를 유지하면서도 자유롭게 움직일 수 있는 포지션을 확보합니다. 이 위치는 상호간의 연결을 강화하면서도 춤의 움직임을 조율하는 데에 유용합니다.

체중 이동

춤에서 체중 이동과 균형은 기본이며 중요한 요소입니다. 균형 없이는 춤을 출 수 없으며 체중 이동 없이 균형을 유지하는 것 또한 어렵습니다. 체중 이동은 춤의 흐름을 조절하고 다양한 움직임을 가능케 하며, 균형을 유지하는 핵심적인 역할을 합니다.

댄스에서의 체중 이동은 신체의 중심을 변화시키고, 이를 통해 다리와 발을 이용하여 몸을 우아하게 움직이는 것을 의미하며 체중 이동은 춤의 감정과 의도를 표현하고, 움직임을 자연스럽게 만듭니다. 춤을 출 때 체중의 변화와 이동은 춤의 각 움직임에서 섬세한 조정이 필요하며 발의 위치, 몸의 균형, 그리고 움직임의 맥락에 맞게 체중을 전달하고 변화시키는 것이 중요합니다. 이는 춤을 보다 효과적으로 표현하고 다양한 춤 기술을 완벽하게 수행하는 데 기여합니다. 정확하고 조절된 체중 이동이 춤의 아름다움과 표현력을 높이며, 이를 통해 춤을 효과적으로 표현하는 기술적인 측면을 갖추는 것이 중요합니다.

1. **발의 위치와 체중 분배:** 댄스 동작 중에는 발의 위치와 체중을 적절히 조절하는 것이 중요합니다. 체중을 전적으로 하나의 발에 싣지 않고 양발을 골고루 사용하여 안정감을 유지하세요. 움직임에 따라 체중을 전달하면서 발을 자연스럽게 이동시키는 것이 일반적입니다.

2. **스텝과 체중 이동:** 스텝을 밟을 때마다 체중의 이동을 고려하세요. 일반적으로 스텝을 내딛을 때 해당 발로 체중을 옮기고, 이후 다음 움직임에 따라 체중을 다시 전달합니다. 이렇게 하면 움직임이 부드럽고 자연스러워집니다.

3. **프레임과 리드:** 댄스 중에 파트너와의 커뮤니케이션을 위해 체중 이동을 사용합니다. 특히 리드하는 측에서는 체중 이동을 통해 파트너에게 움직임을 안내하고 이끌어야 합니다.

4. **코어와 근육 사용:** 몸의 코어 근육을 활용하여 체중 이동을 조절합니다. 코어를 강화하고 사용함으로써 움직임을 안정화하고 균형을 잡을 수 있습니다.

5. **연습과 익숙함:** 체중 이동은 연습을 통해 익숙해져야 합니다. 자신의 체중을 효과적으로 조절하고 이동하는 데에는 시간과 경험이 필요합니다.

댄스에서 체중 이동은 움직임의 흐름과 파트너와의 연결을 조절하는 데 큰 역할을 합니다. 이를 연습하고 향상시키면서 댄스의 표현력과 운동성을 더욱 향상시킬 수 있습니다.

등 근육의 효율적 움직임: 댄스에서 핵심적 표현의 핵심

1. 등 근육이란?

등 근육은 상체의 중심에 위치하여 몸을 안정시키고 지탱하는 중요한 부분입니다. 등 주변에는 외인근육과 내재근육이 있으며 외인근육은 표면에 가깝게 위치하고 주로 크고 강한 근육으로, 보통 운동할 때 주로 사용되는 근육입니다. 이 근육들은 운동과 관련된 동작을 수행하거나 몸을 움직이는 데 주로 기능합니다. 등을 둘러싸고 있는 외인근육들은 등의 형태를 구성하고 등의 움직임과 안정성을 제공하는 역할을 합니다.

한편 내재근육은 깊이 위치하며 주로 안정성과 균형을 유지하는 데 사용됩니다. 주로 자세를 유지하고 척추를 지지하는 등의 기능을 하며, 일상생활에서 자연스럽게 사용되지만 운동과는 직접적으로 연관되지 않는 경우가 많습니다. 이 두 가지 유형의 근육은 등 주변에 서로 협력하여 몸의 안정성과 기능을 제공하고, 운동이나 일상 활동을 수행하는 데 필요한 다양한 기능을 담당합니다.

2. "등 근육의 마법: 신체의 지주(支柱), 춤의 조화"

등 근육은 인체에서 중요한 부분 중 하나로, 상체의 지탱과 안정성을 담당합니다. 등 근육들은 등의 뒷면을 형성하고, 척추를 지탱하여 상체의 움직임과 안정성을 제공하는 중요한 기능을 수행합니다. 이 근육들은 몸의 균형을 이루며, 자세를 유지하고 척추를 지탱하여 일상적인 움직임에 필수적인 역할을 합니다.

A. 척추 지지와 안정성: 등 근육은 척추를 지지하고 안정성을 제공하여 몸의 자세를 유지하고 움직임을 조절합니다. 특히 넓은 등 근육은 척추 주변을 감싸고 지지하여 척추를 보호하고 균형을 유지하는 역할을 합니다. 이 근육들은 등의 안정성을 높이고 척추를 지탱하여 일상적인 활동 중에도 몸의 균형을 유지하는데 중요한 역할을 합니다. 이를 통해 척추에 부담을 덜어주고, 자세를 지탱하여 척추를 보호하는 역할을 합니다.

B. 상체 움직임: 등 근육은 상체의 움직임과 기능을 조절하는 데 핵심적인 역할을 합니다. 어깨를 움직이고, 팔을 들거나 내리는 등 상체의 동작을 조절하는 데 필요한 근육들이 있죠. 외인근육은 어깨와 팔을 지지하고 움직임을 제어하여 다양한 동작을 수행할 수 있도록 도와줍니다. 이 근육들은 상체의 움직임을 조율하고 다양한 동작을 가능하게 하여 일상적인 활동부터 운동까지 다양한 움직임을 지원하는 중요한 역할을 합니다. 이를 통해 상체의 움직임을 조절하고 다양한 동작을 수행할 수 있도록 도와줍니다.

C. 균형과 자세 조절: 등 근육은 몸의 균형을 유지하고 자세를 조절하는 데 매우 중요한 역할을 합니다. 등의 근육들이 강화되면 몸의 안정성이 향상되며, 다양한 자세를 취하거나 움직임을 조절하는 데 도움이 됩니다. 이 근육들은 몸의 중심을 유지하고 몸을 지탱하여 일상적인 활동이나 운동을 할 때 균형을 유지하는 데 필수적입니다. 등 근육들의 강화는 몸의 안정성을 향상시켜 자세를 유지하는 데 도움이 되며, 이를 통해 다양한 자세와 움직임을 조절하는 데 도움이 됩니다.

D. 일상생활에서의 기능: 등 근육은 일상생활에서도 매우 중요한 기능을 합니다. 등 근육이 강화되면 일상적인 활동에서의 효율성이 증가하고, 등의 근력이 발달하면 몸의 피로도를 감소시키며 다양한 동작을 수행하는 데 도움을 줍니다. 일상생활에서 등 근육의 강화는 들어 올리기, 내리기, 물건을 옮기는 등의 활동을 보다 효율적으로 수행할 수 있도록 도와주며, 몸의 균형을 유지하고 피로

를 줄여줍니다. 이는 일상적인 활동을 수월하게 하고 몸의 기능을 향상시켜 일상생활의 질을 향상시키는 데 도움이 됩니다. 등 근육의 역할은 몸의 중심에 위치하여 몸 전체의 안정성과 균형을 유지하는 데 중요합니다. 이 근육들을 적절히 강화하고 유연성을 유지함으로써 다양한 활동을 수행하고 몸의 건강을 유지하는 데 도움을 줄 수 있습니다. 또한, 올바른 자세와 근력 훈련을 통해 등 근육을 건강하게 유지함으로써 척추 건강을 지키는 데에도 중요한 역할을 합니다.

3. 댄스에서의 등 근육 사용법

등 근육은 자세를 유지하고 움직임을 조절하는 데 매우 중요한 역할을 합니다. 등 근육을 올바르게 활용하면 댄스 동작을 보다 강렬하고 효과적으로 수행할 수 있습니다. 등의 근육들은 몸의 안정성과 균형을 유지하는 데 도움을 주며, 댄스 동작을 더욱 정확하고 강렬하게 만들어줍니다. 댄스에서 등 근육을 적절히 활용하면 몸의 자세를 더욱 우아하게 유지하고 움직임을 조절하여 춤을 보다 효과적으로 표현할 수 있습니다.

A. **자세의 안정성을 위한 등 근육 활용:** 등 근육은 몸의 자세를 유지하는 데 중요합니다. 댄스에서는 등의 근육을 사용하여 자세를 바르게 유지하고 척추를 일직선으로 유지하는 것이 중요합니다. 등의 근육들을 적절하게 강화하고 활용하여 안정성을 유지하는 것이 중요합니다.

B. **움직임의 유연성을 향상시키기 위한 등 근육 활용:** 등 근육을 활용하여 움직임의 유연성을 향상시킬 수 있습니다. 다양한 춤 동작 중에서 등의 근육을 사용하여 팔을 뒤로 뻗는 동작이나 등을 들어 올리는 등의 동작을 수행할 때 등 근육을 활용하여 유연하고 자유로운 움직임을 만들어냅니다.

C. **움직임의 힘을 주는 등 근육 활용:** 등 근육을 사용하여 움직임에 힘을 주는 것도 중요합니다. 댄스에서 등의 근육은 팔의 움직임을 강화하고 지지하는 데 중요한 역할을 합니다. 어깨를 올리거나 회전하는 동작에서 등의 근육을 적절하게 활용하여 움직임에 힘과 강도를 더해줍니다.

D. **자연스런 움직임을 위한 등 근육 조절:** 등 근육을 사용하여 움직임을 자연스럽게 조절하는 것이 중요합니다. 등의 근육을 적절히 사용하여 자연스럽게 동작을 이어나가고 움직임을 부드럽게 만들어줍니다.

등의 움직임을 정확하고 효과적으로 전달하기 위해서는 안정된 어깨가 매우 중요합니다. 댄스에서 등은 움직임을 조절하고 자세를 유지하는 데 큰 영향을 미치며 특히 흔들림 없는 어깨는 등 근육이 강화되고 안정된 상태에서 유지될 때 나타납니다. 등 근육이 충분히 강화되어 안정성을 제공하면, 어깨의 안정성과 흔들림 없는 움직임이 연결됩니다. 등의 움직임은 어깨를 통해 전달되며, 근육이 안정되고 강화되면 움직임이 부드럽고 일관되며, 결과적으로 어깨도 안정적으로 움직입니다.

이는 댄스 퍼포먼스에서 감정과 움직임을 미세하게 전달하는 데 도움을 줄 뿐만 아니라, 자세와 자연스러운 움직임에도 큰 영향을 미칩니다. 등의 근육이 충분히 강화되고 유연해지면, 어깨가 불안정한 움직임 없이 움직일 수 있어 댄스 동작을 정확하고 섬세하게 표현하는 데 도움을 줍니다.

등과 어깨, 그리고 팔 사이의 연결은 춤을 추거나 움직임을 통제하는 데 매우 중요합니다. 이들의 연결은 댄스 퍼포먼스에서 안정성과 리드를 결정하는 핵심적인 부분입니다. 팔의 힘과 연결된 프레임은 팔과 어깨를 통해 등 근육들로 연결되는데, 이는 안정성을 유지하면서도 댄스 동작을 원활히 수행하기 위한 핵심적인 역할을 합니다. 팔꿈치까지는 힘을 주고, 손까지는 힘을 빼는 것은 세밀한 컨트롤과 안정성을 제공합니다. 고-수준의 피겨 댄스에서는 이러한 연결이 매우 중요하며, 자연스러운 동작을 유지하면서도 프레임을 유지하는 것이 필수적입니다. 이는 댄스를 더욱 효과적으로 이끌며, 파트너에게 편안함을 줍니다.

여성을 리드 할 때 등과 어깨를 너무 높게 들면 자세와 움직임에 부정적인 영향을 미칠 수 있으며 몸의 균형이 무너지고 동작이 덜 유연해 보일 수 있습니다. 이런 문제를 해결하려면 광배근을 키우고 발달시키면 됩니다. 이를 통해 어깨가 지나치게 높아지지 않고, 팔의 동작을 자연스럽게 조절할 수 있습니다. 이는 댄스 중 어깨에 걸리는 불필요한 긴장을 줄여주고 안정된 자세를 유지하는 데 도움이 됩니다. 또한, 광배근을 활용하면 어깨를 높이지 않으면서도 움직임을 더 자유롭게 만들 수 있습니다.

이 근육을 올바르게 활용하면 팔을 옆으로 뻗거나 수직으로 올릴 때 어깨에 가해지는 압력을 줄여줄 수 있고 이렇게 하면 광배근이 어깨의 움직임을 지원하면서도 올바른 자세를 유지하는 데 도움이 되죠. 댄스에서 광배근의 역할은 댄서의 자세와 움직임에 직접적인 영향을 미칩니다. 이 근육을 올바르게 활용하면 어깨의 불필요한 높이기를 막고, 자연스러운 동작을 가능케 해줍니다. 그러므로 광배근을 적절히 활용하여 어깨를 안정시키고 올바른 자세를 유지하는 것이 댄스 동작을 보다 효과적으로 수행하는 데 도움이 될 됩니다.

등의 근육을 적절하게 활용하기 위해서는 체조나 스트레칭과 같은 등의 근육을 강화하고 유연성을 향상시키는 운동이 도움이 될 수 있습니다. 또한, 자세한 댄스 트레이닝과 근력 훈련을 통해 등 근육을 올바르게 활용하는 방법을 익히는 것이 중요합니다. 이를 통해 댄스 동작을 보다 효과적으로 수행할 수 있고, 건강한 등 근육을 유지할 수 있습니다.

지르박 호흡법

호흡이 댄스에 미치는 영향은 매우 중요합니다. 호흡은 댄서들이 자세와 균형을 조절하는 데 도움을 주며, 댄스를 조율하고 연결하는 데 큰 역할을 합니다. 이는 커플 댄스에서 특히 중요한데, 호흡을 함께 맞추면 파트너들이 서로의 움직임을 더욱 자연스럽게 조율할 수 있습니다. 호흡이 조화롭게 맞아떨어지면, 댄서들은 서로의 움직임에 민감하게 반응하며 댄스가 더욱 화려하고 조화로운 춤사위로 이어집니다.

호흡을 함께 맞추는 방법은 간단합니다. 먼저, 파트너의 호흡을 귀 기울여 듣고 그에 맞게 자신의 호흡을 조절합니다. 서로의 호흡을 끊지 않도록 조심하며, 자연스러운 호흡을 유지하는 것이 중요합니다. 호흡은 서로를 이끌어내는 과정에서 댄서들 간의 감정적 연결을 높이고, 댄스를 더욱 풍부하게 만들어줍니다.

지르박 호흡법 연습

지르박 댄스는 매우 역동적이고 화려한 춤으로, 호흡이 움직임의 흐름과 조화를 이루는 데 중요한 역할을 합니다. 연습을 통해 호흡을 조절하고 향상시키는 것은 댄서들이 더욱 우아하고 효과적인 모션을 만들어내는 데 도움이 됩니다. 이를 위해 다섯 가지 호흡법을 알아보겠습니다.

1. **의식적인 호흡**: 댄스 연습 중 의식적으로 호흡을 조절해보세요. 깊게 들이마시고, 천천히 내쉬는 연습을 통해 호흡을 조절하는 데 더 능숙해질 수 있습니다.

2. **파트너와의 호흡 동기화**: 파트너와 함께 연습할 때 서로의 호흡을 조화롭게 맞춰보세요. 서로의 호흡 주기를 파악하고 호흡을 조율하면, 댄스가 더욱 자연스럽게 흘러갈 수 있습니다.

3. **호흡 트레이닝**: 호흡을 통제하고 조절하는 트레이닝을 추가하세요. 명상이나 요가와 같은 활동을 통해 호흡 기술을 향상시킬 수 있습니다.

4 .**움직임과 호흡의 조화**: 댄스 동작에 맞춰 호흡을 조절해보세요. 다이내믹한 동작에는 강하고 깊은 호흡을, 부드럽고 우아한 동작에는 부드러운 호흡을 사용하는 것이 도움이 됩니다.

5. **정서적 호흡**: 댄스는 감정과 연결된 활동입니다. 연습하는 동안 호흡을 통해 감정을 표현해보세요. 슬픔, 기쁨, 분노 등 각각의 감정에 맞는 호흡을 연습하면 댄스의 표현력이 풍부해질 수 있습니다.

호흡은 댄스의 핵심이며, 연습을 통해 호흡을 능숙하게 다루는 것은 댄서들이 댄스를 더욱 효과적으로 표현하고 자연스럽게 움직일 수 있도록 도와줍니다. 정확하고 조화로운 호흡을 연습하는 것은 댄스 실력을 향상시키는 데 매우 중요합니다.

지르박 기본 패턴

지르박 기본 패턴은 전국팔도 비슷하지만, 학원마다 레슨 방식이 조금씩 다를 수 있고 앞으로 걷기, 뒤로 걷기, 회전으로 이루어진 기본 패턴을 가지고 있습니다. 이 춤은 조금씩 무릎을 굽히고 펴는 작은 움직임인 바운스(bounce) 액션을 활용해 이뤄집니다. 이는 연속적으로 일어나는 Up, Down의 움직임을 가지고 있는데요. 이러한 바운스 액션은 지르박에서 핵심적인 부분 중 하나입니다.

Forward walk와 Backward walk는 이 춤의 기본적인 움직임입니다. 앞으로 걷기와 뒤로 걷기를 통해 춤을 이끌어가며, Turn은 회전 동작으로 춤의 다양성과 변화를 주는 중요한 부분입니다. 이러한 연속적인 Up, Down의 움직임과 Forward walk, Backward walk, Turn을 조합하여 지르박을 춤출 수 있습니다. 이 춤은 작은 움직임들이 연결된 연속적인 패턴으로 구성되어 있어, 춤을 추는 과정에서 리드와 팔로우 모두가 서로를 이해하고 조화롭게 움직여야 합니다. 이러한 기본 패턴과 바운스 액션을 익히면, 지르박에서 다양한 움직임과 스타일을 표현할 수 있게 됩니다. 이 춤은 단순한 동작들을 조화롭게 연결하여 춤을 즐기고 표현하는 과정에서 그 매력을 드러냅니다.

〈남성&여성〉 forward walk

스텝	카운트	리듬	풋워크	읽을 때	박자 값	악센트
1보	1	S	BF	슬로우	1	
2보	2	&	BF	엔	1	
3보	3	Q	BF	퀵	1	V
4보	4	Q	BF	퀵	1	V
5보	5	S	BF	슬로우	1	
6보	6	&	BF	엔	1	

〈남성&여성〉 Backward walk

스텝	카운트	리듬	풋워크	읽을 때	박자 값	악센트
1보	1	S	HF	슬로우	1	
2보	2	&	HF	엔	1	
3보	3	Q	HF	퀵	1	V
4보	4	Q	HF	퀵	1	V
5보	5	S	HF	슬로우	1	
6보	6	&	HF	엔	1	

구식(舊式) 풋 워크

스텝	forward walk	Backward walk
1보	WF	WF
2보	WF	WF
3보	WF	WF
4보	WF	WF
5보	WF	WF
6보	WF	WF

지르박 댄스를 출 때 원칙

명칭	의미
HAND HOLDS(핸드 홀드)	남성과 여성이 서로 마주 서서 두 손을

	맞잡는 것
POISE(포이즈)	몸가짐, 자세, 태도
ARM POSITIONS(암 포지션)	팔 위치
FORWARD WALKS TURNING (포워드 웍 터닝)	전진 스텝을 하면서 뒤로 회전을 하는 것을 말함.
ALIGNMENT(얼라인먼트)	정렬선
AMOUNTS OF (어마운트스 어브)	회전량
DELAYED WALKS(딜레이드 웍)	무릎을 구부리고 뻗는 것을 말함

지르박에서의 워킹(Walking)

지르박에서의 Walking은 단순한 걷기 동작이 아닌, 기본 워킹을 제대로 숙지하고 연습하여야 합니다. 이는 춤을 출 때 자연스럽고 아름다운 움직임을 만들어내는 데 중요한 부분입니다.

대다수 사람들은 댄스를 즐기면서 자유롭게 춤을 춥니다. 그러나 돈과 시간을 들여 댄스를 배웠다면 배운 것을 꾸준히 연습하고 완벽하게 소화해 나가는 것이 중요합니다. 기본 워킹을 정확하게 익힌다면 아름다운 동작과 다양한 표현이 가능해집니다. 이렇게 춤을 추는 당신을 한 번이라도 이성이 본다면 당신과 춤을 추고 싶어 할 것입니다. 춤 세계에서 주인공은 머니-머니 해도 댄스 고수들입니다.

연습과 노력을 통해 기본 워킹을 익히고 완벽하게 소화한다면, 춤을 추는 즐거움은 더욱 크게 느껴질 것입니다.

풋 워크란?

풋 워크는 춤에서 발의 위치와 움직임을 세밀하게 표현하는 개념입니다. 이 용어는 춤 동작에서 발의 다양한 부분을 순서대로 나열하여 특정 스텝이나 동작 중 발이 어떻게 떨어지는지를 표현합니다. 풋 워크는 각 부분별로 힐(H), 토(T), 힐토(HT), 토힐(TH), 토힐토(THT), 힐토힐(HTH) 등의 순서를 사용하여 발이 마루에 닿는 순서와 위치를 설명합니다. 이 용어는 단순히 발의 위치를 말하는 것이 아니라, 춤의 특정 스텝과 연관하여 사용됩니다.

풋 롤링(Foot Rolling)

풋 롤링은 댄스에서 발의 특정한 움직임 기술 중 하나로, 발을 전방이나 측면으로 굴리는 동작을 의미합니다. 이 기술은 댄스 동작의 자연스러움과 부드러움을 강조하는 데 사용되며, 댄서의 발 움직임을 더 다양하고 풍부하게 만들어줍니다. 댄스에서 풋 롤링은 발의 힐(H), 발가락(T), 또는 발의 측면(Inside/Outside)을 사용하여 발을 전진하거나 측면으로 움직이는 등 다양한 방법으로 표현됩니다. 이 기술은 춤의 특정한 스텝이나 움직임에서 발의 위치를 더욱 다채롭게 만들어줍니다.

풋 롤링은 댄서가 음악에 맞게 발을 조작하고 동작을 수행하는 데 도움이 되며, 춤의 표현력과 다양성을 높여줍니다. 발의 움직임을 제어하고 조절하는 데 중요한 역할을 합니다. 각 댄스 스타일이나 특정한 춤에서 풋 롤링은 그 특성과 특징에 따라 다르게 사용됩니다. 왈츠(Waltz)나 탱고(Tango)와 같은 볼룸 댄스에서는 우아하고 부드러운 풋 롤링이 강조되고, 지르박 및 라틴 댄스에서는 보다 다이내믹하고 강렬한 풋 롤링이 사용될 수 있습니다.

그러나 댄스의 풋 롤링은 댄서의 개별적인 스타일과 표현력에 따라 다르게 사용되고 해석됩니다. 이 기술은 댄서의 연습과 경험을 통해 완벽해지며, 다양한 춤의 동작과 스텝에서 발을 다양하게 활용할 수 있도록 도와줍니다. 이러한 방법으로 풋 롤링은 댄스의 표현력과 다양성을 높이는 데 중요한 역할을 하며, 발의 다양한 움직임을 통해 춤을 더욱 풍부하게 만들어줍니다.

지르박 기본 걸음걸이

포워드 워크 (forward walk): 포워드 워크는 춤이나 운동에서 매우 중요한 움직임입니다. 이 동작은 주로 전진하는 동작으로, 발을 전방으로 이동시켜 몸을 이동시키는 것을 나타냅니다. 다양한 춤 스타일이나 운동 유형에서 사용되며, 전반적인 움직임에서 중요한 부분입니다.

포워드 워크는 춤의 흐름과 운동량을 형성하는 데 큰 영향을 미칩니다. 이를 통해 춤은 더 다채롭고 다이내믹한 모습을 보이며, 공간을 효과적으로 활용하여 다양한 패턴과 움직임을 표현하는 데 도움을 줍니다. 발레, 라틴 댄스, 사교댄스, 스윙 댄스 등 다양한 춤에서 사용되며, 각 춤의 특성에 따라 다르게 표현됩니다. 이 동작은 주로 발의 위치와 몸의 중심 조절을 통해 이루어집니다. 발을 전방으로 움직이면서 몸의 중심과 움직임 방향을 일치시키는 것이 중요합니다. 이를 통해 춤은 자연스럽고 우아하게 연출됩니다. 또한, 각 춤의 특성에 따라 포워드 워크는 다양하게 표현됩니다. 발의 움직임을 강조하는 춤도 있고, 전체적인 몸의 이동을 중시하는 춤도 있습니다. 따라서 각 춤의 특성과 스타일에 맞게 포워드 워크가 조화롭게 사용되며, 해당 춤의 특징과 스타일을 부각시킵니다.

포워드 워크는 춤을 풍부하고 다이내믹하게 만들어주는 핵심 요소 중 하나입니다. 그만큼 춤에서 이 동작을 익히고 연습하는 것은 중요합니다. 이를 통해 춤을 더욱 멋지고 표현력 있게 표현할 수 있을 거예요!

포워드 워크는 지르박에서 앞으로 발을 내딛는 것을 말하며 우아하고 힘 있게 이동하는 것이 중요합니다. 아래는 LF(왼쪽 발)를 앞으로 디는 방법에 대한 설명입니다. 기술은 RF(오른쪽 발)에도 동일하게 적용됩니다.

1. 먼저, 발을 모아서 똑바로 서고, 몸의 무게를 오른발(FR)에 올려서 발 중심으로 균형을 잡습니다.

2. 다음으로, 왼쪽 다리(L)를 엉덩이에서 앞으로 뻗어 나갑니다. 먼저 발의 앞부분이 바닥에 닿고, 뒤꿈치는 가볍게 바닥을 스쳐 지나가며 발가락은 들어올려야 합니다. 왼쪽 뒤꿈치가 오른발(R) 발가락을 지나치면, 오른쪽 뒤꿈치는 바닥에서 떨어지고 몸의 무게가 오른발 앞으로 옮겨집니다.

3. 발을 최대한 내밀 때, 몸의 무게는 왼발 뒤꿈치와 오른발 앞발 중간에 골고루 분산됩니다. 왼쪽 무릎은 직선으로 펴지고, 오른쪽 무릎은 약간 굽히게 됩니다.

4. 몸의 무게가 왼발로 옮겨지면, 오른발이 앞으로 움직이기 시작합니다. 발가락이 먼저 바닥에 닿고, 바닥을 가볍게 스쳐서 앞으로 이동합니다.

5. 왼발 발가락은 천천히 바닥에 내려가며 두 발이 만나고, 몸의 무게가 완전히 왼발로 옮겨집니다.

백워드 워크: 백워드 워크는 댄스에서 후진하는 동작을 나타내며, 몸을 후방으로 움직이는 것을 의미합니다. 이는 포워드 워크의 반대 개념으로서, 다양한 춤 스타일이나 운동에서 활용되어 공간을 후진하거나 특정한 움직임을 형성하는 데 사용됩니다.

후진 걷기는 지르박에서 뒤로 걸어가는 기술을 말합니다. 아래는 오른발을 사용하여 후진 걷기의 기술적인 부분을 설명한 것입니다. 왼발을 사용하는 경우에도 동일한 기술을 적용합니다.

1. 먼저, 양발을 함께 모아서 서고, 몸의 무게를 왼발에 실은 채로 약간 앞으로 기울어진 자세를 취합니다.

2. 그 다음, 엉덩이 관절을 중심으로 오른쪽 다리를 뒤로 빼는 동작으로 시작합니다. 발 앞부분을 가볍게 바닥에 댄 후 발끝을 바닥에 살짝 닿게 합니다. 오른쪽 발의 발끝이 왼쪽 발의 발꿈치를 지나가는 순간, 왼쪽 발의 발끝은 바닥에서 조금씩 떨어지면서 몸의 무게를 오른쪽 발 앞부분으로 옮기기 시작합니다.

3. 걸음이 가장 멀리 나갔을 때, 몸의 무게는 오른쪽 발의 앞부분과 왼쪽 발의 뒷부분 사이에 균등하게 분산됩니다. 오른쪽 무릎은 약간 굽혀지고, 왼쪽 무릎은 직선으로 유지됩니다.

4. 그 다음으로, 왼쪽 발이 뒤로 움직이기 시작합니다. 발뒤꿈치를 바닥에 댄 후 발 앞부분이 바닥을 가볍게 닿게 합니다.

5. 왼발이 오른쪽 발 쪽으로 후진하면서, 오른쪽 발의 발꿈치는 천천히 그리고 제어되게 내려갑니다.

6. 마지막으로, 오른쪽 발로 무게를 완전히 옮기면, 왼쪽 발은 거의 오른쪽 발에 무게가 없는 상태로 가까이 모이게 됩니다.

포워드 워크 터닝(forward walk turning):
포워드 워크 터닝은 춤에서 사용되는 기술로, 전진하는 동작을 유지하면서 몸을 회전시키는 것을 의미합니다. 이 기술은 주로 춤에서 활용되며, 전진하는 동작과 함께 몸을 회전시켜 춤의 연속성과 흐름을 유지하고 이어가는 데 사용됩니다. 터닝은 춤의 다양한 스텝이나 루틴에서 빼놓을 수 없는 요소 중 하나입니다. 포워드 워크 터닝은 춤의 흐름을 유지하면서 회전하는 것을 목적으로 하는데,

이를 통해 춤이 더욱 다이내믹하고 아름답게 표현됩니다. 이 동작을 수행하기 위해서는 발의 움직임과 몸의 회전을 조화롭게 이어야 합니다.

보통은 발을 전진하면서 몸을 회전시키는데, 이는 춤의 스타일에 따라 다르게 적용됩니다. 특정한 춤의 스텝이나 패턴에서 사용되며, 파트너와의 조화를 이루는 데도 활용될 수 있습니다. 또한, 포워드 워크 터닝은 춤의 다양한 스타일에서 즐겨 사용되며, 댄서가 공간을 이동하면서 회전하는 것을 강조하는 경우에 많이 사용됩니다. 이 기술을 통해 춤은 다양한 움직임과 모션을 표현하며, 댄서의 기술과 표현력을 높일 수 있습니다. 발의 움직임과 몸의 회전을 조화롭게 조절하는 연습을 통해 포워드 워크 터닝을 더욱 자연스럽고 아름답게 표현할 수 있습니다. 이를 통해 춤의 연출력과 매력을 높일 수 있고, 춤을 통해 감정과 이야기를 더욱 잘 전달할 수 있게 될 거예요.

발죽임에 대하여

발죽임은 춤에서 발을 움직이지 않고 고정시키는 동작을 말합니다. 이것은 스텝에서의 움직임을 줄여주는 특별한 동작으로, 춤의 다양한 스타일 중 하나입니다. 리더와 팔로우의 관계에서, 리더는 스텝을 지시하면서도 발죽임을 포함하여 다양한 스타일을 보여줄 수 있습니다. 발 죽임 또한 지르박의 동작 중 하나이지만 음악의 리듬을 타면서 박을 죽이는거랑, 아무런 느낌도 없이 그냥 발을 죽이면서 춤을 출 때 여성이 받는 느낌은 하늘과 땅 차이입니다. 발을 죽이는 것이 고수들만의 특권처럼 여기는 사람들도 있지만, 자칭 발죽임의 고수들의 춤사위를 보면 여성만 좌우로 갔다 왔다만 시키지 자신만의 스텝 및 동작이 없습니다. 한 10개 전후의 동작만으로 여성을 리드하는 경우가 태반입니다. 발죽임이 몸에 습관화가 되어 고난도 스텝을 배우고 싶어도 박자를 못 맞춰 중도에 포기하는 분들도 많이 봐왔습니다.

발죽임은 남성들만의 특권으로 여성들은 대부분 발죽임 없이 지르박을 스텝을 밟습니다.

반대로 생각해보면 여성이 발죽임을 하면 어떨까요? 남성들이 발 죽이는 여성과 춤을 추고 싶어 할까요? 여성 대부분이 싫어하는 스타일은 발을 죽이는 남성입니다.

특정한 학원에서는 처음부터 발을 죽이는 스텝을 강조하는 경우가 있습니다. 그러나 이러한 접근 방식이 모든 학생들에게 적합하지는 않을 수 있습니다. 이것이 실력 업그레이드를 늦추거나 학습 과정을 어렵게 만들 수 있습니다. 일부 학생들은 발을 죽이는 스텝을 통해 움직임을 익히기보다는 발을 자유롭게 사용하고 풀어나가는 것이 댄스를 배우는데 더 효과적일 수 있습니다. 따라서 학생들의 다양한 학습 스타일과 요구를 고려하는 것이 중요합니다. 좋은 댄스 교육은 학생들의 능력과 선호도를 고려하여 다양한 스타일과 방법을 제공해야 합니다. 발을 죽이는 스텝만 강조하는 것이 아니라, 유연한 발의 활용과 다양한 움직임을 배울 수 있는 교육이 제공되어야 합니다. 이를 통해 학생들은 자신의 댄스 실력을 더욱 향상시킬 수 있을 것입니다.

모던 댄스는 특정한 기술이나 움직임에 대한 지침이나 규칙을 가지고 있습니다. 발짓임이나 다른 기술들이 특정한 시간이나 특별한 패턴에 따라 결정되기도 합니다. 모던 댄스에서는 음악과의 조화와 함께 특정한 움직임을 연습하거나 표현하는 데 중점을 둡니다. 그러나 라틴, 스윙, 사교댄스 등의 스타일은 프리 스타일로 간주되며 규칙이나 지침이 상대적으로 자유롭습니다. 이러한 춤 스타일은 더 많은 창의성과 개인의 표현을 중요시하며, 발짓임을 비롯한 움직임이 자유롭게 변형되거나 표현될 수 있습니다.

각각의 춤 스타일은 그 특성에 따라 다양한 접근 방식을 취하며, 발짓임이나 다른 기술의 사용도 해당 스타일의 특성과 음악에 따라 달라질 수 있습니다. 그래서 춤을 연습하거나 배울 때 해당하는 스타일의 특징을 이해하고 그에 맞게 움직임을 연습하는 것이 중요합니다.

센터 밸런스란?

센터 밸런스는 댄스나 운동에서 매우 중요한 개념입니다. 이는 몸의 중심을 안정적으로 유지하고 그 균형을 조절하는 능력을 가리킵니다. 댄스에서 센터 밸런스는 몸의 중심을 유지하고 그것을 기반으로 움직임을 조절함으로써 운동의 안정성과 정확성을 높이는 데 중요한 역할을 합니다. 센터 밸런스는 주로 골반이나 몸의 중심-축을 기준으로 합니다. 몸의 중심을 잘 유지하면서 움직이는 것은 다양한 춤 스타일에서 필수적인 요소 중 하나입니다. 이를 통해 댄서는 몸의 안정성을 유지하고, 자유롭고 자연스러운 움직임을 만들어냅니다.

춤을 출 때 몸의 센터를 제어하고 균형을 유지함으로써 아름다운 동작과 자연스러운 움직임을 보여줄 수 있습니다. 우선, 센터 밸런스는 몸의 중심, 즉 허리와 골반 부근에 위치한 무게 중심을 제어하는 것으로, 이것이 춤을 출 때 중요한 역할을 합니다. 균형을 유지하고 움직임을 부드럽게 만들기 위해서는 몸의 중심을 잘 조절하는 것이 필요합니다. 센터 밸런스는 무게를 어떻게 옮기느냐에 따라 달라집니다. 정확한 포지션과 균형 조절은 춤을 출 때 필수적입니다. 무브먼트를 할 때마다 센터 밸런스를 유지하면서 자연스럽게 움직이는 것이 중요합니다. 또한, 센터 밸런스는 춤을 출 때의 자신감과 연결되어 있습니다. 몸의 중심을 제어하고 균형을 잘 유지할수록 춤을 출 때 자신감 있고 안정된 모습을 보일 수 있습니다. 이는 춤을 출 때 자연스럽고 매력적인 퍼포먼스로 이어집니다.

Wind, Winding, and Winding Up(윈드, 와인딩, 그리고 와인딩 업)

이는 특정 동작을 시작하기 전에 몸의 회전을 조절하고 강화하는 과정으로, 춤의 동작을 보다 강력하고 정확하게 만들어줍니다.

"윈드(Wind)"는 회전 동작을 위해 발목을 춤의 회전 방향으로 조금씩 움직이는 것을 의미합니다.

발목부터 시작하여 체중과 에너지를 상체로 전달하는 과정을 포함하고 있습니다. 이는 몸 전체에 회전 동작의 에너지를 전달하고, 동작의 시작을 준비하는 역할을 합니다.

"와인딩(Winding)"은 발목부터 시작된 회전을 몸의 상체로 연결하는 프로세스입니다. 이는 발에서 시작된 회전을 상체로 효율적으로 전달하는 과정으로, 회전을 강조하고 더 큰 움직임의 범위를 제공합니다.

"와인딩 업(Winding Up)"은 회전 동작의 시작을 준비하는 데 사용됩니다. 이는 회전하는 동작을 시작하기 전에 몸을 준비하고 힘을 모으는 과정입니다. 상체를 돌려 회전 동작을 더 강화하고, 몸이 미리 회전 동작의 방향을 나타내는 역할을 합니다.

이러한 과정들은 춤의 기술적인 면에서 중요한 요소로, 춤의 동작을 더 강력하게 만들어주며, 회전 동작의 정확성과 에너지를 제공합니다. 춤을 출 때, 몸을 이러한 과정을 통해 준비하고 향상시키는 것은 춤의 품질과 표현력을 향상시키는 데에 도움이 됩니다.

그레이스풀한 턴, 여성 리드법

무용이나 댄스에서 파트너를 오른쪽 또는 왼쪽으로 회전시키는 기술 중 하나로 이는 파트너의 손을 오른손이나 왼손으로 잡고, 원하는 방향으로 천천히 회전시켜줍니다.

여성을 회전시켜주는 방법은 다양하지만, 기본으로 한 손 리드법, 양손 리드법, 한 손 크로스 리드법, 양손 크로스 리드법, 커트 후 여성 솔로 턴 리드법, 여성 솔로 턴 리드법이 있습니다. 남성은 여성 실력 및 나이에 따라 리드법을 조절해야 하며, 같은 회전 동작이라도 하수냐, 중수냐, 고수냐에 따라 여성이 느껴지는 리드 맛이 다 다르게 느껴집니다.

댄스에서 여성을 회전시키는 방법은 매우 다양하며, 그 기술은 음악, 춤의 스타일, 파트너와의 호흡 등 여러 가지 요소에 따라 다를 수 있습니다. 기본적인 회전 기술에는 몇 가지 주요한 방법이 있습니다.

첫 번째로, 남성은 오른손이나 왼손을 사용하여 여성을 회전시키는 방법이 있습니다. 이 방법은 보통 한 손을 사용하여 여성의 손을 잡고 회전을 이끌어내는 방식입니다. 이때 여성과의 손 연결을 통해 서로의 움직임을 읽고 호응함으로써 자연스러운 회전을 이룰 수 있습니다.

두 번째로, 양손을 사용하여 여성을 회전시키는 방법도 있습니다. 이 방법은 양손을 이용하여 여성의 손을 잡고 회전을 이끌어내는 기술로, 보다 안정적이고 균형을 잡기 쉬운 방법 중 하나입니다.

그리고 여성을 회전시키면서 손을 놓아주는 방법과 손을 끝까지 놓지 않는 방법도 있습니다.

여성을 회전시킬 때 피겨 동작에 따라 다양한 방법이 쓰일 수 있습니다. 예를 들어, 양손을 사용한 여성 회전 기술은 풋 포지션(발의 위치)과 핸드 홀드 포지션(손의 위치)에 따라 다양한 방식으로 실행될 수 있습니다. 또한, 여성의 팔을 여성 목에 위치하면 목을 감는 것이며, 여성 배 쪽으로 위치하면 배를 감는다는 신호로 보면 됩니다. 여성 머리 위로 올리면 이 또한 선을 여성 머리 위로 올려 여성을 회전시킨다는 신호입니다. 이러한 여성 회전 기술은 댄스의 동작과 음악에 맞춰 적절히 사용되며, 파트너와의 소통과 호응을 통해 자연스럽게 이뤄집니다. 댄스의 스타일과 요구 사항에 따라 다양한 회전 기술이 쓰일 수 있으며, 춤의 흐름과 연출에 따라 적절한 방법을 선택하는 것이 중요합니다.

여신의 선율: 여성의 우아한 스핀(360도 회전)

카운트 1,2,3,4,5,6 / 5,6,1,2,3,4 / 3,4,5,6,1,2 등 어떤 카운트를 사용해도 여성 리드법은 같습니다.

가. 리듬 속의 회전: 회전의 카운트

회전은 섬세한 테크닉을 결합하는 중요한 움직임 중 하나입니다. 180도부터 540도까지의 회전은 네 박자로 이루어져 있어요. 이는 몸의 움직임과 그에 따른 속도 조절이 중요한 포인트입니다. 예를 들어 720도를 두 바퀴 돌려야 한다면, 6부터 추가적으로 2박자가 필요하죠. 이는 스핀을 더욱 정교하게 제어하고 부드럽게 만들어 줍니다. 하지만, 고수가 되기 위해서는 기술적인 숙련뿐만 아니라 착지에 대한 집중도가 필요합니다. 능숙해지면 6.1에서 회전을 시작하고, 2에서는 착지에 집중하는 것이 중요합니다. 이렇게 하면 스핀을 완벽히 마치고 안정적으로 착지할 수 있어요.

이러한 기술적인 습득은 꾸준한 연습과 경험을 통해 가능합니다. 지속적인 연습과 함께 코칭을 받거나 동작을 자세히 분석하는 것도 좋아요. 또한, 자신의 몸과 움직임을 잘 이해하고 연습하는 것이 중요합니다. 지속적인 노력과 열정을 투여하면, 기술적인 면에서 큰 발전을 이룰 수 있을 거예요. 고수가 되기 위한 여정을 즐기며 꾸준히 발전하는 것이 중요하답니다.

나. 파트너십의 리듬: 회전의 시작점과 상호작용

회전의 시작 시점과 리드는 춤이나 연습하는 활동에서 매우 중요한 부분입니다. 일반적으로 남성이 여성을 리드할 때, 미리 계획된 동작을 시행하기 위해 2박자부터 신호를 줍니다. 이는 파트너에게 다음 동작을 예고하고 읽을 수 있도록 돕는 것이죠.

남성은 여성 회전을 시작하는 타이밍과 방향을 결정하고, 그에 따라서 여성은 그것을 읽고 따라가도록 하는 것이 중요합니다.

다. 춤의 출발점: 정확한 회전과 리드

스핀의 출발과 리드는 춤에서 핵심적인 부분입니다. 스핀을 시작할 때, 춤을 이끄는 남성의 지시를 따르는 것이 중요합니다. 일반적으로 스핀을 시작하기 위해 남성은 특정한 시그널을 보내고, 이 시점에 맞춰 여성은 스핀을 시작하게 됩니다. 카운트 1,2,3,4,5,6 / 5,6,1,2,3,4 / 3,4,5,6,1,2 등 어떤 카운트를 사용해도 여성 리드법은 같습니다. 전 카운트 1,2,3,4,5,6에 맞춘 설명입니다.

1: 남성이 여성을 당기면 여성은 왼발을 전진합니다.

2: 남성은 카운트 2부터 손을 올리기 시작합니다. 여성은 남성의 신호를 받고, 춤의 흐름에 맞춰 몸을 준비합니다.

3: 회전을 시작하는 첫 번째 박자입니다. 남성은 여성 머리 위로 여성 손을 올려 손을 밀어줍니다. 여성은 남성의 안내에 따라 회전을 시작합니다.

4: 회전의 속도와 흐름을 유지하며 회전을 이어나갑니다. 남성은 리드를 마무리하면서 손을 내리기 시작합니다. 여성은 남성의 리드에 따라 바디 컨트롤을 유지합니다.

5: 회전을 완료하기 위한 마지막 박자입니다. 남성은 여성의 손을 여성 허리 위치로 손을 완전하게 내립니다. 여성은 남성의 안내에 따라 스핀을 완벽하게 마무리하고, 안정된 자세로 착지합니다.

6. 안정된 자세로 오른발을 왼발 옆에 모으면 됩니다. 남성은 리드를 마무리합니다. 여성에 따라 살짝 여성의 손에 힘을 줍니다.

스핀을 시작하는 시점과 박자는 춤의 흐름과 음악에 맞춰 조절되며, 이를 함께 이끄는 남성의 역할이 매우 중요합니다. 여성은 남성의 리드를 잘 읽고 따라가며, 적절한 타이밍에 춤을 진행하는 것이 중요합니다. 이것이 서로를 잘 이해하고 협력하여 스핀을 완벽하게 수행하는데 도움을 줄 것입니다.

회전을 이끄는 손짓: 춤에서의 손과 정확한 회전 이해

회전을 시작 할 때 손의 역할은 매우 중요합니다. 여성이 회전 출발을 잘못 이해하면 춤의 흐름이 끊어질 수 있고, 회전도 불안정해질 수 있어요.

손은 안정적으로 이끄는 역할을 합니다. 손과 상반된 손의 위치 및 움직임은 여성의 몸의 회전을 안정적으로 유지하고 이끌어주게 됩니다. 손이 회전 중심축이 되어 여성이 회전할 때의 힘과 방향을 조절하는 역할을 하며 네 박자에서 출발하여 여섯 박자로 돌아오는 것은 회전의 균형을 유지하고 완벽한 회전을 위해 중요합니다. 또한, 춤을 출 때 손의 위치와 움직임은 남성의 리드에 따라 조절되어야 하고 이는 회전의 안정성과 원활한 회전을 도와주며, 파트너들 간의 원활한 소통과 협력이 필요한 부분이기도 합니다.

제자리 스텝, 가장 멋진 춤사위

제자리 스텝은 지르박을 처음 교습받을 때 습득하는 기술이지만 제자리 스텝의 묘미는 대분 알지 못합니다. 그냥 자이브의 링크처럼 쉬었다 가는 피겨, 후행 스텝이 생각이 안 날 때 하는 피겨로 취급받는 경우가 많이 있습니다. 하지만 제자리 스텝 또한 춤의 중요한 피겨 중 하나입니다.

기본적인 스텝과는 다르게, 제자리 스텝은 QQ라는 움직임을 기반으로 하며, 이를 통해 앞, 뒤, 옆으로의 이동뿐만 아니라 제자리에서의 회전이나 걷는 듯한 느낌을 연출할 수 있습니다. 이러한 특성 덕분에, 제자리 스텝은 상황, 음악, 파트너, 발의 움직임에 따라 매우 다양한 춤을 표현할 수 있습니다. 파트너에게 그루브나 충동적인 리듬의 감각을 전달해 주는 것은 춤이나 댄스에서 중요한 부분 중 하나입니다. 제자리 스텝은 이를 표현하는 데 매우 중요한 요소 중 하나일 수 있습니다. 제자리 스텝은 움직임이 적지만, 그 안에는 많은 파생적인 피겨나 변형이 담겨있는 경우가 많습니다. 고수일수록 이 스텝을 통해 그루브와 리듬을 파트너에게 잘 전달할 수 있습니다.

제자리 스텝은 간단해 보일 수 있지만, 그 안에는 춤의 본질을 담고 있는 경우가 많습니다. 파트너에게 그루브를 전달할 때, 움직임을 최소화하면서도 음악의 감정과 리듬을 효과적으로 전달할 수 있는 것이 제자리 스텝의 매력이죠. 이 스텝은 춤의 핵심적인 부분 중 하나로 여겨지며, 춤의 다양한 피겨나 기술들을 표현하는 데에도 사용됩니다. 춤은 단순히 움직임의 기술만으로 평가되지 않습니다. 춤의 실력은 개인의 기술뿐만 아니라 파트너와의 상호작용, 그리고 연결된 관계에서의 조화와 의사소통에도 영향을 받습니다. 경험 많은 춤꾼은 동일한 스텝이라도 그것을 표현하는 방식을 조절함으로써 완전히 다른 스타일로 변화시킬 수 있습니다. 이는 춤을 추는 과정에서 파트너와의 연결을 유지하는 능력과 밀접한 관련이 있습니다.

실력 있는 춤꾼은 자신의 춤 스타일을 유연하게 조정할 수 있으며, 이는 파트너와의 조화를 유지하면서 춤을 표현하는 능력과 관련이 있습니다. 이는 단순히 춤의 기술적인 면만이 아니라, 춤을 더욱 매력적으로 만들어주는 중요한 부분 중 하나입니다. 춤은 결국 개인의 기술뿐만 아니라 파트너와의 상호작용과 조화를 통해 완성되는 예술적인 표현이기도 합니다.

회전 메커니즘 Roll

이동 중인 상대를 허리나 목을 감아놓고 풀어주는 동작은 춤에서 텐션과 움직임의 표현입니다. 이 기술은 댄서들 사이에서 상호작용을 나타내고, 텐션을 제어하는 방법 중 하나로 활용됩니다. 일반적으로, 오른손이나 왼손을 사용하여 여성의 허리나 목을 감고, 이동 중에 풀어주는 것이 일반적인 지르박 기술입니다. 이렇게 행하는 것은 다음 움직임을 준비하거나 텐션을 완화하는 신호로도 작용할 수 있습니다. 이 기술은 여성의 몸과의 연결고리를 유지하면서 상호작용하는 중요한 수단입니다. 허리나 목을 감아놓고 푸는 동안에도 춤의 흐름을 유지하고, 텐션을 조절하여 자연스럽고 아름다운 움직임을 만들어냅니다. 이런 기술은 상대와의 관계를 나타내는 중요한 방법 중 하나로, 연습과 경험을 통해 더욱 섬세하고 예술적인 움직임으로 발전시킬 수 있습니다. 양손 기술 중 하나인 풍차 돌리기는, 춤의 아름다움과 의미를 더욱 풍부하게 표현하는데 사용됩니다.

후까시

20년 전 후까시는 학원 원장들이 돈 벌기 수단으로 시야기에서 배우는 춤 동작중 하나였습니다. 그 당시에는 고급 스텝은 부르는 게 값이었습니다. 제가 아는 분은 그 당시 후까시 배우는데 레슨비를 60만 원을 투자했다고 하는데 결과는 2-3개 밖에 못 배웠다고 합니다. 그 당시에는 후까시가 유행이었고 후까시를 배워야 고수의 길로 들어선다고 믿었습니다.

기본스텝: 우측자리바꿈

카운트 1: 남자는 오른쪽 발을 직진하면서 여자의 오른손을 오른손으로 잡아 끌어당깁니다. 서로의 힘을 조절하여 함께 움직이도록 유도하는데, 이것은 춤의 시작 지점이 됩니다.

카운트 2: 남자는 왼쪽 발을 직진시키고 시선을 약간 좌측으로 틀어줍니다. 이는 다음 움직임을 준비하는 단계입니다.

카운트 3: 남자는 오른쪽 발을 약간 우측으로 전진하면서 토 턴 아웃을 하고 시선은 정면을 유지합니다. 여자는 왼쪽 발을 약간 우측으로 비켜서 전진합니다. 이 움직임은 파트너와의 공동 움직임을 구축하고 마지막 움직임을 준비합니다.

카운트 4: 남자는 왼쪽 발을 오른쪽 발에 붙이며 180도 턴을 하면서 서로 마주보게 됩니다. 이때 몸은 약간 뒤로 버티면서 손동작을 수행합니다. 이 동작은 마무리되는 움직임으로, 파트너와의 연결과 손동작을 강조합니다.

해머락

'해머락'이라는 이름의 동작은 레슬링에서 비롯됐지만, 댄스에서는 매우 창의적으로 변형되어 사용됩니다. 이 동작은 레슬링에서는 상대를 몸을 굽히고 어깨 뒤로 잡아당기는 기술이었지만, 사교댄스나 댄스에서는 여자가 남자의 팔을 사용해 어깨 뒤로 손을 올리는 형태로 변화된 지르박 기술 중 하나입니다. 이 동작은 여성이 남성의 손을 따라 잡아당기거나 움직임의 방향을 바꾸거나 서로 돌아가는 등의 다양한 표현이 가능합니다. 이러한 변형들은 춤의 맥락과 의도에 따라 다양하게 조합되며, 새로운 창의적인 댄스 움직임으로 진화할 수 있어요.

우아한 회전 기술: 던지기

남성은 왼손을 이용하여 여성을 오른쪽으로 회전시키거나, 여성을 남성의 앞으로 끌어당기며 회전을 도와주는 기술입니다. 이 기술은 정확한 타이밍과 부드러운 움직임을 요구하며, 춤의 템포나 스타일에 따라 다양하게 변형될 수 있습니다.

이 기술은 춤의 템포에 맞춰 신속한 회전을 전달하고, 순간적인 골반 움직임과 팔의 조화를 필요로 합니다. 또한, 손과 팔의 힘을 조절하여 정확한 템포와 회전을 만들어내야 합니다. 이 기술은 정확한 타이밍과 신속한 반응이 필수적이며, 다양한 음악 스타일에 맞춰 적응할 수 있도록 변형될 수 있습니다.

전진 스위블 스텝: 춤의 유연한 흐름을 표현하는 움직임

춤의 아름다움과 표현력은 다양한 스텝과 기술들에서 비롯됩니다. 그 중에서도 '전진 스위블 스텝'은 특별한 매력을 지니고 있는데요. 이 움직임은 춤의 흐름과 유연성을 강조하며 춤을 추는 사람들의 자유로운 움직임을 나타냅니다. 전진 스위블 스텝은 춤을 추는 과정에서 전방으로 나아가면서 발과 몸을 조화롭게 움직이는 기술입니다. 이 움직임은 그 자체로도 아름다운 춤의 흐름을 만들어내고, 춤추는 이의 자유로운 표현을 도와줍니다.

전진 커트

전진 커트 동작은 지르박에서 사용되는 동작 중 하나로, 몸을 전진하면서 상대방의 특정 위치에 대해 커트하는 기술입니다. 이 동작은 특정 위치나 춤의 템포, 음악의 비트에 맞춰 상대와의 거리를 조절하거나 흥미를 유발하는 데에 사용됩니다. 전진 커트 동작은 주로 손을 사용하여 여성의 움직임을 컨트롤하는 동작으로 이러한 동작은 춤의 흐름을 끊지 않고, 연속적인 움직임을 만들어내며, 춤의 다이내믹한 흐름을 유지하는 데 도움이 됩니다. 전진 커트는 춤의 템포나 스타일에 따라 변형될 수 있으며, 다양한 춤에서 활용될 수 있는 유연한 기술입니다. 커트 기술은 제자리 커트, 오른쪽으로 회전하면서 제자리 커트, 왼쪽으로 회전하면서 제라리 커트, 후진 커트, 오른쪽 사이드 커트, 왼쪽 사이드 커트, 오른쪽으로 크게 원그리며 커트, 왼쪽으로 크게 원그리며 커트, 해머락 커트, 한손 커트, 크로스 핸드 커트, 양손 커트, 포장 커트, 사이드 커드 등 응용 동작이 다양하게 많습니다.

지르박 회전(턴)

모든 커플 댄스는 95% 이상 주로 여성이 회전(턴)을 합니다. 남성 회전은 드물며 남성 회전(턴) 스텝을 레슨해주는 학원도 있지만 그렇지 않은 학원도 많이 있습니다.

Spins and Turns(솔로 턴)

가. 좋은 회전을 위한 요소: 바른 자세와 올바른 서기가 먼저입니다.

1.복부와 허리: 복부를 안으로 당기고, 복부 근육을 높이 들어야 합니다. 이는 척추를 지지하고 안정감을 유지하는 데 도움이 됩니다. 허리를 펴고 굽히지 않도록 해야 해요.

2.가슴과 상반신: 흉골을 올려야 하지만, 가슴 근육을 안쪽으로 당기는 것이 중요합니다. 몸을 떠밀지 않는 것이 몸의 균형을 유지하는 데 도움이 됩니다.

3.머리와 어깨: 머리를 일직선으로 척추와 유지하고, 시선은 곧게 앞을 향해야 합니다. 어깨는 내리

고, 몸을 구부리거나 굽히지 않아야 해요.

　4.**하체 근육**: 허벅지를 꽉 조여야 하며, 엉덩이 근육과 중심부를 강화하여 몸을 안정시켜야 합니다. 특히 빠른 회전을 할 때 이러한 근육들이 중요한 역할을 합니다.

나. 발의 부분을 이해하기:

　1.회전 시 발을 어떤 부분에 중점을 두는지 이해하는 것이 중요합니다. 발끝이나 발바닥을 사용하여 회전할 수 있고, 발을 함께 돌리거나 따로 돌릴 수도 있습니다.

　2.발을 어느 부분에 중점을 두느냐에 따라 회전의 안정성과 균형을 조절할 수 있습니다. 발끝이나 발의 평면 부분을 사용하거나 발을 함께 돌려서 회전할 때 발의 위치를 고려해야 합니다.

다. 팔 움직임:

　1.오른쪽으로 회전할 때 왼팔을 좌측으로 돌립니다. 그러나 회전을 돕기 위해 팔을 강제로 사용하는 것은 회전을 방해할 수 있습니다.

　2.회전 중에는 팔을 몸에 가깝게 끌어안아 회전 속도를 높입니다.

라. 머리의 시선 고정:

　1.빠르고 정확한 회전을 위해서는 머리의 시선 고정이 중요합니다. 눈을 집중할 작은 지점을 선택하여 몸의 균형을 유지하고 회전의 안정성을 높이는 데 도움이 됩니다.

　2.머리를 최대한 오랫동안 고정시키고, 몸을 좌측이나 우측으로 회전시키면서 머리를 고정된 지점을 찾으려 노력합니다.

　이러한 기술적 요소들을 통해 몸의 안정성을 유지하면서 더욱 정확하고 안정된 회전을 할 수 있습니다. 머리가 회전을 시작하기 직전에 먼저 움직이며, 회전이 끝나고 난 후에도 가장 마지막에 도착합니다. 이는 몸의 안정성을 유지하고 균형을 잃지 않도록 하는 데 도움이 됩니다.

마. 몸을 어떻게 움직여야 하는지:

　상체의 굽힘을 방지하고, 복부를 당기며 중앙 근육을 사용하여 몸을 안정시켜야 합니다. 자세와 균형을 유지하는 데 중요한 요소입니다.

바. 회전 중 몸의 세 부분:

　회전 동안에는 머리, 상체, 엉덩이의 세 부분이 따로 움직입니다. 이 세 부분은 동시에 회전하지 않으며, 각각 순차적으로 움직여야 합니다.

옵션 1 (빠른 회전):

빠른 회전을 위해 상체부터 회전을 시작합니다. 반대쪽 어깨를 닫는다고 생각하면서 시작하여 머리와 엉덩이는 반대편 어깨와 엉덩이를 닫으면서 회전을 마무리합니다.

예를 들어 오른쪽으로 회전할 때, 왼쪽 어깨를 닫으면서 시작하여 머리와 엉덩이는 반대편의 오른쪽 어깨와 엉덩이를 닫으면서 회전을 완성합니다.

옵션 2 (느린 스위블):

느린 스위블을 위해 엉덩이를 발 앞쪽으로 더 이동시켜 엉덩이를 스트레칭, 엉덩이와 머리를 먼저 회전시킨 후 상체를 회전시킵니다.

사. 회전을 멈추는 방법:

회전을 멈출 때, 몸 전체를 완전히 정지시키는 것이 아니라 발을 멈추고 몸을 멈춥니다. 이때 팔은 몸에 가깝게 유지하다가 회전을 멈출 때 팔을 늘려 몸의 균형을 잡습니다. 이렇게 몸을 움직이고 회전하는 방법들을 이해하고 실천하면 더 나은 회전 기술을 개발할 수 있어요!

Three-step-turn:

오른쪽 발을 옆으로 내딛고 직각으로 선 다리에 몸무게를 옮깁니다. 왼쪽 발을 오른쪽 발에 가깝게 모아 회전을 시작합니다. 그 후 다시 오른쪽 발을 옆으로 내딛습니다. 너무 큰 보폭으로 발을 내딛지 않도록 주의하세요. 회전 시 서 있는 발에 몸무게를 완전히 옮기지 않으면 균형을 잃을 수 있습니다.

가. 머리의 시선 고정:

머리의 시선은 앞으로나 몸이 이동하는 방향을 따라서 고정할 수 있습니다.

나, 한 발로의 완전한 회전:

1. 한 발로 왼쪽이나 오른쪽으로 완전한 회전을 하는 것입니다. 시작할 때 몸의 자세를 올바르게 유지하고 어깨를 회전하는 선과 평행하게 유지해야 합니다.

2. 체중을 한 발로 옮기며, 다른 발을 옆으로 향하도록 놓아야 합니다. 복부를 수축하고 팔은 반대 방향으로 돌려 회전을 준비해야 합니다.

3. 회전 중에는 머리를 회전하는 방향이나 앞쪽을 바라보며 어깨를 먼저 돌리고 발의 볼로 회전해야 합니다. 다리는 펴진 채로 유지되어야 하지만 무릎은 너무 곧게 펴있지 않아야 합니다.

다. 회전을 멈추는 방법:

회전을 멈출 때는 어깨가 엉덩이보다 먼저 멈춰야 합니다. 이렇게 하면 어깨와 엉덩이 사이에 긴장이 생겨 몸이 균형을 잡을 수 있습니다.

라. 상체의 움직임:

너무 과도하게 상체를 휘둘러 속도를 내지 않도록 주의하세요. 이렇게 하면 몸의 균형을 잃을 수 있습니다. 충분한 힘을 가하지 않아도 완전한 회전을 할 수 있습니다.

이렇게 다양한 기술적인 부분들을 주의하여 연습하면 더 나은 회전 기술을 개발할 수 있을 겁니다.

지르박 남성 스핀 (제자리, 여성과 마주한 상태)

가. 초급-180도 half turn- 1/2 turn: 이 동작은 초보자를 위한 기본적인 움직임입니다. 몸을 180도 회전하여 반 바퀴 돌리는 것을 의미합니다.

카운트 3, 4, 5, 6, 1, 2 아닌 1, 2, 3, 4, 5, 6 설명합니다.

각 카운트는 다음과 같은 동작을 지칭합니다:

A. 1, 2, 3 (전진): 이동하는 동안의 단계로, 앞으로 전진하는 움직임을 나타냅니다.

B. 4 (턴 시작): 180도 회전을 시작하는 시점을 가리킵니다.

C. 5 (턴 마무리): 회전을 완료하고 새로운 방향으로 향하는 시점입니다.

D. 6 (마무리, 다음 준비): 마무리 및 다음 동작을 위한 준비 단계로, 다음 움직임이나 동작을 준비하는 시간입니다.

이 움직임은 누군가가 앞으로 전진하면서 180도를 회전하여 새로운 방향을 향합니다. 각 카운트는 움직임의 특정 단계를 나타내며, 특히 4와 5번 카운트에서 회전을 위한 시작과 완료가 강조됩니다.

나. 360도 spin turn- 1 turn :

A. 1(전진): 이동을 시작하는 부분으로, 앞으로 전진하며 움직임을 시작합니다.

B. 2(턴 시작): 360도 회전을 시작하는 지점입니다. 회전을 시작하면서 몸을 틀거나 턴을 시작할 수 있습니다.

C. 3(턴 진행): 회전을 계속 진행하는 동안의 단계입니다. 몸을 계속해서 회전시키며 움직입니다.

D. 4(턴 계속 진행): 여전히 회전을 계속하는 단계로, 이동한 각도가 더 늘어나며 회전을 이어나갑니다.

E. 5(턴 마무리): 회전을 마무리하고 새로운 방향을 향하는 시점입니다. 360도의 회전을 완료하여 원래의 방향으로 돌아옵니다.

F. 6(마무리, 다음 준비): 마무리 및 다음 동작을 위한 준비를 하는 단계입니다. 새로운 동작을 위해 준비하거나 움직임을 마무리하는 시간을 갖습니다.

이 동작은 360도의 회전으로 회전 중에는 정확하고 부드러운 움직임으로 회전을 완료하고 새로운 방향으로 이동할 수 있도록 연습하는 것이 중요합니다.

　다. 540도 spin turn-1과 1/2 turn:

　1(전진), 2(턴 시작), 3(턴 진행), 4(턴 계속 진행), 5(턴 마무리), 6(마무리, 다음 준비)

　라. 720도 spin turn-2 turn:

　.1(턴 시작), 2(1/2턴), 3(턴 시작), 4(1/2턴), 5(턴 시작), 6(1/2턴), 7(턴 시작), 8(마무리, 다음 준비)

　.1(턴 시작), 2(360도), 3(턴 시작), 4(360도, 마무리)

　.1(턴 시작), 2(720도, 마무리)

　900도나 1080도와 같은 더 많은 회전을 위해서는 720도의 회전과 비슷한 기본 원리를 따르지만, 더 많은 회전을 실행하기 위해 발 스텝을 추가하면 됩니다. 회전수가 늘어날수록 움직임의 스피드와 정확성이 더 중요해집니다. 움직임을 부드럽게 유지하면서 스피드를 높이고 정확하게 움직이기 위해 충분한 연습이 필요합니다. 추가적인 회전을 수행할 때 발의 스텝과 몸의 움직임을 조절하고 연습하여 원하는 회전을 완벽하게 수행할 수 있도록 노력해야 합니다.

포인트 밸런스를 활용한 한-발 회전 기술

　이런 유형의 회전 기술은 주로 무용이나 특정 춤에서 사용될 수 있습니다. 한 발을 들고 회전하는 동작은 몸의 균형과 근력을 동시에 활용하는 훌륭한 기술입니다. 각각의 방법은 동작의 흐름과 운동량의 방향에 따라 다릅니다.

　1. 왼발을 들고 오른발을 중심으로 왼쪽으로 회전하는 방법은 오른쪽으로 향하는 방향에서 출발하여 왼발을 들고 몸을 왼쪽으로 힘껏 돌립니다. 반대로, 오른발을 들고 왼쪽으로 회전하는 경우에는 왼쪽으로 향하는 방향에서 출발하여 오른발을 들고 몸을 오른쪽으로 힘껏 돌립니다.

　2. 오른발을 들고 왼발을 중심으로 왼쪽으로 회전하는 방법은 왼쪽으로 향하는 방향에서 출발하여 오른발을 들고 몸을 왼쪽으로 힘껏 돌립니다. 왼발을 들고 오른쪽으로 회전하는 경우에는 오른쪽으로 향하는 방향에서 출발하여 왼발을 들고 몸을 오른쪽으로 힘껏 돌립니다.

　이러한 회전 기술은 몸의 근력과 균형감을 향상시키는 데 도움이 되며, 연습과 익숙해질수록 자연스러운 움직임으로 발전할 수 있습니다.

지르박 스핀 연습 방법

　회전 기술은 다양한 기본 움직임과 조화를 이루는 것이 중요합니다. 그것은 자세한 세부사항과 깊은 이해를 요구하는데요. 먼저, 베이직 동작의 학습과 발의 굽힘이란 연관된 중요한 요소입니다. 발이 힐로 올라갈 때 무릎도 부드럽게 굽혀지고 안쪽으로 휘어져야 하는데, 이렇게 함으로써 바디의 균형을 유지하고 움직임을 안정시킵니다. 다음으로, 바닥에 볼이 닿아 있는 동안 연속적인 움직임을 구성해야 합니다. 카운트에 맞춰 오른쪽 방향으로 움직이며, 무릎을 약간 굽히고 옆으로 치는 느낌을 표현하는 것이 중요합니다. 시선도 움직임의 목적지를 예측하고, 그 방향으로 빠르게 돌리는 것이 안정적으로 회전을 할 수 있게 도움을 줄 것입니다.

힐은 스핀의 중요한 부분입니다. 힐이 바닥에 닿으면 스핀을 멈추고 다음 동작으로 자연스럽게 이어질 수 있도록 해줍니다. 이러한 세부적인 움직임들은 부드럽고 연속적인 동작을 위한 핵심입니다.

스핀을 연습하는 데에는 점진적인 접근과 기본 움직임의 탄탄한 구성이 중요해요. 90도부터 시작하여 작은 간격부터 연습해보고, 각도를 점차적으로 늘려가는 것이 좋아요. 처음에는 작은 스핀부터 시작해서 180도, 그리고 360도까지 연습해보세요. 빠르게 결과를 얻고자 너무 빨리 나아가려 하면, 스핀을 제대로 익히기 어려울 수 있습니다. 정확하고 정밀한 움직임이 필요한 기술이기 때문에, 기본적인 부분부터 꼼꼼하게 다듬어가는 것이 중요합니다. 스핀을 마스터하기 위해서는 각 움직임의 세세한 부분에 집중하고 천천히 연습하는 것이 핵심이에요. 기본 움직임부터 시작해서 스핀을 완벽히 통제할 수 있도록 여러 번 반복 연습해보세요. 그러면 실력 향상에 큰 도움이 될 거예요. 포기하지 않고 꾸준한 연습이 중요합니다.

원활한 회전을 위한 다양한 기술적 방법

춤에서의 회전이 어려운 이유는 몇 가지 측면에서 생길 수 있습니다.

회전 시 느껴지는 어지러움은 특정 방향으로만 회전하면서 발생하는 현상입니다. 이를 극복하기 위해서는 양방향(양면적)으로 교대로 회전하는 기술이 필요합니다. 단순히 한 방향으로만 회전하는 것이 아니라, 정방향과 역방향으로 번갈아가며 회전하는 훈련을 함으로써 균형을 유지하고 어지러움을 감소시킬 수 있습니다.

걸음을 따라가듯이 머리가 선행하여 회전하고, 상체(어깨 등)가 뒤를 따라 회전한 뒤에 다리와 발이 자연스럽게 따라오는 연습이 필요합니다. 이러한 동작은 상체를 특정 방향으로 돌리고, 하체를 반대 방향으로 풀어주는 원리를 따르며, 몸의 각 부분을 유기적으로 연결하여 회전의 유동성을 유지합니다. 이와 같은 움직임은 회전 동작의 완성도를 높이고 안정성을 부여하는 데 도움을 줄 것입니다. 이렇게 체득한 기술은 회전 시에 발생하는 불편함을 최소화하고 균형을 유지하는 데 상당한 영향을 미칩니다.

춤을 출 때에도 중심은 항상 안정적으로 유지돼야 합니다. 양발에 중심을 분산시키지 않고, 대신 한 발에 중심을 두고 움직이는 연습을 함으로써 몸의 균형과 안정성을 높일 수 있습니다. 이는 춤을 추는 과정에서 발생하는 불안정함을 최소화하고, 자신의 표현력과 연출력을 높여줄 것입니다. 중심을 한 발에 고정시키는 연습은 몸의 안정성을 향상시키며, 춤을 표현하는 과정에서 필요한 자세와 균형을 갖추는 데 큰 도움이 됩니다. 춤을 추는 동안에도 중심을 고수하는 것은 우아하고 자연스러운 움직임을 만들어내는 데 중요한 요소 중 하나입니다. 이와 같은 연습은 춤의 흐름과 운동의 순조로움을 높이며, 춤추는 테크닉을 발전시킬 수 있습니다. 이러한 어려움을 이겨내기 위해서는 회전이 어렵다는 고정관념을 버리고, 좀 더 쉽게 할 수 있다는 인식을 갖는 것이 중요합니다. 그리고 프로나 고수의 동작을 흉내 내는 것보다 기본 동작을 확실하게 익히는 것이 중요합니다.

회전의 기본 원리와 핵심 동작

춤에서의 회전은 발의 위치와 상체의 움직임이 결정적입니다. 일반적으로 회전 시 발이 중심이 되고, 발의 볼 부분을 중심으로 돌아가게 됩니다. 이 동작은 양쪽 발을 일정한 간격으로 벌리고, 상체를 회전 방향으로 틀어주는 것으로 시작합니다. 회전을 연습하는데, 오른쪽으로 회전하는 경우를 예시로 들어볼게요. 우선, 양발을 벌린 후 오른쪽으로 회전을 시도할 때, 머리와 어깨를 약 45도 정도 돌리면 오른쪽 발에 중심이 모이는 느낌을 받을 수 있습니다. 그런 다음, 머리와 어깨를 최대한 돌리면 발이 X자로 꼬이고 상체가 180도 회전합니다. 이때 중심은 오른쪽 발에 위치하며, 발의 볼 부분이 바닥에 닿게 됩니다. 마지막으로, 왼발을 오른발에 가까이 붙이면서 상체를 꼬아주고 하체를 풀어주는 동작을 연습해보세요. 회전 연습에서 중요한 것은 회전 중이든, 후든 몸의 중심이 되는 발이 바뀌지 않아야 한다는 것입니다. 회전 동작을 할 때나 회전을 마친 후에도 중심은 계속해서 오른쪽 발에 있어야 합니다. 그렇지 않으면 몸의 균형이 흔들리게 되어 연속적인 동작에서 어려움을 겪을 수 있습니다.

춤에서는 두 발을 활용하지만, 중심은 항상 한쪽 발에 있어야 한다는 것을 명심하고 연습해보세요. 이러한 훈련을 통해 회전 동작을 더욱 자연스럽고 안정적으로 수행할 수 있을 거예요.

진보된 회전 테크닉: 최상위 레벨의 기술적 진화

1) 탄력적 상체 활용의 회전 기술

춤과 무용에서, 상체의 유연성과 근력을 활용한 회전 기술이 주로 활용됩니다. 이 방식은 몸의 유연성과 근육력을 활용하여 순간적인 반응을 통해 회전 동작을 만들어내며 이 회전 기술은 그 유연함과 탄력을 표현하는 것이기도 합니다. 이러한 회전 기법은 몸의 근육과 탄력을 활용하기 때문에 더 많은 에너지를 필요로 합니다. 그러나 이 기법은 빠르고 활기찬 회전을 가능케 하며, 더욱 강렬하고 화려한 춤을 선사하는 데 도움을 줍니다. 이를 위해서는 꾸준한 연습과 몸의 유연성을 높이는 운동, 정교한 기술을 습득하는 데 많은 노력과 시간이 필요합니다.

2) 팔을 활용한 역동적 회전 기술: 몸과 근육의 협업을 통한 자유로운 회전력

회전 동작의 연습과 표현을 위한 기술 중 하나로, 팔을 골프채나 야구 방망이처럼 휘두르는 것은 회전 동작에 역동성을 부여합니다. 양팔을 최대한 펴고 몸과 함께 회전하는 이 동작은 몸의 근육과 탄력을 활용하여 더 유연한 회전을 이끌어냅니다. 이러한 기술은 팔만을 사용하는 것이 아닌 몸 전체의 근육과 협동하는 것이 중요합니다. 올바른 자세와 기술적 이해를 통해 이 방법을 연습하고 익히는 것이 필요합니다. 이를 통해 회전 동작을 더욱 완성도 있고 효과적으로 수행할 수 있게 됩니다. 이 기법을 활용해 회전력을 향상시키고자 한다면, 전문적인 춤 지도자나 강사의 지도를 받는 것이 도움이 될 것입니다. 이들의 조언과 지도를 받으며 지속적인 연습을 통해 더욱 향상된 기술을 발전시킬 수 있습니다.

지르박 회전의 카운트

정확한 박자 유지는 춤의 완성도를 높이는 핵심적인 요소 중 하나입니다. 회전 중에도 박자를 정확하게 유지하는 것은 춤의 흐름과 운동의 연속성을 유지하는 데 큰 역할을 합니다. 정확한 박자는 춤이 음악과 함께 조화롭게 어우러지고, 움직임이 자연스럽게 흘러가도록 도와줍니다. 이는 춤의 감각적인 면과 기술적인 부분에서 모두 중요한 역할을 하며, 춤의 표현력과 완성도를 높이는 데 결정적인 영향을 미칩니다. 6박자의 베이직 패턴을 기준으로 삼으면, 음악적인 리듬을 형성합니다. 이를 해체해보면 〈하나, 다섯〉 〈둘, 넷〉 〈셋, 셋〉으로 세분화 됩니다. 회전은 2박자나 3박자의 패턴으로 진행되는데, 한 바퀴 회전할 때 1번 발에서 시작하여 〈1,2,3〉으로 카운트하고 4번 발이 착지하게 됩니다. 연속적인 회전에서는 〈1,2〉 〈3,4〉 〈5,6 + 1〉과 같은 패턴이 등장하며, 이것이 3회전으로 진행되면서 회전 후에는 2번 발이 착지하게 됩니다. 이러한 박자의 패턴을 유지하면서 회전하는 것은 춤의 흐름을 음악과 맞추어 조화롭게 만드는 중요한 요소입니다. 이를 통해 춤이 더욱 자연스럽고 음악과 어우러지게 표현될 수 있습니다. 이를 위해서는 반복적인 연습과 음악에 대한 이해가 필요합니다.

지르박 커트(cut)

커트는 지르박에서 사용되는 기술 중 하나입니다. 이는 댄서들이 서로의 몸을 연결하고 텐션을 유지하며, 음악의 비트에 맞춰 움직임을 제어하는 기술입니다. 회전하는 여성을 일반적으로 남성이 한 손 또는 양손을 여성의 손이나 손목, 팔 그리고 어깨에 손을 올려놓고 여성은 남성 팔(손)의 장력을 느끼면서 여성을 브레이크(커트)를 걸어 여성을 역으로 회전시키거나, 여성이 남성의 팔을 따라 움직이면서, 그 팔의 각도 및 강도와 텐션에 맞춰 스텝을 밟게 됩니다. 여성은 커트를 통해 남성의 텐션과 움직임을 읽고 따라가며, 이는 연속적으로 이어질 수 있습니다.

일반적으로 경력이 있는 남성 댄서들이 커트를 사용하지만, 고난도의 커트 동작을 하는 남성은 적은 편입니다. 남성이 커트를 사용할 때에는 기본적인 커트 동작을 주로 사용하며, 고난도의 동작은 보통 여성의 댄스 경력 및 실력에 따라 사용될 수 있습니다. 커트는 파트너와의 조화와 움직임을 중시하는 기술로, 다양한 댄스 스타일에서 사용되며 연습과 경험이 필요한 기술 중 하나입니다.

지르박 기술은 1000가지 이상이다.

지르박은 다양한 기술과 동작으로 이루어진 춤의 한 형태로, 수많은 기술이 있어요. 이는 레슨이나 훈련을 통해 개별적으로 학습하고 연습해야 하는 것들이죠. 글이나 설명으로 다루기 어려운 복잡하고 세부적인 기술들도 있습니다. 지르박은 끝없는 발전과 창의성이 있는 춤으로, 새로운 기술들이 지속적으로 생겨나고 있을 거라고 생각돼요. 기본기를 다지고 창의적인 움직임을 발전시키며 자신만의 스타일을 만들어나가는 것이 중요하겠죠. 필자가 레슨용으로 만든 기술만 해도 1000개가 넘습니다.

리드와 팔로우

조작과 리드는 자동차, 리모컨, 그리고 댄스에서 공통된 요소입니다. 남성이 커플 댄스에서 리드하는 역할을 맡게 되면 여성은 그 움직임을 의도적으로 따라가게 되죠. 이는 운전과도 닮아있습니다. 운전은 이론을 배우는 것만으로 충분하지 않고, 실전 경험이 필요하듯이, 댄스도 이론을 터득하는 것 외에 꾸준한 연습과 경험이 중요해요. 특히 리드하는 데 익숙하지 않은 초보자에게는, 실제로 상대를 이끄는 것은 매우 어려운 과제일 수 있어요. 하지만 레슨을 통해 이론을 익히고, 그것을 실전에서 연습하며 익숙해지는 과정을 거치면 리드에 대한 자신감을 키울 수 있죠. 요컨대, 리드하는 것은 이론뿐만 아니라 실제 경험과 꾸준한 연습으로 이뤄져야 합니다.

정확한 리드와 자유로운 춤을 위해 꾸준한 연습과 레슨을 통해 스텝을 완벽히 소화하고 자신만의 것으로 만들어야 해요. 여성들이 고수들과 춤을 추면 그들의 실력에 영향을 받아 자연스럽게 실력이 향상되기도 합니다. 하지만 이런 수준에 도달하기 위해서는 구구단을 외우면서도 TV를 보며 스텝을 연습하고, 계속해서 연습해야 합니다. 특히나, 리드하는 남성의 불안정한 움직임, 망설임, 자신감 부족은 여성에게 전달되어 춤의 흐름을 끊을 수 있습니다. 따라서, 자신 있는 스텝을 중심으로 확실한 리드와 신호를 보내는 것이 중요하며, 정확하고 확실한 스텝과 올바른 리드/사인으로 여성은 보다 자연스럽게 춤을 따라갈 수 있게 됩니다. 이는 리드하는 측과 춤을 추는 상대 모두에게 더 즐거운 경험을 선사하게 됩니다.

춤을 추는 과정에서 힘의 조절과 상호 간에 응답하는 것은 매우 중요합니다. 특히 커플 댄스에서는 남성과 여성이 서로를 이해하고 조절하는 것이 필요해요. 힘의 조절은 리드와 팔의 움직임에 영향을 미치며, 서로의 신호를 받아들이고 적절하게 반응하는 것이 중요합니다.

리드 (Lead)

리드는 댄스에서 이끄는 역할을 합니다. 주로 남성 댄서들이 이를 담당하며, 리드의 임무는 댄스의 리듬과 움직임을 주도하는 것입니다.

팔로우 (Follow)

팔로우는 댄스에서 따르는 역할을 맡습니다. 폴로우는 남성의 리드에 방향과 움직임을 예측하여 춤을 이어나갑니다. 리드가 주도하는 대로 폴로우가 따라가기 때문에, 두 역할 모두 서로의 움직임을 잘 파악하고 원활한 소통을 해야 춤이 원활하게 이뤄집니다. 이렇게 함께 조율되면 춤이 조화롭고 자연스러운 모습을 보여줄 수 있습니다.

지르박 추는 모습

같은 학원에서 공부한 학생들도 지르박 댄스를 즐기는 모습은 천차만별(千差萬別)이다. 무도장이나 파티장 또한 상상 이상의 다양한 춤사위를 보여주는 분들이 있다.

추는 모습	사전적 의미
또박거리다.	발자국 소리를 또렷이 내며 걸어가는 소리가 잇따라 나다.
두리번 거리다	어리둥절하여 눈을 크게 뜨고 이쪽저쪽을 자주 휘둘러 보다. (놀란 토끼처럼 주위를~)
둥싯 거리다.	굼뜨고 거추장스럽게 자꾸 움직이다. (몸이 비대해서~)
둥실 둥실	물건이 공중이나 물 위에 가볍게 떠서 자꾸 움직이는 모양.
독불장군	무슨 일이든 자기 생각대로 혼자 처리하는 사람 (사전적 의미처럼 여성은 안중에도 없이 자기 스타일대로만 춤을 추는 사람)
뒤뚝거리다.	큰 물체나 몸이 중심을 잃고 자꾸 흔들리며 기울어지다. 또는 그것을 자꾸 흔들며 기울이다.
동무(童舞)	아이들이 춤을 추듯 춤을 추는 모습
구애춤	이성에게 사랑을 구함. 즉 짝찍기 춤
뒤뚱거리다. (뒤뚱발이)	큰 물건이나 몸이 중심을 잃고 이리저리 자꾸 흔들리다. 또는 그것을 자꾸 흔들다. (뒤뚱거리는 걸음걸이.)
알품기	남성과 여성이 자석처럼 품에 껴안음(포옹)
비빔밥	여성과 남성이 서로 몸을 밀착하여 특정 부위를 서로 비비는 동작
매골방자	죽은 사람이나 짐승의 뼈를 묻어서 남이 못되기를 귀신에게 비는 짓. 즉 다른 사람 춤사위를 방해하는 사람
빠기다.	우쭐대며 자랑하다. 으쓱거리며 잘난 체하다
뱅실거리다	입을 벌리는 듯하면서 온화하게 소리 없이 가볍게 자꾸 웃다.
뱌비작거리다.	뱌비는 동작을 자꾸 하다. 비비적거리다.
벙실거리다.	소리 없이 입만 약간 벌려 복스럽게 자꾸 웃다. 방실거리다.
봉장풍월(逢場風月)	아무 때나 그 자리에서 즉흥적으로 시를 지음.

	(즉흥적으로 피겨를 만들어 춤을 추는 사람
부둥켜안다.	두 팔로 꼭 끌어안다.
부드드하다.	인색하게 꽉 쥐고 내놓지 않으려는 태도가 있다.
부랴사랴	몹시 부산하고 황급히 서두르는 모양.
부랴부랴	매우 급히 서두르는 모양.
깡쫑거리다.	짧은 다리로 자꾸 위로 솟구어 뛰면서 걷다.
개미 쳇바퀴 돌 듯 한다.	조금도 진보가 없시 제자리 걸음만 한다.
	(발전없는 춤사위, 늘 같은 피겨로만 춤을 추는 사람)
개신거리다.	게으르거나 기운이 없어 자꾸 맥없이 움직이다.
거들먹거리다.	신이 나서 잘난 체하며 자꾸 도도하게 굴다.
거풀거리다.	물체의 한 부분이 바람에 날려 좀 느리고 크게 자꾸 흔들리다
꺽죽거리다.	혼자 잘난 듯이 몸을 흔들며 자꾸 떠들다
건들거리다.	싱겁고 멋이 없게 행동하다.
	(양반이랍시고 건들거리며 걷는다.)
	바람이 부드럽게 살랑살랑 불다.
겁겁하다.	성미가 급하여 참을성이 없다
껍죽거리다.	신이 나서 몸을 자꾸 방정맞게 움직이다.
께느른하다.	몸을 움직이고 싶지 않을 만큼 느른하다.
경의비마 (輕衣肥馬)	가벼운 비단옷과 살진 말이라는 뜻으로, 호사스러운 차림새를 가리키는 말.(옷은 고급이지만 춤사위는 꽝인 사람)
구부정하다.	조금 구부려져 있다. 조금 귀어져 있다.
군물돌다.	음식이나 풀 위에 물기운이 한데 섞이지 않고 따로 돌다.
근들거린다.	이리저리 자꾸 흔들거린다.
근드렁거리다.	매달린 큰 물체가 조금 가볍고 느리게 천천히 자꾸 흔들리다.
기우뚱거리다.	물체가 자꾸 이쪽저쪽으로 기울어지게 흔들리다.
뻣뻣하다.	물체가 굳고 꼿꼿하다. 풀기가 매우 세다.
	고분고분한 맛이 없이 억세다. 조금도 굽히지 않고 뻗대다.
로봇	로봇처럼 춤을 추는 사람
기웃거리다.	무엇을 보려고 자꾸 고개를 기울이다.
끼적거리다.	글씨를 되는대로 아무렇게나 갈겨쓰다.
난독 (亂讀)	책의 내용이나 수준 따위를 가리지 않고 닥치는 대로 마구 읽음. (별별 이상한 스텝 사용)
까댁거리다.	고개를 앞으로 조금 움직이는 모양.
간결미	번잡스럽지 않고 간결한 데서 볼 수 있는 아름다움
간댕거리다	느슨하게 달려 있는 작은 물체가 조금 위태롭게 자꾸 흔들리다.
간실간실	간사한 말과 행동으로 남의 비위를 맞추는 모양.
능청거리다.	가늘고 긴 막대기나 줄 따위가 탄력 있게 자꾸 흔들리다.
자축거리다	다리에 힘이 없어 다리를 절뚝거리다.
자춤거리다	다리에 힘이 없어 다리를 조금 자축거리다.
잘똑거리다	한쪽 다리가 짧거나 탈이 나서 자꾸 절며 걷다
비슥거리다	이리저리 쓰러질 듯이 몸을 흔들다.
사심불구(蛇心佛口)	마음은 간악하되 입으로는 착한 말을 꾸밈. 또는 그런 사람. (겉보기에는 춤사위가 예뻐 보이지만 실제로 잡아보면 영 아니다.)
선시선종(善始善終)	처음부터 끝까지 한결같이 잘함.
어기죽거리다	팔다리를 부자연스럽게 움직이며 억지로 천천히 걷다.
엉덩잇 바람	신이 나서 엉덩이를 흔들며 걷는 것.

엉덩춤	기쁘거나 신이 나서 엉덩이를 들썩들썩하는 짓. 엉덩이를 흔들며 추는 춤.

지르박 찍는 스텝, 걷는 스텝의 차이점

찍는 스텝: 지르박에서의 찍는 스텝은 빠른 템포와 함께 다리를 교차하거나 찍는 동작을 하면서 빠르게 이동하는 특징이 있습니다.

걷는 스텝: 걷는 스텝은 지르박의 찍는 스텝과는 대조적으로 더 부드럽고 천천히 발을 놓거나 이동하는 것이 특징입니다. 각 발을 더 주의 깊게 착지시키고 템포에 맞춰 찍는 스텝보다 천천히 이동하는 것을 중점으로 합니다.

각 스텝은 서로 다른 댄스 스타일과 음악에 맞춰 다른 느낌과 움직임을 제공합니다.

발의 진행 방향

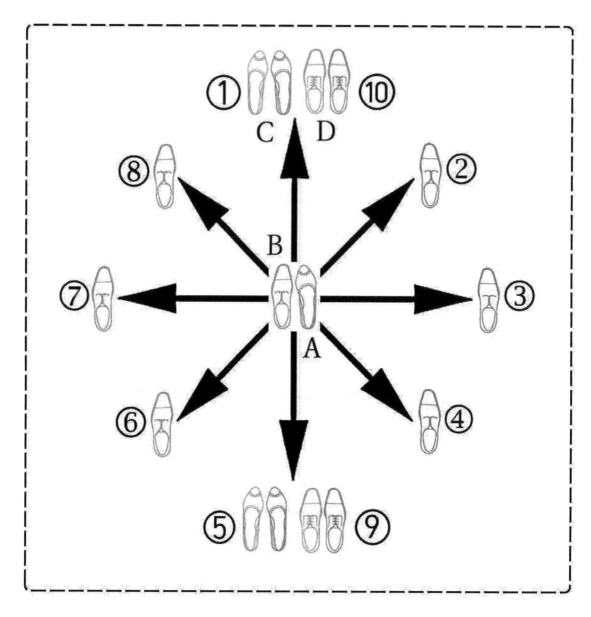

발의 진행 방향

번호	walk
1번	왼발 Backward walk, Forward walk(여성)
2번	오른발 Diagonally Forward walk, Diagonally Backward walk(남성)
3번	오른발 Side To Right(남성)
4번	오른발 Diagonally Forward walk, Diagonally Backward walk(남성)
5번	왼발 Backward walk, Forward walk(여성)
6번	오른발 Diagonally Forward walk, Diagonally Backward walk(남성)
7번	오른발 Side To Leftt(남성)
8번	오른발 Diagonally Forward walk, Diagonally Backward walk(남성)
9번	오른발 Backward walk, Forward walk(남성)
10번	오른발 Backward walk, Forward walk(남성)

11번	A. 오른발 Backward walk, Forward walk(여성)
	D. 왼발 Backward walk, Forward walk(남성)
12번	C. 오른발 Backward walk, Forward walk(여성)
	B. 왼발 Backward walk, Forward walk(남성)

지르박 기본 걸음걸이

라틴 댄스 기본 걸음걸이	
포워드 워크 (forward walk)	앞으로 나아가는 워크
백워드 워크	뒤로 후퇴하는 워크
체드 포워드 워크 (Checked Forward Walk)	전진할 때 저지하는 것
포워드 워크 터닝 (forward walk turning)	전진하여 히프와 다른 부위의 움직임에 방해하지 않으면서 점진적으로 회전한다.
딜레이드 워크 (delayed walk)	체중 없이 발을 원하는 위치에 놓은 후 체중을 천천히 옮긴다.
라틴 크로스 (latin cross)	왼쪽 다리를 오른쪽 다리의 앞이나 뒤로 가로질러 걷거나 오른쪽 다리를 왼쪽 다리의 앞이나 뒤로 가로질러 걷는 것을 말한다. 양발 중 한발의 toe가 turn out 되어 있는 포지션으로 라틴 댄스의 대표적인 걸음걸이 중 하나이다.

지르박 악센트

스텝	카운트	악센트
1보	1	
2보	2	
3보	3	V
4보	4	V
5보	5	
6보	6	

룸바는 4에 악센트가 있고 차차차는 1과 3에 있듯 자이브에는 2, 4에 악센트가 있다. 강조·억양의 뜻으로 춤을 출 때 신체의 아름다운 선, 관능미를 강렬하게 부각하기 위해 표현, 연출하는 박자를 말한다.

Tension(텐션)

텐션은 상대 파트너와의 접촉을 통해 전달되는 긴장 상태와 팽팽함을 의미하는 단어입니다. 춤이나 댄스에서는 상대의 힘이 전달되는 신체 부위로부터 느껴지는 긴장감을 의미하며, 서로가 손끝에 약간의 힘을 주고 받을 때의 장력과 탄력을 말합니다. 남성이 액션을 취하면 여성은 반사적으로 리액션을 보이게 됩니다. 이런 텐션은 대부분의 커플 댄스에 존재하며, 댄스에서 텐션의 원리는 비슷하지만 그것이 어떻게 느껴지는지는 각자마다 다릅니다. 이러한 텐션은 댄스에서 중요한 요소 중 하나입니다.

사람마다 춤추는 이유는 여러 가지가 있겠지만, 텐션은 그중에서도 중요한 이유 중 하나입니다.

부드러우면서도 끈적거리며 자석처럼 서로를 끌어당기는 그런 감칠맛이 춤의 매력이자 댄스의 묘미입니다. 텐션을 구사할 때에는 여성의 힘과 장력에 알맞은 반응을 보여주어야 합니다. 많은 남성들은 이것을 제대로 이해하지 못하는데, 너무 많은 힘을 주면 완력, 즉 폭력이 되기도 합니다.

대다수의 여성들은 부드러우면서도 가볍고 강한 느낌을 선호합니다. 그래서 남성은 각각의 여성의 선호에 맞춰 적절한 텐션을 주어야 합니다. 이 때 텐션이 적절하게 전달되면 일체감을 느끼며 환상적으로 보일 수 있습니다. 따라서, 힘을 줄지라도 여성이 거부감을 느끼지 않도록 적절하게 사용해야 합니다.

《웹스터 의학 사전》은 인체의 긴장도에 대하여 다음과 같이 정의를 내린다. "조직의 정상적인 긴장 상태로서 이 덕분에 인체는 자극에 반응하여 적절하게 움직일 수 있다."

"파인 다이닝(Fine dining)은 기다림의 미학, 댄스는 손맛의 미학"

Tension의 역할

텐션은 댄스에서 상호작용과 움직임을 지원하는 요소로, 긴장감을 나타내는 것으로 해석될 수 있습니다. 춤을 출 때 커플은 서로에게 힘을 주고 받으며, 끌어당기고 밀어내는 등의 힘을 통해 상호작용을 구축합니다. 텐션을 이용하면 춤을 출 때 몸을 통해 강한 감정을 표현할 수 있습니다.

커플 댄서는 몸무게와 힘을 균형 있게 분배하여 춤을 출 때 움직이게 되는데, 텐션이 이를 가능하게 합니다. 그러나, 텐션을 유지하는 것은 쉽지 않습니다. 서로의 몸무게와 힘을 조화롭게 분배하는 것은 매우 어렵고, 댄서 각자의 스타일과 취향에 따라 텐션의 강도와 방향이 다를 수 있습니다. 이는 댄서들 사이에서 긴밀한 협력과 조율을 필요로 합니다. 커플 댄서가 텐션을 유지하며 춤을 추면 서로를 더욱 잘 이해하고 조화롭게 움직이는 경험을 할 수 있습니다. 이를 통해 서로에 대한 신뢰와 존경이 깊어지며, 더욱 완벽한 퍼포먼스를 선보일 수 있습니다. 텐션은 댄스에서 연결과 소통의 핵심적인 부분으로, 커플의 특별한 유대감을 형성하는 데 중요한 역할을 합니다.

텐션 주는 방법

여성마다 힘 사용량이 다 틀리기 때문에 여성마다 적절하게 힘을 사용해야 합니다. 쉽게 설명하면 A라는 여성이 50정도 힘을 주면 남성도 50정도 힘을 주고 B라는 여성이 10정도 힘을 주면 남성도 10정도 힘을 주면 됩니다. 여성은 50정도 힘을 주는데 남성은 70-80 이상 힘을 주면 이게 바로 완력이고 폭력입니다. 이론적으로는 쉽지만, 실전에서는 어렵습니다. 힘 조절법은 하루아침에 배우는 것은 아니며 수많은 경험과 시간이 해결해 줄 것입니다.

사람마다 손맛(텐션)이 다른 이유

사람마다 유전자가 다르듯 타고난 체격, 힘, 성향, 성격 등이 다르므로 다 손맛이 다릅니다.

악수, 포옹, 가벼운 스킨십 등은 좋은 감정을 불러일으키기도 하지만 불쾌감을 줄 수도 있으며 텐션 또한 마찬가지입니다. 텐션으로 그 사람의 성격 및 댄스 실력을 알 수 있듯 텐션의 중요성을 잘 알고 배워야 합니다.

리드 법

커플 댄스에서의 리드는 춤을 이끄는 핵심적인 요소 중 하나입니다. 남성이 여성을 이끄는 역할로, 댄스 파트너에게 움직임을 안내하고 연결하는 역할을 합니다. 이는 댄스 동작을 조정하고 파트너와의 의사소통을 통해 함께 춤을 이루는 데 중요한 역할을 합니다. 텐션과 리드는 실제로 서로 밀접하게 연결되어 있습니다. Jive 같은 춤에서는 주로 물리적인 힘과 움직임을 통해 여성을 안내합니다. 이를 Physical 리드 법이라고 합니다. 남성은 몸의 움직임과 텐션을 이용하여 여성에게 방향과 움직임을 전달하고, 춤의 템포와 스타일을 결정하는 데 중요한 역할을 합니다. 이를 통해 여성은 리드에 따라 움직임을 조절하고 흐름을 따라갈 수 있습니다. 리드는 상호간의 커뮤니케이션과 연습을 통해 발전하며, 파트너 간에 서로에 대한 이해와 신뢰를 구축하는 데 중요한 역할을 합니다. 춤의 흐름과 연결성을 유지하면서 파트너와의 조화롭고 매끄러운 움직임을 만들어내는 것이 리드의 목적 중 하나입니다.

체중 이동을 활용하는 리드법은 커플 댄스에서 일반적으로 사용되는 효과적인 방법 중 하나입니다. 여기서 주된 포인트는 춤을 추는 동안 체중을 옮기거나 조절하여 파트너에게 움직임을 안내하는 것입니다. 이 기술은 주로 리드하는 사람이 움직임을 주도하고, 그에 따라 상대방이 반응하도록 설계되어 있습니다. 체중의 이동과 변화를 통해 춤의 흐름을 조절하고, 댄서들 간의 흐름을 동기화시키는 데 사용됩니다. 특히 Jive와 같은 빠른 템포의 춤에서, 움직임과 전환을 스무스하게 만들기 위해 체중 이동은 매우 중요한 역할을 합니다. 이를 통해 더 자연스러운 리드와 텐션을 만들어내고, 파트너와의 원활한 협업을 가능하게 합니다. 커플 댄스에서는 다양한 리드법을 활용하지만, 체중 이동 리드법은 특히 춤의 리듬과 움직임을 안정적으로 조절할 수 있는 장점이 있습니다. 이는 댄스를 더욱 효과적으로 이끌어내고, 파트너와의 연결을 높여주는-데 도움이 됩니다.

리드하는 방식은 정말로 춤의 품질과 연결성에 영향을 미치는 중요한 부분 중 하나입니다. 손으로만 리드하는 것과 체중 이동 및 팔을 이용하는 방식 사이에는 큰 차이가 있습니다. 리드하는 사람이 손을 통해서만 이끄는 것이 아니라, 팔과 체중을 적절히 활용하여 파트너에게 움직임을 안내한다면, 춤의 흐름과 움직임은 더욱 자연스러워지고 효과적일 수 있습니다. 이를 통해 과도한 힘이나 불편함을 줄이고, 보다 우아하면서도 연속성 있는 춤을 이끌어낼 수 있습니다. 또한, 손목 스냅과 같은 기술은 손으로만 리드하는 것을 보완하는 데 도움을 줄 수 있습니다. 이 기술을 익히면, 리드하는 능력을 높여주고 파트너와의 커넥션을 강화하는 데 도움을 줄 수 있습니다.

리드하는 방식은 춤의 장르나 스타일에 따라 다양하게 변할 수 있습니다. 블루스나 트로트, 모던 계열에서 사용되는 가슴이나 골반 리드법은 특정한 춤의 특성과 연출에 따라 활용되는 것으로, 각각의 스타일에 적합한 리드 기법을 익히는 것이 중요합니다.

댄스의 지휘자: 리드와 리더

리드를 하는 행위는 춤 속에서 파트너의 동작을 주도하고 연결하는 주체입니다. 이는 그룹의 지휘관과 같은 역할을 하며, 리딩(Leading)이라 불립니다. 이를 이끄는 주체를 리더라고 하며 춤에서 리더(Leader)는 템포와 흐름을 조절합니다. 일반적으로 리딩은 몸의 움직임과 자세, 그리고 손짓을 통해 이루어지며, 텐션과 춤의 흐름을 제어합니다. 이러한 리더십은 춤의 모션과 감정을 효과적으로 전달하고, 아름다운 춤을 만들어냅니다. 이는 춤에서 리더십이 갖는 중요성을 강조하며, 춤의 연결과 흐름을 위한 필수적인 역할임을 보여줍니다.

서로의 몸과 마음을 균형 있게 맞추며, 함께 춤을 출 때 하나로 어우러지는 아름다운 순간을 만들어냅니다. 이는 리드의 조정과 함께 서로의 표현력과 연결성을 높이는 데 큰 역할을 합니다.

리드의 중요성과 그 의미

댄스에서 리드는 춤을 주도하는 주체입니다. 그들은 몸을 사용하여 춤을 이끄는 것이 아니라, 상대방과의 상호작용과 소통을 통해 함께 춤을 만들어냅니다. 이는 단순히 몸을 움직이는 것 이상으로, 상대방과의 연결과 흐름을 만들어내는 것입니다.

1.상호작용과 연결의 시작: 리드는 춤의 시작과 함께 시작됩니다. 첫 번째 접촉이나 눈길의 교환으로부터, 상대방과의 소통과 연결이 시작되며, 이를 통해 상호 간에 의사소통이 시작됩니다.

2.반응과 이해: 리드는 상대방의 반응을 읽고 이해하는 능력을 필요로 합니다. 상대방의 몸짓과 반응을 지속적으로 파악하고 그에 맞게 움직임을 조절하여 상호 간에 완벽한 조화를 이뤄야 합니다.

3.맞춤과 조절: 리드하는 사람은 몸을 사용하여 상대방에게 안내를 제공합니다. 이는 단순한 방향을 주는 것뿐만 아니라, 상대방의 스타일과 흐름에 맞춰 유연하게 움직임을 조절하는 것을 의미합니다.

4.존중과 배려: 리드는 상대방을 존중하고 배려하는 마음을 가지고 있어야 합니다. 상대방의 피드백을 듣고 받아들이며, 상호간의 의사소통과 공감을 통해 춤을 이끌어 나갑니다.

리드의 포인트

1.의도를 분명히: 리드는 명확한 의도를 가지고 상대방과의 연결을 시작합니다. 첫걸음부터 몸을

통해 전달하는 의도는 춤의 흐름을 결정짓게 됩니다.

2.유연성과 조절: 리드하는 사람은 상대방의 반응에 맞춰 유연하게 움직임을 조절합니다. 어떤 흐름이든, 상호간에 조화로운 움직임으로 전환할 준비가 되어 있어야 합니다.

3.소통과 피드백: 춤을 추는 과정에서 지속적인 소통과 피드백이 중요합니다. 상대방의 반응을 지켜보고 그에 따라 유연하게 대처하는 것이 필요합니다.

4.연습과 경험의 중요성: 리드는 연습과 경험을 통해 늘어납니다. 서로 다른 상황에서의 경험이 리드의 능력을 키우고 발전시킵니다.

5.마음의 연결과 이해: 리드는 몸으로만 하는 것이 아니라, 마음의 연결을 이루는 것입니다. 상대방과의 이해와 공감을 통해 서로를 더 잘 이해하고 표현할 수 있습니다.

6.상대를 위한 안내: 리드는 춤을 추는 모든 이들에게 함께 하는 경험을 만들어주는 것입니다. 상대를 위한 안내와 배려가 리드의 중요한 역할입니다.

리드는 댄스의 중심에 서 있는 존재로서, 단순히 춤을 이끄는 것 이상으로, 함께 하는 이들과의 상호작용과 소통을 통해 춤을 만들어내는 과정에서 큰 의미를 지닙니다. 이는 상호 간에 연결을 형성하고 풍요로운 경험을 만들어내며, 댄스를 통해 서로를 이해하고 공유하는 아름다운 여정이 되어갑니다

리드가 고려해야 할 점

댄스에서 중요한 것은 상호작용과 조화입니다. 리드하는 쪽은 힘을 사용하여 강제적으로 이끄는 것이 아니라, 부드럽고 자연스럽게 리드하는 것이 중요합니다. 예를 들어, 밀거나 강제적으로 잡아당기는 것보다는 부드럽게 연결되어 움직이고, 파트너의 움직임을 읽으며 상호작용하는 것이 좋습니다. 또한, 과도한 힘을 사용하여 파트너를 회전시키려고 하는 것도 피해야 합니다. 강압적인 리드는 춤의 자연스러운 흐름을 방해하고 서로 간의 연결을 끊을 수 있습니다.

서로의 움직임을 읽고 이해하며, 과도한 힘을 피하고 부드럽게 연결하여 자연스러운 춤의 흐름을 만들어가는 것이 좋습니다. 리드하는 쪽은 파트너에게 방향과 안내를 제공하지만, 동시에 파트너가 자유롭게 표현하고 반응할 수 있는 공간을 제공해야 합니다. 과도한 리드는 춤의 아름다움을 훼손할 뿐만 아니라, 파트너의 개성과 창의성을 억누를 수 있습니다.

여성이 주의해야 할 점

춤에서는 서로의 조화와 밸런스를 유지하는 것이 중요합니다. 여성이 주도적으로 움직이거나 갑작스럽게 동작하는 경우 그리고 너무 과한 액션은 춤의 흐름이 깨질 수 있고, 남성의 리드나 춤의 조화를 방해할 수 있습니다. 특히 발을 미리 움직이는 행동은 남성의 리드를 방해하거나 춤의 흐름을 끊을 수 있습니다. 춤에서는 서로의 움직임을 읽고 조화롭게 반응하여 춤의 흐름을 만들어가야 합니

다. 갑작스러운 동작이나 서로의 움직임을 끊는 행동은 춤의 아름다움을 해치게 될 수 있으니 서로를 존중하고 조화롭게 춤을 이끌어 나가는 것이 중요합니다.

텐션과 리드

법률적 언어로만 사람을 표현 못 하듯 의학적 언어, 사람의 언어 등 다양한 언어가 있어야 사람을 어느 정도 표현이 가능할 것입니다. 그럼 댄스의 언어는 무엇일까요? 다양한 요소가 있겠지만 그중에서도 텐션과 리드가 댄스의 언어가 아닐까요?

텐션과 리드는 순망치한5)(脣亡齒寒) 관계라 할 수 있으며, 핸들만으로 자동차를 운행할 수 없고 엑셀, 브레이크만으로도 운행할 수 없듯이 댄스 또한 마찬가지입니다. 핸들을 리드 즉 가는 방향을 제시해 주고 액셀 브레이크는 텐션으로 비유할 수 있습니다. 커플 댄스에서 텐션과 리드는 꼭 필요한 요소이며 텐션과 리드가 없는 댄스는 댄스가 아니라고 말할 수 있습니다. 커플 댄스에서는 텐션과 리드는 상호 관계로 실과 바늘 같은 관계입니다.

여성 리액션

1. **"당기면 전진한다."** - 상대방의 당김에 따라 전진하는 것은 상호작용과 리드에 중요한 역할을 합니다. 또한, 파트너와의 균형을 맞추며 함께 움직이는 것을 나타냅니다.

2. **"밀면 후진한다."** - 만약 상대가 나를 밀기 시작하면, 내 몸은 미끄러지듯 밀릴 것입니다. 이때, 밀려나는 동작을 통해 상대방의 힘과 에너지를 흡수하며, 물러나는 방향으로 몸을 움직입니다. 그리고 나서는 그 에너지를 활용해 물러납니다. 이런 동작은 반격이 아니라 상대방의 동작을 받아들이고 대처하는 것을 의미합니다. 이는 댄스 동작에서의 연결과 흐름을 유지하면서 상호작용하는 핵심적인 부분 중 하나입니다. 에너지를 받아들이고 그 에너지를 활용해 움직이는 것으로, 나와 상대방의 흐름을 조화롭게 유지하면서 춤의 흐름을 이어가는 중요한 기술 중 하나입니다.

3. **"걸면 발을 모은다."** - 걷는 과정에서 발을 내딛고 뗄 때마다 다음 스텝을 준비하여, 일종의 안정적인 포지션을 유지합니다. 이렇게 스텝을 준비함으로써, 연속적인 움직임에서도 자연스럽게 스텝을 이어갈 수 있게 됩니다. 스텝을 준비하는 것은 다음 동작을 예측하고 조정하는데 도움이 됩니다.

4. **"비껴서면 전진하여 자리를 바꾼다."** - 이런 상황에서 전진하여 자리를 바꾸는 것은 새로운 공간을 활용하고, 상대와의 거리를 조절함으로써 춤의 다양한 요소를 표현하는 기회를 제공합니다. 이동 중에도 춤의 템포와 리드를 유지하면서 새로운 위치로 이동하는 것이 중요합니다. 이는 상대의 움직임에 대한 적절한 대응과 함께 춤의 연결을 유지하는 방법 중 하나입니다.

5. **"막아서면 제자리 스텝을 한다."** - 상대방의 막는 동작이나 움직임을 인식하고, 자신의 공간에서 안정적인 제자리 스텝을 밟음으로써 춤의 흐름을 유지할 수 있습니다. 이것은 상호작용과 리드의

중요한 부분이며, 상대의 움직임에 대한 적절한 반응으로 춤의 연결을 유지하는 것을 나타냅니다.

6. "남자가 손을 놓기 전에 자신의 의사대로 손을 놓지 말라." - 상대가 특정 동작을 하기 전까지 그와의 연결을 유지하는 것이 중요합니다. 파트너가 손을 놓을 때까지 손을 잡은 상태를 유지함으로써, 춤의 흐름과 의사소통을 원활히 유지할 수 있습니다. 이것은 상대방의 움직임과 의도를 주시하고 존중하는 것과 관련이 있습니다.

7. "남자가 손을 놓으면 턴을 한다." - 여성이 회전을 하려면 남성이 그녀의 손을 놓는 시점에 따라 움직여야 합니다. 남성이 손을 놓으면, 그것은 여성이 회전을 시작할 때의 신호가 됩니다. 이 신호에 따라 여성은 회전 동작을 개시하고, 춤의 흐름과 의사소통을 유지하기 위해 움직이게 됩니다.

8. "팔은 두 사람 사이가 멀면 펴고 가까우면 접는다." - 두 사람 사이의 거리에 따라 팔을 펴거나 접습니다. 두 사람 사이의 거리를 조절하는 것은 서로의 편안한 위치와 상호작용을 유지하는 데에 도움이 되며, 함께 움직일 때 자연스러운 동작을 만들어냅니다. 그리고 이는 춤을 더욱 아름답게 만드는 데에 기여합니다.

텐션의 중요성 및 댄서들이 갖춰야 하는 요소

1. 텐션은 춤의 에너지를 증폭시킨다.

2. 자신의 몸을 긴장시키고 풀어주는 것으로 텐션을 조절한다.

3. 텐션은 춤의 감정과 느낌을 전달하는데 중요한 역할을 한다.

4. 자신의 몸을 완전히 통제하고 방향을 바꿀 수 있는 능력을 가지고 있어야 한다..

5. 춤의 리듬과 비트에 맞춰 텐션을 조절하면 보다 효과적인 춤이 가능하다.

6. 텐션을 적절히 다루면 춤의 동작이 더욱 정확하고 강렬해진다.

7. 자신의 몸을 능숙하게 다루는 기술을 연마하여 텐션을 조절할 수 있어야 한다.

8. 춤을 출 때 텐션은 자연스럽게 발생하는 것이 아니라, 연습과 노력으로 개발되는 능력이다.

9. 텐션을 다루는 기술은 다양한 춤 스타일에 모두 적용될 수 있다.

10. 텐션을 다루는 것 외에도 호흡과 근력을 강화하여 더욱 효과적인 춤을 출 수 있어야 한다.

11. 텐션은 춤의 미적 가치를 높이는 중요한 요소 중 하나이다.

12. 춤을 출 때 텐션을 유지하는 것은 체력과 민첩성을 향상시키는 데도 도움이 된다.

13. 춤을 출 때 텐션을 조절하는 것은 춤사위의 표현력을 향상시키는 데 큰 도움이 된다.

14. 텐션을 조절하는 것은 춤의 흐름과 느낌을 조절하는 데 중요한 역할을 한다.

15. 텐션을 다루는 것은 댄서의 자신감과 연기력을 향상시키는 데도 도움이 된다.

16. 춤을 출 때 텐션을 적절하게 다루면 근육 부상을 예방할 수 있다.

17. 텐션을 조절하는 것은 댄서의 자세와 균형감각을 개선하는 데도 도움이 된다.

18. 텐션을 다루는 기술은 춤을 더욱 화려하고 멋지게 보이게 만들어 준다.

19. 춤을 출 때 텐션을 조절하는 것은 자신의 몸을 더욱 민감하게 인식하게 만들어 준다.

20. 텐션은 춤의 스피드와 힘을 결정하는데 큰 역할을 한다.

21. 춤을 출 때 텐션을 다루는 것은 적극적으로 움직일 수 있는 능력을 개발하는 데 도움이 된다.

22. 텐션은 춤의 강도와 깊이를 조절하는 데 중요한 역할을 한다.

23. 댄서들은 자신의 몸을 잘 다루어 텐션을 조절할 수 있어야 다양한 춤 스타일을 출 수 있습니다.

24. 텐션을 다루는 것은 댄서의 능력을 평가하는 기준 중 하나이다.

25. 텐션을 다루는 기술은 댄서의 자유로운 표현력을 향상시키는 데 큰 역할을 한다.

26. 텐션을 조절하는 것은 춤의 흐름과 느낌을 자연스럽게 유지하는 데 중요한 역할을 하다.

텐션을 주는 다양한 방법

1. **근육의 긴장을 느끼기**: 춤을 출 때 근육의 긴장을 느끼고 이를 유지하는 것이 텐션을 주는 기술 중 하나이다. 이는 운동 전에 스트레칭과 워밍업을 통해 근육을 준비하는 것이 중요하다.

2. **호흡을 조절하기**: 춤을 출 때 호흡을 조절하여 텐션을 주는 방법도 있다. 깊게 숨을 들이고 내쉬면서 몸의 긴장을 높이는 것이 효과적이다.

3. **적절한 자세 유지하기**: 춤을 출 때 적절한 자세를 유지하면 텐션을 주는 것이 쉬워진다. 허리를 일직선으로 유지하고 어깨를 내린 상태에서 춤을 출 경우 몸이 자연스럽게 긴장된다.

4. **춤의 특성에 맞게 텐션을 다르게 주기**: 춤의 특성에 따라 텐션을 다르게 주는 것이 효과적일 수 있다. 예를 들어 빠른 리듬의 춤을 출 때는 긴장을 높이고, 부드러운 춤을 출 때는 부드럽고 유연한 텐션을 주는 것이 적합하다.

5. **연습과 경험을 통해 개선하기**: 춤을 출 때 텐션을 주는 것은 기술적인 면에서 높은 수준을 요구한다. 따라서 연습과 경험을 통해 점차 개선하며 자신의 춤 스타일에 맞는 텐션을 찾아나가는 것이 중요하다.

6. **스트레칭과 마사지를 통해 근육을 유연하게 유지하기**: 춤을 출 때 근육의 유연성은 매우 중요하다. 근육을 유연하게 유지하기 위해서는 춤을 출 때 이전에 스트레칭과 마사지를 통해 근육을 유연하게 유지하는 것이 필요하다.

7. **음악과 함께 춤의 리듬을 따라가기**: 춤을 출 때 음악의 리듬을 따라가면서 춤을 출 경우, 자연스럽게 텐션을 조절하게 된다. 따라서 음악과 함께 춤의 리듬을 따라가는 것은 춤을 더욱 자연스럽고 매끄럽게 출 수 있도록 도와주며, 텐션을 더욱 효과적으로 주는 데 도움이 된다.

8. **무대 연출과 상황에 맞게 텐션을 조절하기**: 무대 연출이나 상황에 따라 텐션을 조절하는 것도 중요하다. 예를 들어 무대에서 대담하고 파워풀한 이미지를 전달하기 위해서는 강하고 격렬한 텐션을 주는 것이 적합하며 반면, 로맨틱하고 부드러운 이미지를 전달하기 위해서는 부드럽고 유연한 텐션을 주는 것이 좋다.

9. **표현력을 키워 텐션을 높이기**: 춤에서 텐션을 높이기 위해서는 자신의 표현력을 키워야 한다.

춤을 출 때 감정을 잘 표현하고, 몸으로 이야기를 전달하는 것이 텐션을 더욱 효과적으로 주는 데 도움이 된다.

10. 자신의 스타일과 매치되는 텐션을 찾기: 자신의 스타일과 매치되는 텐션을 찾는 것이 중요하다. 각각의 댄서는 자신만의 독특한 스타일을 가지고 있으며, 이에 맞는 텐션을 찾아 춤을 출 경우 더욱 효과적으로 텐션을 주고, 자신만의 개성을 더욱 강조할 수 있다.

리드와 타이밍

1. 음악적 비트와 연결된 리드: 춤을 추면서 음악의 비트와 함께 움직이는 것은 매우 중요합니다. 리더는 음악의 비트를 인식하고, 그 비트에 맞춰 파트너를 리드합니다. 예를 들어, 왈츠처럼 천천히 이끌 때는 음악의 조금 더 느린 비트에 맞춰 움직이고, 속이 빠른 춤에서는 음악의 빠른 비트에 맞춰 템포를 증가시킵니다. 이것이 리드의 타이밍이며, 음악과 춤이 조화롭게 어우러질 때 가장 아름다운 춤이 펼쳐집니다.

2. 리드와 팔로우의 경험: 무용가들은 연습과 경험을 통해 타이밍을 향상시킵니다. 경험이 많은 댄서는 음악적 비트를 파악하고 이해하는 데 능숙하며, 이를 통해 파트너를 안정적으로 이끌어갈 수 있습니다. 하지만 초보자는 타이밍을 더 많이 연습하고, 다양한 음악에 맞춰 춤을 추며 타이밍을 익히는 데 노력해야 합니다. 연습은 타이밍을 정확히 익히는 가장 좋은 방법 중 하나입니다.

3. 춤의 종류와 템포: 리드의 타이밍은 춤의 종류와 템포에 따라 달라집니다. 슬로우 댄스와 같은 천천히 흐르는 춤에서는 타이밍이 더 여유롭고 부드러워야 하지만, 빠른 템포의 춤에서는 빠른 리드와 팔로우의 응답이 필요합니다. 따라서 리드는 춤의 스타일과 템포에 맞춰 움직임을 조절하고, 이를 통해 파트너와 함께 완벽한 타이밍을 유지할 수 있어야 합니다.

4. 리더의 표현과 의도: 리더는 춤을 통해 자신의 의도를 표현하고, 이를 음악의 흐름과 함께 전달해야 합니다. 이는 타이밍뿐 아니라, 음악에 맞춰 어떤 움직임을 이끌어내는지에 대한 이해도 필요합니다. 이를 통해 리드는 파트너에게 춤의 방향과 표현을 명확히 전달하면서도 음악적인 템포와 비트를 고려해야 합니다.

5. 파트너와의 연결과 신뢰: 타이밍은 뿐만 아니라 파트너와의 연결과 신뢰에도 중요한 영향을 미칩니다. 정확한 타이밍을 유지하면 파트너는 리더를 믿고 따라갈 수 있습니다. 이는 춤의 안정성과 아름다움을 더해줍니다. 따라서 리더는 정확한 타이밍으로 파트너와의 연결을 강화하는 데 초점을 맞추어야 합니다.

춤은 음악과의 조화로 탄생하며, 리더의 타이밍은 이 조화를 유지하고 파트너와의 연결을 강화하는 데 큰 역할을 합니다. 경험과 연습을 통해 음악적인 타이밍을 익히고, 파트너와의 신뢰를 쌓아가는 것이 중요합니다. 이를 통해 댄스는 더욱 아름다워지고 흥미로워질 것입니다.

유연한 파트너십: 여성을 위한 맞춤형 텐션과 리드의 필요성

여성마다 리드 및 텐션을 다르게 조절하는 이유는 각각의 여성이 다르게 반응하고 움직이기 때문입니다. 이러한 차이를 고려하여 리더는 다양한 여성과의 댄스 경험을 향상시키고, 파트너와의 연결을 보다 유연하게 조절할 수 있습니다. 여러 이유들을 살펴보겠습니다.

1. 여성의 신체적 체격: 각각의 여성은 키, 체중, 근육량 등에서 신체적인 차이를 보입니다. 이러한 차이는 리드와 텐션을 다르게 받아들이게 만들 수 있습니다. 근력 및 근육량이 많은 여성은 강한 텐션을 원할 수 있고, 그에 반대로 부드럽고 섬세한 리드를 선호하는 경우도 있습니다.

2. 댄스 실력 및 경험: 각각의 여성은 댄스에 대한 실력과 경험이 다릅니다. 댄스에 익숙한 여성은 리드의 신호를 더 잘 이해하고 반응할 수 있습니다. 반면에 처음 춤을 추는 경험이 적은 경우에는 더 부드러우면서 강한 리드와 명확한 텐션을 통해 댄스를 즐길 수 있습니다.

3. 여성의 나이: 나이 또한 댄스에 영향을 미칩니다. 어린 여성은 유연하고 활기찬 움직임을 선호할 수 있으며, 나이가 들수록 부드러운 텐션과 느긋한 리드를 원할 수 있습니다. 나이에 따라 신체적인 특성과 움직임의 선호도가 변할 수 있습니다.

4. 현장 경험 부족: 어떤 여성들은 현장에서 춤을 춰보지 않았거나 특정한 스타일에 덜 익숙할 수 있습니다. 리더는 여성의 경험 부족을 고려하여 부드럽게 리드하고 새로운 스타일에 대한 이해를 도울 수 있습니다.

5. 습득한 춤에 따라: 여성이 습득한 춤이나 스타일에 따라서도 리드와 텐션을 조절해야 합니다. 어떤 춤은 더 강한 텐션과 활력적인 리드를 요구하고, 다른 춤은 부드럽고 섬세한 움직임을 선호할 수 있습니다.

이러한 이유들로 여성마다 리드와 텐션을 다르게 조절하는 것은 각각의 댄서와의 상호작용을 더욱 풍부하게 만들어 줄 뿐만 아니라, 파트너들이 댄스를 보다 편안하게 즐길 수 있도록 도와줍니다. 따라서 리더는 상황과 상대방의 특성을 고려하여 적절한 리드와 텐션을 제공하는 것이 중요합니다.

리드법 및 피겨

1. Weight Change(웨이트 체인저즈)

"웨이트 체인지(Weight Change)"는 댄스에서 매우 중요한 테크닉 중 하나로, 남성이 여성을 리드하는 데 사용되는 기술입니다. 이 기술은 남성이 자신의 체중을 정확하게 옮겨 여성에게 움직임의 방향과 템포를 알리는 데 중요한 역할을 합니다. 남성이 체중을 옮기는 방향과 정도를 조절함으로써 여성에게 특정 동작을 시사하며, 이는 파트너들 간의 의사소통과 협력을 강화합니다.

리더가 잘 리드하기 위해서는 강한 프레임을 유지해야 하지만, 너무 딱딱하면 상대방이 따라가기 어려워질 수 있고 프레임이 너무 약하면, 상대방은 힘들게 따라오려고 애쓰면서도 어려움을 겪을 수 있습니다.

여성은 남성의 체중 변화를 느끼고 그에 맞게 움직이며, 춤의 흐름을 형성합니다. 이를 통해 파트너 간의 조화로운 움직임이 만들어지며, 댄스의 흐름과 연결성을 유지합니다. 웨이트 체인지는 댄서들이 서로의 동작을 읽고 해석하는 데 사용되며, 함께 춤을 추는 과정에서 파트너 간의 신뢰와 협력을 촉진합니다. 정확하고 의도적인 체중 변화는 댄스의 자연스러운 흐름과 조화를 이루는 데 중요한 역할을 합니다.

2.Physicall(피지컬)

Physicall은 Weight Change와는 약간 다르며, 이것은 남성이 여성의 손을 잡은 상태에서 압력(텐션)을 통해 그녀의 움직임을 새로운 방향으로 이끄는 것을 말합니다. 이 압력(텐션)은 팔에서 나오는 것이 아니라 광배근과 몸의 측면을 활용하여 남성의 등으로부터 전달돼야 합니다. 피지컬 리드는 주로 춤이나 특정 활동에서 사용되며, 이는 손과 팔의 움직임을 통해 파트너에게 힌트를 주고, 움직임을 조절하는 데 사용됩니다. 이 기술은 손과 손목의 힘과 압력을 조절하여 파트너의 움직임을 조절하고, 원하는 동작을 시도하는 데 사용됩니다.

물리적 리드는 다양한 춤 스타일에서 사용됩니다. 왈츠(Waltz)에서는 윙(Wing)이나 위브(Weave)를 상상할 수 있습니다. 또한, 기본적인 Whisk의 첫 번째 단계에서도 여성이 오른발을 돌리고 옆으로 물러나지 않고 뒤로 물러날 수 있도록 하는 데 물리적 리드가 사용됩니다. 아메리칸 스무스 댄스(American Smooth Dance)에서도 이러한 리드가 빈번하게 사용되며, 연결된 손이 회전을 통해 여성을 새로운 방향으로 안내합니다. 물론 라틴 댄스에서도 빈번하게 사용되며, Jive의 American Spin은 좋은 예시입니다.

이 기술은 상대방의 몸을 간접적으로 이끄는 데 사용되며, 특히 물리적인 접촉을 통해 파트너에게 움직임을 안내하고 통제하는 데 중요합니다. 댄스나 특정한 활동에서 파트너들 간의 의사소통과 연결을 강조하며, 파트너들 사이의 조화로운 협업과 소통을 이루는 데 사용됩니다.

3. Shaping(쉐이핑)

댄스에서의 "쉐이핑"은 주로 리더가 퍼포먼스나 춤을 이끄는 동안 상대방의 신체나 움직임을 조정하는 기술을 가리킵니다. 이는 주로 상대방의 몸이나 팔을 조금씩 움직여서 특정한 춤 스텝이나 움직임을 만들어내는 것을 의미합니다. 예를 들어, 리더가 특정 동작을 만들고자 할 때, 상대방의 팔이나 상체를 조정하여 움직임을 형성하고 방향을 지시합니다. 이는 리더가 파트너의 움직임을 조절하여 춤의 흐름을 만들거나 특정한 움직임을 연출하는 데 사용됩니다. 여성의 회전은 이러한 리드의 간단한 예시 중 하나입니다. 남성이 팔을 올려 들면서 움직이면, 여성은 팔 아래로 움직이도록 신호를 받게 됩니다. 만약 그가 팔을 얼굴 위로 들면, 그녀는 오른쪽으로 돌도록 안내를 받고, 반대로 팔을 왼쪽으로 움직이면 여성은 왼쪽으로 회전하도록 리드받을 수 있습니다.

초보자들은 고품격 스웨이를 만들려 하지만, 그렇게 하면 어색하고 부자연스러워 보일 수 있습니다. 스웨이는 에너지의 적절한 적용과 직접적인 연결이 필요합니다. 이러한 리드는 다양한 춤 스타일에서 사용되며, 간단한 동작부터 시각적으로 강렬한 스타일까지 모두 다룹니다. 이를 통해 춤을 처음 접하는 사람들도 움직임을 구성하는 방법에 대한 이해가 필요합니다. 그러나 단순히 한 방향으로만 기울이는 것이 아니라 상호적인 움직임이 필요합니다. 스웨이와 같은 움직임은 서로의 움직임에 반응하고 연결되어야 하며, 서로의 움직임이 조화롭게 어우러져야 합니다. 따라서 이러한 리드는 파트너 간의 조화와 상호작용을 강조하는 데 사용됩니다.

4. Visual(비쥬얼)

시각적 리드는 보통 고급 피규어에서 사용되며, 파트너들이 서로 직접적인 접촉 없이 움직이는 상황에서 발생합니다. "비쥬얼"은 댄스에서, 파트너 간에 손을 잡지 않고 상대방의 움직임을 시각적으로 인식하고 이를 따라가는 리드 방식을 말합니다. 이는 주로 시선과 시각적 신호를 통해 상대방의 움직임을 파악하고, 그것에 맞춰 따라가는 기술을 의미합니다. 여성은 남성의 움직임을 주의 깊게 관찰하고 그에 따라야 합니다.

여성은 남성의 움직임을 지연시켜 스핀 같은 동작을 완료할 때까지 기다린 후에 이어나가기도 합니다. 이는 상당히 도전적이며 정밀한 조정이 필요한 기술적인 측면이 강조됩니다. 연습을 통해 이러한 리드를 연마하기 위해서는 남성과 여성이 서로 떨어져서 춤을 시작하고, 여성이 그에 맞춰 따라가는 방식으로 훈련할 수 있습니다. 파트너들 간에 손을 잡지 않고 춤을 추거나 움직일 때, 한쪽 파트너가 시선과 시각적으로 인식한 상대방의 움직임을 따라가는 것이 비쥬얼 리드의 핵심입니다. 이는 상대방의 동작을 관찰하고, 시각적 신호를 통해 그에 맞춰 움직임을 따라가는 것을 의미합니다. 비쥬얼은 눈으로 상대방을 보고 상대방의 동작을 읽고 이해하여 따라가는 것으로, 상호 간의 시각적 의사 소통을 강조합니다.

5.foot(풋)

춤에서 발로 파트너를 리드하는 상태를 가리킵니다. 이는 주로 발과 다리를 사용하여 파트너에게 움직임을 안내하고 통제하는 방식으로, 발을 통해 움직임의 방향과 강도를 전달하는 기술입니다. 발의 위치, 압력, 그리고 움직임의 강도를 조절하여 파트너에게 신호를 전달합니다. 이는 바닥과 발

간의 압력 변화나 이동을 통해 파트너에게 움직임의 방향이나 동작을 알리는데 사용됩니다. 또한, 발의 움직임과 위치를 변경함으로써 파트너에게 다양한 신호를 전달하고, 움직임을 조절하는 데 활용됩니다.

6.beckon(베컨)

"베컨"은 댄스나 특정 상황에서, 이 기술은 댄스나 특정 상황에서 파트너들 간 의사소통과 연결을 강조하며, 손짓이나 몸의 움직임을 통해 상대방과의 동작을 안내하고 의사소통하는 데 사용됩니다. 또한, 손짓을 이용하여 움직임을 조절하거나 특정 동작을 유도함으로써 파트너들 간의 협업과 소통을 도모합니다.

7.Chest(체스트)

"체스트"는 댄스에서 리더가 자신의 가슴 부분을 활용하여 움직임을 리드하거나 안내하는 방법을 의미합니다.

체스트 리드는 주로 상체의 움직임을 통해 파트너의 움직임을 조정하거나 지시합니다. 리더는 자신의 가슴 부분을 사용하여 상대방에게 특정한 동작을 안내하고, 춤의 특정 부분을 연출하거나 스텝을 이끌어내는 데 사용됩니다. 상체의 움직임이 파트너에게 전달되어 함께 춤을 추거나 연주할 때 사용되며, 리더와 팔로우 간의 움직임을 조화롭게 만들어줍니다. 이를 통해 댄스 파트너들은 서로의 움직임을 읽고 연결되어 자연스러운 춤을 만들어냅니다.

8.Pelvis(펠버스)

"펠비스" 리더가 자신의 골반 부분을 사용하여 파트너에게 움직임을 안내하거나 조절하는 기술을 의미합니다. 이는 주로 골반의 움직임과 방향성을 이용하여 춤의 움직임을 조정하는 방식입니다.

골반의 움직임이 파트너에게 전달되어 특정한 춤 스텝이나 움직임을 연출하거나 이끌어냅니다. 골반의 방향과 움직임이 춤의 흐름을 결정하며, 파트너들 간의 움직임을 조화롭게 만들어줍니다. 이를 통해 댄스 파트너들은 서로의 움직임을 읽고 연결되어 자연스러운 춤을 만들어내며, 골반 리드는 이를 조율하는 데 중요한 역할을 합니다.

피 겨 용 어

1. 베이식 피겨(basic figure)

"basic figure"는 댄스의 각 종목에서 공통적으로 사용되는 표준화된 기초적인 움직임이나 피규어를 가리킵니다. 이들은 해당 춤의 기본 기술과 움직임을 익히기 위한 기초를 제공하며, 새로운 춤을 배우거나 연습할 때 사용됩니다. 각 댄스 종목마다 고유한 베이식 피겨가 있으며, 이는 그 종목의 특징과 스타일을 반영합니다. 예를 들어, 왈츠의 베이식 피겨는 기본 스텝과 회전, 상호 작용하는 동작들로 구성될 수 있습니다. 라틴 댄스의 경우, 자이브, 삼바, 차차차, 룸바와 같은 각각의 댄스마다 특정한 베이식 피겨들이 존재합니다. 이러한 베이식 피겨들은 초보자들에게 기초 테크닉을 가르치는 데 사용되며, 댄스를 공부하거나 연습하는 동안 특정한 움직임이나 기술을 연습하는 데에도 활용됩니다. 또한, 댄스 경기나 대회에서도 베이식 피겨는 기본적인 움직임이나 스텝들을 평가하는 데에 사용될 수 있습니다.

2.스탠더드 배리에이션(standard variation)

스탠더드 댄스의 배리에이션은 베이식 피겨를 기반으로 하되, 해당 춤의 특성과 스타일에 맞게 변형되고 표준화된 것을 의미합니다. 이러한 배리에이션은 표준 댄스에서 베이식 피겨를 발전시켜 더 복잡하고 다양한 움직임을 포함하며, 전문적인 댄서들이 춤의 기술적인 수준을 높이고 경쟁에서 더 높은 점수를 받기 위해 사용됩니다.

예를 들어, 스탠더드 댄스에서 왈츠의 베이식 피겨 중 하나인 기본스텝은 빠르고 우아한 회전과 함께 춤을 구성하는 기본적인 움직임입니다. 이를 스탠더드 배리에이션으로 발전시킨다면, 다양한 턴이나 스핀을 포함하여 보다 복잡하고 기술적으로 요구되는 움직임으로 변형될 수 있습니다. 또한, 왈츠나 폭스트롯과 같은 스탠더드 댄스의 다른 종목들도 각각의 베이식 피겨를 기반으로 한 다양한 배리에이션을 갖고 있습니다. 이러한 배리에이션은 춤의 스타일과 리듬에 맞게 피겨를 조합하거나 확장하여 고급 수준의 기술과 창의성을 보여줍니다.

스탠더드 댄스의 배리에이션은 댄서들의 표현력과 기술력을 향상시키는 데 사용되며, 대회나 공연에서 더욱 풍부하고 복잡한 춤의 모습을 보여줄 수 있도록 도와줍니다. 이러한 배리에이션은 다양한 댄서들에게 도전적이고 창의적인 춤의 경험을 제공합니다.

3. 네임드 배리에이션(named variation)

"named variation"은 특정 댄스 피겨나 스텝의 변형을 말합니다. 이는 해당 춤의 기본적인 피겨나 스텝을 기반으로 하되, 특정한 댄서나 댄스 커플에 의해 고안되거나 개발된 고유한 움직임이나 피겨를 지칭합니다. 이러한 네임드 배리에이션들은 특정 댄서나 코치, 댄스 그룹, 또는 커플에 의해 만들어지며 그들의 창의력과 개성을 반영합니다. 이들은 종종 해당 춤의 특정한 스타일이나 특징을 강조하거나, 댄서들의 고유한 스타일을 부각시키기 위해 사용됩니다. 예를 들어, 스탠더드 댄스에서 "Whisk"라는 베이식 피겨가 있습니다. 이 베이식 피겨를 기반으로 한 다양한 네임드 배리에이션들이 존재할 수 있습니다. 예를 들어, 댄서나 코치가 특별히 개발한 "Smith Whisk"나 "Jones Whisk"

와 같은 네임드 배리에이션은 특정한 댄서나 그룹의 개성을 나타내는 움직임일 수 있습니다. 네임드 배리에이션은 해당 춤의 표준화된 피겨나 스텝을 베이스로 하지만, 그들만의 독특한 스타일과 특성을 반영하여 고유한 이름으로 부르며, 종종 그들만의 기술적인 요소나 창의적인 움직임을 가지고 있습니다. 이러한 네임드 배리에이션들은 댄스 커뮤니티에서 특정 댄서나 그룹의 유명세를 높이거나 그들의 스타일을 특색 있게 만드는 데 사용될 수 있습니다.

4. 포퓰러 배리에이션(popular variation)

"popular variation"은 해당 춤의 기본 피겨나 스텝을 기반으로 하되, 대중적이고 널리 사용되며 많은 댄서들이 알고 사용하는 특정한 댄스 움직임을 지칭합니다. 이러한 배리에이션들은 특정한 춤의 특징이나 스타일을 반영하면서도, 많은 댄서들이 인정하고 사용하는 표준적인 움직임이 될 수 있습니다.

포퓰러 배리에이션은 기본적인 피겨나 스텝을 변형하거나 발전시켜서 해당 춤의 특성을 강조하고 댄서들이 더 다양하고 풍부한 춤을 추기 위해 사용됩니다. 이는 주로 대중적인 댄스 수업이나 연습에서 흔하게 사용되며, 댄스 대회에서도 널리 인정받고 사용되는 움직임일 수 있습니다. 예를 들어, 차차(Cha-Cha)에서 "Cuban Breaks"는 포퓰러한 배리에이션 중 하나입니다. 이는 차차의 기본적인 스텝을 변형하여 특정한 차차차의 특징을 강조하고 댄서들이 자주 사용하는 움직임으로, 많은 댄서들이 이를 익히고 사용합니다. 포퓰러 배리에이션은 댄스의 표준화된 요소들을 바탕으로 하면서도, 댄서들의 창의성과 스타일을 표현하고 발전시키기 위해 사용되며, 새로운 춤을 익히거나 연습하는 데 유용한 요소로 자리 잡고 있습니다. 이러한 배리에이션들은 댄스 커뮤니티에서 많은 댄서들 사이에 공유되고 표준화되어 널리 사용되고 있습니다.

5. 시즌 배리에이션(season variation)

"season variation"은 특정한 계절이나 시기에 따라 댄스에서 유행하는 특정한 배리에이션을 가리킵니다. 이는 계절적인 변화나 특정 시간대에 맞게 댄스의 스타일이나 움직임이 변형되거나 인기를 얻는 경우를 의미합니다. 댄스 커뮤니티에서는 특정 계절이나 특정한 시간대에 따라 특정한 댄스 배리에이션이 유행할 수 있습니다. 예를 들어, 여름이 도래하면 라틴댄스나 스윙댄스 동작에서 더 경쾌한 움직임이나 에너지가 더해지는 배리에이션들이 인기를 끌 수 있습니다. 또는 특정 춤의 대회 시즌에 맞추어 특정한 배리에이션들이 인기를 얻을 수도 있습니다.

이러한 시즌 배리에이션은 특정 시기에 댄스 커뮤니티에서 유행하는 트렌드나 스타일을 반영합니다. 댄서들이 특정 시기에 맞추어 더 특별하고 독특한 춤을 추거나 경쟁에 참여하기 위해 시즌 배리에이션을 학습하고 연습으로 댄스의 다양성을 더욱 풍부하게 만들고, 댄스 커뮤니티 내에서 흥미로운 변화를 가져올 수 있습니다.

여성이 싫어하는 8가지 리드 방법

나쁜 리드는 춤 파트너에게 불편함을 주거나 연결을 방해할 수 있어요.

1. **과도한 힘과 압박:** 파트너를 강제로 이끄는 듯한 과도한 힘과 압박은 상대방에게 불편함을 줄 수 있습니다.

2. **불명확한 신호:** 모호하거나 부정확한 동작이나 신호를 주면 파트너는 춤을 따라가기 어려워합니다. 명확한 리드가 필요합니다.

3. **자만심과 오만함:** 자만심을 드러내거나 오만한 태도를 취하면 상대방과의 협력과 연결이 어려워집니다. 서로의 경험과 능력을 존중해야 합니다.

4. **리스펙트(존견, 존중) 부족:** 파트너를 존중하지 않거나 그들의 능력을 고려하지 않으면 상대방은 춤을 즐기기 어려워합니다.

5. **타이밍 무시:** 음악의 타이밍을 무시하고 춤을 추면 파트너는 혼란스러워질 수 있습니다. 음악과의 조화를 유지해야 합니다.

6. **강압적인 동작:** 파트너가 따라가기 어려운 강압적인 동작을 시도하면 상대방에게 불편함을 줄 수 있습니다.

7. **무관심:** 춤을 추는 동안에도 파트너에게 무관심하다면 상호작용과 연결이 떨어질 수 있습니다.

8. **고정된 춤 스타일:** 유연성 없이 자신의 스타일에 고정된 채 춤을 추면 파트너의 취향이나 능력을 고려하지 않는 것일 수 있습니다.

이러한 행동들은 춤을 즐기는데 불편함을 초래할 수 있으므로 주의해야 합니다. 춤을 즐기며 파트너와의 즐거운 경험을 만들기 위해서는 서로의 경험과 존중을 중요시해야 해요.

여성이 잊지 못할 11가지 리드 방법

1. **상호적인 커뮤니케이션:** 리드는 상호작용에서 시작됩니다. 여성과의 소통은 매우 중요합니다. 파트너와의 의사소통을 위해 자연스러운 몸짓과 표정, 간결한 말투 등을 활용하세요.

2. **적절한 힘과 압력:** 파트너에게 편안함을 제공하기 위해 적절한 힘과 압력을 유지하세요. 너무 강하게 누르거나 당기지 않도록 주의하세요.

3. **타이밍과 음악:** 음악의 비트와 타이밍을 잘 파악하여 파트너와 함께 움직이세요. 음악을 느끼고 그에 맞춰 춤을 추는 것이 중요합니다.

4. **카리스마와 자신감:** 자신의 카리스마를 발산하고 자신감 있게 춤을 이끄세요. 자신감은 파트너에게 긍정적인 영향을 미칩니다.

5. **부드럽고 섬세한 움직임:** 부드럽고 자연스러운 움직임으로 여성이 따라가기 쉽도록 도와주세요.

섬세한 움직임이 연결을 강화합니다.

6. **파트너에 대한 존중**: 파트너의 경험과 능력을 존중하세요.

7. **창의성과 다양성**: 다양한 춤 스타일을 활용하여 새로운 동작을 시도하세요. 창의성을 통해 춤을 더욱 다채롭게 만들어보세요.

8. **자연스러운 리드**: 자연스럽고 유연한 리드로 여성이 편안하게 따라갈 수 있도록 도와주세요. 자연스러운 리드는 연결을 강화합니다.

9. **경계 존중**: 여성의 경계를 존중하고 파트너와의 거리를 적절히 유지하세요. 여성의 편안함을 최우선으로 생각해주세요.

10. **유쾌한 분위기**: 춤을 즐기고 미소와 유쾌함을 전달하세요. 함께하는 순간을 행복하게 만들어주세요.

11. **자신의 표현과 유연성**: 자신만의 표현을 보여주며, 상황에 따라 유연하게 대처하세요. 다양한 상황에서 춤을 즐기세요.

여성이 기억에 남을 리드를 위해서는 서로의 연결과 존중, 친밀한 분위기를 조성하며 함께 춤을 즐기는 것이 중요합니다.

지르박 position

포지션	의미(뜻)
Cape(Shadow) position (케이프 포지션)	남성이 여성의 왼쪽 뒤에서 서서, 서로의 방향을 향하는 자세에서 망토처럼 오른손으로 여성의 오른손을, 왼손으로 여성의 왼손을 잡는 자세.
Challenge position (챌린지 포지션)	남성과 여성이 서로를 향해 서 있지만 몸이 접촉되지 않고, 일정한 거리를 유지하면서 서로를 바라보는 것을 의미합니다.
Closed facing position (클로즈드 페이싱 포지션)	남성과 여성이 15센티미터 정도 떨어져 홀드한 자세
Counter Promenade position (카운터프롬나드 포지션)	리더의 상체 왼쪽과 팔로우 상체 오른쪽이 서로 맞닿아 있는 상태에서 그 반대쪽은 열려 있는 자세를 지칭함.
Cuddle position (커들 포지션)	리더와 팔로우가 가깝게 밀착해 있는 자세를 말함. Shadow Position의 한 종류이다.
Double hold (더블 홀드)	파트너와 양손을 모두 잡은 자세
Fall-away position (폴오웨이 포지션)	Promenade Position에서 뒤로 한 발짝씩 움직인 위치
Hammerlock position (해머락 포지션)	여성의 팔을 등 쪽으로 감아서 꺾는 자세
Handshake Hold (핸드셰이크 홀드)	남자의 오른손으로 여자의 오른손을 잡는 자세

Inverted Counter Promenade position (인버티드 카운터프롬나드 포지션)	리더의 상체 우측, 팔로우 상체 좌측이 접촉한 상태에서, 그 반대쪽이 V자 형태로 열린 자세
Left Side position (레프트 사이드 포지션)	팔로우는 리더의 왼쪽 측면에 위치해, 리더와 팔로우가 같은 방향을 향하고 있는 자세
Left Side-by-Side position((레프트·사이드·바이·사이드·포지션)	Left Side position(레프트 사이드 포지션)이라고도 함.
Left shadow position (새도우 포지션)	팔로우가 리더의 왼쪽 약간 앞이나 뒤에 서서 같은 방향을 향하는 자세
open facing position (오픈 페이싱 포지션)	팔로우와 리더가 간격을 두고 떨어져서 마주 보는 자세
Promenade position (프롬나드포지션)	리더의 상체 우측, 팔로우 상체 좌측이 접촉한 상태, 즉, V자형 자세.
Right Side position (라이트 사이드 포지션)	팔로우가 리더의 오른쪽 측면에 위치해, 팔로우와 리더가 같은 방향을 향한 자세.
Right Side-by-Side position (라이트·사이드·바이·사이드)	Right Side position(라이트 사이드 포지션)이라고 함.
Right shadow position (라이트 새도우 포지션)	팔로우가 리더 오른발 앞에서 같은 방향을 바라보고 서 있는 자세
Right Side Wrap position (라이트 사이드 랩 포지션)	팔로우가 리더의 오른쪽 측면에 위치해, 남녀 모두 같은 방향을 향한 자세에서 오른팔로 팔로우 등을 감싸고, 팔로우 가슴 아래쪽에서 오른손으로는 팔로우 왼손을, 왼손으로는 팔로우 오른손을 잡는다. 이때 팔로우 오른팔을 왼팔 위로 교차한 자세.
Tandem position (탬덤 포지션)	여성은 남성 앞에 위치하고 남성은 여성의 뒤를 따라 움직이는 자세를 말함.
Two Hand Hold Open Facing position	파트너와 양손을 모두 잡은 자세
Shadow Position (쉐도우 포지션)	팔로우는 리더의 오른발 앞에 위치하고, 둘은 같은 방향을 향해 서 있는 자세.
Wrap position (랩 포지션)	남성은 여성의 뒤에 약간 왼쪽에 서면서 여성은 양팔을 크로스(교차)시켜 뒤쪽에 있는 남성에게 양손을 내밀어 줍니다. 남성은 이 크로스 상태인 여성의 양팔을 잡은 자세를 취하게 됩니다.

핸드 포지션

포지션	의미(뜻)
버티컬 핸드 포지션	손목을 세워 그립. 블루스나 왈츠 등에 사용
룸바 핸드 포지션	룸바, 맘보 등에 사용되는 핸드 포지션
탱고 핸드 포지션	서로의 손을 잡을 때 팔로우의 손목을 굽히고 손바닥을 오른쪽 바깥쪽으로 향하도록 하는 자세입니다.

린디 핸드 포지션	팔로우 오른손 손바닥을 아래로 향하고, 리더 왼손 손바닥은 위로 향한 상태에서 리더와 팔로우는 서로 손바닥끼리 포갠 후 주먹을 살짝 쥔다. 자이브에 사용되는 핸드 포지션
투 핸드 홀드 포지션 (two hand hold position)	투 핸드 홀드 포지션은 지르박이나 포크댄스에서 사용되는 자세 중 하나입니다. 이 자세에서는 리더와 팔로우가 서로 마주 보며 양손을 맞잡는 자세를 취합니다.
크로스 핸드 홀드 포지션 (crossed hold position)	리더와 팔로우가 서로 마주 보며 양손을 교차시켜 연결하는 자세를 취합니다.
샤인 포지션 (Shine Position)	파트너와 정면에서 서로 손은 잡지 않은 상태
투 핸드 조인드 (Two Hands Joined)	여성과 남성이 정면에 서로 바라보면서 양손으로 잡는 방법.
원 핸드 조인드 (One Hand Joined)	남성과 여성이 서로 마주 서서 한쪽 손을 맞잡는 방법
인사이드 핸드 조인드 (Inside Hands Joined)	손 안쪽 결합
스윗핫트 (Swee-theart)	리더는 팔로우 등 뒤 옆에서 팔로우의 한 손이나 두 손을 맞잡는 것.

position 약자

포지션	약자
Contra Body Movement Position	CBMP
Counter Promenade Position	CPP
Left Side Position	LSP
Outside Partner	OP
Promenade Position	PP
Right Sid Position	RSP
Tandem Position	TP
Closed Facing Position	CFP
Fall-away Position	FP
Right Side by Side Position	RSSP
Left Side by Side Position	LSSP
Right Shadow Position	RSP
Right Contra Position	RCP
Left Contra Position	LCP

기타 포지션

세미 클로즈드 포지션 (Semi closed position), 세미 오픈 포지션 (semi open position), 클로즈드 페이싱 포지션 (closed facing position), 아웃사이드 파트너 포지션 (Outside Partner Position (Right Side), 팬 포지션 (fan position), 크로스 바디 포지션 (Cross Body Position), 아웃사이드 라이트 포지션 (Outside Right Position, 아웃사이드 레프트 포지션(Outside Left

Position), 쇼울더 웨이스트 포지션 (Shoulder-waist Position), 에스코트 포지션 (Escort Position), 헝가리안 턴 포지션 (Hungarian Turn Position), 스퀘어 댄스 스윙 포지션 (Square Dance Swing Position), 버터플라이 포지션 (Butterfly Position), 바소비안나 포지션 (Varsouvienne Position), 멕시칸 홀드 포지션 (Mexican Hold Position), 스케이터즈 포지션 (Skater's position), 어파트 포지션 (apart position), 콘트러리 바디 무브먼트 포지션 (contrary body movement position), 라이트 콘트라 포지션 (right contra position), 레프트·콘트라·포지션 (Left Contra Position), 업라이트 포지션 (Upright position), 플러테이션 포지션 (flirtation position), 커들 포지션 (cuddle position), Aida position, Attitude Line position, Back-to-Back position, Ballerina position, Banjo position, Bolero position, Chair position, Figurehead position, Half Open position, Hammerlock position, Hand Shake position, High Line position, L-Shaped position, Layback position, Layover position, Loose Closed position, Man's Left Varsouvienne position, Man's Varsouvienne position, Nothing Touching position, Sombrero position, Star position, Stork Line position, Tamara position, Tandem position, X-Line position

댄스에서 포지션의 중요성

댄스에서 포지션은 춤을 추는 과정에서 매우 중요한 역할을 합니다.

1. **균형과 안정성**: 올바른 포지션은 춤을 추는 동안 균형을 유지하고 안정성을 제공합니다.

2. **연결감과 흐름**: 파트너와의 연결을 강화하여 함께 움직이는 흐름을 형성합니다.

3. **각도 조절**: 포지션을 조절하여 리더와 팔로우의 각도를 맞춥니다.

4. **안무의 완성도**: 올바른 포지션은 안무의 완성도를 높여주어 춤을 더욱 아름답게 만듭니다.

5. **리드와 텐션 제공**: 올바른 포지션은 리드와 텐션을 제공하여 춤을 안내하고 파트너의 안전을 지킵니다.

6. **간격 조절**: 포지션을 조정하여 파트너와의 적절한 간격을 유지합니다.

7. **팔과 다리의 위치**: 정확한 포지션은 손과 발의 위치를 제어하여 춤을 정확하게 이끕니다.

8. **프레임 유지**: 올바른 포지션은 프레임을 유지하여 춤을 안정적으로 이끌어갑니다.

9. **댄스 스타일에 따른 적응**: 각각의 댄스 스타일에 맞게 포지션을 조절하여 적절한 안무를 표현합니다.

10. **대회에서의 중요성**: 대회에서는 올바른 포지션은 점수에 영향을 미치는 중요한 요소입니다.

11. **파트너와의 호흡**: 올바른 포지션은 파트너와의 호흡을 조율하여 함께 춤을 추도록 돕습니다.

12. **자세의 효과적인 사용**: 정확한 자세는 다양한 춤 요소들을 효과적으로 사용할 수 있도록 돕습니다.

13. **파트너와의 연결성**: 포지션은 파트너와의 연결성을 높이고 함께 춤을 이끌어갑니다.

14. **최적의 움직임**: 올바른 포지션은 최적의 움직임을 가능하게 하여 춤을 자연스럽고 부드럽게 만듭니다.

15. **표현력 강화**: 올바른 포지션은 춤의 표현력을 강화하여 춤을 더욱 감각적으로 만듭니다.

이러한 이유들로 인해 포지션은 춤을 추는 과정에서 매우 중요한 역할을 합니다. 춤의 흐름과 연결성을 높이며 안정성과 아름다움을 제공합니다.

지르박 액션

동작과 모양에 따라 구분된다.

이름	액션(동작과 모양)	사전적 의미(뜻)
Arms Linking	팔짱을 끼거나, 팔끼리 연결	Arm/팔
Across	오른발이 왼발 앞이나 뒤를 가로질러 스텝하거나 왼발이 오른발 앞이나 뒤를 가로질러 스텝 하는 동작을 말함.	건너서, 가로질러
Basic	기본 동작	기초적인, 기본적인, 근본(根本)의
Break	정지하는 동작	브레이크, 제동기, 바퀴 멈추개, 제동, 억제, 정지, 줄이다.
Brush	체중을 실은 발에 체중이 실리지 않은 발이 스치면서 지나가는 동작을 말한다.	솔
Cape	투우용 망토처럼 행하는 동작	망토
Chicken Walks	병아리처럼 걷는 계속 동작	병아리 걸음
Chicken	병아리처럼 행하는 동작	병아리
Change	바꾸는 동작	바꾸다, 변경하다, 고치다, 갈다
Check	전진 움직임을 저지하는 동작	저지, 억제, 정지
Circular	원을 그리듯이 행하는 동작	원형의, 둥근, 순회하는, 순환적인
Circle	원을 그리듯 행하는 동작	원, 원주
Continuous	지속해서 행하는 동작	계속되는, 지속적인, 계속 이어지는, 반복된
Compact	최대한 발 폭을 줄여 행하는 동작	빽빽하게 찬, 밀집한
Curved	커브를 주듯 행하는 동작	굽은, 곡선 모양의, 약간 굽은
Curly	소용돌이치듯 돌며 행하는 동작	곱슬곱슬한, 동그랗게 말린
Cross	발을 교차하는 동작	X 표, +기호, 십자
Cuddle	꼭 껴안고 행하는 동작	꼭 껴안다, 부둥키다.
Delayed Walk	체중 이동을 느리게 하는 동작	지연
Double	양손을 잡고 행하는 동작, 연속으로 두 번 행하는 동작	두 배의, 갑절의
Draw	오른발을 왼발에 끌어 붙이거나, 왼발을 오른발에 끌어 붙이는 동작	끌다, 당기다, 끌어당기다, 끌어당겨서 …하다

Drag	발을 질질 끌면서 행하는 동작	끌다, 질질 끌다, 끌어당기다, 끌고 가다
Extension	몸을 최대한 펴주는 동작	연장, 늘임, 연기, 확대, 확장, 넓힘, 진전
Ending	끝내는 동작	결말, 종료, 종국
flirtation	남성과 여성이 매우 가까이 맞닿아 있는 모양을 말한다.	새롱거림, 장난삼아 하는 연애, 번롱, 우롱
Grand	커다란 동작을 행하는 동작	웅대한, 광대한, 장대한
Grand Circle	서로 손을 잡고 원형을 만드는 동작	Circle/원, 원주
Hand to Hand	상대방과 손을 잡고 행하는 동작	손
Hesitation	시간을 끌며 머무르는 동작	주저, 망설임
Link	연결시키는 동작	사슬의 고리, 고리
Left Turn	180° 좌회전	
Left Double Turn	540° 좌회전	Double/두배
Left Triple Turn	720° 좌회전	Triple/3배
Left Foot Change	왼발 체인지	
Movement	움직이는 동작	움직임
Moving Foot	움직이고 있는 쪽의 발	
Merengue step	메렝게 스텝	
New York	룸바나 차차차에 사용되는 피겨	
Poise	균형이 잡힌 몸의 자세	균형 잡히게 하다, 평형 되게 하다.
Rock Turn	4박자로 좌회전	
Rock Back	체중을 뒤쪽의 발에 이동하는 것을 말함.	Back/등
Rolling	휘감거나 푸는 동작	구르는, 회전하는
Rotation	회전	회전, 자전
Ronde	원을 그리듯이 발을 돌리는 동작	
Simple	단순한 동작	간단한, 단단한
Rise Double Turn	540° 우회전	
Right Turn	180° 우회전	
Right Triple Turn	720° 우회전	
Right Foot Change	오른쪽 발 체인지	
Simple Spin	단순한 스핀	
Stationary	머무르고 있는	움직이지 않는, 정지된, 멈춰 있는
Stalking Walks	상대방을 따라다니면서 상대방과 같은 동작을 하는 것.	남을 괴롭히기, 스토킹
Spin	한발로 피봇한 후에 다른 발로 계속해서 도는 동작	돌다, 회전하다, 돌리다,
Spiral	나선형으로 꼬는 동작	나선, 나선형
Spot Turn	그 자리에서의 회전하는 것을 말함.	Spot/반점, 점
Straight Right Double Turn	직선으로 540도 우회전	Straight/ 똑바로 (일직선으로), 곧장, 곧바로
Sweet Heart	상대방과 같은 동작	sweet/달콤한 Heart/심장
swivel	한발의 앞꿈치로 도는 동작	회전 고리

Swivel Walk	한발의 앞꿈치로 돌면서 걷는 동작	
Supporting Foot	체중을 실은 발	Supporting/버티는, 지지
Twist	양발을 비트는 동작	휘다, 비틀다.
Under Turn	정규회전 보다 작게 회전 하는 동작	Under/아래에, …의 밑에
Under arm turn	남성이 손을 들은 상태에서 여성이 남성 손 밑으로 회전하는 동작/lady's under arm turn이라고도 한다.	
Three Step Turn in place	Three Step으로 회전하는 동작	
Turn	회전하는 동작	돌리다, 회전시키다.
Turning	선회하는 동작	회전, 갈림길
Turning Step	선회, 회전하는 스텝	
Two Step Turn	Two Step으로 턴하는 동작	
Wrap	등으로 남성은 여성의 뒤에서 크로스 상태인 여성의 양팔을 잡고 있는 모양	감싸다, 싸다, 포장하다.
Zig Zag	지그재그 모양으로 동작	Z 자 형의, 톱니 모양의, 번개 모양의, 꾸불꾸불한.

무도장에서 즐겨하는 피겨

피겨	퍼센트 [percent]
기본 스텝 6박	100%
제자리 여성 6박 회전	100%
남성 솔로 턴	30%
전•후진 6박	100%
스위블	20%
홀딩(안고 돌기)	90%
4박 후까시	40%
4박 컷트	60%
컷트 연속 동작	45%
전•후진 제자리 4박	40%
전•후진 제자리 6박	95%
전•후진 제자리 8박	90%
8박 스텝	95%
풋 체인지	10%
블루스, 트롯 전환	15%

플로어에 적응하는 방법

플로어 크래프트는 춤을 추는 공간에서 다른 커플들과의 조율과 유연한 대처 능력을 요구하는 중요한 기술입니다. 자신이 원하는 위치를 다른 커플이 선점하고 있다면 신속히 다른 위치를 찾는 것이 중요합니다. 예측하기 어려운 상황에서는 빠른 결정과 유연한 대처가 필요하며, 이는 춤을 시작할 때나 위치를 찾을 때 모두 중요합니다. 루틴의 시작이 예상과 다르게 진행될 때, 새로운 위치나 방향에서 춤을 시작하는 등의 유연한 대처가 필요할 수 있습니다. 또한, 리더는 공간을 잘 활용하는 것이 중요합니다. 춤을 추기 위한 자신만의 공간을 차지하는 것과 동시에 다른 춤꾼들과 공간을 나누는 것이 필요합니다. 춤을 추는 동안에도 다른 춤꾼들과의 상호작용을 고려하며, 움직임에 유연성을 부여하여 충돌을 피할 수 있도록 해야 합니다. 춤을 추는 과정에서 위치를 조정하고, 상황에 따라 민첩하게 대처하는 능력이 필요합니다. 이는 춤을 추는 동안 공간적인 제약을 최소화하고, 댄스를 자유롭게 즐길 수 있게 해줍니다. 춤을 추는 동안 예기치 못한 상황에 대비하기 위해서는 다양한 피겨를 익히는 것이 좋습니다. 이를 통해 예상치 못한 상황에도 유연하게 대처할 수 있으며, 춤을 멋지게 이끌어 나갈 수 있습니다. 피겨를 잘 활용하면 복잡한 상황에서도 유연하게 대처할 수 있습니다.

지르박을 잘 추는 사람들의 공통점

본인의 능력과 취향, 성격에 따라 춤을 추겠지만 이왕 돈 투자 시간 투자한 거 남들한테 춤 잘 춘다는 말은 들어야 하지 않겠는가!

긴긴 세월 지르박을 어떻게 어떤 식으로 춤을 춰야 잘 추는지 많은 논의와 의견 표출이 있어 왔으나 아직 구체적인 기준은 없다. 지금까지 춤 가르치는 방식이 학원마다 다르며 또한 지금까지 기본 스텝 또한 완벽하게 통일된 적도 없다. 그렇다고 라틴이나, 모던처럼 교재가 있는 것도 아니다. 그러니 춤을 추는 방식조차 명확한 기준이 없고 춤추는 방식이 난립하여 대중성이 점점 떨어져 가고 있다. 라틴이나 모던은 전국팔도 리드법이 통일되어 각 피겨마다 리드법을 익히면 되지만 지르박은 기본스텝은 전국팔도 비슷하나 중·상급부터 피겨가 학원마다 다르므로 스텝 및 각 피겨마다 리드법을 완전하게 공부해야 한다.

여성 3개월이면 남성은 3년이라는 말이 있다. 그만큼 남성이 여성보다 더 어렵다는 이야기다.

하지만 처음 배울 때는 여성이 남성보다 더 빨리 습득을 하지만 어느 정도 세월이 지나면 남성보다 여성이 더 어렵다. 남성은 수많은 기술을 배우지만 자신이 제일 자신 있는 피겨만으로 춤을 추기 때문이다. 늘 같은 피겨만으로 여성과 춤을 추기 때문에 어느 순간 도통의 경지까지 도달한다. 하지만 여성의 경우 춤추는 남성마다 사용하는 기술 및 리드/사인이 다르므로 이 모든 걸 다 받아 내는 건 쉽지가 않다. 그래서 단기적으로 보면 여성이 유리하지만, 장기적으로 보면 남성이 더 유리하다.

대부분 레슨 받는 사람들이 착각하는 것 중 하나가 시간이 흐르면 저절로 고수가 되는 줄 착각을 하고 있다. 진정한 고수는 자신의 스텝뿐만 아니라 상대 파트너의 스텝까지 어느 정도 알아야 하며 최고급 피겨로 멋도 부리고 절제된 스피드와 부드러움 그리고 자신만의 기교로 음악을 갖고 놀 줄 알아야 한다. 상대방의 스텝 하나하나가 손끝에서 느껴야 하며 그다음 피겨를 읽히지 말아야 파트너가 스릴을 느낄 수 있다. 정확한 리드로 모든 동작이 흐트러짐이 없어야 상대 파트너가 가슴이 떨리게 하는 댄스를 구사할 수 있어야 전정한 고수라고 할 수 있다. 또한, 상대 수준에 알맞게 맞춰 리드 할 수 있어야 한다. 남들이 흉내도 배울 수도 없는 그런 고난도의 피겨도 너무 쉽게 구사할 수도 있어야 한다. 무엇보다 지르박 기본스텝이라도 고수가 구사하면 맛이(느낌, 리듬) 틀리며 같은 스텝이라도 하수냐 고수냐에 따라 맛이 틀리다.

댄스 음악 듣는 법

리듬은 기본적으로 음악의 패턴이나 박자를 이해하고 몸으로 그것을 표현하는 것입니다. 음악의 비트를 청각적으로 인식하고 그것을 몸으로 따라 움직이는 것이 리듬을 느끼는 것입니다. 실제로, 리듬을 찾는 것은 귀와 몸을 조화시키는 과정입니다. 춤을 추거나 음악을 들으며 비트에 맞춰 몸을 움직이는 연습을 통해 리듬을 더 잘 느낄 수 있습니다.

리듬을 향상시키기 위한 몇 가지 방법이 있습니다. 우선 음악을 듣고 비트를 청각적으로 인식하는 것이 중요합니다. 춤을 추면서 음악의 비트에 맞춰 발을 움직이거나 몸을 흔들어보는 것도 좋은 방법입니다. 여러 장르의 음악을 들으면서 다양한 비트와 리듬을 익히는 것도 도움이 됩니다. 리듬을 찾는 것은 시간과 연습이 필요한 과정입니다. 처음에는 어려움을 겪을 수 있지만, 꾸준한 연습을 통해 점차적으로 느낄 수 있는 능력입니다. 춤이나 음악을 통해 몸이 음악에 맞춰 자연스럽게 움직이며 리듬을 느끼고 향상시킬 수 있을 것입니다.

리듬은 우리가 태어나서부터 경험하는 일상의 일부분입니다. 우리는 어린 시절에 엄마의 심장박동 소리를 듣고 자랐습니다. 시계의 똑딱거리는 소리, 자연의 소리, 사람들의 이야기, 거리의 소음 등 다양한 소리와 박자를 접했죠. 이런 경험들이 우리가 리듬을 느끼는 데에 큰 영향을 받았습니다.

음악도 마찬가지입니다. 다양한 악기와 음악적 요소들이 얽혀서 우리 귀에 전달됩니다. 멜로디, 비트, 악기 소리 등이 모여 우리는 음악을 듣게 됩니다. 이 소리들 사이에서 우리는 음악적인 리듬을 찾아내고 그것에 귀 기울이게 됩니다. 음악은 우리가 일상에서 느끼는 다양한 리듬과 연결되어 우리 안의 감정을 일으키기도 합니다. 때로는 우리의 기분이 음악의 리듬에 따라 변화하기도 하죠.

이런 측면에서 음악은 우리 삶의 일부분으로 자리 잡았고 우리가 경험하는 일상의 리듬과 음악의 리듬은 서로 연결되어 있으며, 그것이 우리가 음악을 통해 공감하고 감정을 나타내는 한 가지 방법이기도 합니다.

음악의 비트를 잡는 능력은 음악의 템포를 이해하고 그에 맞춰 움직이는 것을 배우는 데 중요합니다. 댄스 할 때도 이것이 중요한데요, 특히 파트너 댄스에서는 서로가 음악의 흐름에 따라 동작을 함께 맞추기 때문입니다. 이것은 레슨과 연습을 통해 배울 수 있는 중요한 스킬입니다. 춤의 타이밍은 파트너와의 호흡과 조화를 이루기 위한 필수적인 부분이죠.

지르박 음악 듣기

　지르박 음악의 4/4 박자와 그 특유의 쿵·짝 쿵·짝 리듬은 귀에 쉽게 들어옵니다. 다른 댄스 음악과는 달리 지르박 음악은 그 쉽게 들어오는 면이 많은 사람들에게 접근하기 쉽다는 장점이 있죠. 또한, 룸바나 왈츠 같은 음악은 듣기에 좀 어려운 측면이 있기도 하죠. 그러나 지르박 음악은 그 간단한 4/4 박자와 리듬으로 누구나 쉽게 춤을 즐길 수 있는 특징을 지니고 있습니다. 이것이 지르박의 매력 중 하나인 것 같네요! 각각의 댄스 음악은 그 특유의 리듬과 감성을 가지고 있기에 듣고 연습하며 적응하는 데에는 시간과 노력이 필요한 경우도 있답니다. 하지만 지르박처럼 간단하고 이해하기 쉬운 음악은 많은 사람들이 누리기에 좋은 기회가 될 수 있죠!

　음악은 춤을 익히는 데 매우 중요한 부분이죠. 댄스 스타일마다 음악에 맞춰 움직이는 것은 그 춤의 특징과 스타일을 잘 드러낼 수 있는 포인트 중 하나입니다. 특히 지르박 같은 댄스에서는 음악에 맞는 움직임을 익히는 것이 매우 중요하답니다. 이론적으로 배우는 것도 중요하지만, 직접 음악을 듣고 그 음악에 따라 움직이면서 익숙해지는 것이 실전에 더 도움이 될 수 있습니다. 그래서 자주 음악을 듣고 반복적인 연습을 통해 익숙해지는 것이 중요한 거죠. 그렇게 되면 타악기의 소리나 특정 리듬이 익숙해지고, 움직임이 더 자연스러워지게 될 거예요. 이러한 방식으로 연습하면 춤을 즐기는 과정이 더 즐겁고 효과적일 수 있습니다.

　답은 하나, "무조건 많이 듣는 것", "무조건 음악에 맞춰 기본 베이식 연습을 할 것" 이것이야말로 해답 중의 해답입니다.

댄스와 음악의 궁합

　댄스와 음악은 매우 밀접한 관계를 맺고 있고 댄스는 음악을 기반으로 움직임을 만들어 내는 예술이며, 음악은 댄스를 위한 리듬과 비트를 제공합니다. 또한, 댄스와 음악은 서로의 능력을 살리고 발전시킬 수 있는 관계입니다.

　댄스와 음악이 서로 어우러지면서 만들어지는 것은 에너지와 감정입니다. 스텝을 음악에 맞춰 몸을 움직이면서 에너지가 발산되며, 이를 통해 스트레스를 해소하고 긍정적인 기분을 느끼게 됩니다. 또한, 음악은 댄스를 위한 리듬과 비트를 제공하여 감정적인 면도 강조하고 음악의 멜로디, 가사, 비트 등이 댄스와 결합하면서 음악의 감정이 더욱 강조되며 댄서의 감정과 연결되어 더욱 진한 감동을 주기도 하며 서로 영감을 주고받는 관계로 댄스가 음악을 기반으로 하면서, 음악도 댄스를 위해 작곡되기도 합니다. 댄스와 음악이 함께하면서 새로운 창작물을 만들어 내는 것도 가능합니다.

　오행 식이요법, 마리아주(Marriage)처럼 사람과 사람과의 궁합도 중요하듯 음악과 댄스와의 궁합도 매우 중요합니다. 미사 음악이 나오면 기도하고 자이브 음악이 나오면 자이브를 추고, 왈츠 음악이

나오면 왈츠를 춰야 제-맛이고 맛깔나게 춤사위로 표현할 수 있고, 지르박 또한 마찬가지입니다.

"음악은 영혼의 분출이다."

음악의 기본 3요소

음악과 춤 사이의 연결은 정말 놀라울 정도로 깊습니다. 음악 없이 춤을 추는 것이 가능하긴 하지만, 음악은 춤의 본질과 정체성을 형성하는 데 중요한 영향을 끼칩니다. 춤을 추는 과정에서 음악은 이끌어주는 힘으로 작용하며, 춤의 리듬과 감정을 이끌어내기도 합니다. 음악은 춤을 출 때 기본적인 리듬과 타이밍을 제시 해주는 것뿐만 아니라, 춤사위의 감정과 느낌을 전달하는데도 큰 역할을 합니다. 음악의 분위기나 감정이 춤의 움직임과 조화를 이루면, 그 춤은 더욱 세련되고 감동적으로 표현될 수 있습니다.

댄스 고수들은 음악을 마치 연주하는 악기처럼 다룹니다. 음악의 리듬과 멜로디, 감정을 자신의 몸과 움직임으로 전달하고 음악과 조화를 이루기 위해 노력합니다. 음악을 타고 춤을 출 때, 그들은 음악의 감정과 흐름을 느끼며 그것을 자신의 움직임으로 표현하는 것이죠. 이렇게 음악을 춤과 함께 즐기고, 음악에 대한 이해와 감성을 춤에 담아내는 것이 춤의 퀄리티를 높여주며, 보다 감동적이고 표현력 있는 춤사위를 만들어냅니다. 따라서 음악과 춤은 단순히 동반자가 아닌, 서로를 이끄는 동반자처럼 서로를 끌어 올리고 풍부한 경험을 선사하는 요소로서 함께 어우러져야 한다고 생각해요.

리듬

리듬은 음악의 핵심 중 하나로, 음악에서 반복되는 강약이나 패턴을 말해요. 이는 음악의 흐름을 형성하고, 우리가 느끼는 음악적인 움직임과 감정을 결정짓는 중요한 요소 중 하나입니다. 리듬은 규칙적인 패턴으로 반복되며, 우리는 이 패턴을 인식하고 그에 맞춰 움직이곤 해요. 지르박이나 왈츠의 리듬 역시, 쿵·짝 쿵·짝, 쿵 짝짝과 같은 소리로 표현되며, 이러한 리듬이 음악의 주요 특징 중 하나입니다. 리듬은 우리가 음악을 들을 때 그 안에서 반복되는 요소로, 이 반복은 우리의 청각을 자극하고 우리가 음악에 몸을 맞추거나 춤을 출 때 우리를 이끌어주곤 해요. 또한, 리듬은 음악의 흐름을 예측하게 해주고, 음악을 더욱 유기적이고 흥미롭게 만들어 줍니다. 그리고 감정을 전달하고 표현하는 데 중요한 역할을 합니다. 이러한 리듬의 특징을 잘 이해하고 인식한다면, 음악을 더욱 깊이 있게 즐기고 이해할 수 있을 거예요.

템포

템포는 음악에서 빠르기를 나타내는 것이죠. 이는 곡이 연주되거나 노래 부를 때의 속도나 박자를 의미합니다. 노래나 악곡을 연주하는 속도가 빠를수록 높은 템포를 가지게 되고, 느린 속도일수록 낮은 템포를 갖게 됩니다. 템포는 음악의 움직임과 분위기에 큰 영향을 미치는데, 빠르고 활기찬 곡은 높은 템포를 가지며, 느린 곡은 낮은 템포를 가지곤 해요. 이 템포 변화는 우리가 노래에 감정을 느끼고 음악에 맞춰 움직이는 데에도 영향을 미칩니다. 템포가 빠를수록 활기차고 흥겹게 느껴지는 반면, 느린 템포는 우아하고 조용한 느낌을 줄 수 있죠.

타임

타임은 음악적인 구조에서 중요한 부분 중 하나입니다. 이 용어는 음악의 구성과 박자 패턴을 이해하는 데 큰 역할을 합니다. 일반적으로 음악은 소절이나 구절 단위로 나뉘며, 각 구절은 특정한 수의 박자로 구성됩니다. 타임은 이러한 박자의 수를 나타내며, 그것이 한 소절의 길이나 박자 수를 가리킵니다. 가장 흔한 타임은 4/4 타임입니다. 이것은 한 소절이 4개의 박자로 이루어져 있음을 의미합니다. 4/4는 가장 보편적이며, 많은 음악 장르에서 사용됩니다. 또한, 3/4 타임, 6/8 타임 등도 있으며, 각각의 타임은 고유한 박자 패턴과 음악적 느낌을 제공합니다.

타임은 음악을 이해하고 연주하는 데 있어서 매우 중요합니다. 음악가들은 음악 시트를 통해 어떤 타임으로 음악이 구성되어 있는지 파악하고, 그에 맞춰 연주하게 됩니다. 이것은 음악을 더 자연스럽게 흘러가게 하고, 리듬을 제대로 이해하게 해줍니다. 또한, 춤추는 데에도 중요한 개념입니다. 춤을 출 때 음악의 타임에 맞춰 움직이는 것이 중요하며, 음악의 박자에 맞춰 리듬을 타는 것이 춤의 자연스러움과 아름다움을 만들어냅니다. 그렇기에 음악의 타임을 이해하고 박자에 맞춰 음악을 연주하거나 춤추는 것은 음악적인 경험을 더욱 풍부하고 재미있게 만들어줍니다.

파트너에 대한 댄스 에티켓, 무성의

무성의는 춤이나 행동에서 파트너에게 불쾌함을 주거나 신체적인 통증을 유발할 수 있는 행동을 의미합니다. 이는 춤이나 특정한 상황에서 타인을 해치거나 불편하게 만드는 행동이며, 적절하지 않거나 예의에 어긋나는 행동일 수 있습니다.

하나의 손가락을 잡고 돌리거나 팔목을 잡는 것은 파트너의 신체 부분을 강제로 조작하거나 통제하는 행위로, 상대에게 불편함을 주거나 신체적인 불편함을 유발할 수 있습니다. 이는 상대의 의사를 무시하고 강제로 행동하는 것으로 해석될 수 있습니다.

손을 꼬이게 하거나 아프게 하는 것, 끌어안고 치는 것, 어깨를 휘청이도록 당기는 것은 파트너에게 신체적인 통증을 유발할 수 있는 행동입니다. 이는 춤에서의 경험이나 파트너와의 상호작용에서 예의를 차리지 않고 상대를 해치려는 의도가 드러나는 것으로 인식될 수 있습니다. 무성의는 댄스에서 상대방의 편안함과 안전을 고려하지 않는 행동입니다. 춤에서의 무성의는 상대에게 신체적, 정신적으로 스트레스를 줄 수 있으며, 적절하지 않은 행동으로 여겨집니다. 춤은 상호 존중과 협력을 기반으로 하여 서로의 경험과 즐거움을 공유하는 것이 중요하며, 무성의는 그 가치를 훼손시킬 수 있는 행동으로 여겨집니다.

남성 지르박 댄스 연습

춤 연습은 몸과 마음을 조화롭게 연결하고, 몸의 표현력을 발전시키는 과정으로 시작됩니다. 거울 앞에서의 자세 관찰은 춤을 시작하는 첫걸음 중 하나입니다. 몸을 일그러지지 않게 모아서 양발을 모으고 가슴을 펴고, 머리와 턱의 자세를 조절하여 몸을 세워야 합니다. 호흡은 몸을 펴주는 역할을 하는데, 깊게 들이마시고 호흡을 유지하면서 움직임을 계속해서 유지합니다. 체중의 이동은 춤에서 핵심적인 부분입니다. 발의 볼 부분으로 체중을 옮기면서 힐을 들고 무릎을 굽히며 스텝을 교대로 이동합니다. 이 속도는 개인의 템포에 맞춰 조절되어야 합니다. 눈높이를 유지하면서 시선은 몸통과 팔의 움직임에 집중합니다. 안정된 상체와 팔 움직임은 춤을 완성하는 핵심입니다. 팔과 어깨의 움직임을 최소화하여 몸통을 안정화하는 것이 중요합니다. 이동 중 발의 각 부분과 몸의 움직임에 집중합니다.

워밍업은 춤 연습의 핵심 부분입니다. 몸을 풀고 기본 스텝을 숙달하는 것이 춤 연습의 기반이 됩니다. 몸이 따뜻해지면 다양한 움직임을 가능하게 하며, 시간을 가지고 스텝을 반복하여 개인의 몸과 호흡에 맞는 움직임을 찾습니다. 춤은 몸과 마음이 결합하는 예술입니다. 움직임과 호흡을 통해 새로운 흐름과 의미를 탐구하는 과정이 춤 연습의 일부입니다. 자신만의 표현을 발견하고 발전시키는 과정을 통해 춤의 새로운 차원을 탐구할 수 있습니다.

리듬에 몸을 맞추는 연습

지르박 음악의 리듬에 몸을 맞추는 연습은 댄스 스텝을 더욱 자연스럽게 익히고 표현력을 높이는 데 큰 도움이 됩니다. 기본 스텝을 적절한 음악과 함께 익히는 것은 훌륭한 춤사위의 출발입니다.

의자에 앉아서 음악에 맞춰 기본 스텝을 연습하는 것은 무게 이동과 리듬감을 키우는 데 유용합니다. 의자에 앉아서도 몸을 움직이며 음악의 박자에 맞춰 쿵·짝과 같은 리듬을 느낄 수 있습니다. 스텝을 기억하고 몸을 움직이는 패턴을 머릿속으로 구상하는 데 도움이 될 겁니다. 그 후, 일어나서 음악과 함께 스텝을 찍어보는 것이 중요합니다. 음악에 맞춰서 자연스럽게 스텝을 따라갈 수 있도록 익숙해지면, 자세한 동작들을 추가하거나 더 다양한 패턴을 시도할 수 있게 될 겁니다. 초보자라면 먼저 기본스텝을 확실히 익히고, 그 다음에는 음악의 다른 부분에 맞춰 실전적인 스텝을 시도하는 것이 좋습니다. 차츰 난이도를 높이면서 음악과의 조화를 이루며 춤을 출 수 있도록 연습해보세요. 꾸준한 연습과 음악에 대한 민감성을 기르면, 춤추는 재미와 음악을 즐길 수 있는 특별한 경험을 할 수 있을 거예요.

지르박 기본스텝 연습량

"기본이 탄탄해야 다재다능한 기술들을 사용한다."

"기본스텝 연습의 중요성은 아무리 강조해도 지나침이 없다."

"만 가지 킥을 할 수 있는 사람보다 한 가지 킥을 만 번 했던 사람이 더 무섭다."

지르박은 중장년층에 인기 있는 댄스 종목 중 하나이며 우리 대한민국 댄스 학원 중에서도 큰 비중을 차지합니다. 그만큼 지르박은 대한민국에서 오랫동안 살아남을 것이고 많은 사람이 지르박을 즐길 것입니다. "일제 강점기 일본 놈들은 쫓아냈는데 잡풀은 쫓아낼 수가 없다." 지르박은 이제 대한민국에서 잡풀과 같은 존재입니다.

"독서당(獨書堂) 개가 맹자 왈 한다. : 아무리 어리석은 사람이라도 늘 보고 들은 일은 능히 할 수 있게 된다는 말

"독서 백편 의자통 : 글을 백번 되풀이하여 읽으면 뜻이 저절로 통한다는 말

지르박을 잘 추고 싶다면 첫째도 연습이요 둘째도 연습입니다.

누구나 시간 투자 돈 투자를 해서 무엇을 배우든 잘한다는 칭찬을 받고 싶을 것이고 자신 또한 남들보다 잘하고 싶을 것입니다. 타고난 끼와 재능도 있으면 좋겠지만 무엇보다 연습량이 중요합니다.

매일 20~30분이라도 한결같이 부지런하고 끈기 있게 연습을 한다면 어느 순간에 실력은 올라가 있을 것이며 실전 경험 및 개인 연습량이 많으면 많을수록 실력은 더 빨리 올라갈 것입니다.

필자가 처음 댄스에 입문했을 때 원장님 왈 "한 가지 피겨를 만 번 이상해야 완전히 내 것이 된다고 했으며, 1000명 이상 여성과 춤을 춰봐야 나만의 춤사위가 만들어진다고 하셨습니다."

고수가 되고 싶다면 시간 투자 돈 투자는 필수이다.

지르박 루틴 연습량

필자는 일반인들, 교수, 검사, 의사 등 수많은 대한민국의 엘리트들이 댄스를 배우고 중간에 포기하는 분들을 많이 보았다. 뛰어난 능력이 있거나 사회 또는 사회단체에서 지도적 입장에 있는, 소수의 빼어난 사람이라도 댄스를 우습게 볼만한 것은 아니라는 것이다.

골프는 80% 멘탈(정신) 10%(실력) 10%(운), 댄스는 연습량이 95% 이상이라고 말할 수 있다. 우리 인간들은 기억력이 20분 후 70%가 사라진다고 한다. 무조건 레슨 후 복습 또 복습해야 한다. 생선가게에서 일하면 자연스럽게 생선 냄새가 몸에 배듯이 다른 생각을 하면서도 스텝이 저절로 나올 때까지 연습해야 한다. 스텝 하나하나가 자연스럽게 몸에 밸 때까지 연습해야 음악을 갖고 놀게 될 것이

며 여성을 자유자재로 리드 할 수 있을 것이다.

사슴은 신선이 타고 다니는 영물로 천년을 살면 청록이 되고 다시 백 년이 지나면 백록이 되며 다시 오백 년이 지나면 비로소 현록이 된다고 한다. 단시간에 고수가 되기 위해서는 연습과 실전 경험 뿐이다.

파트너와 춤추는 방법

"나의 길은 나의 길로 갈 테니, 너의 길은 너의 길로 가라"라는 시베리아 속담이 있다.

이 속담처럼 사교댄스든 왈츠든 어떤 커플 댄스든지 여성이 가야 할 길이 있고 남성이 가야 하는 길이 있다. 초보 남성들이 늘 하는 실수는 여성의 가야 할 길을 막는다는 것이다. 남성은 여성이 가야 할 길을 방해를 하지 말아야 할 것이면 여성 또한 마찬가지이다. 남성은 자신의 길을 완전하게 습득하는 것도 좋지만 여성의 스텝도 어느 정도 배워두면 도움이 될 것이다. 어느 정도 현장 경험도 필요하지만, 융통성 있게 스텝을 밟아야 한다. 무조건 학원에서 배운 회전량, 루틴 순서만을 고집한다면 이 또한 상대에게 불편함을 느낄 것이다.

춤을 추다 다음 스텝이 생각이 안 나거나 스텝이 엉켰을 때

남성의 경우 가끔 춤을 추다 보면 후행 스텝이 생각이 안 나는 경우가 있다. 이때 너무 긴장할 필요도 없이 기본스텝, 즉 쉬운 스텝을 하면 된다. 초급 정도의 루틴(피겨) 2~3개 정도 하면서 생각할 수 있는 시간을 버는 것이다. 일반적으로 초급은 중급, 상급 루틴(피겨)보다 더 많이 접했기 때문에 생각이 날 확률이 높다.

춤을 추다 보면 파트너가 스텝이 엉킬 때가 있다. 어떤 남성은 그 자리에서 여성을 가르치려고 하는데 여성에 대한 비-매너로 절대 해서는 안 되는 행동 중 하나이다. 필자의 경우, 씩 한번 웃거나 아님 "다시 한번 해볼게요."라고 말을 한다. 최악의 경우 진행하던 스텝을 멈추고 다시 처음부터 춤을 추는 경우도 있다.

10~20년 된 파트너들도 춤을 추다 틀리는 경우도 많이 있는데, 파트너도 아니고 처음 아니면 몇 번 본 사람과 완벽하게 춤을 춘다는 건 있을 수 없다.

루틴 순서로만 춤추는 경우와 루틴 순서 없이 춤을 추는 경우

루틴 순서대로만 춤을 추면 하수, 짜인 순서 없이 자유자재로 춤을 추면 중수, 애드리브 스텝까지 사용하면서 자유자재로 춤을 추면 고수, 스텝을 다시 재조합해서 새로운 피겨를 만들어 춤을 추면 최고수다. 루틴 순서 없이 자유자재로 춤을 추기 위해서는 남성은 피나는 노력과 실전 경험이 풍부해야 가능하다. 남성은 어느 정도 루틴 순서를 몸에 익혔다면 학원이나 집에서 순서 없이 춤을 춰 보는 것이다. 처음에는 스텝 생각도 안 나고 스텝도 엉켜 멈추는 경우가 허다할 것이다. 루틴 순서 없이 춤을 추는 요령은 간단하다. 예를 들면 루틴 20번→초급 스텝(2~3개)→29번→초급 스텝(2~3개)→49번…이로 중간-중간에 아주 쉬운 초급 스텝이나 자신 있는 스텝을 끼워 춤을 추면서 어떤 스텝을 사용할지 시간을 버는 것이다. 어느 순간 숙달이 되면 자연스럽게 초급 스텝을 사용하는 횟수는 줄어들 것이다.

학원 선택, 선생님 선택

영화 바람의 전설을 보면 배우 이성재가 조선팔도를 찾아다니면서 댄스를 배운다. 첫 번째 자이브 스승은 지병(持病)으로 죽고, 왈츠 선생은 바닷가에 몸을 던져 자살하고, 퀵스텝 선생은 농부, 차차차는 탄광, 파소도블레 스승은 스님, 탱고 스승은 건설노동자였다. 영화의 내용을 보면 춤 세계의 현실을 보여주는 듯 씁쓸함을 느낀다.

요리사도 주-요리(主料理) 종목이 있듯이 댄스 선생님들도 주-종목이 있다. 라틴 프로선수라고 해서 모던, 사교댄스도 프로급은 아니다. 영화 바람의 전설처럼 종목별 전문 선생님에게 레슨 받는 것이 탁월한 선택이라 생각이 된다.

지르박 댄스 레슨 및 연습 시간

오전 7시~9시: 하루를 맞이하는 시간, 누군가는 열정과 희망을 가슴에 품으며 하루를 시작하지만, 누군가는 심장질환과 뇌-내출혈로 고통을 받는다. 또한, 자살 및 대부분의 죽음도 이 시간에 발생한다. 이 시간 때는 최악의 시간으로 차분하게 하루를 준비하는 명상으로 시작하면 좋을 것이다. 레슨 및 연습은 잠시 다른 시간 때에…

오전 9-11시: 9시부터 인체는 통증에 제일 무디어지고 근심 걱정의 수치도 하루 중 제일 많이 낮아진다고 한다. 또한, 뇌의 활동이 높아 민첩함과 예리함도 최고로 이르게 된다. 암기력 또한 다른 시간 때 보다 15%나 더 효율적이므로 이 시간 때에 레슨을 받거나 연습하면 좋다.

정오 12시: 누구든 배고픈 상태에서 일하거나 레슨을 받으면 짜증이 날 것이다.

오후 1~2시: 인체의 컨디션이 다운되는 시간으로 레슨 받는 시간으로 적합하지 않다.

오후 3~4시: 인체 컨디션이 최상의 시간, 운동선수들이 최고로 선호하는 시간으로 레슨 및 연습하기 좋은 시간 때이다.

오후 5시: 혈압 수치가 하루 중 제일 높은 시간 때이다. 그만큼 나도 모르게 짜증이 많이 나는 시간 때에 레슨을 받는다는 것은 댄스 샘과 마찰이 생길 수 있는 시간 때이다.

오후 6시~7시: 이 시간 때에는 다이어트를 원하는 사람들이 레슨을 받으면 좋은 시간 때로 하루 중 먹고 싶은 욕구가 제일 강한 시간 때이기 때문이다.

오후 8시~11시: 인체는 청각 기능도 떨어지고 신진대사가 원활하지 않게 된다. 되도록 집에서 내일을 위해 휴식을 취하길 권한다.

지르박 스텝 족형도 보는 법

모던계 종목과는 달리 동일 장소에서 스텝을 밟기 때문에 스텝들이 겹치는 경우가 허다해 위치를 옮겨 그렸다. 스텝 하나하나 해설한 부분과 회전량, 방향이 차이가 있을 수 있으며 아예 다른 버전으로 족형도로 표현한 피겨(루틴)도 있다.

지르박 족형도 회전량

일반 초급자들이 최대한 빨리 습득할 수 있는 회전량으로 족형도를 제작했다.

처음 입문한 초보 학생들은 회전량이 크면 클수록 몸의 중심을 잃고 휘청거리는 경우가 많이 있다. 그래서 난 수강생들이 최대한 이해하기 쉽게 회전량을 조절해서 교습한다. 이런 식으로 교습을 하니 배우시는 분들이 이해도가 높아 빨리 받아들여 교습 진도가 빨라 좋아하시는 분들이 많다.

회전량을 FM대로 레슨해주는 교사도 있지만, 초보자가 최대한 단시간에 습득할 수 있게 회전량을 조절해서 교습해주는 교사도 있다. 회전량에 어느 정도 익숙해지면 회전량은 큰 의미가 없어지는 데 회전량은 남성의 리드에 따라 고무줄처럼 늘리고 줄일 수가 있다.

회전량 (Amount of Turn(어마운트 어브 턴))

피겨 스케이팅도 댄스처럼 회전이 많은 스포츠 종목 중 하나로 스핀 동작에 따라 스크래치 스핀, 레이백 스핀, 케치풋 레이백 스핀, 헤어커터 레이백 스핀, 비엘만 스핀 등이 있다. 발레는 회전 방식에 따라 구분하는데 제자리에서 회전하는 것을 삐루에뜨, 랑베르세, 푸에테 앙 투르낭이라 명칭하고 회전하면서 이동하는 것을 즈떼 앙 뚜르낭, 삐케 뚜르, 뚜르 셴네, 빠 드 부레 앙 뚜르앙으로 부르고 도약하면서 공중에서 회전하는 것을 투르 앙 레르라고 부른다. 댄스에서는 각 피겨(figure)의 회전량을 말하며, 회전량의 기준은 발의 위치로 계산되며, 360°를 8등분한 비율로써 표시된다. 회전량은 반드시 숫자로 표기하며 각도로는 표기하지 아니한다.

회전에 관한 용어

원어	회전량	각도
One Eight Turn (원 에잇 턴)	1/8회전	45도
Quarter Turn (쿼터 턴)	1/4회전	90도
Three Eight Turn (쓰리 에잇 턴)	3/8회전	135도
Half Turn (하프 턴)	1/2회전	180도
Five Eight Turn (파이브 에잇 턴)	5/8회전	225도
Three Quarter Turn (쓰리 쿼터 턴)	3/4회전	270도
even Eight Turn (세븐 에잇 턴)	7/8회전	315도
One Turn (원 턴)	1회전	360도
Right Turn	180° 우회전	
Rise Double Turn	540° 우회전	
Right Triple Turn	720° 우회전	
Straight Right Double Turn	직선으로 540도 우회전	
Left Turn	180° 좌회전	
Left Double Turn	540° 좌회전	
Left Triple Turn	720° 좌회전	
Straight Left Double Turn	직선으로 540도 좌회전	
1/32 회전	11.25도	
1/16회전	22.5도	

Amount of Turn-Right

1. 1/8턴(45°) 2. 1/4턴(90°) 3. 3/8턴(135°) 4. 1/2턴(180°) 5. 5/8턴(225°) 6. 3/4턴(270°) 7. 7/8턴(315°) 8. 360°

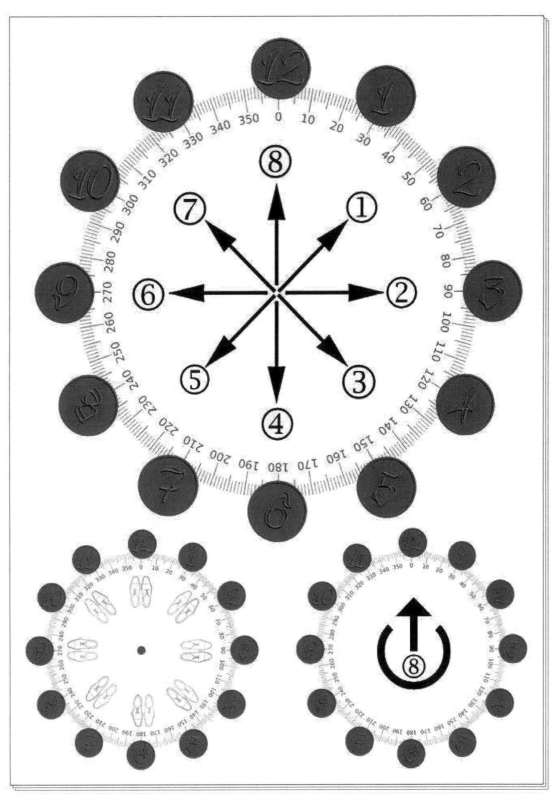

Amount of Turn-Left

1.7/8턴(315°) 2.3/4턴(270°) 3.5/8턴(225°) 4.1/2턴(180°) 5.3/8턴(135°) 6.1/4턴(90°)

7.1/8턴(45°) 8.360°

LOD(Line of dance)

플로어의 벽을 따라서 시계 반대 방향 교통 흐름을 나타내는 상상의 선이다.

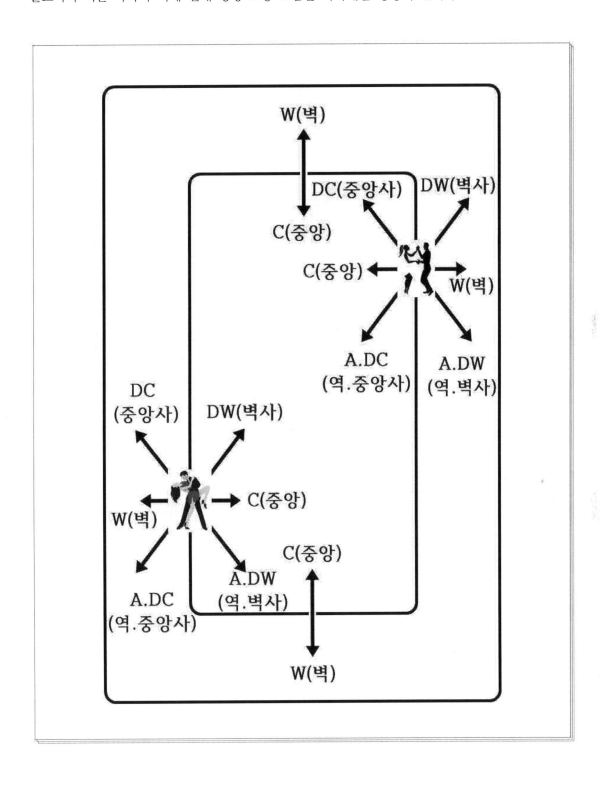

지르박 LOD

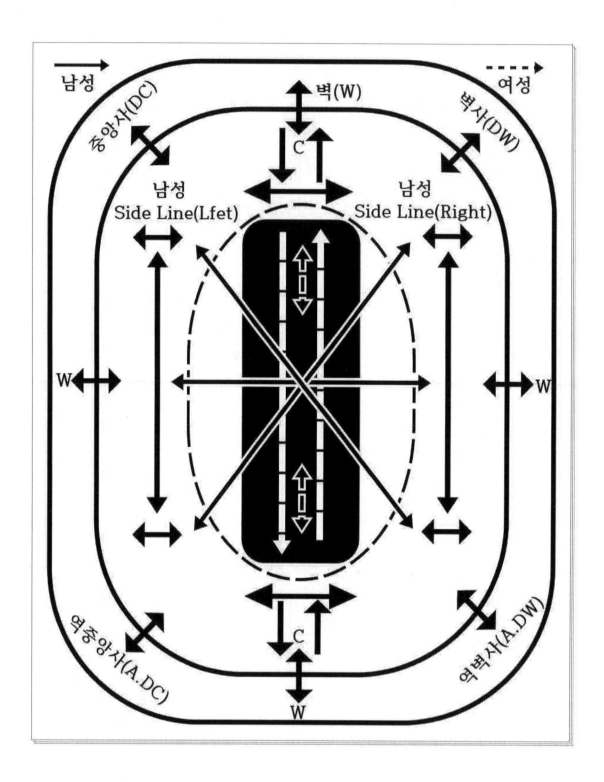

LOD (Spot Dances) 아닌 댄스 종목

Cha Cha, Rumba, Jive, Bolero, Swing, Mambo, Salsa, Merengue

LOD (Progressive Dances) 댄스 종목

Waltz, Tango, Viennese Waltz, Foxtrot, Quickstep, Samba, Paso Doble

얼라인먼트(alignment)

플로어(홀)에 대한 몸과 발의 위치

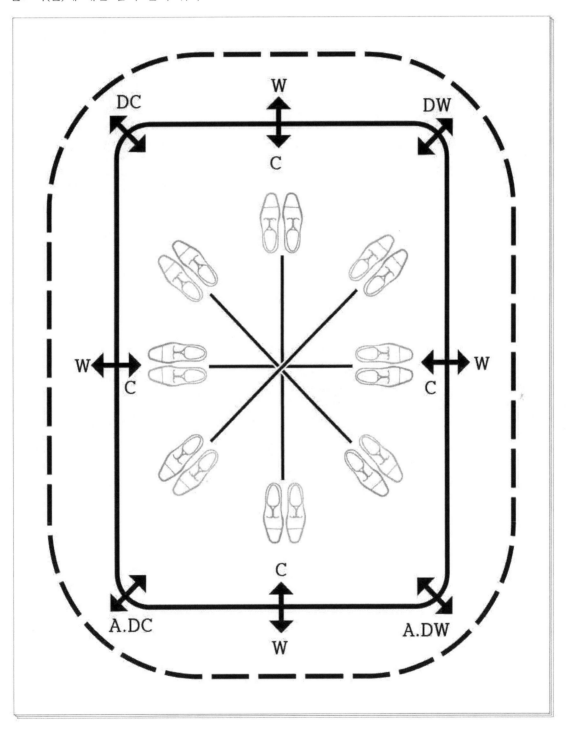

스텝(Step) 및 발에 대한 약자

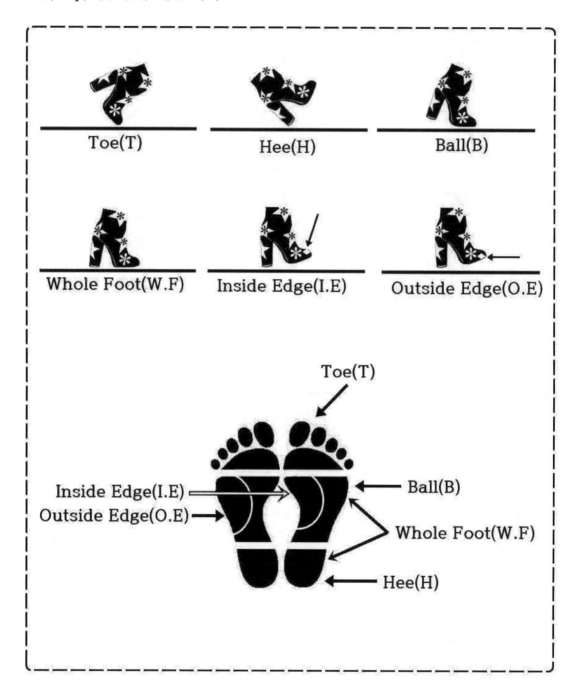

오른발	스텝 설명	왼발	스텝 설명
Right Foot(RF)	오른쪽 발	Left Foot(LF)	왼쪽 발
Right Ball(RB)	오른쪽 앞꿈치	Left Ball(LB)	왼쪽 앞꿈치
Right Hell(RH)	오른쪽 뒤꿈치	Left Hell(LH)	왼쪽 뒤꿈치
Right Toe(RT)	오른쪽 발가락	Left Toe(LT)	왼쪽 발가락
Right Flat	오른쪽 발바닥	Left Flat	왼쪽 발바닥
Right Inside	오른쪽 발바닥 안쪽	Left Inside Edge	왼쪽 발바닥 안쪽 옆면

원어	약자	한글	뜻(의미)
Edge	옆면		
Right Outside Edge	오른쪽 바깥쪽 가장자리	Left Outside Edge	왼쪽 바깥쪽 가장자리
Right Whole Foot	오른쪽 발바닥전체	Left Whole Foot	왼쪽 발바닥 전체

원어	약자	한글	뜻(의미)
Footwork	Fwk	풋워크	발의 놀림 (발을 쓰는 기술)
No Foot Rise	NFR	노 푸트 라이즈	Heel을 바닥에 붙인 채 상체와 발을 뻗어 일어서는 것
body rise		바디 라이즈	Heel을 바닥에 붙인 채 상체와 발을 뻗어 일어서는 것, No Foot Rise라고도 함
Contrary Body Movement Position	CBMP	콘트러리 바디 무브먼트 포지션	상체를 우회전이나 좌회전하지 않은 상태에서, 한쪽 Foot을 상체의 앞이나 뒤를 가로질러 step한 Position
Foot		풋	발
Toe	T	토우	발가락, 발가락 끝부분
Ball	B	볼	앞굽, 발 앞꿈치
Heel	H	힐	발뒤꿈치
Inside Edge	I.E	인사이드 엣지	발바닥의 안쪽 가장자리 부분
Inside Edge Of Toe	I/E of T	인사이드 엣지 오브 토우	발끝 안쪽 옆면
Outside Edge Of Toe	O/E of T	아웃사이드 엣지 오브 토우	발끝 바깥쪽 옆면
Flat	F	플랫	바닥에 발바닥 전체가 닿음
Ball Flat	BF	볼 플랫	발 앞굽이 바닥에 닿음
Heel Flat	HF	힐 플랫	발뒤꿈치가 바닥에 닿음
Whole Foot	WF	호울 풋	발바닥이(전체) 바닥에 닿음

방향에 관한 용어 및 약호

원어	약자	한글	의미(뜻)
Alignment		얼라이먼트	발이 가리키는 방향
Direction		디렉션	몸의 진행 방향
Line of Dance	LOD	라인 오브 댄스	왼쪽 방향, 즉 시계 반대 방향으로 춤의 진행 시키는 선
Against The LOD	ag.LOD	어게인스 더 엘오디	역 LOD

English	Abbr.	한글	의미
Against	ag	어게인스	등지고
Diagonally	Diag	다이어그널리	사선으로, 비스듬히
Diagonally To the Wall Against	A.DW	다이어그널리 투 더 월 어게인스	역 벽사
Diagonally to Center Against	A.DC	다이어그널리 투 센터 어게인스	역중앙사
Wall	W	월	벽
Center	C	센터	중앙
Diagonally to Center	D.C	다이어그널리 투 센터	중앙사
Diagonally to Wall	D.W	다이어그널리 월	벽사
Back	B	백	뒤로
Forward	Fwd	포워드	앞쪽으로
Backward	Bwd	백워드	뒤쪽으로
side		사이드	옆으로
Outside		아웃사이드	바깥쪽으로
Outside partner	Op	아웃사이드 파트너	파트너 바깥으로
Facing	F	페이싱	전방(전진)으로 움직이는 것
Backing	B	백킹	후방(후진)으로 움직이는 것
Pointing	P	포인팅	발과 몸이 다른 방향이 될 때
Left	L	레프트	왼쪽
Right	R	라이트	오른쪽
Natural	Nat	내츄럴	오른쪽으로
Reverse	Rev	리버스	왼쪽으로
Contra		콘트라	반대로
Zig Zag		지그재그	Z자 형태로
Place		플레이스	위치
Backing Against Center	BAC	백킹 어게인스 센터	역 중앙
Facing Against To Wall	FAW	페이싱 어게인스 투 월	역 벽사
Facing To Wall	FW	페이싱 투 월	벽면 방향
spot		스팟	점

지르박 기본스텝

남성

1. 삼각 스텝 & 반 삼각 스텝

2. 십자 스텝

3. 전진 스텝

4. 후진 스텝

5. 사이드 스텝

6. 전진 90° 턴

7. 제자리 전&후진 스텝

8. 제자리 360° 턴하는 방법 4가지

9. 180° 우회전

10. 180° 좌회전

11. 자리바꿈

12. 1.외곽 돌기 2.던지기 3.4+4박 8박 4.안고 돌기

여성

1. 1번~4번 전 후진 스텝 2.A.B 역회전 스텝 3.가.나 스위블

4. 오른쪽 180° 턴(1~3번 6박, 4~5번 4박, 6번 2박)

5. 왼쪽 180° 턴

(1~5번 6박, 6번 6박 발죽임, 7번 6박 애드립, 8번 4박)

6. 1번~3번 전진 6박, A, B, C 후진 6박

7. 540° 턴 4가지 방법

8.1-2번 360° 턴 2가지 방법 9. A.안고 돌기(홀딩)

기본 패턴 및 리드

1. 전·후진 스텝

2. 사이드 스텝

3. 제자리 여성 360° 회전(턴) 12가지 리드법

4. 후진 6박 12가지 피겨(스텝)

5. 스위블 13가지

남성

1. 삼각 스텝 & 반 삼각 스텝

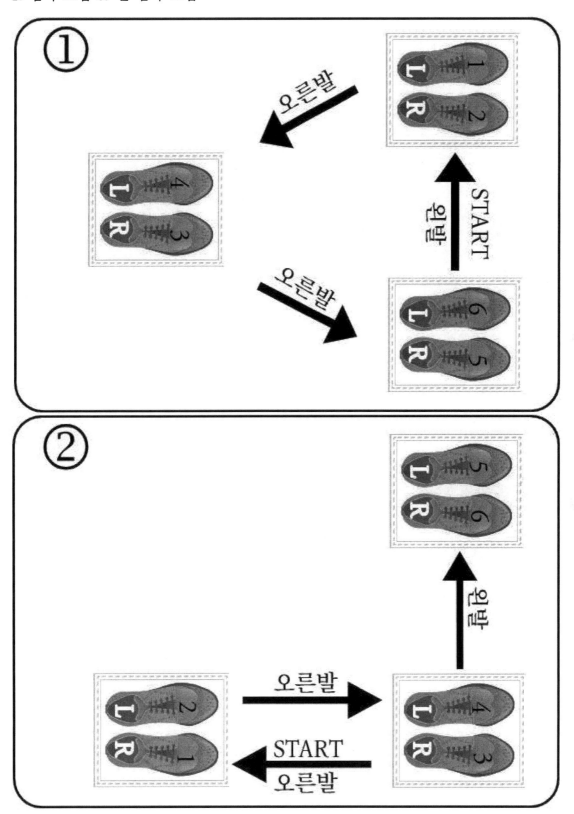

2. 십자 스텝

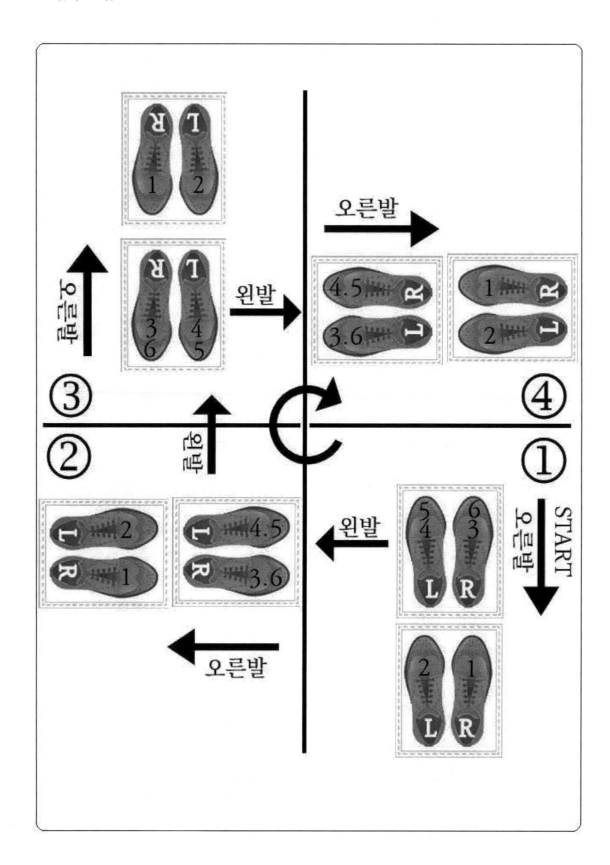

3. 전진 스텝

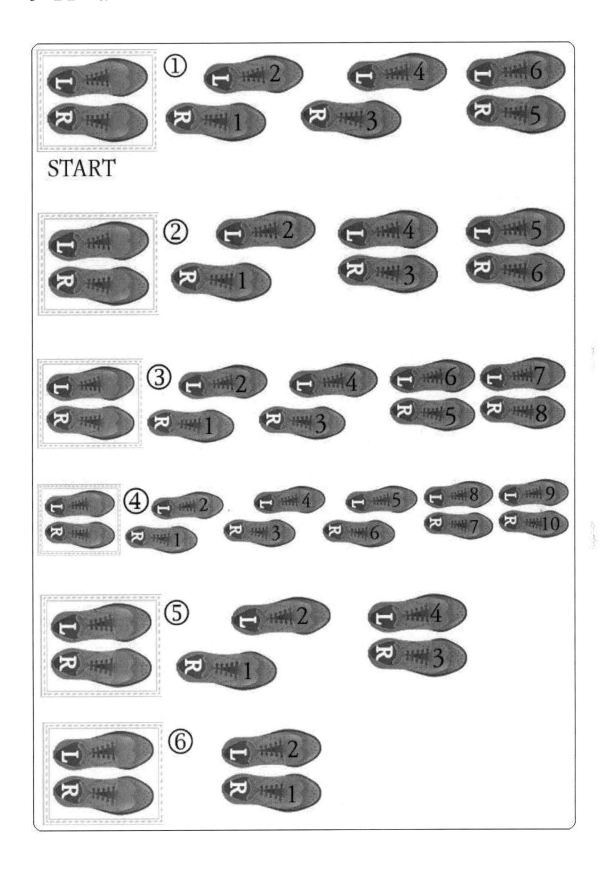

4. 후진 스텝

후진4박의 경우 8번과 같이 스텝을 행하는 경우는 드물다.(FM:오.왼.오.왼)

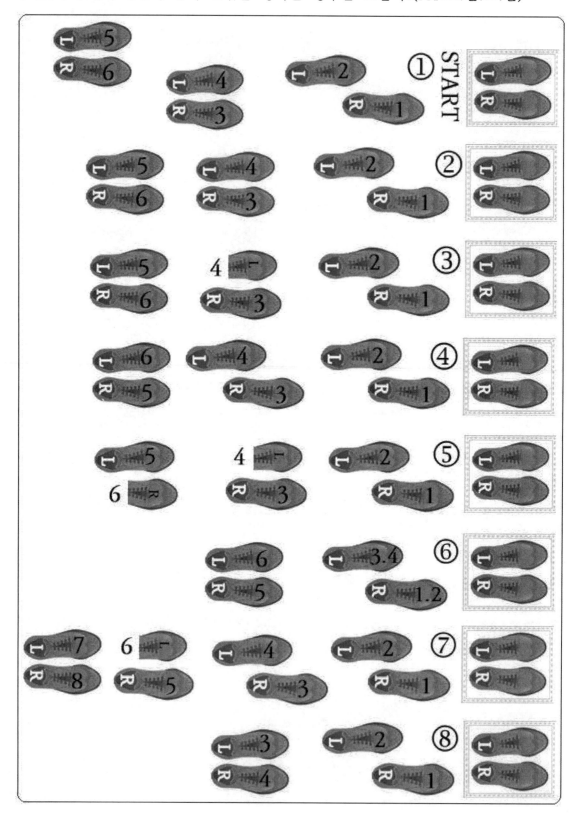

5. 사이드 스텝

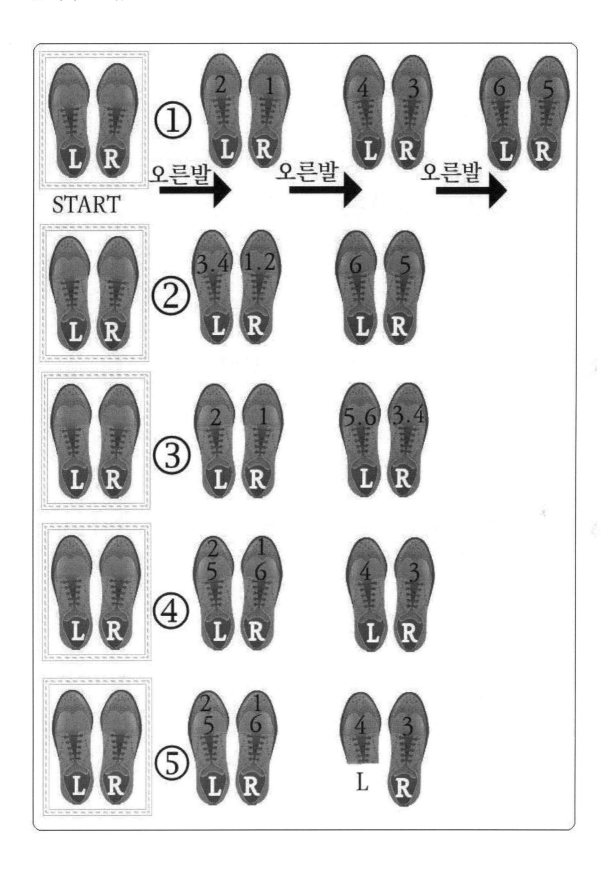

6. 전진 90° 턴

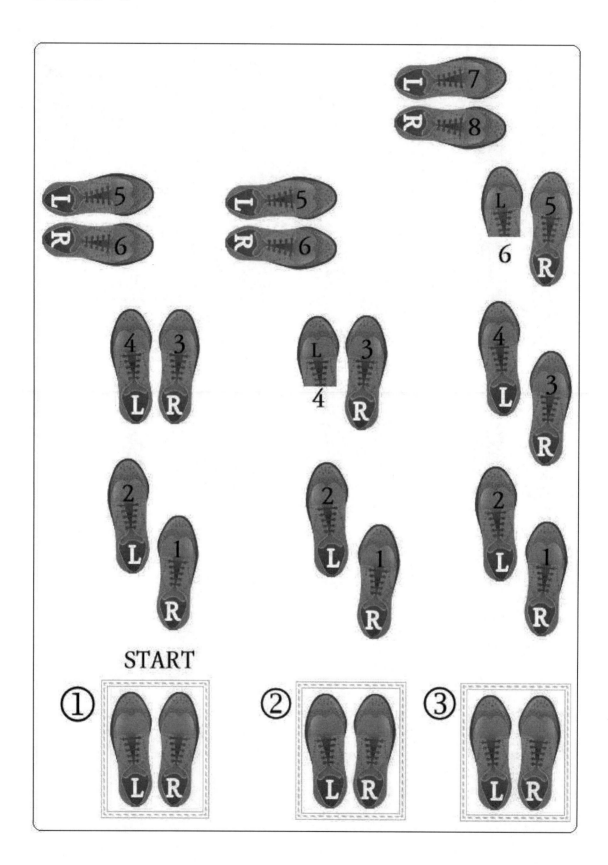

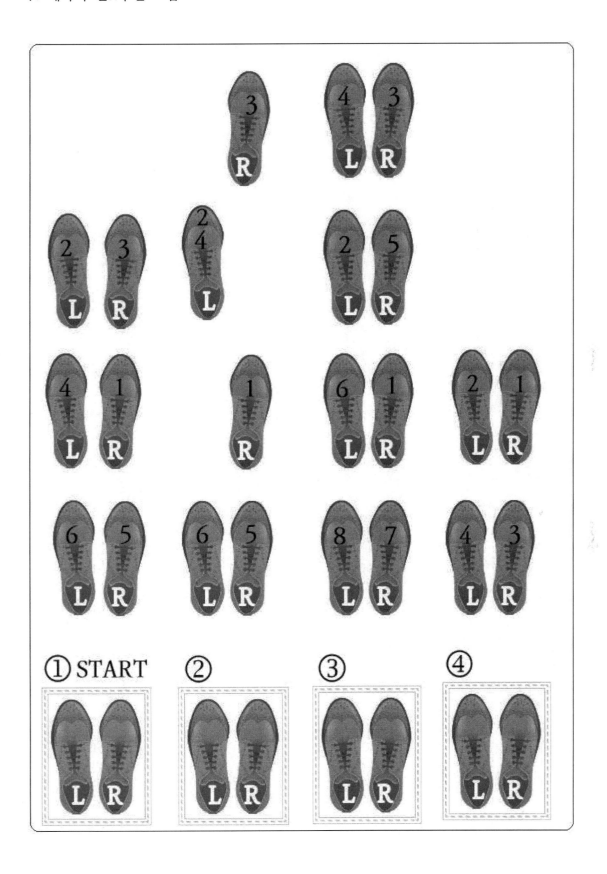

8. 제자리 360° 턴하는 방법 4가지

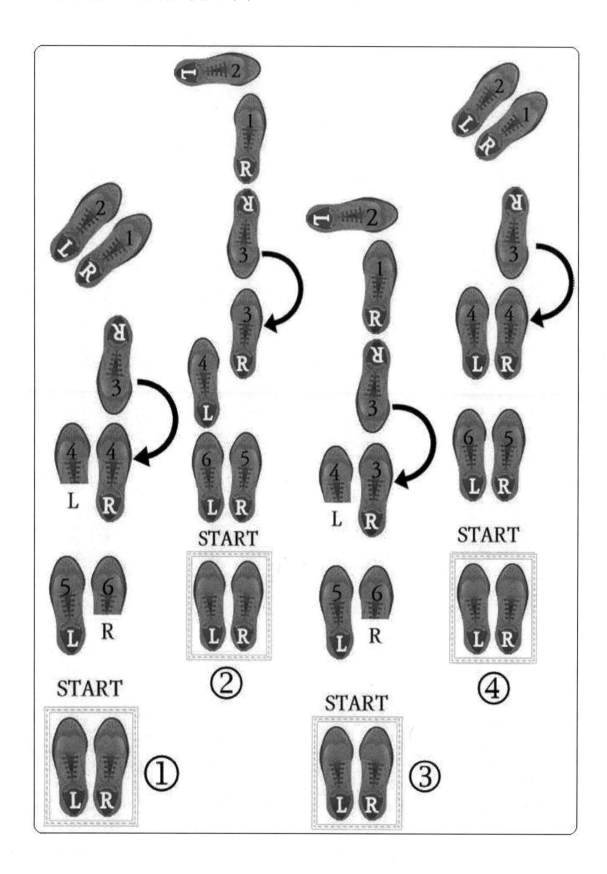

9. 180° 우회전

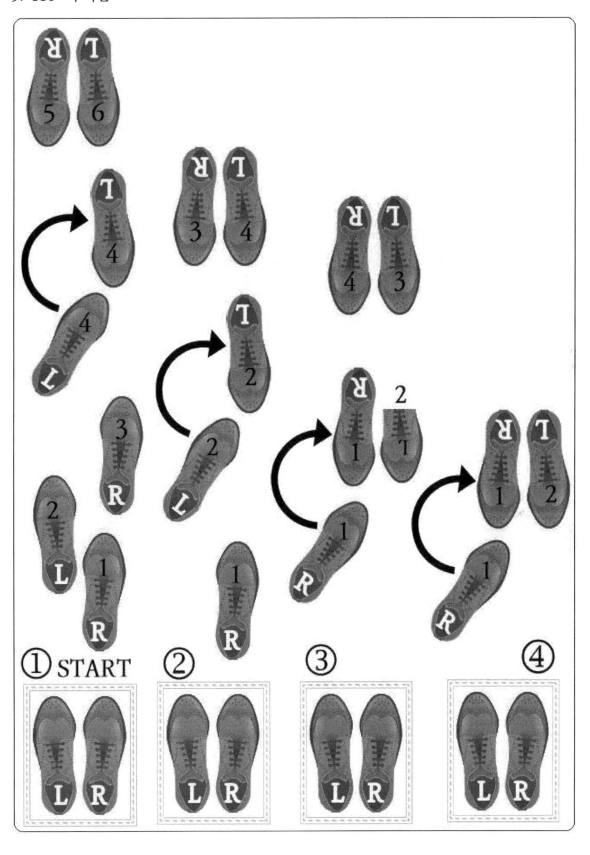

10. 180° 좌회전

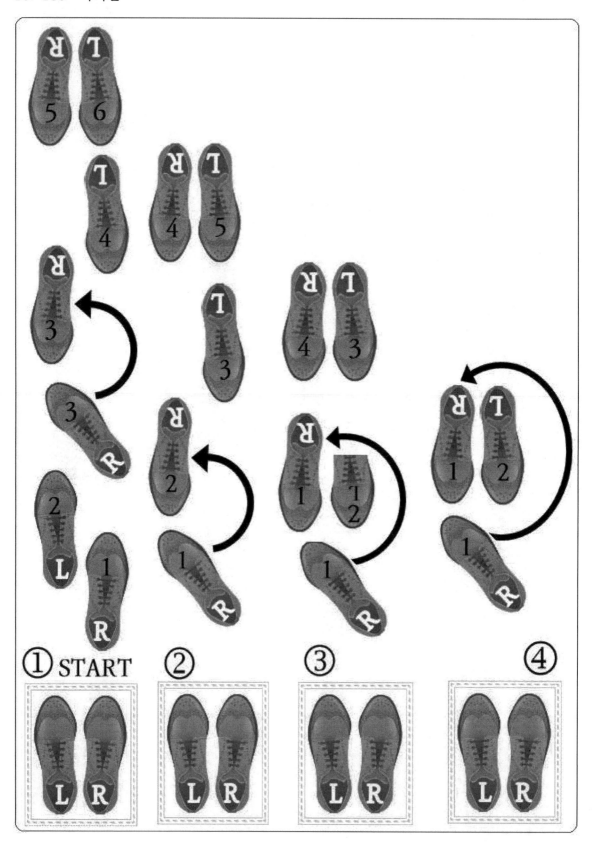

① START ② ③ ④

11. 자리바꿈

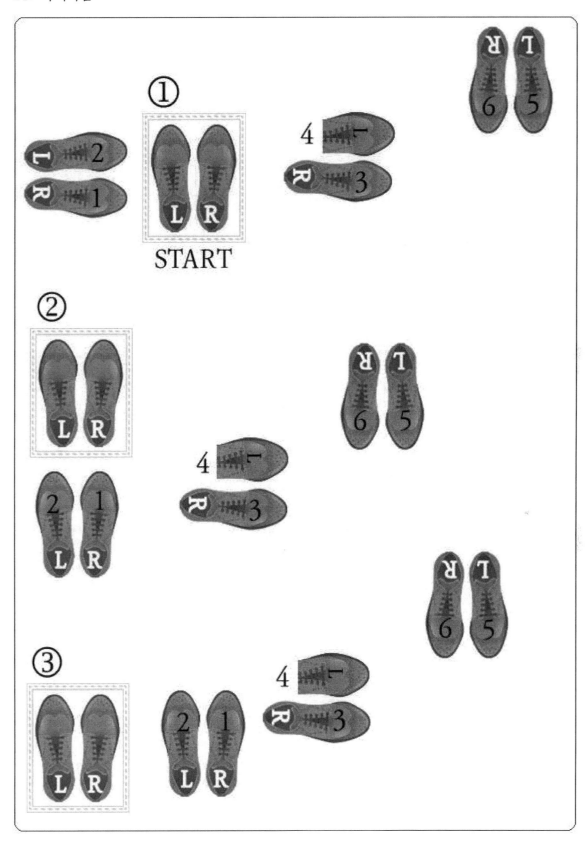

12. 1.외곽 돌기 2.던지기 3.4+4박 8박 4.안고 돌기

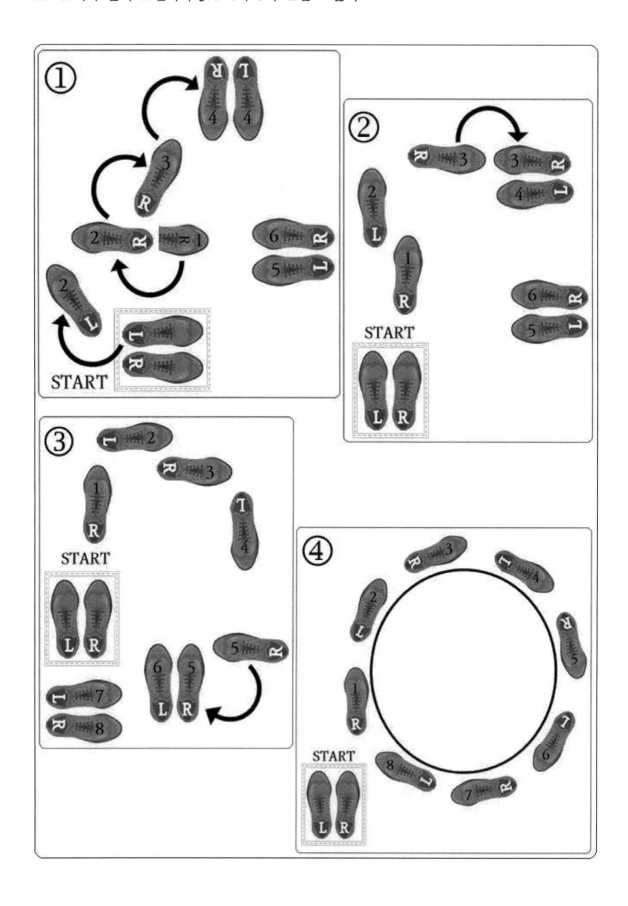

여성

1. 1번~4번 전 후진 스텝 2.A.B 역회전 스텝 3.가.나 스위블

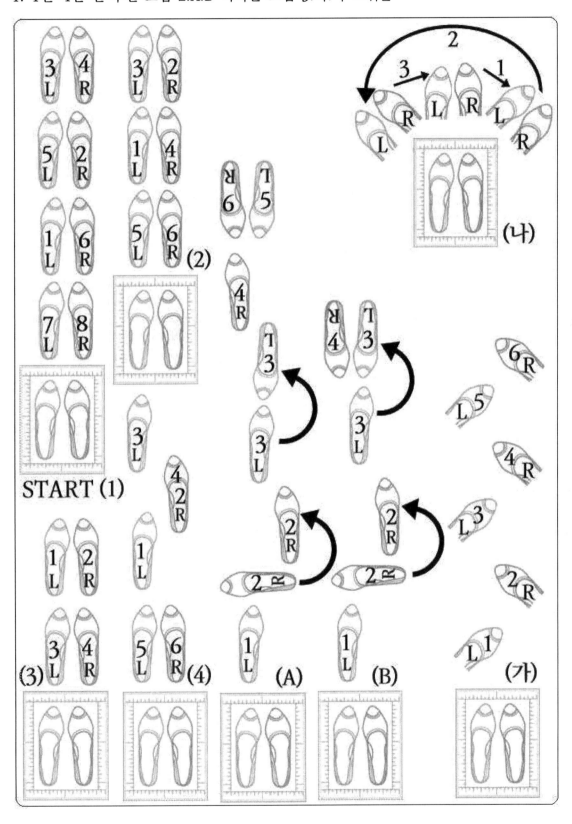

4. 오른쪽 180° 턴(1~3번 6박, 4~5번 4박, 6번 2박)

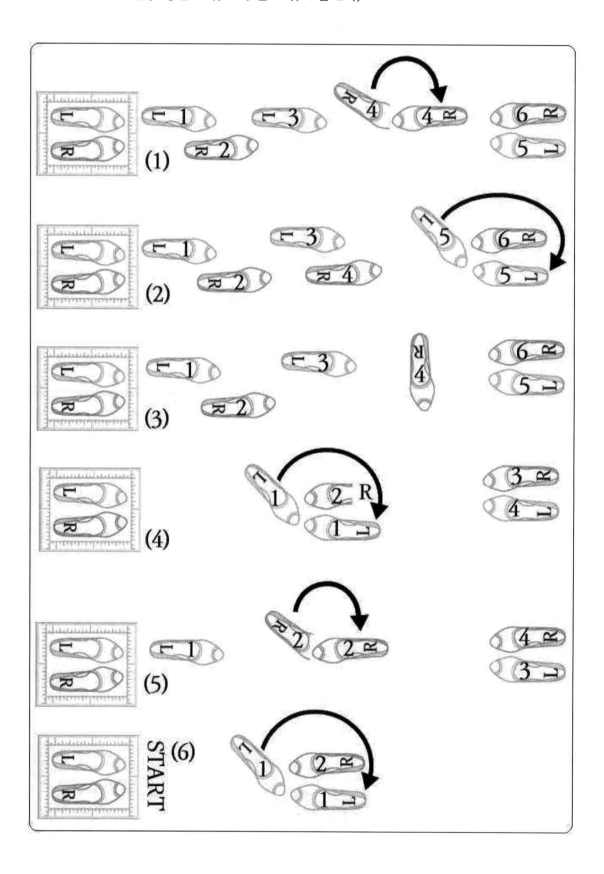

5. 왼쪽 180° 턴

(1~5번 6박, 6번 6박 발죽임, 7번 6박 애드립, 8번 4박)

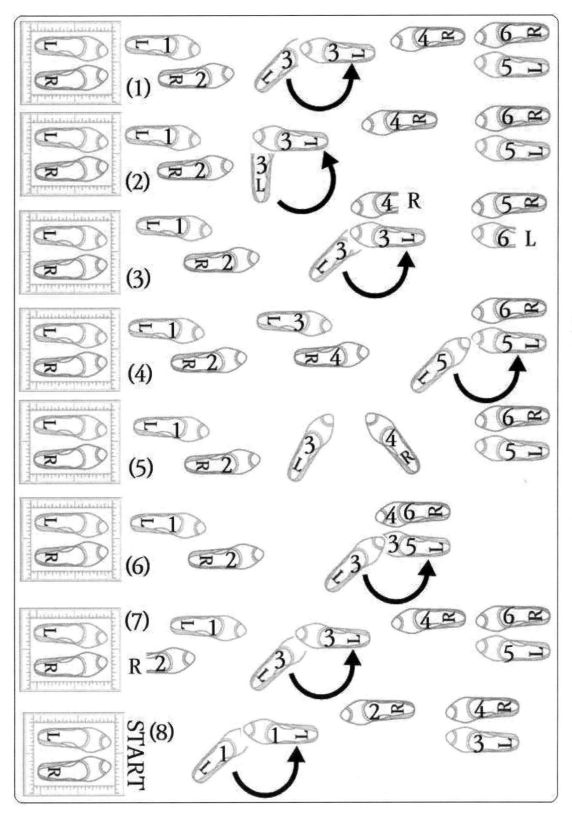

6. 1번~3번 전진 6박, A, B, C 후진 6박

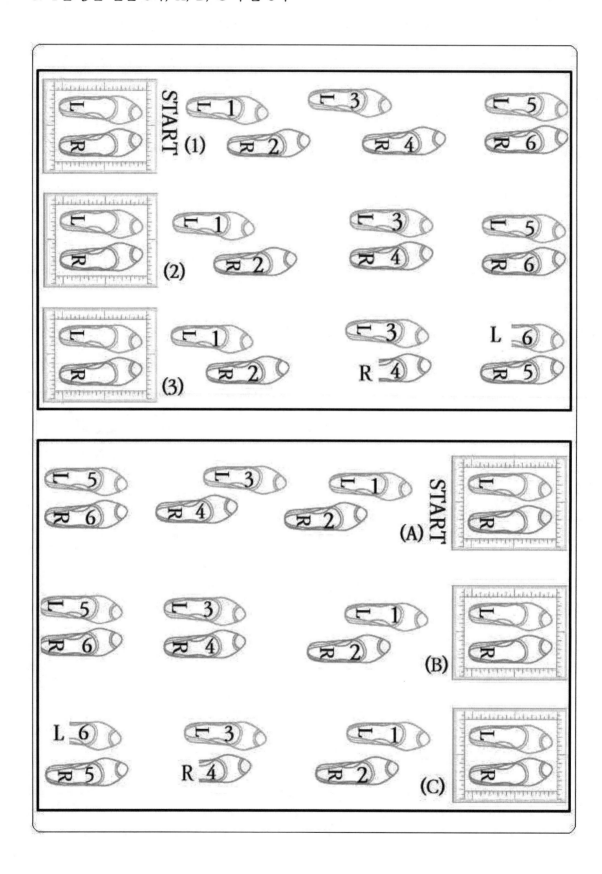

7. 540° 턴 4가지 방법

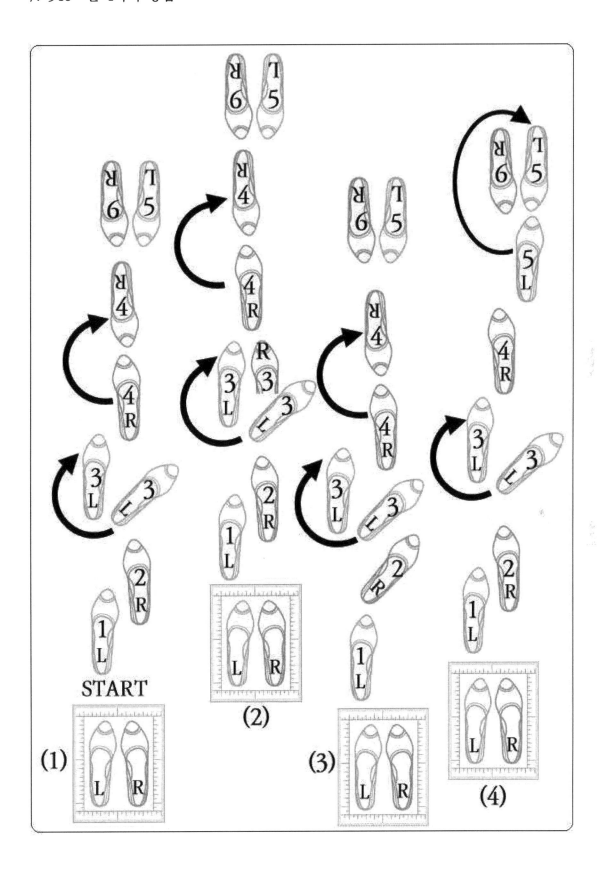

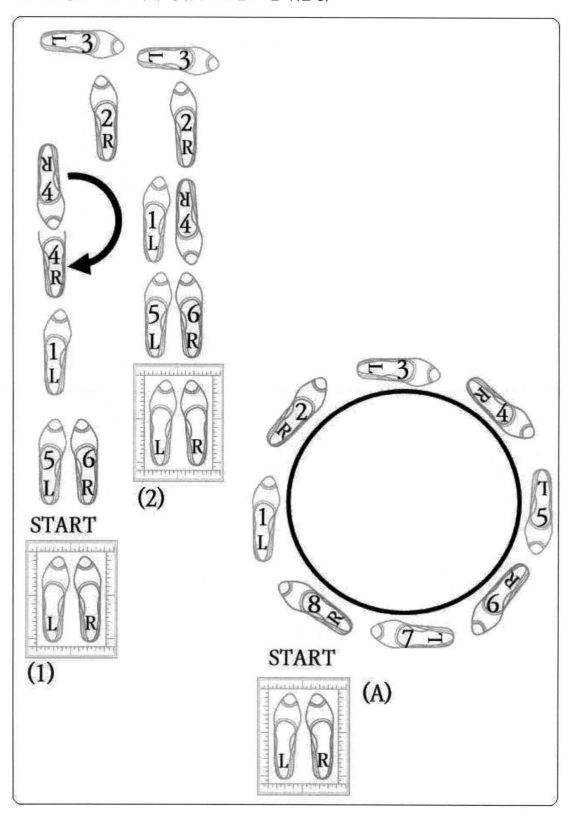

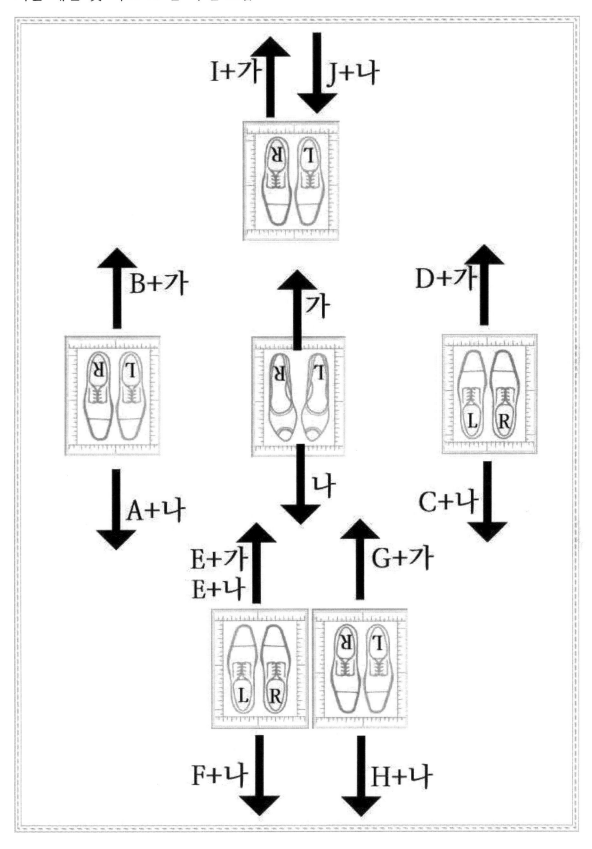

전·후진 스텝(피겨) 종류

A+나	B+가	C+나	D+가
전진3박 후진3박	후진3박 전진3박	여:전진3박 후진3박 남:후진3박 전진3박	남:전진3박 후진3박 여:후진3박 전진3박
전진4박 후진4박	후진4박 전진4박	여:전진4박 후진4박 남:후진4박 전진4박	남:전진4박 후진4박 여:후진4박 전진4박
전진6박	후진6박	여성:전진6박 남성:후진6박	남성:전진6박 여성:후진6박
전진2박 후진4박	후진2박 전진4박	여:전진2박 후진4박 남:후진2박 전진4박	남:전진2박 후진4박 여:후진2박 후진4박
전진4박 후진2박	후진4박 전진2박	여:전진4박 후진2박 남:후진4박 전진2박	남:전진4박 후진2박 여:후진4박 전진2박
전진2박 후진2박	후진2박 전진2박	여:전진2박 후진2박 남:후진2박 전진2박	남:전진2박 후진2박 여:후진2박 전진2박

E+가	E+나	F+나	G+가
남:전진3박 후진3박 여:후진3박 전진3박	남:전진3박 후진3박 여:전진3박 후진3박	남:후진3박 전진3박 여:전진3박 후진3박	남:후진3박 전진3박 여:전진3박 후진3박
남:전진2박 후진4박 여:후진2박 전진4박	남:전진2박 후진2박 여:전진2박 후진2박	남:후진2박 전진2박 여:전진2박 후진2박	남:후진2박 전진2박 여:전진2박 후진2박
남:전진4박 후진4박 여:후진4박 전진4박	남:전진2박 후진4박 여:전진2박 후진4박	남:후진2박 전진4박 여:전진2박 후진4박	남:후진4박 전진4박 여:후진4박 전진4박
남:전진6박 여:후진6박	남:전진4박 후진4박 여:전진4박 후진4박	남:후진6박 여:전진6박	남:후진6박 여:후진6박
남:전진4박 후진2박 여:후진4박 전진2박	남:전진4박 후진2박 여:전진4박 후진2박	남:후진4박 전진2박 여:전진4박 후진2박	남:후진4박 전진2박 여:후진4박 전진2박
			남:후진2박 전진4박 여:후진2박 전진4박

H+나	I+가	J+나	
남:전진3박 후진3박 여:전진3박 후진3박	남:후진3박 전진3박 여:후진3박 전진3박	남:전진3박 후진3박 여:전진3박 후진3박	
남:전진2박 후진2박 여:전진2박 후진2박	남:후진2박 전진2박 여:후진2박 전진2박	남:전진2박 후진2박 여:전진2박 후진2박	
남:전진4박 후진4박 여:전진4박 후진4박	남:후진4박 전진4박 여:후진4박 전진4박	남:전진4박 후진4박 여:전진4박 후진4박	
남:전진6박 여:전진6박	남:후진6박 여:후진6박	남:전진6박 여:전진6박	
남:전진4박 후진2박 여:전진4박 후진2박	남:후진4박 전진2박 여:후진4박 전진2박	남:전진4박 후진2박 여:전진4박 후진2박	
남:전진2박 후진4박 여:전진2박 후진4박	남:전진2박 후진4박 여:전진2박 후진4박	남:전진2박 후진4박 여:전진2박 후진4박	

2. 사이드 스텝

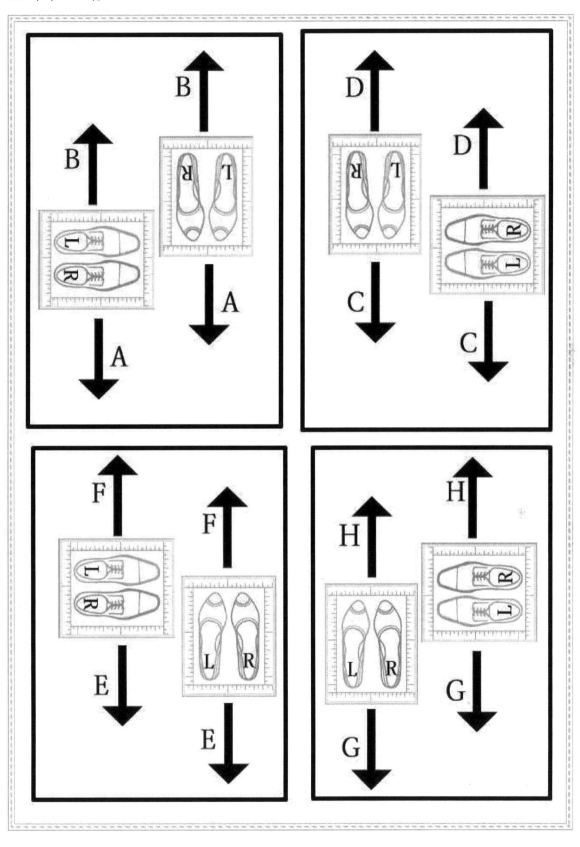

사이드 스텝 종류

A	B
남:Side Step(R)4박 Side Step(L)4박 여:전진4박 후진4박	남:Side Step(L)4박 Side Step(R)4박 여:후진4박 전진4박
남:Side Step(R)2박 Side Step(L)4박 여:전진2박 후진4박	남:Side Step(L)2박 Side Step(R)4박 여:후진2박 전진4박
남:Side Step(R)4박 Side Step(L)2박 여:전진4박 후진2박	남:Side Step(L)4박 Side Step(R)2박 여:후진4박 전진2박
C	D
남:Side Step(L)4박 Side Step(R)4박 여:전진4박 후진4박	남:Side Step(R)4박 Side Step(L)4박 여:후진4박 전진4박
남:Side Step(L)2박 Side Step(R)4박 여:전진4박 후진4박	남:Side Step(R)2박 Side Step(L)4박 여:후진2박 전진4박
남:Side Step(L)4박 Side Step(R)2박 여:전진4박 후진4박	남:Side Step(R)4박 Side Step(L)2박 여:후진4박 전진2박
E	F
남:Side Step(R)4박 Side Step(L)4박 여:후진4박 전진4박	남:Side Step(L)4박 Side Step(R)4박 여:전진4박 후진4박
남:Side Step(R)2박 Side Step(L)4박 여:후진2박 전진4박	남:Side Step(L)2박 Side Step(R)4박 여:전진4박 후진4박
남:Side Step(R)4박 Side Step(L)2박 여:후진4박 전진2박	남:Side Step(L)4박 Side Step(R)2박 여:전진4박 후진4박
G	H
남:Side Step(L)4박 Side Step(R)4박 여:전진4박 후진4박	남:Side Step(R)4박 Side Step(L)4박 여:전진4박 후진4박
남:Side Step(L)2박 Side Step(R)4박 여:전진4박 후진4박	남:Side Step(R)2박 Side Step(L)4박 여:전진2박 후진4박
남:Side Step(L)4박 Side Step(R)2박 여:전진4박 후진4박	남:Side Step(R)4박 Side Step(L)2박 여:전진4박 후진2박

3. 제자리 여성 360° 회전(턴) 12가지 리드법

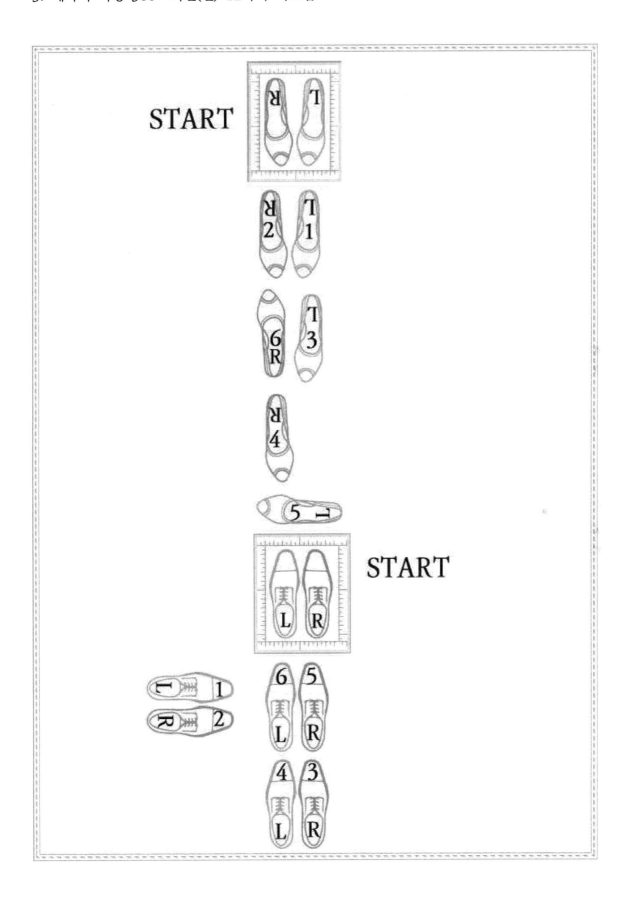

4. 후진 6박 12가지 피겨(스텝)

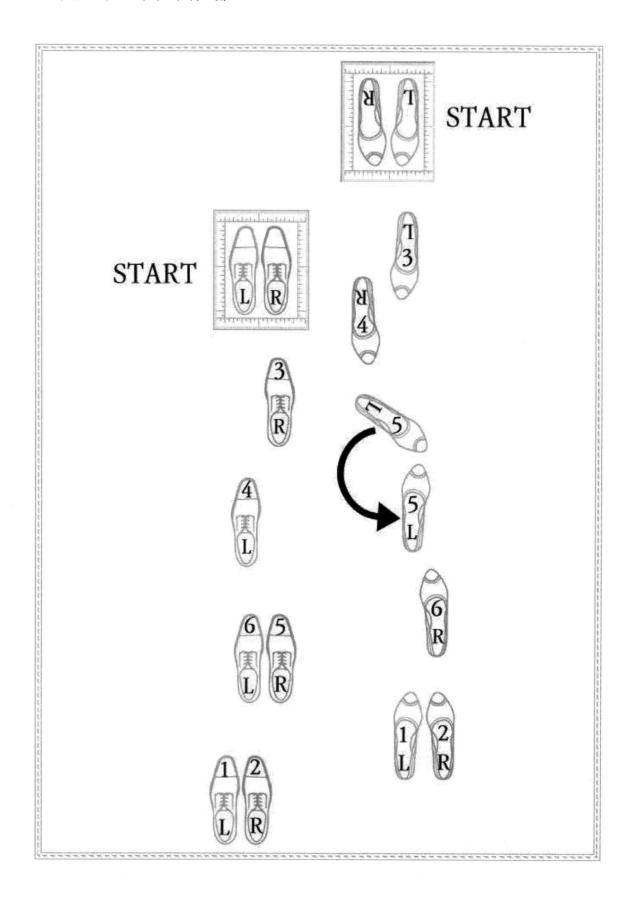

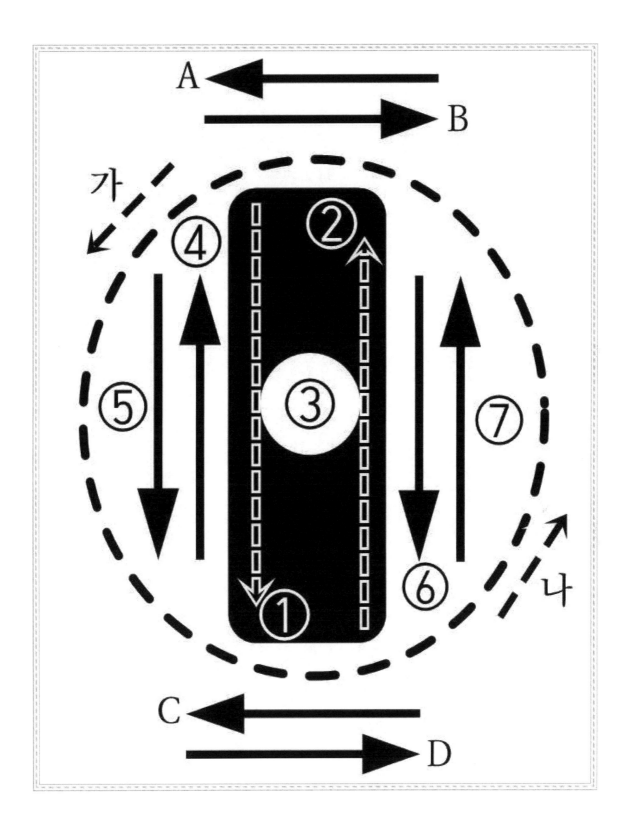

제자리 여성 360° 회전(턴) 12가지 리드법

1번째 리드법	남성:왼손 여성:오른손(허리)
2번째 리드법	남성:오른손 여성:오른손(허리)
3번째 리드법	남성:양손 여성:양손(머리 위)
4번째 리드법	남성:오른손(왼손으로 툭치기) 여성:오른손(허리)
5번째 리드법	남성:왼손(오른손으로 휘어감아 손 위로) 여성:오른손(머리 위)
6번째 리드법	남성:왼손(오른손으로 휘어감아 손 당겨 놓기) 여성:오른손(허리)
7번째 리드법	남성:오른손 여성:오른손/남성:왼손 여성:왼손(머리 위)
8번째 리드법	남성:오른손 여성:왼손(머리 위)
9번째 리드법	남성:왼손 여성:왼손(머리 위)
10번째 리드법	남성:왼손 여성:오른손(머리 위)
11번째 리드법	남성:오른손 여성:오른손(머리 위)
12번째 리드법	남성:왼손 여성:오른손/남성:오른손 여성:왼손(머리 위)

남성 후진 6박, 4박 12가지 스텝(피겨)

1번째 리드법	남성:오른손 여성:오른손(어깨걸이)
2번째 리드법	남성:왼손 여성:오른손(어깨걸이)
3번째 리드법	남성:오른손 여성:왼손(배 걸이)
4번째 리드법	남성:오른손 여성:왼손(머리 위)
5번째 리드법	남성:오른손 여성:왼손(목 걸이)
6번째 리드법	남성:오른손 여성:오른손(허리 걸이)
7번째 리드법	남성:오른손 여성:오른손(여성 손을 당기면서 손 놓기)
8번째 리드법	남성:왼손 여성:오른손/ 남성:오른손 여성:왼손(포장)
9번째 리드법	남성:왼손 여성:오른손/ 남성:오른손 여성:왼손(헤드 락)
10번째 리드법	남성:왼손 여성:오른손/ 남성:오른손 여성:왼손 (여성 오른손:목 걸이 왼손:허리 걸이)
11번째 리드법	남성:오른손 여성:오른손(겨드랑이 걸이)
12번째 리드법	남성:오른손 여성:오른손(옆구리)

스위블 13가지

1번	전진 스위블	7번	사이드 스위블
2번	후진 스위블	A	사이드 스위블
3번	제자리 스우블	B	사이드 스위블
4번	사이드 스위블	C	사이드 스위블
5번	사이드 스위블	D	사이드 스위블
6번	사이드 스위블	가,나	Circular 스위블(왼쪽, 오른쪽)

지르박 1000가지 완전 분석 I

학원마다 다른 레슨 방식

0. 스타트

1번 남: 반 삼각 스텝 여: L/180° 턴

2번 남: 반 삼각 스텝 여: L/180° 턴

3번 여성 L/180° 턴, 남 십자 스텝

4번 제자리 앞 돌리기

5번 제자리 손목 밀기

6번 제자리 손 당겨 놓기

7번 댄스 라인(평행봉) 건너기 2회

8번 후진 6박 어깨걸이, 여성 R/540° 턴

9번 제자리 전-후진 스텝

10번 사이드 스텝

11번 후진 6박 어깨걸이, L/180° 턴

12번 핸드 체인지

13번 크게 돌리기

14번 남: 사이드 스텝 여: L/180° 턴

15번 그림자(여성 따라다니기)

16번 자리바꿈(오른손 머리 위)

17번 크게 돌리기(양손)

18번 후진 6박 Wrap

19번 당겨 손 놓기

20번 등 뒤 손 체인지, R/540° 턴

21번 아치(터널) 목감아 풀기

22번 자리바꿈(악수)

23번 자리바꿈(손 놓고)

24번 목감아 풀기 8박, 10박

25번 후진 6박 어깨걸이, 목감아 풀기

26번 등 뒤 손 체인지 턴

27번 후진 6박 허리 걸이, R/540° 턴

28번 후진 6박 어깨걸이, R/900° 턴

29번 아치(터널), 손 당겨 손 놓기

30번 사이드에서 여성 당겨 회전

31번 손 놓고 자리바꿈

32번 기차놀이(꼬리 자르기)

33번 아치(터널), 목걸이, R/540° 턴

34번 등 뒤로 기본 8박

35번 옆걸음 자리바꿈

36번 후진 6박 어깨걸이, 제자리 전&후진 8박, R/540° 턴

37번 겨드랑이 걸이 여성 백 턴

38번 목감아 풀기

39번 아치(터널) 목걸이, 여성 허리 걸이, L/180° 턴

40번 L/180°, 어깨 밀기

41번 등 뒤로 어깨 잡고, 전&후진 스텝, R/540° 턴

42번 뒤돌아 기차놀이(꼬리 자르기)

43번 제자리 목감아 풀기

44번 여성 제자리 2회전

45번 R/540° 턴

46번 L/180° 턴, 어깨 턴

47번 어깨걸이&허리 걸이, 목걸이&허리 걸이

48번 남성 허리감기, 그림자, 등 턴(R/540°)

49번 기차놀이(어깨)

50번 4박 6박 여성 턴(R/180°, R/540°)

51번 등 뒤로 8박, 여성 겨드랑이 턴

52번 6박 홀드

53번 목걸이&허리 걸이, L/180° 턴

54번 목걸이, 허리 걸이, L/540° 턴

55번 남성 턴 허리 걸이, 전&후진 4.4박, R/540° 턴

56번 등 뒤로 기본 8박, R/540° 턴

57번 후진 6박 목걸이&허리 걸이, R/540° 턴, L/180° 턴

58번 헤드-록

59번 기차놀이(어깨) 전 후진 8박 손 놓기

60번 남성 제자리 턴

61번 R/540° 턴, L/540° 턴

62번 허리, 목 뒤 핸드 체인지

63번 후진 6박 목걸이(오, 왼) L/180° 턴

64번 후진 6박 목걸이(오. 왼), 전&후진 4박, L/180° 턴

65번 여성 L/180° 턴 2회

66번 남성 목걸이, 전&후진 8박, 외곽 돌기(겹 돌기)

67번 제자리 뒤돌아(겨드랑이 걸이), 기차놀이(꼬리 자르기)

68번 등 뒤로 넘기면서 L/180° 턴(여성)

69번 목 뒤로 넘기기, 등 뒤로 넘기기, 전&후진 8박

70번 후진 6박 어깨걸이, 전진 4박 브레이크, R/180° 턴

71번 남성 허리감기, 여성 R/900° 턴

72번 제자리 360° 턴, 여성 빽 턴

73번 터널, 여성 그림자

74번 후진 6박 어깨걸이, 900° 턴 브레이크

75번 후진 6박 허리 걸이, L/180° 턴

76번 악수 자리바꿈(2회)

77번 남성 허리 걸이, 여성 어깨걸이, 남성 어깨동무, R/540° 턴

78번 목걸이, 허리 걸이, 여성 어깨걸이 빽 턴

79번 여성 그림자

80번 외곽 돌기(손 놓으면서 회전)

81번 빽 턴 목걸이, 목걸이 풀기

82번 제자리 손 바꾸고, 꼬리 자르기(손 놓기)

83번 제자리 회전, 여성 등 뒤로 4박

84번 8박 홀드

85번 기차놀이(꼬리 자르기)

86번 6박 후진 어깨걸이, 전&후진 4박 후 여성 백 턴

학원마다 다른 레슨 방식

학원마다 지르박 레슨 방법은 천차만별이다. 보폭 및 Walk 방법 그리고 회전량이 전국적으로 통합되지 못해 학원 제각각으로 레슨해준다. 어떤 학원은 발 포폭을 좁게 하라고 하고 어떤 학원은 발 보폭을 넓게 하라고 레슨해준다. Walk 방법은 크게 2가지 방식이 있는데 스케이트를 타는 방식과 평소 걸음걸이 방식이 있다.

보폭

번호	보폭
1	평소 걸음걸이보다 작게
2	평소 걸음보다 넓게
3	평소 걸음걸이 폭

Walk

번호	Walk
1	스케이트 타는 것처럼
2	평소 걸음걸이처럼

0. 스타트

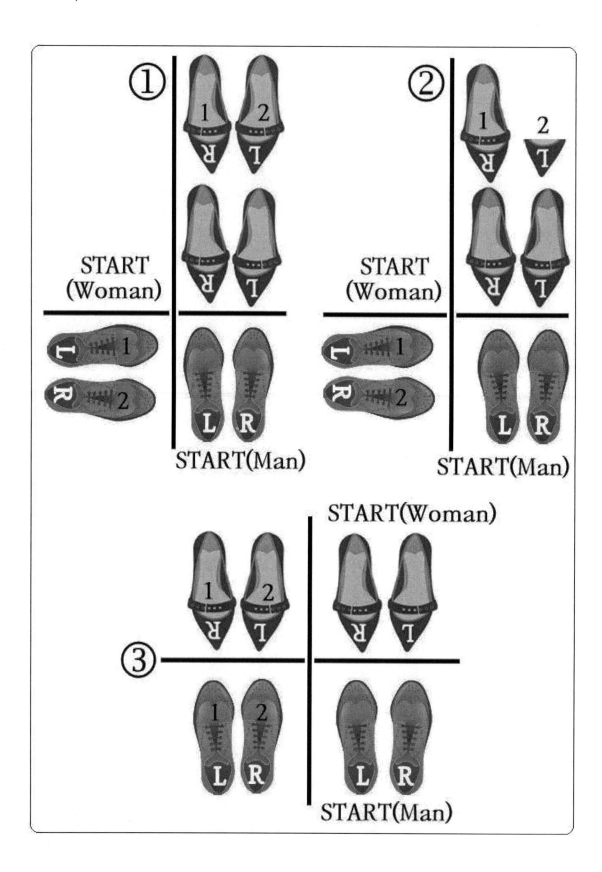

1번~2번 스타트

여성 오른발이 후진하는 스타트 방법은 댄스 학원에서 제일 많이 가르치는 스타트 방법 중 하나이다. 1번과 2번이 틀린 점은 남성과 여성 2보에서 스텝 방식이 놓는(BF) 방식과 찍는(T) 방식이다. 일반적으로 발을 세우면서 찍는 방식으로 춤을 추는 것을 추천한다.

여성 텐션 - 여성은 팔을 ㄴ자 모양으로 유지할 수 있을 만큼만 힘을 주면서 남성의 손과 약간 걸린 상태를 유지한다. 1보에서 남성의 손을 밀면서 오른발을 후진 후 왼발을 오른발에 11자 모양으로 붙인다. 정면에서 남성과 여성과의 간격은 신문지 반장 정도의 간격 즉 50~80cm이다. 남성과 여성의 팔 길이에 따라 차이가 날 수 있다.

남성

번호	스텝	카운트	리듬	음악 타이밍	핸드	방향
1~2번	1보	1	S	쿵	양손	12시
	2보	2	&	짝	오른손	3시

번호	풋 워크	스텝 방식	리드/텐션	회전량
1보	L(왼발) 왼쪽으로 90°턴/WF	놓고	양손에 약간 힘을 준 상태에서 여성이 후진할 수 있도록 뒤로 밀어준다.	L/90도
2보	R(오른발) 왼쪽으로 이동/WF	놓고&찍고 (선택)	여성의 왼발이 오른발에 11자 모양으로 모으도록 텐션 및 리드를 멈춘다.	없음

여성

번호	스텝	회전량	방향	음악 타이밍
1~2번	1보	없음	6시	쿵
	2보	없음	6시	짝

스텝	풋 워크	스텝 방식	핸드
1보	R(오른발) 후진/HF	놓고	양손
2보	L(왼발) 후진/HF&T(선택)	놓고&찍고(선택)	오른손

3번 스타트

남성과 여성이 Side로 스타트 하는 방법은 여성 오른발이 후진하는 스타트 방법처럼 댄스 학원에서 제일 많이 가르치는 스타트 방법 중 하나이다.

여성 텐션 - 여성은 팔을 ㄴ자 모양으로 유지할 수 있을 만큼만 힘을 주면서 남성의 손과 약간 걸린 상태를 유지한다. 1보에서 남성이 오른쪽으로 텐션을 주면 여성은 손을 왼쪽으로 텐션을 주면서 오른발을 Side 이동 후 왼발을 오른발에 11자 모양으로 붙인다.

남성

번호	스텝	카운트	리듬	음악 타이밍	핸드	방향
3번	1보	1	S	쿵	양손	12시
	2보	2	&	짝	오른손	12시

스텝	풋 워크	스텝 방식	리드/텐션	회전량
1보	L(왼발)왼쪽으로 이동/WF	놓고	양손에 힘을 약간 준 상태에서 여성의 양손을 왼쪽 옆으로 이동시켜주면서 왼발을 왼쪽으로 이동[Side]	없음
2보	R(오른발)왼쪽으로 이동/WF	놓고&찍고 (선택)	오른발을 왼발 옆으로 이동하면서 양발을 11 모양으로 모은다.	없음

여성

번호	스텝	회전량	방향	음악 타이밍
3번	1보	없음	6시	쿵
	2보	없음	6시	짝

번호	풋 워크	스텝 방식	핸드
2보	R(오른발)WF/오른쪽으로 이동 [Side]	놓고	양손
3보	L(왼발)WF/ 왼발을 오른발 옆으로 이동하면서 양발을 11 모양으로 모은다.	놓고&찍고 (선택)	오른손

1번 남: 반 삼각 스텝 여: L/180° 턴

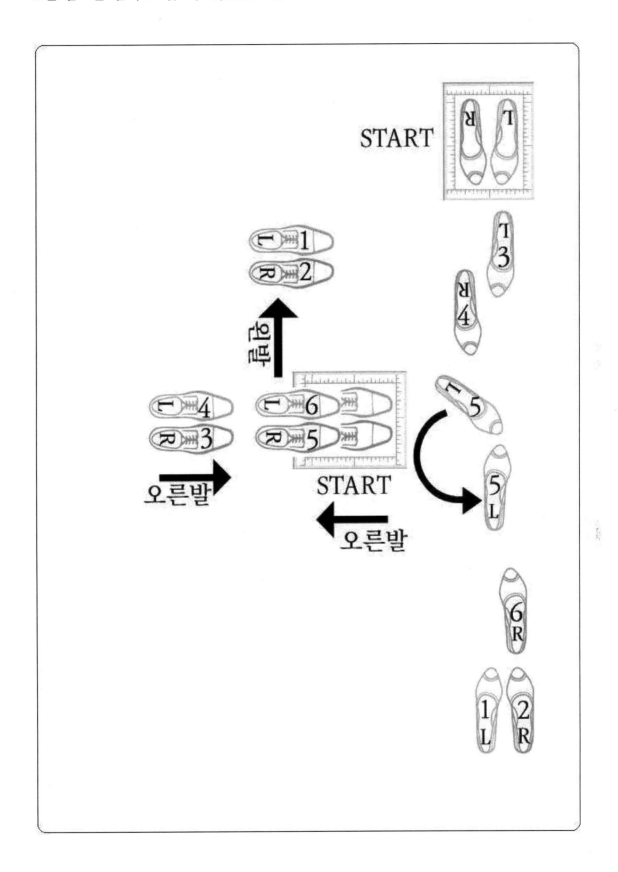

〈남성&여성〉

스텝	카운트	리듬	읽을 때	음악 타이밍	보수	핸드 포지션	악센트
1보	3	S	슬로우	쿵	1	One Hand Joined	
2보	4	&	엔	짝	1	One Hand Joined	
3보	5	Q	퀵	쿵	1	One Hand Joined	V
4보	6	Q	퀵	짝	1	One Hand Joined	V
5보	1	S	슬로우	쿵	1	One Hand Joined	
6보	2	&	엔	짝	1	One Hand Joined	

〈남성〉

스텝	핸드	방향	풋 워크	스텝 방식	액션
1보	오른손	3시	HF	놓고	Backward Walk
2보	오른손	3시	HF	놓고	Backward Walk
3보	오른손	3시	BF	놓고	Forward Walk
4보	오른손	3시	T/BF	찍고/놓고(선택)	Forward Walk
5보	오른손	3시	WF	놓고	Side Step
6보	오른손	3시	WF	놓고	Side Step

스텝	풋 포지션	회전량
1보	오른발 후진(RF)	없음
2보	왼발 후진하면서 오른발 옆으로 모으고(LF)	없음
3보	오른발 전진(RF)	없음
4보	왼발을 전진하면서 오른발 옆에 모으고(LF)	없음
5보	왼발 왼쪽 옆으로(LF)	없음
6보	오른발을 옆으로 이동하면서 왼발 옆에 모으고(RF)	없음

스텝	리드 / 사인 / 텐션
1보	여성 왼발이 댄스 라인에 맞춰 전진하도록 여성 오른손을 여성의 정면 앞으로 당긴다.
2보	여성 오른발이 댄스 라인에 맞춰 전진하도록 여성 오른손을 여성의 정면 앞으로 당긴다.
3보	여성 왼발이 왼쪽으로 45° 턴하도록 손을 들어주면서 왼쪽으로 회전시켜 준다.
4보	여성 왼발이 왼쪽으로 135° 턴하도록 왼쪽으로 회전시켜주면서 여성 오른발이 댄스 라인에 위치하도록 손을 내리기 시작한다.
5보	여성 왼발이 후진하도록 그립 상태에서 여성 손에 힘을 주면서 밀어준다.
6보	여성 오른발이 왼발에 모으도록 손 텐션 및 리드를 멈춘다.

〈여성〉

스텝	회전량	핸드	스텝 방식	풋 워크	풋 포지션	액션
1보	없음	오른손	놓고	BF	왼발 전진(LF)	Forward Walk
2보	없음	오른손	놓고	BF	오른발 전진(RF)	Forward Walk
3보	L/45°(1/8턴)	오른손	놓고	B	왼발 45°턴(LF)	Turn
4보	L/135°	오른손	놓고	B, HF	왼발 135°턴(LF)	Turn,

	(3/8턴) 오른발-없음				오른발 후진(RF)	Backward Walk
5보	없음	오른손	놓고	HF	왼발 후진(LF)	Backward Walk
6보	없음	오른손	놓고	HF	오른발 후진하면서 왼발 옆에 모으고(RF)	Backward Walk

여성 텐션 – 여성은 팔을 ㄴ자 모양으로 유지할 수 있을 만큼만 힘을 주면서 남성의 손과 약간 걸린 상태를 유지한다. 5보에서 남성의 손을 밀면서 왼발을 후진 후 오른발을 왼발에 11자 모양으로 붙인다.

좌로 180° 턴은 여성이 처음 배우는 스텝으로 학원마다 발 보폭, Walk 및 3보에서의 회전량을 다르게 레슨한다.

원장 또는 강사마다 다른 회전량

번호	스텝	회전량
1		45°
2	3보	90°
3		135°

총회전량 : 여성 – L/180°(1/2턴) 남성 – 없음

총 박자 : 6박

보수(Stepes) : 6

소절(Bars) : 1

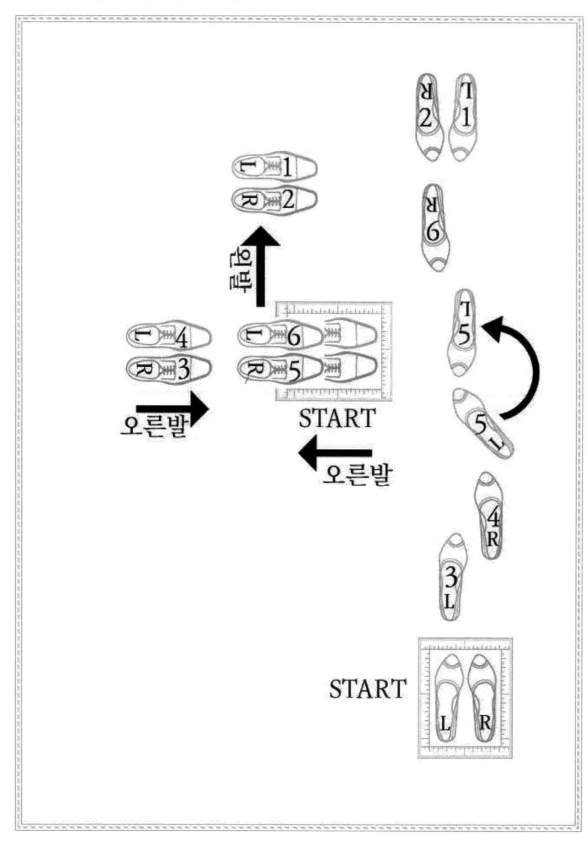

〈남성&여성〉

스텝	카운트	리듬	읽을 때	음악 타이밍	보수	핸드 포지션	악센트
1보	3	S	슬로우	쿵	1	One Hand Joined	
2보	4	&	엔	짝	1	One Hand Joined	
3보	5	Q	퀵	쿵	1	One Hand Joined	V
4보	6	Q	퀵	짝	1	One Hand Joined	V
5보	1	S	슬로우	쿵	1	One Hand Joined	
6보	2	&	엔	짝	1	One Hand Joined	

〈남성〉

스텝	핸드	방향	풋 워크	스텝 방식	액션
1보	오른손	3시	HF	놓고	Backward Walk
2보	오른손	3시	HF	놓고	Backward Walk
3보	오른손	3시	BF	놓고	Forward Walk
4보	오른손	3시	T/BF	찍고/놓고(선택)	Forward Walk
5보	오른손	3시	WF	놓고	Side Step
6보	오른손	3시	WF	놓고	Side Step

스텝	풋 포지션	회전량
1보	오른발 후진(RF)	없음
2보	왼발 후진하면서 오른발 옆으로 모으고(LF)	없음
3보	오른발 전진(RF)	없음
4보	왼발을 전진하면서 오른발 옆에 모으고(LF)	없음
5보	왼발 왼쪽 옆으로(LF)	없음
6보	오른발을 옆으로 이동하면서 왼발 옆에 모으고(RF)	없음

스텝	리드 / 사인 / 텐션
1보	여성 왼발이 댄스 라인에 맞춰 전진하도록 여성 오른손을 여성의 정면 앞으로 당긴다.
2보	여성 오른발이 댄스 라인에 맞춰 전진하도록 여성 오른손을 여성의 정면 앞으로 당긴다.
3보	여성 왼발이 왼쪽으로 45°턴하도록 왼쪽으로 틀어준다.(손 허리)
4보	여성 왼발이 왼쪽으로 135°턴하도록 왼쪽으로 틀어주면서 여성 오른발이 댄스 라인에 위치하도록 리드(손 허리)
5보	여성 왼발이 후진하도록 그립 상태에서 여성 손에 힘을 주면서 밀어준다.
6보	여성 오른발이 왼발에 모으도록 손 리드 및 텐션을 멈춘다.

〈여성〉

스텝	회전량	핸드	스텝 방식	풋 워크	풋 포지션	액션
1보	없음	오른손	놓고	BF	왼발 전진(LF)	Forward Walk
2보	없음	오른손	놓고	BF	오른발 전진(RF)	Forward Walk
3보	L/45°	오른손	놓고	B	왼발 45°턴(LF)	Turn

	(1/8턴)					
4보	L/135° (3/8턴) 오른발-없음	오른손	놓고	B, HF	왼발 135°턴(LF) 오른발 후진(RF)	Turn, Backward Walk
5보	없음	오른손	놓고	HF	왼발 후진(LF)	Backward Walk
6보	없음	오른손	놓고	HF	오른발 후진하면서 왼발 옆에 모으고(RF)	Backward Walk

여성이 남성 왼쪽이나 오른쪽에 있을 경우에 따라 손 리드법이 다르다. 남성의 왼쪽에 여성이 위치해 있을 경우는 통상적으로 손을 여성 머리 위로 들어 리드를 하지만 여성이 남성 오른쪽에 있을 경우에는 여성 허리 위치에서 리드를 한다는 게 틀리다.

총 회전량 : 여성 - L/180°(1/2턴) 남성 - 없음

총 박자 : 6박

보수(Stepes) : 6

소절(Bars) : 1

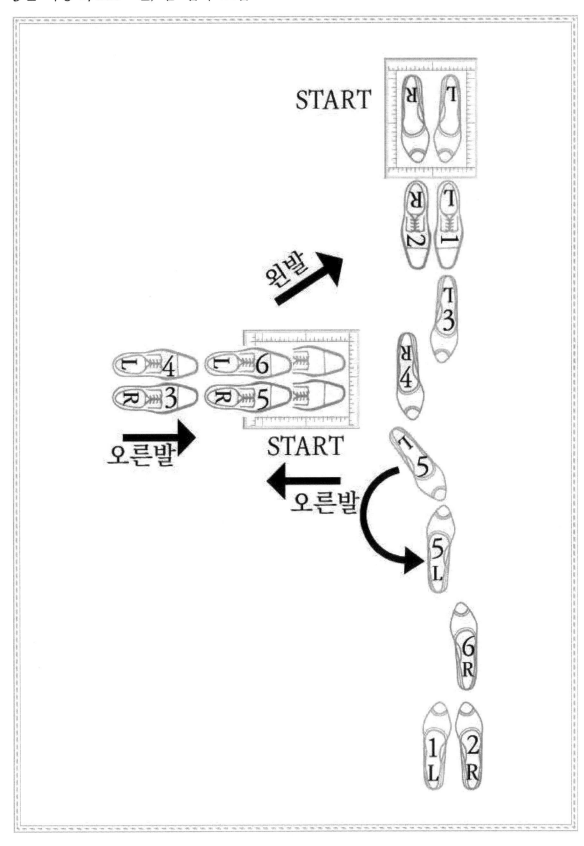

〈남성&여성〉

스텝	카운트	리듬	읽을 때	음악 타이밍	보수	핸드 포지션	악센트
1보	3	S	슬로우	쿵	1	One Hand Joined	
2보	4	&	엔	짝	1	One Hand Joined	
3보	5	Q	퀵	쿵	1	One Hand Joined	V
4보	6	Q	퀵	짝	1	One Hand Joined	V
5보	1	S	슬로우	쿵	1	One Hand Joined	
6보	2	&	엔	짝	1	One Hand Joined	

〈남성〉

스텝	핸드	방향	풋 워크	스텝 방식	액션
1보	오른손	3시	HF	놓고	Backward Walk
2보	오른손	3시	HF	놓고	Backward Walk
3보	오른손	3시	BF	놓고	Forward Walk
4보	오른손	3시	T/BF	찍고/놓고(선택)	Forward Walk
5보	오른손	6시	WF	놓고	Turn
6보	오른손	6시	WF	놓고	Turn

스텝	풋 포지션	회전량
1보	오른발 후진(RF)	없음
2보	왼발 후진하면서 오른발 옆으로 모으고(LF)	없음
3보	오른발 전진(RF)	없음
4보	왼발을 전진하면서 오른발 옆에 모으고(LF)	없음
5보	왼발 R/90°턴(LF)	R/90°(1/4턴)
6보	오른발을 왼발 옆에 모으고(RF)	없음

스텝	리드 / 사인 / 텐션
1보	여성 왼발이 댄스 라인에 맞춰 전진하도록 여성 오른손을 여성 정면 앞으로 당긴다.
2보	여성 오른발이 댄스 라인에 맞춰 전진하도록 여성 오른손을 여성 정면 앞으로 당긴다.
3보	여성 왼발이 왼쪽으로 45°턴하도록 손을 들어주면서 왼쪽으로 틀어준다
4보	여성 왼발이 왼쪽으로 135°턴하도록 왼쪽으로 틀어주면서 여성 오른발이 댄스 라인에 위치하도록 손을 내리기 시작한다.
5보	여성 왼발이 후진하도록 그립 상태에서 여성 손에 힘을 주면서 밀어준다.
6보	여성 오른발이 왼발에 모으도록 손 텐션 및 리드를 멈춘다.

〈여성〉

스텝	회전량	핸드	스텝 방식	풋 워크	풋 포지션	액션
1보	없음	오른손	놓고	BF	왼발 전진(LF)	Forward Walk
2보	없음	오른손	놓고	BF	오른발 전진(RF)	Forward Walk
3보	L/45° (1/8턴)	오른손	놓고	B	왼발 45°턴(LF)	Turn
4보	L/135°	오른손	놓고	B, HF	왼발 135°(LF)	Turn,

보						
	(3/8턴) 오른발-없음				오른발 후진(RF)	Backward Walk
5보	없음	오른손	놓고	HF	왼발 후진(LF)	Backward Walk
6보	없음	오른손	놓고	HF	오른발 후진하면서 왼발 옆에 모으고(RF)	Backward Walk

여성 텐션 – 여성은 팔을 ㄴ자 모양으로 유지할 수 있을 만큼만 힘을 주면서 남성의 손과 약간 걸린 상태를 유지한다. 5보에서 남성의 손을 밀면서 왼발을 후진 후 오른발을 왼발에 11자 모양으로 붙인다.

총 회전량 : 여성 – L/180°(1/2턴) 남성 – R/90°(1/4턴)

총 박자 : 6박

보수(Stepes) : 6

소절(Bars) : 1

4번 제자리 앞 돌리기, 5번 제자리 손목 밀기, 6번 제자리 손 당겨 놓기

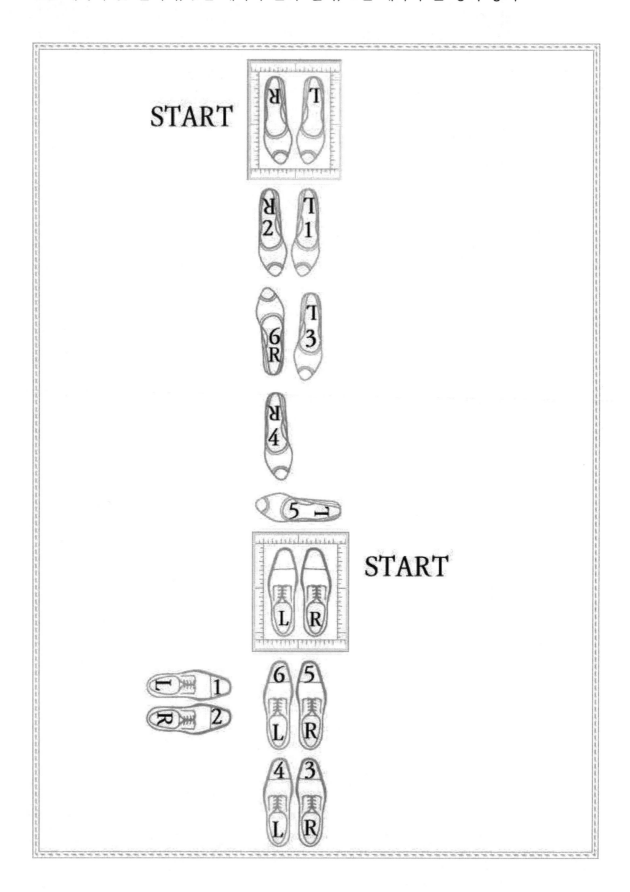

〈남성&여성〉 4번

스텝	카운트	리듬	읽을 때	음악 타이밍	보수	핸드 포지션	악센트
1보	3	S	슬로우	쿵	1	One Hand Joined	
2보	4	&	엔	짝	1	One Hand Joined	
3보	5	Q	퀵	쿵	1	One Hand Joined	V
4보	6	Q	퀵	짝	1	One Hand Joined	V
5보	1	S	슬로우	쿵	1	One Hand Joined	
6보	2	&	엔	짝	1	One Hand Joined	

스텝	핸드 포지션(5번)	핸드 포지션(6번)
1보	One Hand Joined	One Hand Joined
2보	One Hand Joined	One Hand Joined
3보		
4보		
5보		
6보	One Hand Joined	One Hand Joined

〈남성〉 (4번~6번)

스텝	방향	풋 워크	스텝 방식	액션
1보	12시	HF	놓고	Backward Walk
2보	12시	HF	놓고	Backward Walk
3보	12시	BF	놓고	Forward Walk
4보	12시	T/BF	찍고/놓고(선택)	Forward Walk
5보	3시	WF	놓고	Side line(Left),Turn
6보	3시	WF	놓고	Side line(Left)

〈남성〉 (4번~6번)

스텝	풋 포지션	회전량
1보	오른발 후진(RF)	없음
2보	왼발 후진하면서 오른발 옆으로 모으고(LF)	없음
3보	오른발 전진(RF)	없음
4보	왼발을 전진하면서 오른발 옆에 모으고(LF)	없음
5보	왼발 R/90°턴(LF)	R/90°(1/4턴)
6보	오른발 왼발 옆에 모으고(RF)	없음

〈남성〉 리드/사인/텐션 (4번~6번)

	리드/사인/텐션		
스텝	4번	5번	6번
1보~2보	전진하도록 여성 오른손을 여성 정면 앞으로 당긴다.	1보에 전진하도록 여성 오른손을 여성 정면 앞으로 당기면서 2보에 왼손으로 여성 손목을 남성 왼쪽으로	전진하도록 여성 오른손을 여성 정면 앞으로 당겨 놓아 준다.

		밀어주면서 손을 놓아 준다.	
3보	여성 왼발이 오른쪽으로 90°턴하도록 손을 들어주면서 텐션을 주면서 밀어준다.		
4보	여성 오른발이 오른쪽으로 90°, 180°턴하도록 텐션을 주면서 밀어준다.		
5보	여성 왼발이 후진하도록 밀어주면서 손을 내리기 시작한다.		
6보	여성 오른발이 왼발에 모으도록 손을 완전히 내려주면서 텐션 및 리드를 멈춘다.	여성 오른손을 잡는다.	여성 오른손을 잡는다.

스텝	핸드(4번)	핸드(5번)	핸드(6번)
1보	오른손	오른손	왼손
2보	오른손	오른손	왼손
3보	오른손		
4보	오른손		
5보	오른손		
6보	오른손	오른손	오른손

〈여성〉4번~6번

스텝	회전량	스텝 방식	풋 워크	풋 포지션	액션
1보	없음	놓고	BF	왼발 전진(LF)	Forward Walk
2보	없음	놓고	BF	오른발 전진(RF)	Forward Walk
3보	R/90°(1/4턴)	놓고	B	왼발 R/90°턴(LF)	Turn
4보	R/90°(1/4턴), R/180°(1/2턴)	놓고	B	오른발 R/270°턴(RF)	Turn
5보	없음	놓고	HF	왼발 후진(LF)	Backward Walk
6보	없음	놓고	HF	오른발 후진하면서 왼발 옆에 모으고(RF)	Backward Walk

스텝	핸드(4번)	핸드(5번)	핸드(6번)
1보	오른손	오른손	오른손
2보	오른손	오른손	오른손
3보	오른손		
4보	오른손		
5보	오른손		
6보	오른손	오른손	오른손

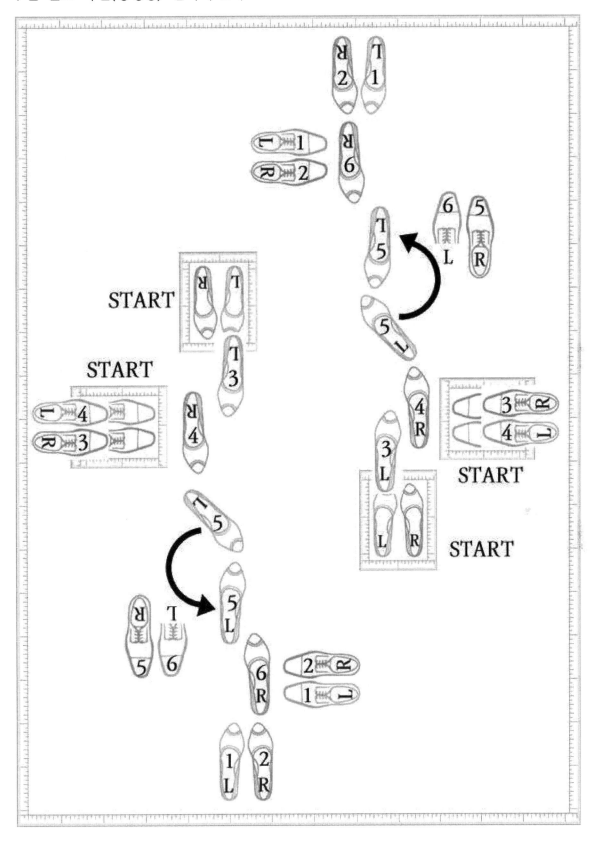

〈남성&여성〉

스텝	카운트	리듬	읽을 때	음악 타이밍	보수	핸드 포지션	악센트
1보	3	S	슬로우	쿵	1	One Hand Joined	
2보	4	&	엔	짝	1	One Hand Joined	
3보	5	Q	퀵	쿵	1	One Hand Joined	V
4보	6	Q	퀵	짝	1	One Hand Joined	V
5보	1	S	슬로우	쿵	1	One Hand Joined	
6보	2	&	엔	짝	1	One Hand Joined	
1보	3	S	슬로우	쿵	1	One Hand Joined	
2보	4	&	엔	짝	1	One Hand Joined	
3보	5	Q	퀵	쿵	1	One Hand Joined	V
4보	6	Q	퀵	짝	1	One Hand Joined	V
5보	1	S	슬로우	쿵	1	One Hand Joined	
6보	2	&	엔	짝	1	One Hand Joined	

〈남성〉

스텝	핸드	방향	풋 워크	스텝 방식	액션
1보	오른손	3시	HF	놓고	Backward Walk
2보	오른손	3시	HF	놓고	Backward Walk
3보	오른손	6시	BF	놓고	Forward Walk
4보	오른손	6시	T/BF	찍고/놓고(선택)	Forward Walk
5보	오른손	9시	WF	놓고	Side line(Right), Turn
6보	오른손	9시	WF	놓고	Side line(Right)
1보	오른손	9시	HF	놓고	Backward Walk
2보	오른손	9시	HF	놓고	Backward Walk
3보	오른손	12시	BF	놓고	Forward Walk
4보	오른손	12시	T/BF	찍고/놓고(선택)	Forward Walk
5보	오른손	3시	WF	놓고	Side line(Left), Turn
6보	오른손	3시	WF	놓고	Side line(Left)

스텝	풋 포지션	회전량
1보	오른발 후진(RF)	없음
2보	왼발 후진하면서 오른발 옆으로 모으고(LF)	없음
3보	오른발 R/90°턴(RF)	R/90°(1/4턴)
4보	왼발을 전진하면서 오른발 옆에 모으고(LF)	없음
5보	왼발 R/90°턴(LF)	R/90°(1/4턴)
6보	오른발을 왼발 옆에 모으고(RF)	없음
1보	오른발 후진(RF)	없음
2보	왼발 후진하면서 오른발 옆으로 모으고(LF)	없음
3보	오른발 R/90°턴(RF)	R/90°(1/4턴)
4보	왼발을 전진하면서 오른발 옆에 모으고(LF)	없음
5보	왼발 R/90°턴(LF)	R/90°(1/4턴)
6보	오른발을 왼발 옆에 모으고(RF)	없음

스텝	리드 / 사인 / 텐션
1보	여성 왼발이 댄스 라인에 맞춰 전진하도록 여성 오른손을 여성의 정면 앞으로 당긴다.
2보	여성 오른발이 댄스 라인에 맞춰 전진하도록 여성 오른손을 여성의 정면 앞으로 당긴다.
3보	여성 왼발이 왼쪽으로 45°턴하도록 손을 들어주면서 왼쪽으로 틀어준다.
4보	여성 왼발이 왼쪽으로 135°턴하도록 왼쪽으로 틀어주면서 여성 오른발이 댄스 라인에 위치하도록 손을 내리기 시작한다.
5보	여성 왼발이 후진하도록 그립 상태에서 여성 손에 힘을 주면서 밀어준다.
6보	여성 오른발이 왼발에 모으도록 손 텐션 및 리드를 멈춘다.
1보	여성 왼발이 댄스 라인에 맞춰 전진하도록 여성 오른손을 여성 정면 앞으로 당긴다.
2보	여성 오른발이 댄스 라인에 맞춰 전진하도록 여성 오른손을 여성 정면 앞으로 당긴다.
3보	여성 왼발이 왼쪽으로 45°턴하도록 손을 들어주면서 왼쪽으로 틀어준다.
4보	여성 왼발이 왼쪽으로 135°턴하도록 왼쪽으로 틀어주면서 여성 오른발이 댄스 라인에 위치하도록 손을 내리기 시작한다.
5보	여성 왼발이 후진하도록 그립 상태에서 여성 손에 힘을 주면서 밀어준다.
6보	여성 오른발이 왼발에 모으도록 손 텐션 및 리드를 멈춘다.

〈여성〉

스텝	회전량	핸드	스텝 방식	풋 워크	풋 포지션	액션
1보	없음	오른손	놓고	BF	왼발 전진(LF)	Forward Walk
2보	없음	오른손	놓고	BF	오른발 전진(RF)	Forward Walk
3보	L/45° (1/8턴)	오른손	놓고	B	왼발 45°턴(LF)	Turn
4보	L/135° (3/8턴) 오른발-없음	오른손	놓고	B, HF	왼발 135°턴(LF) 오른발 후진(RF)	Turn, Backward Walk
5보	없음	오른손	놓고	HF	왼발 후진(LF)	Backward Walk
6보	없음	오른손	놓고	HF	오른발을 왼발에 모으고(RF)	Backward Walk
1보	없음	오른손	놓고	BF	왼발 전진(LF)	Forward Walk
2보	없음	오른손	놓고	BF	오른발 전진(RF)	Forward Walk
3보	L/45° (1/8턴)	오른손	놓고	B	왼발 45°턴(LF)	Turn
4보	L/135° (3/8턴) 오른발-없음	오른손	놓고	B, HF	왼발 135°턴(LF) 오른발 후진(RF)	Turn, Backward Walk
5보	없음	오른손	놓고	HF	왼발 후진(LF)	Backward Walk
6보	없음	오른손	놓고	HF	오른발을 왼발에 모으고(RF)	Backward Walk

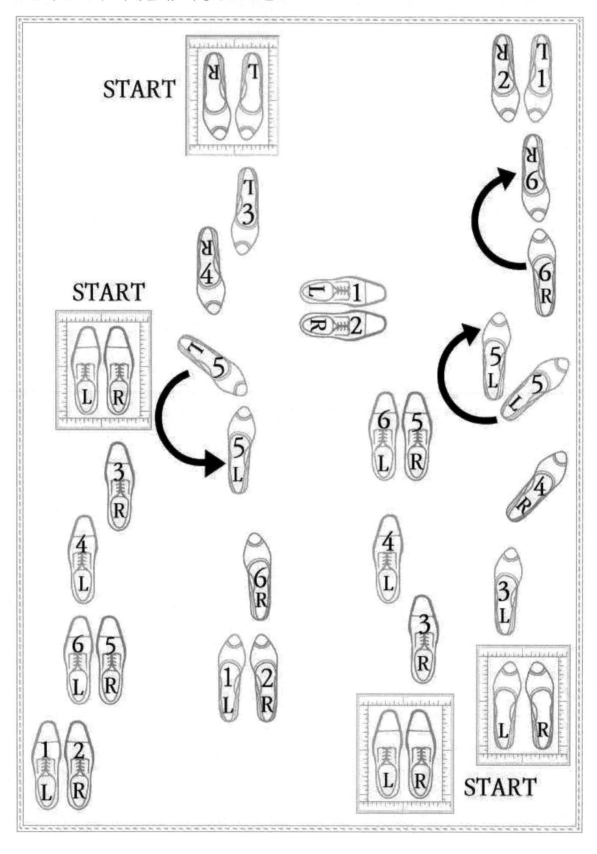

〈남성&여성〉

스텝	카운트	리듬	읽을 때	음악 타이밍	보수	핸드 포지션	악센트
1보	3	S	슬로우	쿵	1	One Hand Joined	
2보	4	&	엔	짝	1	One Hand Joined	
3보	5	Q	퀵	쿵	1	One Hand Joined	V
4보	6	Q	퀵	짝	1	One Hand Joined	V
5보	1	S	슬로우	쿵	1	One Hand Joined	
6보	2	&	엔	짝	1	One Hand Joined	
1보	3	S	슬로우	쿵	1	One Hand Joined	
2보	4	&	엔	짝	1	One Hand Joined	
3보	5	Q	퀵	쿵	1	One Hand Joined	V
4보	6	Q	퀵	짝	1	One Hand Joined	V
5보	1	S	슬로우	쿵	1	One Hand Joined	
6보	2	&	엔	짝	1	One Hand Joined	

〈남성〉

스텝	핸드	방향	풋 워크	스텝 방식	액션
1보	오른손	12시	HF	놓고	Backward Walk
2보	오른손	12시	HF	놓고	Backward Walk
3보	오른손	12시	HF	놓고	Backward Walk
4보	오른손	12시	HF/T	놓고/찍고(선택)	Backward Walk
5보	오른손	12시	HF	놓고	Diagonally Backward Walk
6보	오른손	12시	HF	놓고	Diagonally Backward Walk
1보	오른손	12시	BF	놓고	Forward Walk
2보	오른손	12시	BF	놓고	Forward Walk
3보	오른손	12시	BF	놓고	Forward Walk
4보	오른손	12시	BF/T	놓고/찍고(선택)	Forward Walk
5보	오른손	3시	WF	놓고	Side line(Left),Turn
6보	오른손	3시	WF	놓고	Side line(Left)

스텝	풋 포지션	회전량
1보	오른발 후진(RF)	없음
2보	왼발 후진(LF)	없음
3보	오른발 후진(RF)	없음
4보	왼발을 후진하면서 오른발 옆에 모으고(LF)	없음
5보	왼발 왼쪽 사선으로 후진(LF)	없음
6보	오른발을 왼쪽 사선으로 후진하면서 왼발 옆에 모으고(RF)	없음
1보	오른발 전진(RF)	없음
2보	왼발 전진(LF)	없음
3보	오른발 전진(RF)	없음
4보	왼발을 전진하면서 오른발 옆에 모으고(LF)	없음
5보	왼발 R/90°턴 (LF)	R/90°(1/4턴)
6보	오른발을 왼발에 옆에 모으고(RF)	없음

스텝	리드 / 사인 / 텐션
1보	여성 왼발, 오른발이 댄스 라인에 맞춰 전진하도록 여성 오른손을 여성의 정면 앞으로
2보	당긴다.
3보	여성 왼발이 왼쪽으로 45°, 135°턴하도록 여성 오른손 손바닥이 하늘 쪽으로 보이도록
4보	손목을 꺾어 주면서 여성 손등이 여성 어깨 쪽으로 유도(리드)해 준다. 4보에 여성 오른발이 후진하도록 살짝 당겨주고
5보	5보에 여성 왼발이 후진하도록 살짝 당겨주고
6보	6보에 여성 오른발이 왼발에 모으도록 잡아준다.(어깨걸이)
1보	Shadow Position에서 여성이 전진할 수 있도록 왼손으로 살짝 여성 등을 밀어준다.
2보	여성이 오른쪽으로 45°, 315°턴 할 수 있도록 손을 여성 정수리 5-10cm 정도 위로
3보	들어주고, 텐션을 주면서 손목 스냅을 이용하여 여성을 회전시켜준다.
4보	
5보	여성이 오른발이 오른쪽으로 180°턴을 할 수 있게 텐션을 주면서 손목 스냅을 이용하여 여성을 회전시켜준다. 여성 왼발이 댄스 라인에 위치하도록 손을 내리기 시작한다.
6보	여성 오른발이 후진하면서 왼발에 모으도록 손을 완전히 내려준다.

〈여성〉

스텝	회전량	핸드	스텝 방식	풋 워크	풋 포지션	액션
1보	없음	오른손	놓고	BF	왼발 전진(LF)	Forward Walk
2보	없음	오른손	놓고	BF	오른발 전진(RF)	Forward Walk
3보	L/45°(1/8턴)	오른손	놓고	B	왼발 45°턴(LF)	Turn
4보	L/135° (3/8턴) 오른발-없음	오른손	놓고	B, HF	왼발 135°턴(LF) 오른발 후진(RF)	Turn, Backward Walk
5보	없음	오른손	놓고	HF	왼발 후진(LF)	Backward Walk
6보	없음	오른손	놓고	HF	오른발을 왼발에 모으고(RF)	Backward Walk
1보	없음	오른손	놓고	BF	왼발 전진(LF)	Forward Walk
2보	R/45° (1/8턴)	오른손	놓고	BF	오른발 R/45°턴(RF)	Turn
3보	R/45° (1/8턴)	오른손	놓고	B	왼발 R/45°턴(LF)	Turn
4보	R/315° (7/8턴) 오른발-없음	오른손	놓고	B, BF	왼발 R/315°턴(LF) 오른발 전진(RF)	Turn, Forward Walk
5보	R/180° (1/2턴) 왼발-턴 없음	오른손	놓고	B, HF	오른발 R/180°턴(RF) L(왼발) 후진	Turn, Backward Walk
6보	없음	오른손	놓고	BF	오른발을 왼발에 모으고(RF)	Backward Walk

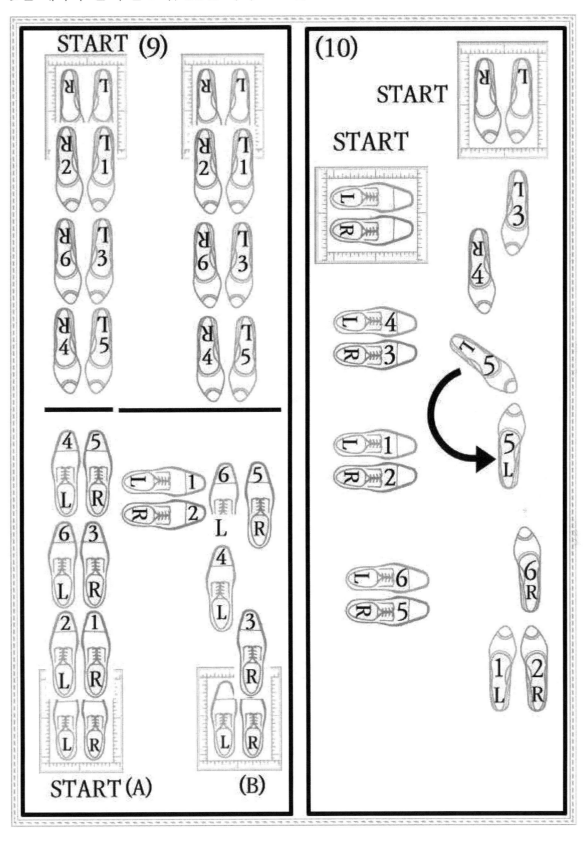

9번 제자리 전 후진 스텝

〈남성&여성〉

스텝	카운트	리듬	읽을 때	음악 타이밍	보수	핸드 포지션	악센트
1보	3	S	슬로우	쿵	1	Two Hand Joined	
2보	4	&	엔	짝	1	Two Hand Joined	
3보	5	Q	퀵	쿵	1	Two Hand Joined	V
4보	6	Q	퀵	짝	1	Two Hand Joined	V
5보	1	S	슬로우	쿵	1	Two Hand Joined	
6보	2	&	엔	짝	1	Two Hand Joined	
1보	3	S	슬로우	쿵	1	Two Hand Joined	
2보	4	&	엔	짝	1	Two Hand Joined	
3보	5	Q	퀵	쿵	1	Two Hand Joined	V
4보	6	Q	퀵	짝	1	Two Hand Joined	V
5보	1	S	슬로우	쿵	1	One Hand Joined	
6보	2	&	엔	짝	1	One Hand Joined	

〈남성〉

스텝	방향	풋 워크	스텝 방식	액션
1보	12시	BF	놓고	Forward Walk
2보	12시	BF	놓고	Forward Walk
3보	12시	BF	놓고	Forward Walk
4보	12시	HF	놓고	Backward Walk
5보	12시	HF	놓고	Backward Walk
6보	12시	HF	놓고	Backward Walk
1보	12시	BF	놓고	Forward Walk
2보	12시	BF	놓고	Forward Walk
3보	12시	BF	놓고	Forward Walk
4보	12시	T/BF	찍고/놓고(선택)	Forward Walk
5보	3시	WF	놓고	Side line(Left),Turn
6보	3시	WF	놓고	Side line(Left)

스텝	핸드	풋 포지션	회전량
1보	양손	오른발 전진(RF)	없음
2보	양손	왼발 전진(LF)	없음
3보	양손	오른발 전진하면서 왼발 옆에 모으고(RF)	없음
4보	양손	왼발 후진(LF)	없음
5보	양손	오른발 후진(RF)	없음
6보	양손	왼발 후진하면서 오른발 옆에 모르고(LF)	없음
1보	양손	오른발 전진(RF)	없음
2보	양손	왼발 전진(LF)	없음

3보	양손	오른발 전진(RF)	없음
4보	양손	왼발 전진하면서 오른발 옆에 모르고(LF)	없음
5보	양손	왼발 L/90°턴 (LF)	L/90°(1/4턴)
6보	오른손	오른발을 왼발에 모으고(RF)	없음

스텝	리드 / 사인 / 텐션
1보	여성 왼발, 오른발이 댄스 라인에 맞춰 전진하도록 여성 양손을 여성의 정면
2보	앞으로 당긴다.
3보	여성 왼발이 오른발 옆에 모으도록 여성이 전진을 못 하도록 텐션을 주면서 벽을 만들어준다.
4보	여성 오른발, 왼발이 댄스 라인에 맞춰 후진할 수 있도록 텐션을 주면서 밀어준다.
5보	
6보	여성 오른발이 왼발 옆에 모으도록 더 이상 후진하지 못하게 여성 손을 잡아준다.
1보	여성 왼발, 오른발이 댄스 라인에 맞춰 전진하도록 여성 양손을 여성의 정면
2보	앞으로 당긴다.
3보	여성 왼발이 오른발 옆에 모으도록 여성이 전진 못 하도록 텐션을 주면서 벽을 만들어준다.
4보	여성 오른발, 왼발이 댄스 라인에 맞춰 후진할 수 있도록 텐션을 주면서 밀어준다.
5보	
6보	여성 오른발이 왼발 옆에 모으도록 더 이상 후진하지 못하게 여성 손을 잡아준다

〈여성〉

스텝	회전량	핸드	스텝 방식	풋 워크	풋 포지션	액션
1보	없음	양손	놓고	BF	왼발 전진(LF)	Forward Walk
2보	없음	양손	놓고	BF	오른발 전진(RF)	Forward Walk
3보	없음	양손	놓고	BF	왼발 전진하면서 오른발 옆에 모으고(LF)	Forward Walk
4보	없음	양손	놓고	HF	오른발 후진(RF)	Backward Walk
5보	없음	양손	놓고	HF	왼발 후진(LF)	Backward Walk
6보	없음	양손	놓고	HF	오른발 후진하면서 왼발 옆에 모으고(RF)	Backward Walk
1보	없음	양손	놓고	BF	왼발 전진(LF)	Forward Walk
2보	없음	양손	놓고	BF	오른발 전진(RF)	Forward Walk
3보	없음	양손	놓고	BF	왼발 전진하면서 오른발 옆에 모으고(LF)	Forward Walk
4보	없음	양손	놓고	HF	오른발 후진(RF)	Backward Walk
5보	없음	양손	놓고	HF	왼발 후진(LF)	Backward Walk
6보	없음	오른손	놓고	HF	오른발 후진하면서 왼발 옆에 모으고(RF)	Backward Walk

10번 사이드 스텝

〈남성&여성〉

스텝	카운트	리듬	읽을 때	음악 타이밍	보수	핸드 포지션	악센트
1보	3	S	슬로우	쿵	1	One Hand Joined	
2보	4	&	엔	짝	1	One Hand Joined	
3보	5	Q	퀵	쿵	1	One Hand Joined	V
4보	6	Q	퀵	짝	1	One Hand Joined	V
5보	1	S	슬로우	쿵	1	One Hand Joined	
6보	2	&	엔	짝	1	One Hand Joined	

〈남성〉

스텝	핸드	풋 포지션	회전량
1보	오른손	오른발 오른쪽 옆으로(RF)	없음
2보	오른손	왼발 오른쪽 옆으로 이동하면서 오른발 옆에 모으고(LF)	없음
3보	오른손	오른발 오른쪽 옆으로(RF)	없음
4보	오른손	왼발 오른쪽 옆으로 이동하면서 오른발 옆에 모으고(LF)	없음
5보	오른손	왼발 왼쪽 옆으로(LF)	없음
6보	오른손	오른발 왼쪽 옆으로 이동하면서 왼발 옆에 모으고(RF)	없음

스텝	방향	풋 워크	스텝 방식	액션
1보	3시	WF	놓고	Side Step
2보	3시	WF	놓고	Side Step
3보	3시	WF	놓고	Side Step
4보	3시	WF	놓고	Side Step
5보	3시	WF	놓고	Side Step
6보	3시	WF	놓고	Side Step

스텝	리드 / 사인 / 텐션
1보	여성 왼발이 댄스 라인에 맞춰 전진하도록 여성 오른손을 여성 정면 앞으로 당긴다.
2보	여성 오른발이 댄스 라인에 맞춰 전진하도록 여성 오른손을 여성 정면 앞으로 당긴다.
3보	여성 왼발이 왼쪽으로 45°턴하도록 손을 들어주면서 왼쪽으로 틀어준다
4보	여성 왼발이 왼쪽으로 135°턴하도록 왼쪽으로 틀어주면서 여성 오른발이 댄스 라인에 위치하도록 손을 내리기 시작한다.
5보	여성 왼발이 후진하도록 그립 상태에서 여성의 손에 힘을 주면서 밀어준다.
6보	여성 오른발이 왼발에 모으도록 손 텐션 및 리드를 멈춘다.

〈여성〉

스텝	회전량	핸드	스텝 방식	풋 워크	풋 포지션	액션
1보	없음	오른손	놓고	BF	왼발 전진(LF)	Forward Walk

2보	없음	오른손	놓고	BF	오른발 전진(RF)	Forward Walk
3보	L/45°(1/8턴)	오른손	놓고	B	왼발 45°턴(LF)	Turn
4보	L/135° (3/8턴) 오른발-없음	오른손	놓고	B, HF	왼발 135°턴(LF) 오른발 후진(RF)	Turn, Backward Walk
5보	없음	오른손	놓고	HF	왼발 후진(LF)	Backward Walk
6보	없음	오른손	놓고	HF	오른발 후진하면서 왼발 옆에 모으고(RF)	Backward Walk

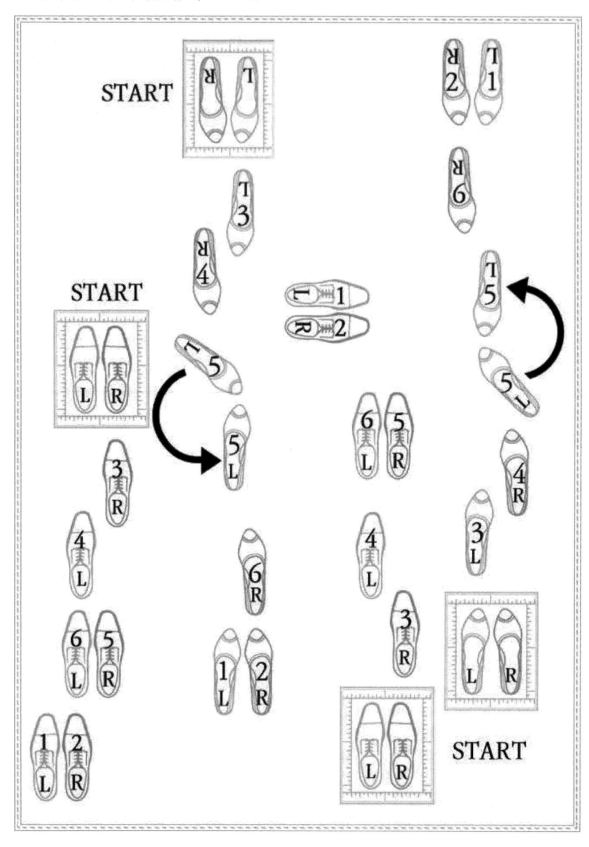

〈남성&여성〉

스텝	카운트	리듬	읽을 때	음악 타이밍	보수	핸드 포지션	악센트
1보	3	S	슬로우	쿵	1	One Hand Joined	
2보	4	&	엔	짝	1	One Hand Joined	
3보	5	Q	퀵	쿵	1	One Hand Joined	V
4보	6	Q	퀵	짝	1	One Hand Joined	V
5보	1	S	슬로우	쿵	1	One Hand Joined	
6보	2	&	엔	짝	1	One Hand Joined	
1보	3	S	슬로우	쿵	1	One Hand Joined	
2보	4	&	엔	짝	1	One Hand Joined	
3보	5	Q	퀵	쿵	1	One Hand Joined	V
4보	6	Q	퀵	짝	1	One Hand Joined	V
5보	1	S	슬로우	쿵	1	One Hand Joined	
6보	2	&	엔	짝	1	One Hand Joined	

〈남성〉

스텝	핸드	방향	풋 워크	스텝 방식	액션
1보	오른손	12시	HF	놓고	Backward Walk
2보	오른손	12시	HF	놓고	Backward Walk
3보	오른손	12시	HF	놓고	Backward Walk
4보	오른손	12시	HF/T	놓고/찍고(선택)	Backward Walk
5보	오른손	12시	HF	놓고	Diagonally Backward Walk
6보	오른손	12시	HF	놓고	Diagonally Backward Walk
1보	왼손	12시	BF	놓고	Forward Walk
2보	왼손	12시	BF	놓고	Forward Walk
3보	왼손	12시	BF	놓고	Forward Walk
4보	왼손	12시	BF/T	놓고/찍고(선택)	Forward Walk
5보	왼손	3시	WF	놓고	Side line(Left),Turn
6보	왼손	3시	WF	놓고	Side line(Left)

스텝	풋 포지션	회전량
1보	오른발 후진(RF)	없음
2보	왼발 후진(LF)	없음
3보	오른발 후진(RF)	없음
4보	왼발을 후진하면서 오른발 옆에 모으고(LF)	없음
5보	왼발 왼쪽 사선으로 후진(LF)	없음
6보	오른발을 왼쪽 사선으로 후진하면서 왼발 옆에 모으고(RF)	없음
1보	오른발 전진(RF)	없음
2보	왼발 전진(LF)	없음
3보	오른발 전진(RF)	없음
4보	왼발을 전진하면서 오른발 옆에 모으고(LF)	없음
5보	왼발 R/90°턴(LF)	R/90°(1/4턴)
6보	오른발을 왼발에 옆에 모으고(RF)	없음

스텝	리드 / 사인 / 텐션
1보	여성 왼발, 오른발이 댄스 라인에 맞춰 전진하도록 여성 오른손을 여성 정면 앞으로
2보	당긴다.
3보	여성 왼발이 왼쪽으로 45°, 135°턴하도록 여성 오른손 손바닥이 하늘 쪽으로 보이도록
4보	손목을 꺾어 주면서 여성 손등이 여성 어깨 쪽으로 유도(리드)해 준다. 4보에 여성 오른발이 후진하도록 살짝 당겨주고
5보	5보에 여성 왼발이 후진하도록 살짝 당겨주고
6보	6보에 여성 오른발이 왼발에 모으도록 잡아준다.(어깨걸이)
1보	Shadow Position에서 여성 오른손을 놓아 주면서 남성 왼손으로 여성 오른손을
2보	잡아주면서 전진할 수 있도록 오른손으로 여성 오른쪽 등을 살짝 밀어주면서 왼손은 여성 정면 앞으로 당긴다.
3보	여성 왼발이 왼쪽으로 45°턴하도록 왼쪽으로 틀어준다. (손 허리에 위치)
4보	여성 왼발이 왼쪽으로 135°턴하도록 왼쪽으로 틀어주면서 여성 오른발이 댄스 라인에 위치하도록 밀어준다. (손 허리에 위치)
5보	여성 왼발이 후진하도록 그립 상태에서 여성 손에 힘을 주면서 밀어준다.
6보	여성 오른발이 왼발에 모으도록 손 리드 및 텐션을 멈춘다

〈여성〉

스텝	회전량	핸드	스텝 방식	풋 워크	풋 포지션	액션
1보	없음	오른손	놓고	BF	왼발 전진(LF)	Forward Walk
2보	없음	오른손	놓고	BF	오른발 전진(RF)	Forward Walk
3보	L/45°(1/8턴)	오른손	놓고	B	왼발 45°턴(LF)	Turn
4보	L/135° (3/8턴) 오른발-없음	오른손	놓고	B, HF	왼발 135°턴(LF) 오른발 후진(RF)	Turn, Backward Walk
5보	없음	오른손	놓고	HF	왼발 후진(LF)	Backward Walk
6보	없음	오른손	놓고	HF	오른발 후진하면서 왼발 옆에 모으고(RF)	Backward Walk
1보	없음	오른손	놓고	BF	왼발 전진(LF)	Forward Walk
2보	없음	오른손	놓고	BF	오른발 전진(RF)	Forward Walk
3보	L/45° (1/8턴)	오른손	놓고	B	왼발 45°턴(LF)	Turn
4보	L/135° (3/8턴) 오른발-없음	오른손	놓고	B, HF	왼발 135°턴(LF) 오른발 후진(RF)	Turn, Backward Walk
5보	없음	오른손	놓고	HF	왼발 후진(LF)	Backward Walk
6보	없음	오른손	놓고	HF	오른발 후진하면서 왼발 옆에 모으고(RF)	Backward Walk

12번 핸드 체인지

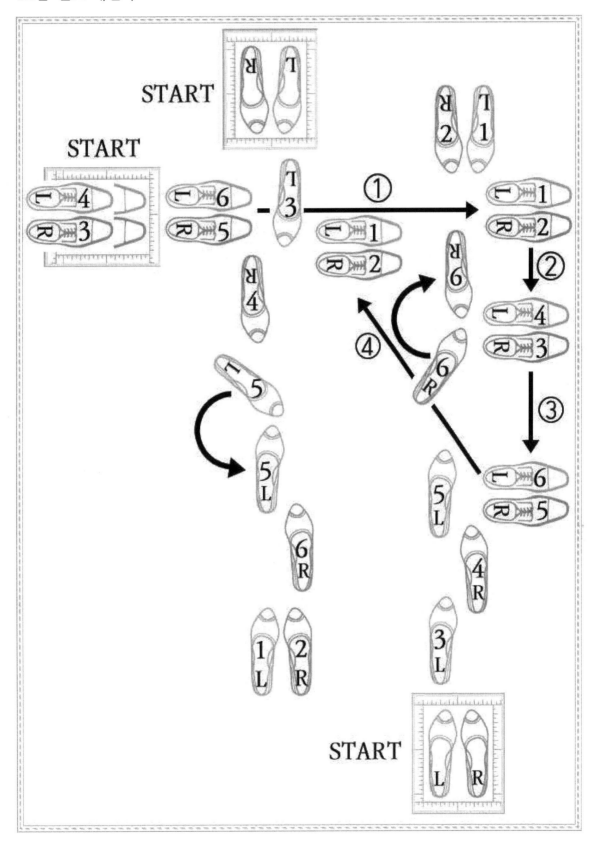

〈남성&여성〉

스텝	카운트	리듬	읽을 때	음악 타이밍	보수	핸드 포지션	악센트
1보	3	S	슬로우	쿵	1	One Hand Joined	
2보	4	&	엔	짝	1	One Hand Joined	
3보	5	Q	퀵	쿵	1	One Hand Joined	V
4보	6	Q	퀵	짝	1	One Hand Joined	V
5보	1	S	슬로우	쿵	1	One Hand Joined	
6보	2	&	엔	짝	1	One Hand Joined	
1보	3	S	슬로우	쿵	1	One Hand Joined	
2보	4	&	엔	짝	1	One Hand Joined	
3보	5	Q	퀵	쿵	1	One Hand Joined	V
4보	6	Q	퀵	짝	1	One Hand Joined	V
5보	1	S	슬로우	쿵	1	One Hand Joined	
6보	2	&	엔	짝	1	One Hand Joined	

〈남성〉

스텝	핸드	방향	풋 워크	스텝 방식	액션
1보	오른손	3시	HF	놓고	Backward Walk
2보	오른손	3시	HF	놓고	Backward Walk
3보	오른손	3시	BF	놓고	Forward Walk
4보	오른손	3시	T/BF	찍고/놓고(선택)	Forward Walk
5보	오른손	3시	BF	놓고	Forward Walk
6보	오른손	3시	BF	놓고	Forward Walk
1보	오른손	3시	WF	놓고	Side Step
2보	왼손	3시	WF	놓고	Side Step
3보	왼손	3시	WF	놓고	Side Step
4보	왼손	3시	WF	놓고	Side Step
5보	왼손	3시	WF	놓고	Diagonally Backward Walk
6보	왼손	3시	WF	놓고	Diagonally Backward Walk

스텝	풋 포지션	회전량
1보	오른발 후진(RF)	없음
2보	왼발 후진하면서 오른발 옆으로 모으고(LF)	없음
3보	오른발 전진(RF)	없음
4보	왼발을 전진하면서 오른발 옆에 모으고(LF)	없음
5보	왼발 전진(LF)	없음
6보	오른발을 왼발 옆에 모으고(RF)	없음
1보	오른발 오른쪽 옆으로(RF)	없음
2보	왼발 오른발 옆으로 모으고(LF)	없음
3보	오른발 오른쪽 옆으로(RF)	없음
4보	왼발을 오른발 옆에 모으고(LF)	없음
5보	왼발 사선으로 후진(LF)	없음
6보	오른발을 왼발 옆에 모으고(RF)	없음

스텝	리드 / 사인 / 텐션
1보	여성 왼발, 오른발이 댄스 라인에 맞춰 전진하도록 여성 오른손을 여성 정면 앞으로
2보	당긴다.
3보	여성 왼발이 왼쪽으로 45°턴하도록 손을 들어주면서 왼쪽으로 틀어준다
4보	여성 왼발이 왼쪽으로 135°턴하도록 왼쪽으로 틀어주면서 여성 오른발이 댄스 라인에 위치하도록 손을 내리기 시작한다.
5보	여성 왼발이 후진하도록 그립 상태에서 여성 손에 힘을 주면서 밀어준다.
6보	여성 오른발이 왼발에 모으도록 손 텐션 및 리드를 멈춘다.
1보	여성 왼발이 댄스 라인에 맞춰 전진하도록 여성 오른손을 여성 정면 앞으로 당긴다.
2보	남성 오른손에서 왼손으로 체인지하면서 여성이 정면 앞으로 전진하도록 유도한다.
3보	여성 왼발이 댄스 라인에 맞춰 전진하도록 여성 오른손을 여성 정면 앞으로 당긴다.
4보	여성 왼발이 오른쪽으로 45°턴하도록 오른쪽으로 틀어준다.
5보	여성 오른발이 오른쪽으로 135°턴하도록 오른쪽으로 틀어주면서 여성 왼발이 후진하도록 그립 상태에서 여성 손에 힘을 주면서 밀어준다.
6보	여성 오른발이 왼발에 모으도록 손 텐션 및 리드를 멈춘다.

〈여성〉

스텝	회전량	핸드	스텝 방식	풋 워크	풋 포지션	액션
1보	없음	오른손	놓고	BF	왼발 전진(LF)	Forward Walk
2보	없음	오른손	놓고	BF	오른발 전진(RF)	Forward Walk
3보	L/45° (1/8턴)	오른손	놓고	B	왼발 45°턴(LF)	Turn
4보	L/135° (3/8턴) 오른발-없음	오른손	놓고	B, HF	왼발 135°턴(LF) 오른발 후진(RF)	Turn, Backward Walk
5보	없음	오른손	놓고	HF	왼발 후진(LF)	Backward Walk
6보	없음	오른손	놓고	HF	오른발 후진하면서 왼발 옆에 모으고(RF)	Backward Walk
1보	없음	오른손	놓고	BF	왼발 전진(LF)	Forward Walk
2보	없음	오른손	놓고	BF	오른발 전진(RF)	Forward Walk
3보	없음	오른손	놓고	B	왼발 전진(LF)	Forward Walk
4보	R/45° (1/8턴)	오른손	놓고	B	오른발 45°턴(RF)	Turn
5보	R/135° (3/8턴) 왼발-없음	오른손	놓고	B, HF	오른발 R/135°턴(RF) 왼발 후진(LF)	Turn, Backward Walk
6보	없음	오른손	놓고	HF	오른발 후진하면서 왼발 옆에 모으고(RF)	Backward Walk

13번 크게 돌리기 14번 남: 사이드 스텝 여: L/180° 턴

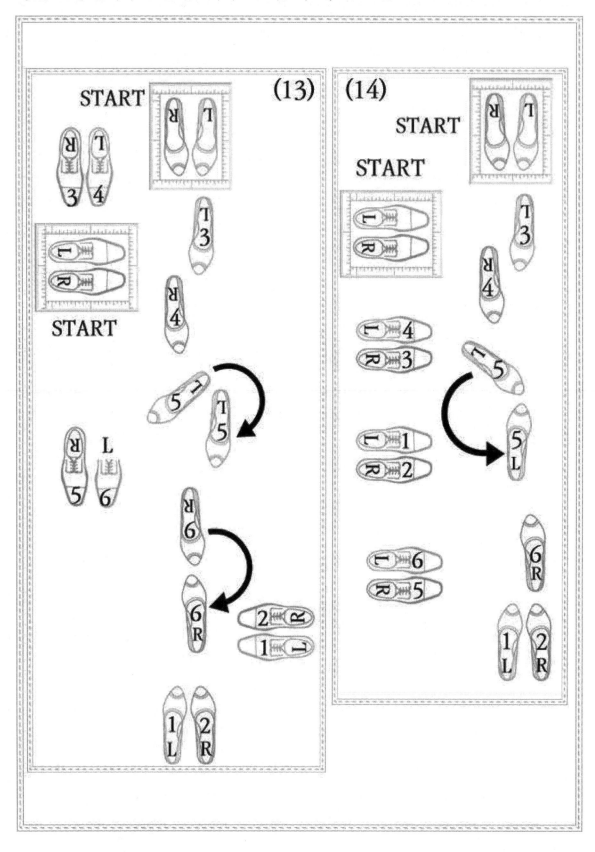

13번 크게 돌리기

〈남성&여성〉

스텝	카운트	리듬	읽을 때	음악 타이밍	보수	핸드 포지션	악센트
1보	3	S	슬로우	쿵	1	One Hand Joined	
2보	4	&	엔	짝	1	One Hand Joined	
3보	5	Q	퀵	쿵	1	One Hand Joined	V
4보	6	Q	퀵	짝	1	One Hand Joined	V
5보	1	S	슬로우	쿵	1	One Hand Joined	
6보	2	&	엔	짝	1	One Hand Joined	

〈남성〉

스텝	핸드	방향	풋 워크	스텝 방식	액션
1보	오른손	6시	HF	놓고	Backward Walk
2보	오른손	6시	HF	놓고	Backward Walk
3보	오른손	6시	BF	놓고	Forward Walk
4보	오른손	6시	T/BF	찍고/놓고(선택)	Forward Walk
5보	오른손	9시	WF	놓고	Side line(Right), Turn
6보	오른손	9시	WF	놓고	Side line(Right)

스텝	풋 포지션	회전량
1보	오른발 R/90°턴(RF)	R/90°(1/4턴)
2보	왼발 후진하면서 오른발 옆으로 모으고(LF)	없음
3보	오른발 전진(RF)	없음
4보	왼발을 전진하면서 오른발 옆에 모으고(LF)	없음
5보	왼발 R/90°턴(LF)	R/90°(1/4턴)
6보	오른발을 왼발 옆에 모으고(RF)	없음

스텝	리드 / 사인 / 텐션
1보	여성 왼발이 댄스 라인에 맞춰 전진하도록 여성 오른손을 여성 정면 앞으로 당기면서 여성 팔을 들어준다. 또한, 남성 왼손으로 여성 팔꿈치를 잡아준다.
2보 3보 4보	여성이 오른쪽으로 45°, 315°턴 할 수 있도록 여성 오른손을 여성 정수리 5-10cm 정도 위로 들어주면서 회전시켜준다.
5보	여성 오른발이 오른쪽으로 180°턴하도록 계속 텐션 주면서 여성 왼발이 댄스 라인에 위치하도록 손을 내리기 시작한다.
6보	여성 오른발이 후진하면서 왼발에 모으도록 손을 내려준다.

〈여성〉 2보에 회전량 없이 Forward Walk & 회전량 R/45°(선택)

스텝	회전량	핸드	스텝 방식	풋 워크	풋 포지션	액션
1보	없음	오른손	놓고	BF	왼발 전진(LF)	Forward Walk
2보	R/45° (1/8턴)	오른손	놓고	BF	오른발 R/45°턴(RF)	Turn

스텝								
3보	R/45° (1/8턴)	오른손	놓고	B		왼발 R/45°턴(LF)		Turn
4보	R/315° (7/8턴) 오른발-없음	오른손	놓고	B, BF		왼발 R/315°턴(LF) 오른발 전진(RF)		Turn, Forward Walk
5보	R/180° (1/2턴) 왼발-턴 없음	오른손	놓고	B, HF		오른발 R/180°턴(RF) 왼발 후진(LF)		Turn, Backward Walk
6보	없음	오른손	놓고	HF		오른발 후진하면서 왼발 옆에 모으고(RF)		Backward Walk

14번 남: 사이드 스텝 여: L/180° 턴

〈남성&여성〉

스텝	카운트	리듬	읽을 때	음악 타이밍	보수	핸드 포지션	악센트
1보	3	S	슬로우	쿵	1	One Hand Joined	
2보	4	&	엔	짝	1	One Hand Joined	
3보	5	Q	퀵	쿵	1	One Hand Joined	V
4보	6	Q	퀵	짝	1	One Hand Joined	V
5보	1	S	슬로우	쿵	1	One Hand Joined	
6보	2	&	엔	짝	1	One Hand Joined	

〈남성〉

스텝	핸드	풋 포지션	회전량
1보	오른손	오른발 오른쪽 옆으로(RF)	없음
2보	오른손	왼발 오른쪽 옆으로 이동하면서 오른발 옆에 모으고(LF)	없음
3보	오른손	오른발 오른쪽 옆으로(RF)	없음
4보	오른손	왼발 오른쪽 옆으로 이동하면서 오른발 옆에 모으고(LF)	없음
5보	오른손	왼발 왼쪽 옆으로(LF)	없음
6보	오른손	오른발 왼쪽 옆으로 이동하면서 왼발 옆에 모으고(RF)	없음

스텝	방향	풋 워크	스텝 방식	액션
1보	3시	WF	놓고	Side Step
2보	3시	WF	놓고	Side Step
3보	3시	WF	놓고	Side Step
4보	3시	WF	놓고	Side Step
5보	3시	WF	놓고	Side Step
6보	3시	WF	놓고	Side Step

스텝	리드 / 사인 / 텐션
1보	여성 왼발이 댄스 라인에 맞춰 전진하도록 여성 왼손을 여성 정면 앞으로 당기면서

2보	왼손으로 여성 오른쪽 등 쪽을 밀어준다.
3보	여성 왼발이 왼쪽으로 45°턴하도록 손을 들어주면서 왼쪽으로 틀어준다
4보	여성 왼발이 왼쪽으로 135°턴하도록 왼쪽으로 틀어주면서 여성 오른발이 댄스 라인에 위치하도록 손을 내리기 시작한다.
5보	여성 왼발이 후진하도록 그립 상태에서 여성 손에 힘을 주면서 밀어준다.
6보	여성 오른발이 왼발에 모으도록 손 텐션 및 리드를 멈춘다.

〈여성〉

스텝	회전량	핸드	스텝 방식	풋 워크	풋 포지션	액션
1보	없음	왼손	놓고	BF	왼발 전진(LF)	Forward Walk
2보	없음	왼손	놓고	BF	오른발 전진(RF)	Forward Walk
3보	L/45° (1/8턴)	왼손	놓고	B	왼발 45°턴(LF)	Turn
4보	L/135° (3/8턴) 오른발-없음	왼손	놓고	B, HF	왼발 135°턴(LF) 오른발 후진(RF)	Turn, Backward Walk
5보	없음	왼손	놓고	HF	왼발 후진(LF)	Backward Walk
6보	없음	왼손	놓고	HF	오른발 후진하면서 왼발 옆에 모으고(RF)	Backward Walk

15번 그림자(여성 따라다니기)

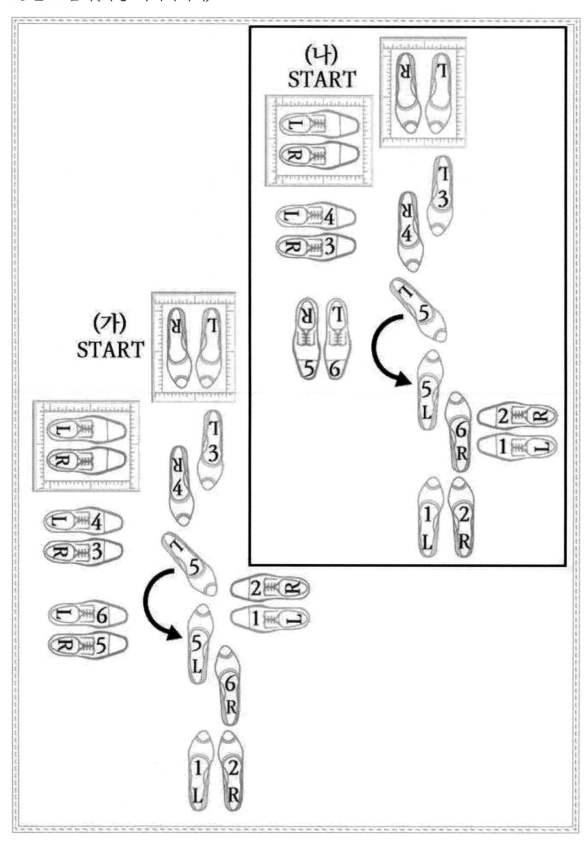

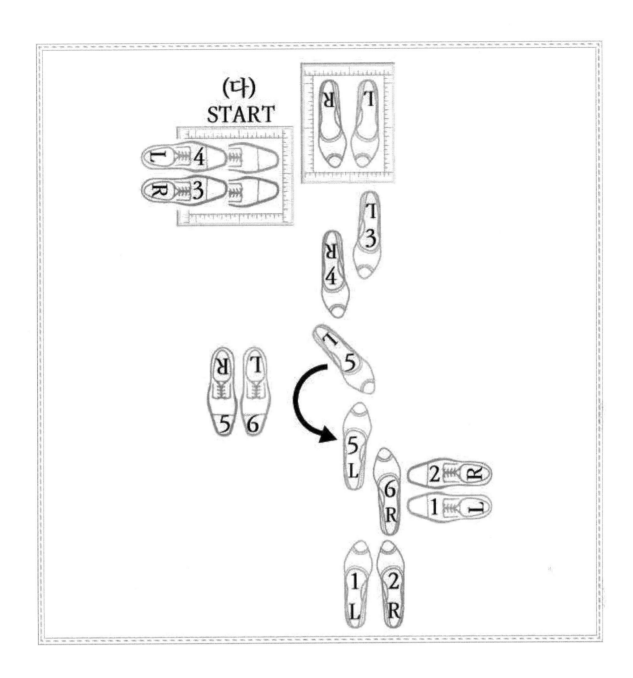

여성 스텝은 같으나 남성의 경우 여러 가지 스텝 방식이 있다.

〈남성&여성〉

스텝	카운트	리듬	읽을 때	음악 타이밍	보수	핸드 포지션	악센트
가							
1보	3	S	슬로우	쿵	1	One Hand Joined	
2보	4	&	엔	짝	1	One Hand Joined	
3보	5	Q	퀵	쿵	1	One Hand Joined	V
4보	6	Q	퀵	짝	1	One Hand Joined	V
5보	1	S	슬로우	쿵	1	One Hand Joined	
6보	2	&	엔	짝	1	One Hand Joined	
나							

					1보-6보 (가)와 동일 (同一)
					다
					1보-6보 (가)와 동일 (同一)

〈남성〉

스텝	핸드	방향	풋 워크	스텝 방식	액션
			가		
1보	오른손	3시	WF	놓고	Side Step
2보	오른손	3시	WF	놓고	Side Step
3보	오른손	3시	WF	놓고	Side Step
4보	오른손	3시	WF	놓고	Side Step
5보	오른손	9시	WF	놓고	Side line(Right), Turn
6보	오른손	9시	WF	놓고	Side line(Right)
			나		
1보	오른손	3시	WF	놓고	Side Step
2보	오른손	3시	WF	놓고	Side Step
3보	오른손	6시	BF	놓고	Forward Walk
4보	오른손	6시	T/BF	찍고/놓고(선택)	Forward Walk
5보	오른손	9시	WF	놓고	Side line(Left), Turn
6보	오른손	9시	WF	놓고	Side line(Left)
			다		
1보	오른손	3시	HF	놓고	Backward Walk
2보	오른손	3시	HF	놓고	Backward Walk
3보	오른손	6시	BF	놓고	Forward Walk
4보	오른손	6시	T/BF	찍고/놓고(선택)	Forward Walk
5보	오른손	9시	WF	놓고	Side line(Left), Turn
6보	오른손	9시	WF	놓고	Side line(Left)

스텝	풋 포지션	회전량
	가	
1보	오른발 오른쪽 옆으로(RF)	없음
2보	왼발을 오른발 옆으로 모으고(LF)	없음
3보	오른발 오른쪽 옆으로(RF)	없음
4보	왼발을 오른발 옆에 모으고(LF)	없음
5보	왼발 R/180°턴(LF)	R/180°(1/2턴)
6보	오른발을 왼발 옆에 모으고(RF)	없음
	나	
1보	오른발 옆으로(RF)	없음
2보	왼발 오른발 옆으로 모으고(LF)	없음
3보	오른발 R/90°턴(RF)	R/90°(1/4턴)
4보	왼발을 전진하면서 오른발 옆에 모으고(LF)	없음
5보	왼발 R/90°턴(LF)	R/90°(1/4턴)
6보	오른발을 왼발 옆에 모으고(RF)	없음
	다	
1보	오른발 후진(RF)	없음
2보	왼발 후진하면서 오른발 옆으로 모으고(LF)	없음
3보	오른발 R/90°턴(RF)	R/90°(1/4턴)

스텝		
4보	왼발 전진하면서 오른발 옆에 모으고(LF)	없음
5보	왼발 R/90°턴(LF)	R/90°(1/4턴)
6보	오른발을 왼발 옆에 모으고(RF)	없음

스텝	리드 / 사인 / 텐션
	가
1보	여성 왼발이 댄스 라인에 맞춰 전진하도록 여성 오른손을 여성 정면 앞으로 당긴다.
2보	여성 오른발이 댄스 라인에 맞춰 전진하도록 여성 오른손을 여성 정면 앞으로 당긴다.
3보	여성 왼발이 왼쪽으로 45°턴하도록 손을 들어주면서 왼쪽으로 회전시켜준다.
4보	여성 왼발이 왼쪽으로 135°턴하도록 왼쪽으로 회전시켜주면서 여성 오른발이 댄스 라인에 위치하도록 손을 내리기 시작한다.
5보	여성 왼발이 후진하도록 그립 상태에서 여성 손에 힘을 주면서 밀어준다.
6보	여성 오른발이 왼발에 모으도록 손 텐션 및 리드를 멈춘다.
	나
1보-6보	(가) 동일 (同一)
	다
1보-6보	(가) 동일 (同一)

〈여성〉

스텝	회전량	핸드	스텝 방식	풋 워크	풋 포지션	액션
				가		
1보	없음	오른손	놓고	BF	왼발 전진(LF)	Forward Walk
2보	없음	오른손	놓고	BF	오른발 전진(RF)	Forward Walk
3보	L/45° (1/8턴)	오른손	놓고	B	왼발 45°턴(LF)	Turn
4보	L/135° (3/8턴) 오른발-없음	오른손	놓고	B, HF	왼발 135°턴(LF) 오른발 후진(RF)	Turn, Backward Walk
5보	없음	오른손	놓고	HF	왼발 후진(LF)	Backward Walk
6보	없음	오른손	놓고	HF	오른발 후진하면서 왼발 옆에 모으고(RF)	Backward Walk
				나		
		1보-6보 (가) 동일 (同一)				
				다		
		1보-6보 (가) 동일 (同一)				

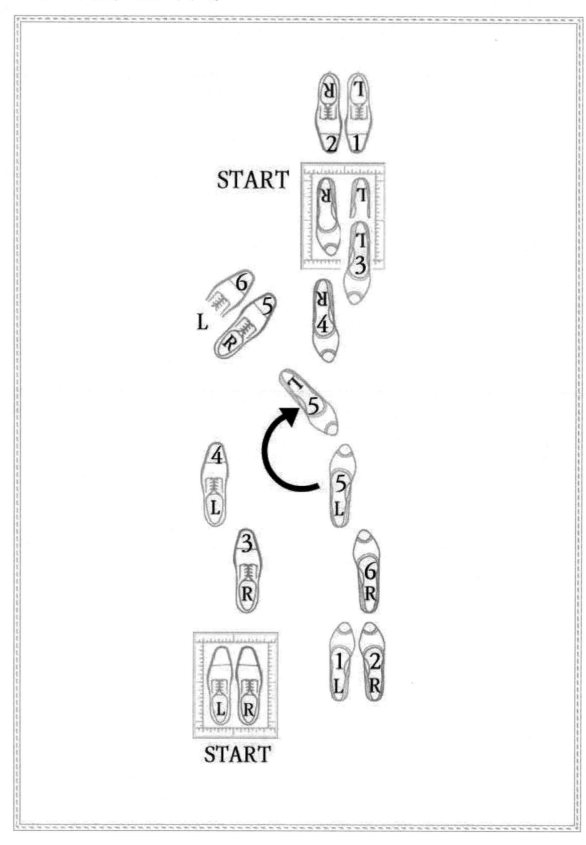

〈남성&여성〉

스텝	카운트	리듬	읽을 때	음악 타이밍	보수	핸드 포지션	악센트
1보	3	S	슬로우	쿵	1	One Hand Joined	
2보	4	&	엔	짝	1	One Hand Joined	
3보	5	Q	퀵	쿵	1	One Hand Joined	V
4보	6	Q	퀵	짝	1	One Hand Joined	V
5보	1	S	슬로우	쿵	1	One Hand Joined	
6보	2	&	엔	짝	1	One Hand Joined	

〈남성〉

스텝	핸드	방향	풋 워크	스텝 방식	액션
1보	오른손	12시	BF	놓고	Forward Walk
2보	오른손	12시	BF	놓고	Forward Walk
3보	오른손	1시 30분	BF	놓고	Diagonally Forward Walk
4보	오른손	1시 30분	T/BF	찍고/놓고(선택)	Diagonally Forward Walk
5보	오른손	6시	WF	놓고	Turn
6보	오른손	6시	WF	놓고	Turn

스텝	풋 포지션	회전량
1보	오른발 전진(RF)	없음
2보	왼발 전진하면서 오른발 옆으로 모으고(LF)	없음
3보	오른발 사선으로 전진(RF)	R/45°(1/8턴)
4보	왼발을 사선으로 전진하면서 오른발 옆에 모으고(LF)	
5보	왼발 오른쪽 135°턴(LF)	R/135°(3/8턴)
6보	오른발을 왼발 옆에 모으고(RF)	없음

스텝	리드 / 사인 / 텐션
1보	여성 왼발이 댄스 라인에 맞춰 전진하도록 여성 오른손을 여성 정면 앞으로 당긴다.
2보	여성 오른발이 댄스 라인에 맞춰 전진하도록 여성 오른손을 여성 정면 앞으로 당긴다.
3보	여성 왼발이 왼쪽으로 45°턴하도록 손을 들어주면서 왼쪽으로 회전시켜준다
4보	여성 왼발이 왼쪽으로 135°턴하도록 왼쪽으로 회전시켜주면서 여성 오른발이 댄스 라인에 위치하도록 손을 내리기 시작한다.
5보	여성 왼발이 후진하도록 그립 상태에서 여성 손에 힘을 주면서 밀어준다.
6보	여성 오른발이 왼발에 모으도록 손 텐션 및 리드를 멈춘다.

〈여성〉

스텝	회전량	핸드	스텝 방식	풋 워크	풋 포지션	액션
1보	없음	오른손	놓고	BF	왼발 전진(LF)	Forward Walk
2보	없음	오른손	놓고	BF	오른발 전진(RF)	Forward Walk
3보	L/45° (1/8턴)	오른손	놓고	B	왼발 45°턴(LF)	Turn

4보	L/135° (3/8턴) 오른발-없음	오른손	놓고	B, HF	왼발 135°턴(LF) 오른발 후진(RF)	Turn, Backward Walk
5보	없음	오른손	놓고	HF	왼발 후진(LF)	Backward Walk
6보	없음	오른손	놓고	HF	오른발 후진하면서 왼발 옆에 모으고(RF)	Backward Walk

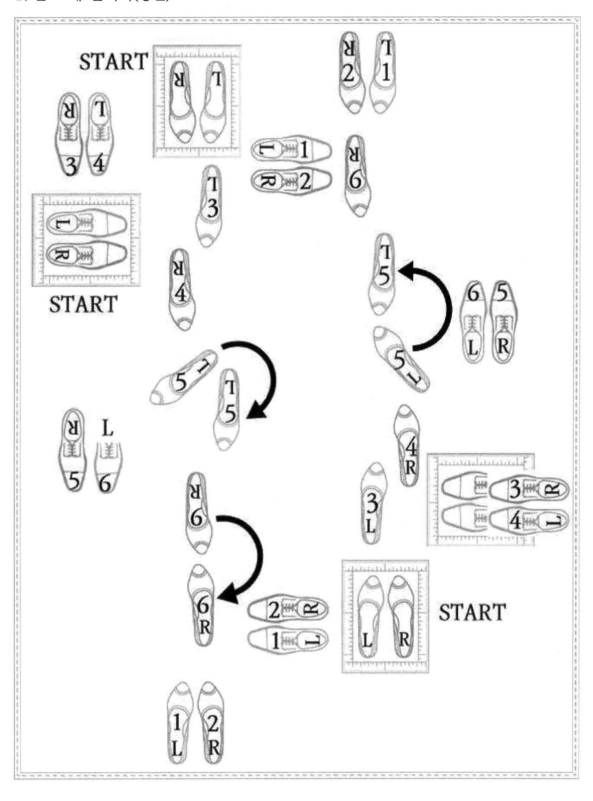

<남성&여성>

스텝	카운트	리듬	읽을 때	음악 타이밍	보수	핸드 포지션	악센트
1보	3	S	슬로우	쿵	1	Two Hand Joined	
2보	4	&	엔	짝	1	Two Hand Joined	
3보	5	Q	퀵	쿵	1	Two Hand Joined	V
4보	6	Q	퀵	짝	1	Two Hand Joined	V
5보	1	S	슬로우	쿵	1	Two Hand Joined	
6보	2	&	엔	짝	1	Two Hand Joined	
1보	3	S	슬로우	쿵	1	Two Hand Joined	
2보	4	&	엔	짝	1	Two Hand Joined	
3보	5	Q	퀵	쿵	1	One Hand Joined	V
4보	6	Q	퀵	짝	1	One Hand Joined	V
5보	1	S	슬로우	쿵	1	One Hand Joined	
6보	2	&	엔	짝	1	One Hand Joined	

<남성>

스텝	핸드	방향	풋 워크	스텝 방식	액션
1보	양손	6시	HF	놓고	Turn
2보	양손	6시	HF	놓고	Backward Walk
3보	양손	6시	BF	놓고	Forward Walk
4보	양손	6시	T/BF	찍고/놓고(선택)	Forward Walk
5보	양손	9시	WF	놓고	Side line(Right),Turn
6보	양손	9시	WF	놓고	Side line(Right)
1보	양손	9시	HF	놓고	Backward Walk
2보	양손	9시	HF	놓고	Backward Walk
3보	오른손	12시	BF	놓고	Turn
4보	오른손	12시	T/BF	찍고/놓고(선택)	Forward Walk
5보	오른손	3시	WF	놓고	Side line(Left),Turn
6보	오른손	3시	WF	놓고	Side line(Left)

스텝	풋 포지션	회전량
1보	오른발 R/90°턴(RF)	R/90°(1/4턴)
2보	왼발 후진하면서 오른발 옆으로 모으고(LF)	없음
3보	오른발 전진(RF)	없음
4보	왼발을 전진하면서 오른발 옆에 모으고(LF)	없음
5보	왼발 R/90°턴(LF)	R/90°(1/4턴)
6보	오른발을 왼발 옆에 모으고(RF)	없음
1보	오른발 후진(RF)	없음
2보	왼발 후진하면서 오른발 옆으로 모으고(LF)	없음
3보	오른발 R/90°턴(RF)	R/90°(1/4턴)
4보	왼발을 전진하면서 오른발 옆에 모으고(LF)	없음
5보	왼발 R/90°턴(LF)	R/90°(1/4턴)
6보	오른발을 왼발 옆에 모으고(RF)	없음

스텝	리드 / 사인 / 텐션
1보	양손 그립 상태에서 여성 왼발이 댄스 라인에 맞춰 전진하도록 여성 정면 앞으로
2보	당기면서 여성이 회전 할 수 있도록 손을 여성 정수리 5-10cm 정도 위로 들어준다.
3보	여성 왼발이 오른쪽으로 45°, 315°턴 할 수 있도록 텐션을 준다.
4보	
5보	여성 오른발이 오른쪽으로 180°턴하도록 계속 텐션 주면서 여성 왼발이 댄스 라인에 위치하도록 손을 내리기 시작한다.
6보	여성 오른발이 후진하면서 왼발에 모으도록 손을 내려준다.
1보	양손 그립된 상태에서 여성 왼발이 댄스 라인에 맞춰 전진하도록 남성 왼손은 여성
2보	허리를 밀고 오른손은 오른손을 여성 정면 앞으로 당기면서
3보	여성 왼발이 왼쪽으로 45°턴하도록 손을 들어주면서 왼쪽으로 틀어준다.
4보	여성 왼발이 왼쪽으로 135°턴하도록 왼쪽으로 틀어주면서 여성 오른발이 댄스 라인에 위치하도록 손을 내리기 시작한다.
5보	여성 왼발이 후진하도록 그립 상태에서 여성 손에 힘을 주면서 밀어준다.
6보	여성 오른발이 왼발에 모으도록 손 텐션 및 리드를 멈춘다

〈**여성**〉 2보에 회전량 없이 Forward Walk/ 회전량 R/45°(선택)

스텝	회전량	핸드	스텝 방식	풋 워크	풋 포지션	액션
1보	없음	양손	놓고	BF	왼발 전진(LF)	Forward Walk
2보	R/45° (1/8턴)	양손	놓고	BF	오른발 45°턴(RF)	Turn
3보	R/45° (1/8턴)	양손	놓고	B	왼발 45°턴(LF)	Turn
4보	R/315° (7/8턴) 오른발-없음	양손	놓고	B, BF	왼발 315°턴(LF) 오른발 전진(RF)	Turn, Forward Walk
5보	R/180° (1/2턴) 왼발-턴 없음	양손	놓고	B, HF	오른발 180°턴(RF) 왼발 후진(LF)	Turn, Backward Walk
6보	없음	양손	놓고	HF	오른발 왼발 옆에 모으고(RF)	Backward Walk
1보	없음	양손	놓고	BF	왼발 전진(LF)	Forward Walk
2보	없음	양손	놓고	BF	오른발 전진(RF)	Forward Walk
3보	L/45° (1/8턴)	오른손	놓고	B	왼발 45°턴(LF)	Turn
4보	L/135° (3/8턴) 오른발-없음	오른손	놓고	B, HF	왼발 135°턴(LF) 오른발 후진(RF)	Turn, Backward Walk
5보	없음	오른손	놓고	HF	왼발 후진(LF)	Backward Walk
6보	없음	오른손	놓고	HF	오른발 왼발 옆에 모으고(RF)	Backward Walk

18번 후진 6박 Wrap

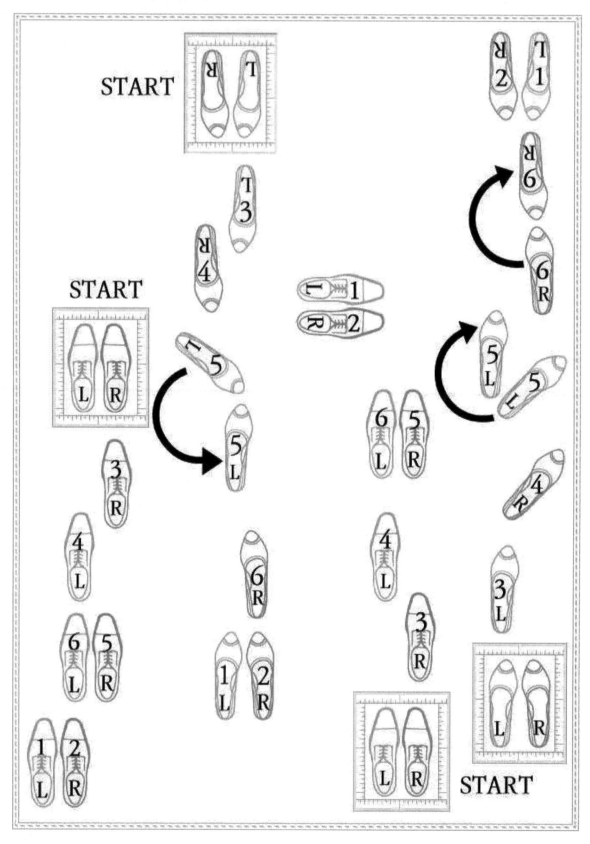

〈남성&여성〉

스텝	카운트	리듬	읽을 때	음악 타이밍	보수	핸드 포지션	악센트
1보	3	S	슬로우	쿵	1	Two Hand Joined	
2보	4	&	엔	짝	1	Two Hand Joined	
3보	5	Q	퀵	쿵	1	Two Hand Joined	V
4보	6	Q	퀵	짝	1	Two Hand Joined	V
5보	1	S	슬로우	쿵	1	Two Hand Joined	
6보	2	&	엔	짝	1	Two Hand Joined	
1보	3	S	슬로우	쿵	1	Two Hand Joined	
2보	4	&	엔	짝	1	Two Hand Joined	
3보	5	Q	퀵	쿵	1	One Hand Joined	V
4보	6	Q	퀵	짝	1	One Hand Joined	V
5보	1	S	슬로우	쿵	1	One Hand Joined	
6보	2	&	엔	짝	1	One Hand Joined	

〈남성〉

스텝	핸드	방향	풋 워크	스텝 방식	액션
1보	양손	12시	HF	놓고	Backward Walk
2보	양손	12시	HF	놓고	Backward Walk
3보	양손	12시	HF	놓고	Backward Walk
4보	양손	12시	HF/T	놓고/찍고(선택)	Backward Walk
5보	양손	12시	HF	놓고	Diagonally Backward Walk
6보	양손	12시	HF	놓고	Diagonally Backward Walk
1보	양손	12시	BF	놓고	Forward Walk
2보	양손	12시	BF	놓고	Forward Walk
3보	왼손	12시	BF	놓고	Forward Walk
4보	왼손	12시	BF/T	놓고/찍고(선택)	Forward Walk
5보	왼손	3시	WF	놓고	Side line(Left),Turn
6보	왼손	3시	WF	놓고	Side line(Left)

스텝	풋 포지션	회전량
1보	오른발 후진(RF)	없음
2보	왼발 후진(LF)	없음
3보	오른발 후진(RF)	없음
4보	왼발을 후진하면서 오른발 옆에 모으고(LF)	없음
5보	왼발 왼쪽 사선으로 후진(LF)	없음
6보	오른발을 왼쪽 사선으로 후진하면서 왼발 옆에 모으고(RF)	없음
1보	오른발 전진(RF)	없음
2보	왼발 전진(LF)	없음
3보	오른발 전진(RF)	없음
4보	왼발을 전진하면서 오른발 옆에 모으고(LF)	없음
5보	왼발 R/90°턴 (LF)	R/90°(1/4턴)
6보	오른발을 왼발에 옆에 모으고(RF)	없음

스텝	리드 / 사인 / 텐션
1보	양손 그립 상태에서 여성 왼발, 오른발이 댄스 라인에 맞춰 전진하도록 여성 양손을
2보	여성 정면 앞으로 당긴다.
3보	여성 왼쪽으로 45°, 135°턴하도록 남성 왼손으로 여성 오른손을 여성 머리 위로 들어
4보	감아주면서 남성 오른손으로 잡은 여성 왼손을 여성 왼쪽 옆구리 옆으로 이동하고, 남성
5보	왼손으로 잡은 여성 오른손을 내리면서 여성 배를 감아주면서 여성 왼쪽 옆구리에 이동
6보	(Wrap(포장))
1보	Wrap position에서 여성이 전진할 수 있도록 양손 그립 상태에서 살짝 여성이 정면 앞으로 밀어주면서
2보	여성 왼손을 놓고 여성이 회전할 수 있도록 오른손을 여성 정수리 5-10cm 정도 위로 들어준다.
3보	여성 왼발이 오른쪽으로 45°, 315°턴 할 수 있도록 회전시켜준다.
4보	
5보	여성이 오른발이 오른쪽으로 180°턴 하도록 계속 텐션을 주면서 여성 왼발이 댄스 라인에 위치하도록 손을 내리기 시작한다.
6보	여성 오른발이 후진하면서 왼발에 모으도록 손을 내려준다.

〈여성〉

스텝	회전량	핸드	스텝 방식	풋 워크	풋 포지션	액션
1보	없음	양손	놓고	BF	왼발 전진(LF)	Forward Walk
2보	없음	양손	놓고	BF	오른발 전진(RF)	Forward Walk
3보	L/45°(1/8턴)	양손	놓고	B	왼발 45°턴(LF)	Turn
4보	L/135°(3/8턴) 오른발-없음	양손	놓고	B, HF	왼발 135°턴(LF) 오른발 후진(RF)	Turn, Backward Walk
5보	없음	양손	놓고	HF	왼발 후진(LF)	Backward Walk
6보	없음	양손	놓고	HF	오른발 후진하면서 왼발 옆에 모으고(RF)	Backward Walk
1보	없음	양손	놓고	BF	왼발 전진(LF)	Forward Walk
2보	R/45°(1/8턴)	양손	놓고	BF	오른발 45°턴(RF)	Turn
3보	R/45°(1/8턴)	오른손	놓고	B	왼발 45°턴(LF)	Turn
4보	R/315°(7/8턴) 오른발-없음	오른손	놓고	B, BF	왼발 315°턴(LF) 오른발 전진(RF)	Turn, Forward Walk
5보	R/180°(1/2턴) 왼발-없음	오른손	놓고	B, HF	오른발 180°턴(RF) 왼발 후진(LF)	Turn, Backward Walk
6보	없음	오른손	놓고	HF	오른발 후진하면서 왼발 옆에 모으고(RF)	Backward Walk

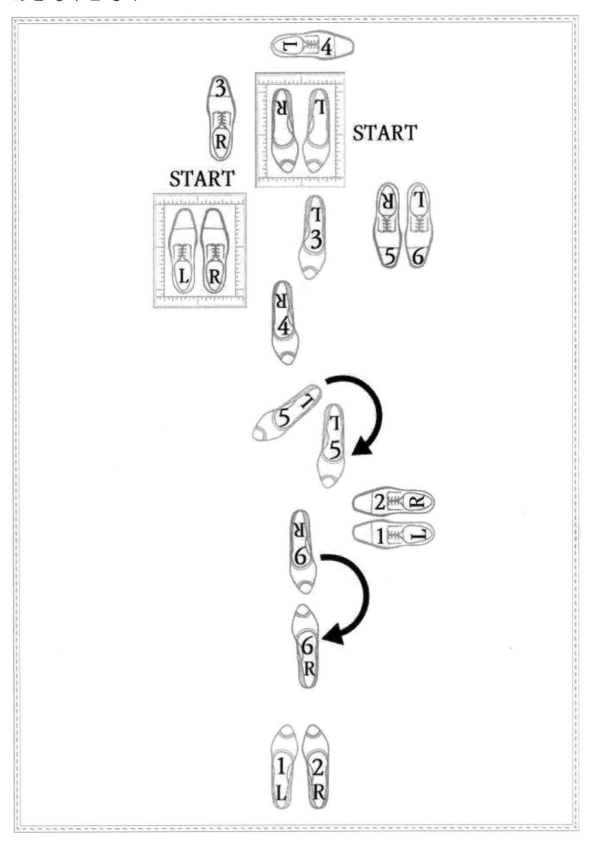

〈남성&여성〉

스텝	카운트	리듬	읽을 때	음악 타이밍	보수	핸드 포지션	악센트
1보	3	S	슬로우	쿵	1	One Hand Joined	
2보	4	&	엔	짝	1	One Hand Joined	
3보	5	Q	퀵	쿵	1		V
4보	6	Q	퀵	짝	1		V
5보	1	S	슬로우	쿵	1		
6보	2	&	엔	짝	1	One Hand Joined	

〈남성〉

스텝	핸드	방향	풋 워크	스텝 방식	액션
1보	오른손	12시	BF	놓고	Forward Walk
2보	오른손	3시	BF	놓고	Turn
3보		6시	BF	놓고	Turn
4보		6시	BF/T	놓고/찍고(선택)	Forward Walk
5보		9시	WF	놓고	Side line(Left), Turn
6보	오른손	9시	WF	놓고	Side line(Left)

스텝	풋 포지션	회전량
1보	오른발 전진(RF)	없음
2보	왼발 R/90°턴(LF)	R/90°(1/4턴)
3보	오른발 R/90°턴(RF)	R/90°(1/4턴)
4보	왼발 전진하면서 오른발 옆에 모으고(LF)	없음
5보	왼발 R/90°턴(LF)	R/90°(1/4턴)
6보	오른발 왼발에 옆에 모으고(RF)	없음

스텝	리드 / 사인 / 텐션
	1보에서 남성은 전진하면서 여성이 전진할 수 있도록 그립 된 손을 앞으로 당기면서 2보에 540°턴 할 수 있도록 여성 손을 놓아 준다.

〈여성〉 2보에 회전량 없이 Forward Walk & 회전량 R/45°(선택)

스텝	회전량	핸드	스텝 방식	풋 워크	풋 포지션	액션
1보	없음	오른손	놓고	BF	왼발 전진(LF)	Forward Walk
2보	R/45°(1/8턴)	오른손	놓고	BF	오른발 45°턴(RF)	Turn
3보	R/45°(1/8턴)		놓고	B	왼발 45°턴(LF)	Turn
4보	R/315°(7/8턴) 오른발-없음		놓고	B, BF	왼발 315°턴(LF) 오른발 전진(RF)	Turn, Forward Walk
5보	R/180°(1/2턴) 왼발-턴 없음		놓고	B, HF	오른발 180°턴(RF) 왼발 후진(LF)	Turn, Backward Walk
6보	없음	오른손	놓고	HF	오른발 왼발 옆에 모으고(RF)	Backward Walk

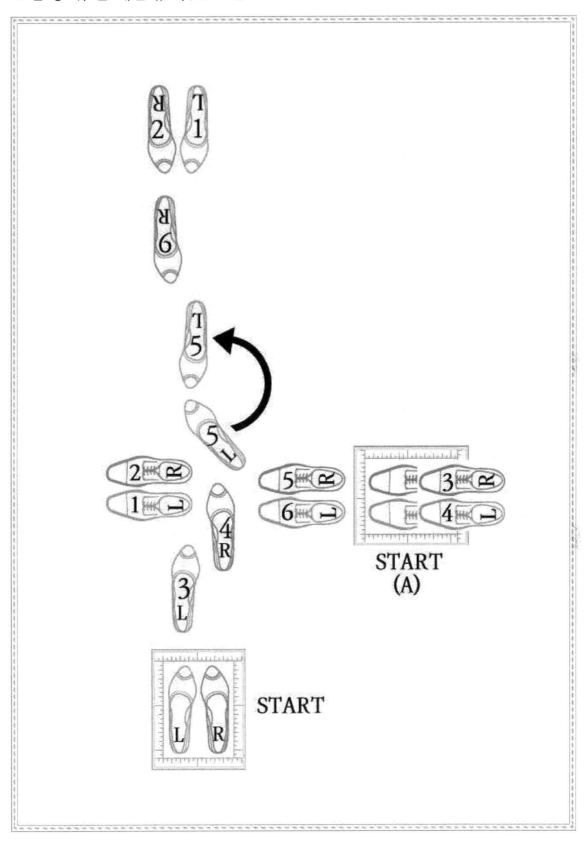

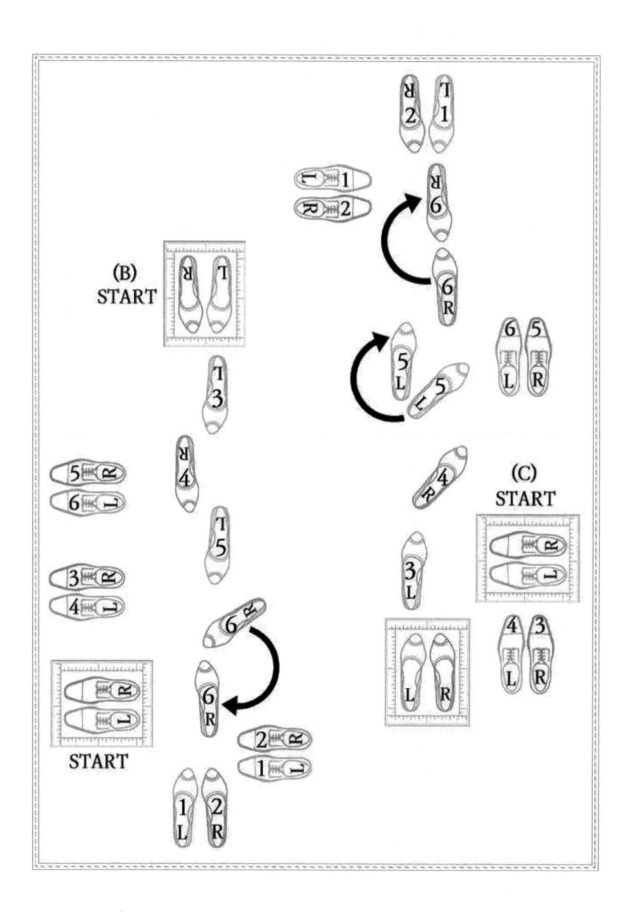

〈남성&여성〉

스텝	카운트	리듬	읽을 때	음악 타이밍	보수	핸드 포지션	악센트
A							
1보	3	S	슬로우	쿵	1	One Hand Joined	
2보	4	&	엔	짝	1	One Hand Joined	
3보	5	Q	퀵	쿵	1	One Hand Joined	V
4보	6	Q	퀵	짝	1	One Hand Joined	V
5보	1	S	슬로우	쿵	1	One Hand Joined	
6보	2	&	엔	짝	1	One Hand Joined	
B							
1보	3	S	슬로우	쿵	1	One Hand Joined	
2보	4	&	엔	짝	1	One Hand Joined	
3보	5	Q	퀵	쿵	1	One Hand Joined	V
4보	6	Q	퀵	짝	1	One Hand Joined	V
5보	1	S	슬로우	쿵	1	Two Hand Joined	
6보	2	&	엔	짝	1	Two Hand Joined	
C							
1보	3	S	슬로우	쿵	1	Two Hand Joined	
2보	4	&	엔	짝	1	One Hand Joined	
3보	5	Q	퀵	쿵	1	One Hand Joined	
4보	6	Q	퀵	짝	1	One Hand Joined	
5보	1	S	엔	쿵	1	One Hand Joined	
6보	2	&	슬로우	짝	1	One Hand Joined	

〈남성〉

스텝	핸드	방향	풋 워크	스텝 방식	액션
A					
1보	오른손	9시	HF	놓고	Backward Walk
2보	오른손	9시	HF	놓고	Backward Walk
3보	오른손	9시	BF	놓고	Forward Walk
4보	오른손	9시	T/BF	찍고/놓고(선택)	Forward Walk
5보	오른손	9시	BF	놓고	Forward Walk
6보	오른손	9시	BF	놓고	Forward Walk
B					
1보	오른손	9시	HF	놓고	Side Step
2보	오른손	9시	HF	놓고	Side Step
3보	오른손	9시	BF	놓고	Side Step
4보	오른손	9시	T/BF	찍고/놓고(선택)	Side Step
5보	양손	9시	WF	놓고	Diagonally Backward Walk
6보	양손	9시	WF	놓고	Diagonally Backward Walk
C					
1보	양손	12시	HF	놓고	Turn
2보	왼손	12시	HF	놓고	Backward Walk
3보		12시	BF	놓고	Forward Walk
4보		12시	T/BF	찍고/놓고(선택)	Forward Walk
5보		3시	WF	놓고	Side line(Left), Turn
6보	오른손	3시	WF	놓고	Side line(Left)

스텝	풋 포지션	회전량
A		
1보	오른발 후진(RF)	없음
2보	왼발 후진하면서 오른발 옆으로 모으고(LF)	없음
3보	오른발 전진(RF)	없음
4보	왼발을 전진하면서 오른발 옆에 모으고(LF)	없음
5보	왼발 전진LF)	없음
6보	오른발 전진하면서 왼발 옆에 모으고(RF)	없음
B		
1보	오른발 오른쪽 옆으로(RF)	없음
2보	왼발 오른발 옆으로 모으고(LF)	없음
3보	오른발 오른쪽 옆으로(RF)	없음
4보	왼발을 오른발 옆에 모으고(LF)	없음
5보	왼발 후진(LF	없음
6보	오른발 후진하면서 왼발 옆에 모으고(RF)	없음
C		
1보	오른발 R/90°(RF)	R/90°(1/4턴)
2보	왼발 후진하면서 오른발 옆으로 모으고(LF)	없음
3보	오른발 전진(RF)	없음
4보	왼발을 전진하면서 오른발 옆에 모으고(LF)	없음
5보	왼발 R/90°(LF)	R/90°(1/4턴)(1/4턴)
6보	오른발 전진하면서 왼발 옆에 모으고(RF)	없음

스텝	리드 / 사인 / 텐션
A	
1보 2보	여성 왼발이 댄스 라인에 맞춰 전진하도록 여성 정면 앞으로 당기면서
3보 4보	여성 왼발이 왼쪽으로 45°, 135°턴하도록 손을 들어주면서 왼쪽으로 회전시켜주면서 여성 오른발이 댄스 라인에 위치하도록 손을 내리기 시작한다.
5보	여성 왼발이 후진하도록 그립 상태에서 여성의 손에 힘을 주면서 밀어준다.
6보	여성 오른발이 왼발에 모으도록 손 텐션 및 리드를 멈춘다
B	
1보 2보 3보 4보	여성 오른손을 남성 허리 뒤로 이동시키면서 왼쪽으로 180°턴 할 수 있도록 여성 오른손을 왼쪽으로 틀어주고
5보 6보	여성 오른손을 남성 허리 쪽으로 이동시킨 상태에서 왼손으로 여성 왼손을 잡는다. (남성 허리 걸이)
C	
1보 2보	양손 그립 상태에서 여성 왼발이 댄스 라인에 맞춰 전진하도록 여성 정면 앞으로 당기면서 여성 오른손을 놓아주고, 여성 왼손을 오른쪽으로 회전시켜주면서 여성 왼손을 놓아 준다.
6보	남성 오른손으로 여성 오른손을 잡아준다.

〈여성〉

스텝	회전량	핸드	스텝 방식	풋 워크	풋 포지션	액션
A						
1보	없음	오른손	놓고	BF	왼발 전진(LF)	Forward Walk
2보	없음	오른손	놓고	BF	오른발 전진(RF)	Forward Walk
3보	L/45°(1/8턴)	오른손	놓고	B	왼발 45°턴(LF)	Turn
4보	L/135° (3/8턴) 오른발-없음	오른손	놓고	B, BF	왼발 135°턴(LF) 오른발 후진(RF)	Turn, Backward Walk
5보	없음	오른손	놓고	HF	왼발 후진(LF)	Backward Walk
6보	없음	오른손	놓고	HF	오른발 후진하면서 왼발 옆에 모으고(RF)	Backward Walk
B						
1보	없음	오른손	놓고	BF	왼발 전진(LF)	Forward Walk
2보	없음	오른손	놓고	BF	오른발 전진(RF)	Forward Walk
3보	없음	오른손	놓고	B	왼발 전진(LF)	Forward Walk
4보	R/45°(1/8턴)	오른손	놓고	BF	오른발 45°턴(RF)	Turn
5보	R/135° (3/8턴) 완발-없음	양손	놓고	B, HF	오른발 135°턴(RF) 왼발 후진(LF)	Turn, Backward Walk
6보	없음	양손	놓고	HF	오른발 후진하면서 왼발 옆에 모으고(RF)	Backward Walk
C						
1보	없음	양손	놓고	BF	왼발 전진(LF)	Forward Walk
2보	R/45°(1/8턴)	왼손	놓고	BF	오른발 45°턴(RF)	Turn
3보	R/45°(1/8턴)		놓고	B	왼발 45°턴(LF)	Turn
4보	R/315° (7/8턴) 오른발-없음		놓고	B, BF	왼발 315°턴(LF) 오른발 전진(RF)	Turn, Forward Walk
5보	R/180° (1/2턴) 왼발-없음		놓고	B, HF	오른발 180°턴(RF) 왼발 후진(LF)	Turn, Backward Walk
6보	없음	오른손	놓고	HF	오른발 후진하면서 왼발 옆에 모으고(RF)	Backward Walk

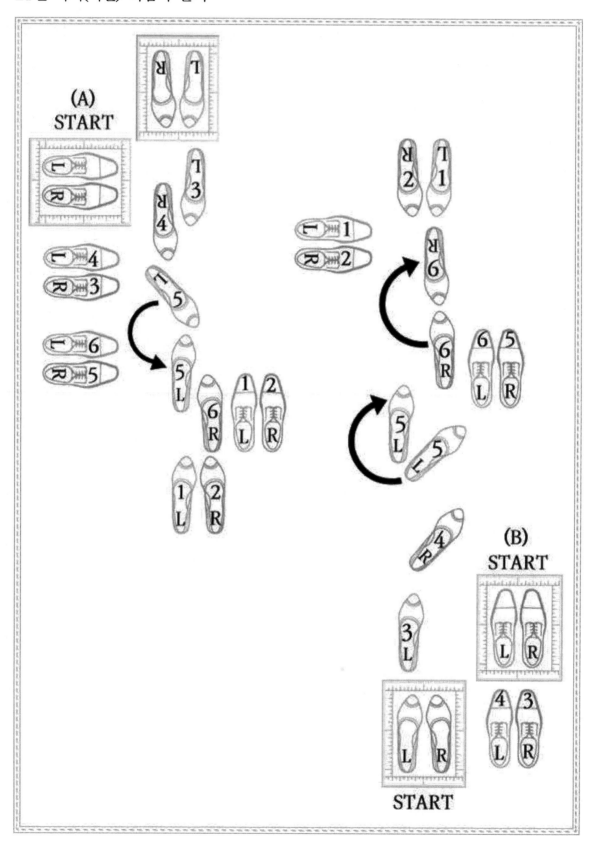

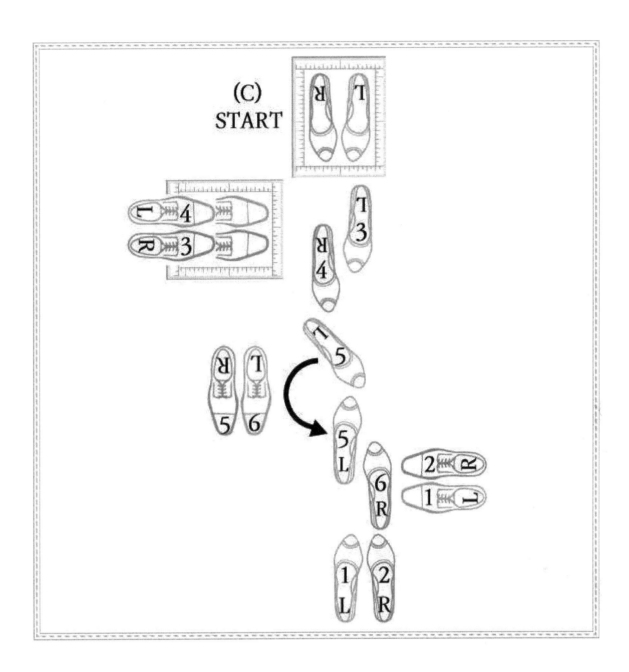

〈남성&여성〉

스텝	카운트	리듬	읽을 때	음악 타이밍	보수	핸드 포지션	악센트
A							
1보	3	S	슬로우	쿵	1	One Hand Joined	
2보	4	&	엔	짝	1	One Hand Joined	
3보	5	Q	퀵	쿵	1	One Hand Joined	V
4보	6	Q	퀵	짝	1	One Hand Joined	V
5보	1	S	슬로우	쿵	1	One Hand Joined	
6보	2	&	엔	짝	1	One Hand Joined	
B							
1보	3	S	슬로우	쿵	1	One Hand Joined	
2보	4	&	엔	짝	1	One Hand Joined	

스텝		핸드	방향	풋 워크	스텝 방식		액션	
3보	5	Q	퀵	쿵	1		One Hand Joined	V
4보	6	Q	퀵	짝	1		One Hand Joined	V
5보	1	S	슬로우	쿵	1		One Hand Joined	
6보	2	&	엔	짝	1		One Hand Joined	
C								
1보	3	S	슬로우	쿵	1		One Hand Joined	
2보	4	&	엔	짝	1		One Hand Joined	
3보	5	Q	퀵	쿵	1		One Hand Joined	V
4보	6	Q	퀵	짝	1		One Hand Joined	V
5보	1	S	엔	쿵	1		One Hand Joined	
6보	2	&	슬로우	짝	1		One Hand Joined	

〈남성〉

스텝	핸드	방향	풋 워크	스텝 방식	액션
A					
1보	왼손	3시	WF	놓고	Side Step
2보	왼손	3시	WF	놓고	Side Step
3보	왼손	3시	WF	놓고	Side Step
4보	왼손	3시	WF	놓고	Side Step
5보	왼손	12시	WF	놓고	Side line(Right), Turn
6보	왼손	12시	WF	놓고	Side line(Right)
B					
1보	왼손	12시	HF	놓고	Backward Walk
2보	왼손	12시	HF	놓고	Backward Walk
3보	왼손	12시	BF	놓고	Forward Walk
4보	왼손	12시	T/BF	찍고/놓고(선택)	Forward Walk
5보	왼손	3시	WF	놓고	Side line(Left),Turn
6보	왼손	3시	WF	놓고	Side line(Left)
C					
1보	왼손	3시	HF	놓고	Backward Walk
2보	왼손	3시	HF	놓고	Backward Walk
3보	왼손	6시	BF	놓고	Forward Walk,Turn
4보	왼손	6시	T/BF	찍고/놓고(선택)	Forward Walk
5보	왼손	9시	WF	놓고	Side line(Right), Turn
6보	왼손	9시	WF	놓고	Side line(Right)

스텝	풋 포지션	회전량
A		
1보	오른발 오른쪽 옆으로(RF)	없음
2보	왼발 오른발 옆으로 모으고(LF)	없음
3보	오른발 오른쪽 옆으로(RF)	없음
4보	왼발을 오른발 옆에 모으고(LF)	없음
5보	왼발 L/90°턴(LF)	L/90°(1/4턴)
6보	오른발을 왼발 옆에 모으고(RF)	없음
B		
1보	오른발 후진(RF)	없음
2보	왼발 후진하면서 오른발 옆으로 모으고(LF)	없음

스텝		리드 / 사인 / 텐션
3보	오른발 전진(RF)	없음
4보	왼발을 전진하면서 오른발 옆에 모으고(LF)	없음
5보	왼발 R/90°턴(LF)	R/90°(1/4턴)
6보	오른발을 왼발 옆에 모으고(RF)	없음
	C	
1보	오른발 후진(RF)	없음
2보	왼발 후진하면서 오른발 옆으로 모으고(LF)	없음
3보	오른발 R/90°턴(RF)	R/90°(1/4턴)
4보	왼발을 전진하면서 오른발 옆에 모으고(LF)	없음
5보	왼발 R/90°턴(LF)	R/90°(1/4턴)
6보	오른발을 왼발 옆에 모으고(RF)	없음

스텝	리드 / 사인 / 텐션
	A
1보	남성은 사이드 스텝을 하면서 여성 왼발이 댄스 라인에 맞춰 전진하도록 여성 정면
2보	앞으로 당기면서
3보	여성 왼발이 왼쪽으로 45°, 135°턴하도록 손을 들어주면서 왼쪽으로 틀어주면서 여성
4보	오른발이 댄스 라인에 위치하도록 리드
5보	손을 들어준 상태에서 남성은 팔 아래로 들어가 L/Under arm turn
6보	손을 내려주면서 여성 오른발이 왼발에 모으도록 손 텐션 및 리드를 멈춘다
	B
1보	여성 왼발이 댄스 라인에 맞춰 전진하도록 여성 정면 앞으로 당기면서
2보	계속 정면 앞으로 당기면서 오른쪽으로 45°, 315°턴 할 수 있도록 텐션을 주면서 여성
3보	
4보	목을 감아 준다.
5보	여성이 오른발이 오른쪽으로 180°턴하도록 계속 텐션 주면서 목을 감아 준다.
6보	여성의 오른발이 왼발에 모으도록 손 텐션 및 리드를 멈춘다.
	C
1보	여성 왼발, 오른발이 댄스 라인에 맞춰 전진하도록 목걸이 상태에서 팔로 여성 목덜미를
2보	밀어준다,
3보	여성 왼발이 왼쪽으로 45°, 135°턴하도록 목덜미를 계속 밀어주면서 목걸이를 풀어준다.
4보	
5보	여성 왼발이 후진하도록 그립 상태에서 여성 손에 힘을 주면서 밀어준다.
6보	여성 오른발이 후진하면서 왼발에 모으도록 손을 내려준다.

〈여성〉

스텝	회전량	핸드	스텝 방식	풋 워크	풋 포지션	액션
				A		
1보	없음	오른손	놓고	BF	왼발 전진(LF)	Forward Walk
2보	없음	오른손	놓고	BF	오른발 전진(RF)	Forward Walk
3보	L/45° (1/8턴)	오른손	놓고	B	왼발 45°턴(LF)	Turn
4보	L/135° (3/8턴) 오른발-없음	오른손	놓고	B, BF	왼발 135°턴(LF) 오른발 후진(RF)	Turn, Backward Walk
5보	없음	오른손	놓고	HF	왼발 후진(LF)	Backward Walk

6보	없음	오른손	놓고	HF	오른발 후진하면서 왼발 옆에 모으고(RF)	Backward Walk
B						
1보	없음	오른손	놓고	BF	왼발 전진(LF)	Forward Walk
2보	R/45° (1/8턴)	오른손	놓고	BF	오른발 45°턴(RF)	Turn
3보	R/45° (1/8턴)	오른손	놓고	B	왼발 45°턴(LF)	Turn
4보	R/315° (7/8턴) 오른발-없음	오른손	놓고	B, BF	왼발 315°턴(LF) 오른발 전진(RF)	Turn, Forward Walk
5보	R/180° (1/2턴) 왼발-없음	오른손	놓고	B, HF	오른발 180°턴(RF) 왼발 후진(LF)	Turn, Backward Walk
6보	없음	오른손	놓고	HF	오른발 후진하면서 왼발 옆에 모으고(RF)	Backward Walk
C						
1보	없음	오른손	놓고	BF	왼발 전진(LF)	Forward Walk
2보	없음	오른손	놓고	BF	오른발 전진(RF)	Forward Walk
3보	L/45° (1/8턴)	오른손	놓고	B	왼발 45°턴(LF)	Turn
4보	L/135° (3/8턴) 오른발-없음	오른손	놓고	B, HF	왼발 135°턴(LF) 오른발 후진(RF)	Turn, Backward Walk
5보	없음	오른손	놓고	HF	왼발 후진(LF)	Backward Walk
6보	없음	오른손	놓고	HF	오른발 후진하면서 왼발 옆에 모으고(RF))	Backward Walk

22번 자리바꿈(악수) 23번 자리바꿈(손 놓고)

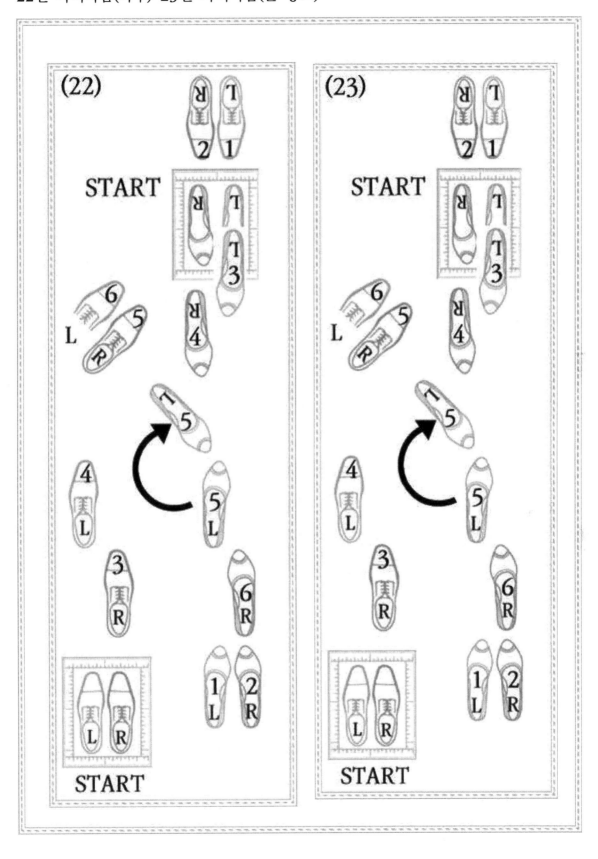

22번 자리바꿈(악수)

〈남성&여성〉

스텝	카운트	리듬	읽을 때	음악 타이밍	보수	핸드 포지션	악센트
1보	3	S	슬로우	쿵	1	One Hand Joined	
2보	4	&	엔	짝	1	One Hand Joined	
3보	5	Q	퀵	쿵	1	One Hand Joined	V
4보	6	Q	퀵	짝	1	One Hand Joined	V
5보	1	S	슬로우	쿵	1	One Hand Joined	
6보	2	&	엔	짝	1	One Hand Joined	

〈남성〉

스텝	핸드	방향	풋 워크	스텝 방식	액션
1보	오른손	12시	HF	놓고	Forward Walk
2보	오른손	12시	HF	놓고	Forward Walk
3보	오른손	1시 30분	BF	놓고	Diagonally Forward Walk
4보	오른손	1시 30분	T/BF	찍고/놓고(선택)	Diagonally Forward Walk
5보	오른손	6시	WF	놓고	Turn
6보	오른손	6시	WF	놓고	Turn

스텝	풋 포지션	회전량
1보	오른발 전진(RF)	없음
2보	왼발 전진하면서 오른발 옆으로 모으고(LF)	없음
3보	오른발 사선으로 전진(RF)	R/45°(1/8턴)
4보	왼발을 사선으로 전진하면서 오른발 옆에 모으고(LF)	R/45°(1/8턴)
5보	왼발 오른쪽 135°턴(LF)	R/135°(3/8턴)
6보	오른발을 왼발 옆에 모으고(RF)	없음

스텝	리드 / 사인 / 텐션
1보	여성 왼발, 오른발이 댄스 라인에 맞춰 전진하도록 여성 오른손을 여성의 정면
2보	앞으로 당긴다.
3보	여성 왼발이 왼쪽으로 45°턴하도록 손을 왼쪽으로 틀어준다. (허리)
4보	여성 왼발이 왼쪽으로 135°턴하도록 왼쪽으로 틀어주면서
5보	여성 왼발이 후진하도록 그립 상태에서 여성 손에 힘을 주면서 밀어준다.
6보	여성 오른발이 왼발에 모으도록 손 텐션 및 리드를 멈춘다.

〈여성〉

스텝	회전량	핸드	스텝 방식	풋 워크	풋 포지션	액션
1보	없음	오른손	놓고	BF	왼발 전진(LF)	Forward Walk
2보	없음	오른손	놓고	BF	오른발 전진(RF)	Forward Walk
3보	L/45°(1/8턴)	오른손	놓고	B	왼발 45°턴(LF)	Turn
4보	L/135°	오른손	놓고	B, HF	왼발 135°턴(LF)	Turn,

	(3/8턴) 오른발-없음					오른발 후진(RF)	Backward Walk
5보	없음	오른손	놓고	HF		왼발 후진(LF)	Backward Walk
6보	없음	오른손	놓고	HF		오른발 후진하면서 왼발 옆에 모으고(RF)	Backward Walk

23번 자리바꿈(손 놓고)

〈남성&여성〉

스텝	카운트	리듬	읽을 때	음악 타이밍	보수	핸드 포지션	악센트
1보	3	S	슬로우	쿵	1	One Hand Joined	
2보	4	&	엔	짝	1	One Hand Joined	
3보	5	Q	퀵	쿵	1		V
4보	6	Q	퀵	짝	1		V
5보	1	S	슬로우	쿵	1		
6보	2	&	엔	짝	1	One Hand Joined	

〈남성〉

스텝	핸드	방향	풋 워크	스텝 방식	액션
1보	오른손	12시	HF	놓고	Forward Walk
2보	오른손	12시	HF	놓고	Forward Walk
3보		1시 30분	BF	놓고	Diagonally Forward Walk
4보		1시 30분	T/BF	찍고/놓고(선택)	Diagonally Forward Walk
5보		6시	WF	놓고	Turn
6보	오른손	6시	WF	놓고	Turn

스텝	풋 포지션	회전량
1보	오른발 전진(RF)	없음
2보	왼발 전진하면서 오른발 옆으로 모으고(LF)	없음
3보	오른발 사선으로 전진(RF)	R/45°(1/8턴)
4보	왼발을 사선으로 전진하면서 오른발 옆에 모으고(LF)	
5보	왼발 오른쪽 135°턴(LF)	R/135°(3/8턴)
6보	오른발을 왼발 옆에 모으고(RF)	없음

스텝	리드 / 사인 / 텐션
1보	여성 왼발, 오른발이 댄스 라인에 맞춰 전진하도록 여성 오른손을 여성 정면 앞으로
2보	당기면서 여성 손을 놓는다.
3~5보	리드/사인/텐션 없음
6보	여성 오른손을 잡는다.

〈여성〉

스텝	회전량	핸드	스텝 방식	풋 워크	풋 포지션	액션
1보	없음	오른손	놓고	BF	왼발 전진(LF)	Forward Walk
2보	없음	오른손	놓고	BF	오른발 전진(RF)	Forward Walk
3보	L/45° (1/8턴)		놓고	B	왼발 45°턴(LF)	Turn
4보	L/135° (3/8턴) 오른발-없음		놓고	B, HF	왼발 135°턴(LF) 오른발 후진(RF)	Turn, Backward Walk
5보	없음		놓고	HF	왼발 후진(LF)	Backward Walk
6보	없음	오른손	놓고	HF	오른발 후진하면서 왼발 옆에 모으고(RF)	Backward Walk

24번 목감아 풀기 8박, 10박

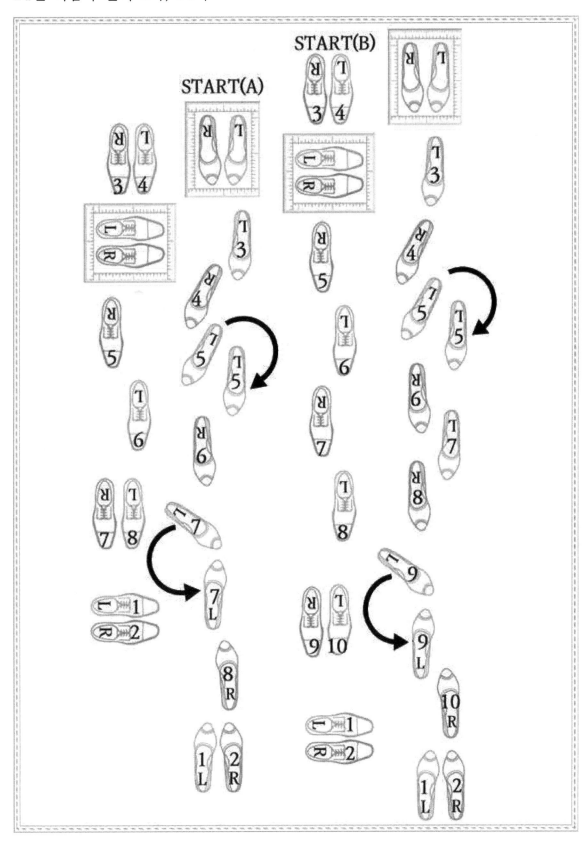

〈남성&여성〉

스텝	카운트	리듬	읽을 때	음악 타이밍	보수	핸드 포지션	악센트
A							
1보	3	S	슬로우	쿵	1	One Hand Joined	
2보	4	&	엔	짝	1	One Hand Joined	
3보	5	Q	퀵	쿵	1	One Hand Joined	V
4보	6	Q	퀵	짝	1	One Hand Joined	V
5보	7	Q	퀵	쿵	1	One Hand Joined	
6보	8	Q	퀵	짝	1	One Hand Joined	
7보	1	S	슬로우	쿵	1	One Hand Joined	
8보	2	&	엔	짝	1	One Hand Joined	
B							
1보	3	S	슬로우	쿵	1	One Hand Joined	
2보	4	&	엔	짝	1	One Hand Joined	
3보	5	Q	퀵	쿵	1	One Hand Joined	V
4보	6	Q	퀵	짝	1	One Hand Joined	V
5보	7	Q	퀵	쿵	1	One Hand Joined	
6보	8	Q	퀵	짝	1	One Hand Joined	
7보	9	Q	퀵	쿵	1	One Hand Joined	V
8보	10	Q	퀵	짝	1	One Hand Joined	V
9보	1	S	슬로우	쿵	1	One Hand Joined	
10보	2	&	엔	짝	1	One Hand Joined	

〈남성〉

스텝	핸드	방향	풋 워크	스텝 방식	액션
A					
1보	왼손	6시	HF	놓고	Backward Walk, Turn
2보	왼손	6시	HF	놓고	Backward Walk
3보	왼손	6시	BF	놓고	Forward Walk
4보	왼손	6시	BF	놓고	Forward Walk
5보	왼손	6시	BF	놓고	Forward Walk
6보	왼손	6시	BF/T	놓고/찍고(선택)	Forward Walk
7보	왼손	3시	WH	놓고	Turn
8보	왼손	3시	WH	놓고	Turn
B					
1보	왼손	6시	HF	놓고	Backward Walk, Turn
2보	왼손	6시	HF	놓고	Backward Walk
3보	왼손	6시	BF	놓고	Forward Walk
4보	왼손	6시	BF	놓고	Forward Walk
5보	왼손	6시	BF	놓고	Forward Walk
6보	왼손	6시	BF	놓고	Forward Walk
7보	왼손	6시	BF	놓고	Forward Walk
8보	왼손	6시	BF/T	놓고/찍고(선택)	Forward Walk
9보	왼손	3시	WF	놓고	Turn
10보	왼손	3시	WF	놓고	Turn

스텝	풋 포지션	회전량
	A	
1보	오른발 R/90°턴(RF)	R/90°(1/4턴)
2보	왼발 후진하면서 오른발 옆에 모으고(LF)	없음
3보	오른발 전진(RF)	없음
4보	왼발 전진(LF)	없음
5보	오른발 전진(RF)	없음
6보	왼발 전진하면서 오른발 옆에 모으고(RF)	없음
7보	왼발 L/90°턴(LF)	L/90°(1/4턴)
8보	오른발 왼발 옆에 모르고(RF)	없음
	B	
1보	오른발 R/90°턴(RF)	R/90°(1/4턴)
2보	왼발 후진하면서 오른발 옆에 모으고(LF)	없음
3보	오른발 전진(RF)	없음
4보	왼발 전진(LF)	없음
5보	오른발 전진(RF)	없음
6보	왼발 전진(LF)	없음
7보	오른발 전진(RF)	없음
8보	왼발 전진하면서 오른발 옆에 모으고(RF)	없음
9보	왼발 R/90°턴 (LF)	L/90°(1/4턴)
10보	오른발을 왼발에 옆에 모으고(RF)	없음

스텝	리드 / 사인 / 텐션
	A
1보	여성 왼발이 댄스 라인에 맞춰 전진하도록 여성 정면 앞으로 당기면서
2보 3보 4보	계속 정면 앞으로 당기면서 오른쪽으로 45°, 315°턴 할 수 있도록 텐션을 주면서 여성 목을 감아 준다.
5보 6보	여성 왼발이 왼쪽으로 45°, 135°턴하도록 밀어주면서 목걸이를 풀어준다.
7보	여성 왼발이 후진하도록 그립 상태에서 여성 손에 힘을 주면서 밀어준다.
8보	여성 오른발이 왼발에 모으도록 손 텐션 및 리드를 멈춘다.
	B
1보	여성 왼발이 댄스 라인에 맞춰 전진하도록 여성 정면 앞으로 당기면서
2보 3보 4보	계속 정면 앞으로 당기면서 오른쪽으로 45°, 315°턴 할 수 있도록 텐션을 주면서 여성 목을 감아 준다.
5보 6보	여성이 전진하도록 목걸이 상태에서 남성 팔로 여성 목덜미 등 쪽을 밀어주면서
7보 8보	여성 왼발이 왼쪽으로 45°, 135°턴하도록 밀어주면서 목걸이를 풀어준다.
9보	여성 왼발이 후진하도록 그립 상태에서 여성 손에 힘을 주면서 밀어준다.
10보	여성 오른발이 왼발에 모으도록 손 텐션 및 리드를 멈춘다.

〈여성〉

스텝	회전량	핸드	스텝 방식	풋 워크	풋 포지션	액션
	A					

1보	없음	오른손	놓고	BF	왼발 전진(LF)	Forward Walk
2보	R/45°(1/8턴)	오른손	놓고	BF	오른발 45°턴(RF)	Forward Walk, Turn
3보	R/45°(1/8턴) 315°(7/8턴)	오른손	놓고	B	왼발 45°, 315°턴(LF)	Turn
4보	없음	오른손	놓고	BF	오른발 전진(RF)	Forward Walk
5보	L/45°(1/8턴) 135°(3/8턴)	오른손	놓고	B	왼발 45°(1/8턴) 135°(3/8턴) 턴(LF)	Turn
6보	없음	오른손	놓고	HF	오른발 후진(RF)	Backward Walk
7보	없음	오른손	놓고	HF	왼발 후진(LF)	Backward Walk
8보	없음		놓고	HF	오른발 후진하면서 왼발 옆에 모으고(RF)	Backward Walk
B						
1보	없음	오른손	놓고	BF	왼발 전진(LF)	Forward Walk
2보	R/45° (1/8턴)	오른손	놓고	BF	오른발 45°턴(RF)	Turn
3보	R/45°(1/8턴) 315°(7/8턴)	오른손	놓고	B	왼발 45°, 315°턴(LF)	Turn
4보	없음	오른손	놓고	BF	오른발 전진(RF)	Forward Walk
5보	없음	오른손	놓고	BF	왼발 전진(LF)	Forward Walk
6보	없음	오른손	놓고	BF	오른발 전진(RF)	Forward Walk
7보	L/45°(1/8턴) 135°(3/8턴)	오른손	놓고	B	왼발 L/45°(1/8턴) 135°(3/8턴) 턴(LF)	Turn
8보	없음	오른손	놓고	HF	오른발 후진(RF)	Backward Walk
9보	없음	오른손	놓고	HF	왼발 후진(LF)	Backward Walk
10보	없음	오른손	놓고	HF	오른발 후진하면서 왼발 옆에 모으고(RF)	Backward Walk

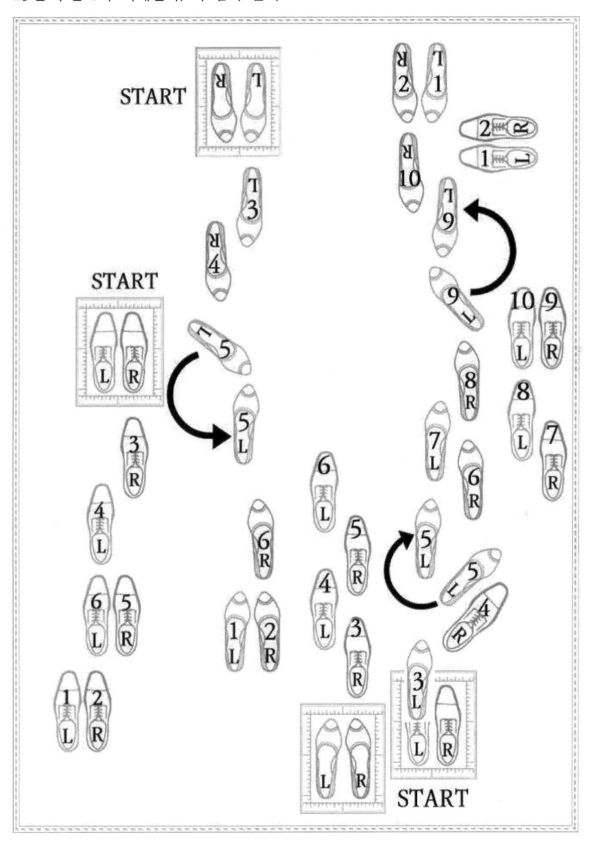

<남성&여성>

스텝	카운트	리듬	읽을 때	음악 타이밍	보수	핸드 포지션	악센트
1보	3	S	슬로우	쿵	1	One Hand Joined	
2보	4	&	엔	짝	1	One Hand Joined	
3보	5	Q	퀵	쿵	1	One Hand Joined	V
4보	6	Q	퀵	짝	1	One Hand Joined	V
5보	1	S	슬로우	쿵	1	One Hand Joined	
6보	2	&	엔	짝	1	One Hand Joined	
1보	3	S	슬로우	쿵	1	One Hand Joined	
2보	4	&	엔	짝	1	One Hand Joined	
3보	5	Q	퀵	쿵	1	One Hand Joined	V
4보	6	Q	퀵	짝	1	One Hand Joined	V
5보	7	Q	퀵	쿵	1	One Hand Joined	
6보	8	Q	퀵	짝	1	One Hand Joined	
7보	9	Q	퀵	쿵	1	One Hand Joined	V
8보	10	Q	퀵	짝	1	One Hand Joined	V
9보	1	S	슬로우	쿵	1	One Hand Joined	
10보	2	&	엔	짝	1	One Hand Joined	

<남성>

스텝	핸드	방향	풋 워크	스텝 방식	액션
1보	오른손	12시	HF	놓고	Backward Walk
2보	오른손	12시	HF	놓고	Backward Walk
3보	오른손	12시	HF	놓고	Backward Walk
4보	오른손	12시	HF	놓고	Backward Walk
5보	오른손	12시	HF	놓고	Diagonally Backward Walk
6보	오른손	12시	HF	놓고	Diagonally Backward Walk
1보	오른손	12시	BF	놓고	Forward Walk
2보	오른손	12시	BF	놓고	Forward Walk
3보	왼손	12시	BF	놓고	Forward Walk
4보	왼손	12시	BF	놓고	Forward Walk
5보	왼손	12시	BF	놓고	Forward Walk
6보	왼손	12시	BF	놓고	Forward Walk
7보	왼손	12시	BF	놓고	Forward Walk
8보	왼손	12시	BF/T	놓고/찍고(선택)	Forward Walk
9보	왼손	9시	WF	놓고	Side line(Left), Turn
10보	왼손	9시	WF	놓고	Side line(Left)

스텝	풋 포지션	회전량
1보	오른발 후진(RF)	없음
2보	왼발 후진(LF)	없음
3보	오른발 후진(RF)	없음
4보	왼발을 후진하면서 오른발 옆에 모으고(LF)	없음
5보	왼발 왼쪽 사선으로 후진(LF)	없음
6보	오른발을 왼쪽 사선으로 후진하면서 왼발 옆에 모으고(RF)	없음

1보	오른발 전진(RF)	없음
2보	왼발 전진(LF)	없음
3보	오른발 전진(RF)	없음
4보	왼발 전진(LF)	없음
5보	오른발 전진(RF)	없음
6보	왼발 전진(LF)	없음
7보	오른발 전진(RF)	없음
8보	왼발을 전진하면서 오른발 옆에 모으고(LF)	없음
9보	왼발 L/90°턴 (LF)	L/90°(1/4턴)
10보	오른발을 왼발에 옆에 모으고(RF)	없음

스텝	리드 / 사인 / 텐션
1보	여성 왼발, 오른발이 댄스 라인에 맞춰 전진하도록 여성 오른손을 여성 정면 앞으로
2보	당긴다.
3보	여성 왼발이 왼쪽으로 45°, 135° 턴하도록 여성 오른손 손바닥이 하늘 쪽으로
4보	보이도록 손목을 꺾어 주면서 여성 손등이 여성 어깨 쪽으로 유도(리드)해 준다.
	4보에 여성의 오른발이 후진하도록 살짝 당겨주고
5보	5보에 여성 왼발이 후진하도록 살짝 당겨주고
6보	6보에 여성 오른발이 왼발에 모으도록 잡아 준다. (어깨걸이)
1보	Shadow Position에서 여성이 전진할 수 있도록 왼손으로 살짝 여성 등을 밀어준다.
2보	여성이 회전할 수 있도록 목을 감아 주면서 남성은 오른손에서 왼손으로 손 체인지
	해준다.
3보	남성은 왼손으로 여성이 오른쪽으로 45°, 315° 턴 할 수 있도록 텐션을 준다.
4보	
5보	목을 감은 상태에서 여성이 전진할 수 있도록 팔로 여성 등목 뒤를 앞으로 밀어준다.
6보	
7보	여성 왼발이 왼쪽으로 45°, 135° 턴 할 수 있도록 왼쪽으로 틀어준다.
8보	
9보	여성 왼발이 후진할 수 있도록 손에 텐션을 살짝 준다.
10보	여성 오른발이 후진하면서 왼발에 모으도록 손을 내려준다.

〈여성〉

스텝	회전량	핸드	스텝 방식	풋 워크	풋 포지션	액션
1보	없음	오른손	놓고	BF	왼발 전진(LF)	Forward Walk
2보	없음	오른손	놓고	BF	오른발 전진(RF)	Forward Walk
3보	L/45°(1/8턴)	오른손	놓고	B	왼발 45°턴(LF)	Turn
4보	L/135°(3/8턴) 오른발-없음	오른손	놓고	B, HF	왼발 135°턴(LF) 오른발 후진(RF)	Turn, Backward Walk
5보	없음	오른손	놓고	HF	왼발 후진(LF)	Backward Walk
6보	없음	오른손	놓고	HF	오른발 후진하면서 왼발 옆에 모으고(RF)	Backward Walk

1보	없음	오른손	놓고	BF	왼발 전진(LF)	Forward Walk
2보	R/45°(1/8턴)	오른손	놓고	BF	오른발 45°턴(RF)	Turn
3보	R/45° (1/8턴)	오른손	놓고	B	왼발 45°턴(LF)	Turn
4보	R/315° (7/8턴) 오른발-없음	오른손	놓고	B, BF	왼발 315°턴(LF) 오른발 전진(RF)	Turn, Forward Walk
5보	없음	오른손	놓고	BF	왼발 전진(LF)	Forward Walk
6보	없음	오른손	놓고	BF	오른발 전진(RF)	Forward Walk
7보	R/45°(1/8턴) 135°(3/8턴)	오른손	놓고	B	오른발 180°턴(RF)	Turn
8보	없음	오른손	놓고	HF	오른발 후진(RF)	Backward Walk
9보	없음	오른손	놓고	HF	왼발 후진(LF)	Backward Walk
10보	없음	오른손	놓고	HF	오른발 후진하면서 왼발 옆에 모으고(RF)	Backward Walk

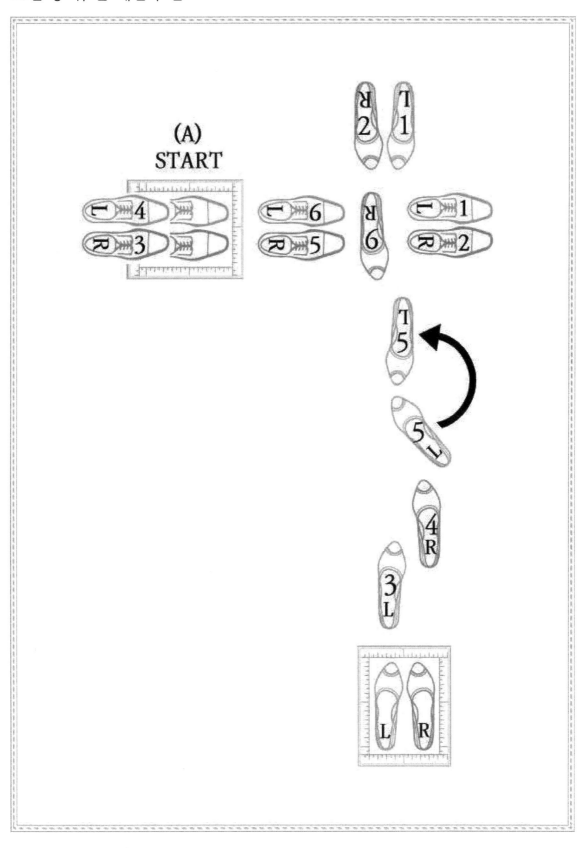

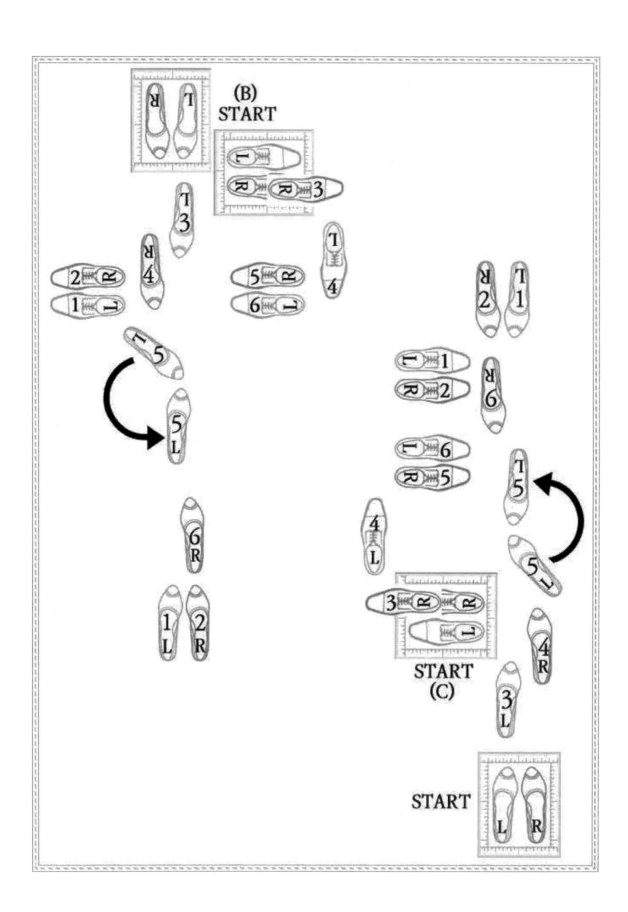

〈남성&여성〉

스텝	카운트	리듬	읽을 때	음악 타이밍	보수	핸드 포지션	악센트
A							
1보	3	S	슬로우	쿵	1	One Hand Joined	
2보	4	&	엔	짝	1	One Hand Joined	
3보	5	Q	퀵	쿵	1	One Hand Joined	V
4보	6	Q	퀵	짝	1	One Hand Joined	V
5보	1	S	슬로우	쿵	1	One Hand Joined	
6보	2	&	엔	짝	1	One Hand Joined	
B							
1보	3	S	슬로우	쿵	1	One Hand Joined	
2보	4	&	엔	짝	1	One Hand Joined	
3보	5	Q	퀵	쿵	1	One Hand Joined	V
4보	6	Q	퀵	짝	1	One Hand Joined	V
5보	1	S	슬로우	쿵	1	One Hand Joined	
6보	2	&	엔	짝	1	One Hand Joined	
C							
1보	3	S	슬로우	쿵	1	One Hand Joined	
2보	4	&	엔	짝	1	One Hand Joined	
3보	5	Q	퀵	쿵	1	One Hand Joined	V
4보	6	Q	퀵	짝	1	One Hand Joined	V
5보	1	S	엔	쿵	1	One Hand Joined	
6보	2	&	슬로우	짝	1	One Hand Joined	

〈남성〉

스텝	핸드	방향	풋 워크	스텝 방식	액션
A					
1보	오른손	3시	HF	놓고	Backward Walk
2보	오른손	3시	HF	놓고	Backward Walk
3보	오른손	3시	BF	놓고	Forward Walk
4보	왼손	3시	BF	놓고	Forward Walk
5보	왼손	3시	BF	놓고	Forward Walk
6보	왼손	3시	BF	놓고	Forward Walk
B					
1보	오른손	3시	BF	놓고	Forward Walk
2보	오른손	6시	BF	놓고	Forward Walk, Turn
3보	오른손	9시	BF	놓고	Forward Walk, Turn
4보	오른손	9시	T/BF	찍고/놓고(선택)	Forward Walk
5보	왼손	9시	BF	놓고	Forward Walk
6보	왼손	9시	BF	놓고	Forward Walk
C					
1보	오른손	9시	BF	놓고	Forward Walk
2보	오른손	12시	BF	놓고	Forward Walk, Turn
3보	오른손	3시	BF	놓고	Forward Walk, Turn
4보	왼손	3시	WF	놓고	Side Step
5보	왼손	3시	WF	놓고	Side Step
6보	왼손	3시	WF	놓고	Side Step

스텝	풋 포지션	회전량
	A	
1보	오른발 후진(RF)	없음
2보	왼발을 후진하면서 오른발 옆으로 모으고(LF)	없음
3보	오른발 전진(RF)	없음
4보	왼발을 전진하면서 오른발 옆에 모으고(LF)	없음
5보	왼발 전진(LF)	없음
6보	오른발을 전진하면서 왼발 옆에 모으고(RF)	없음
	B	
1보	오른발 전진(RF)	없음
2보	왼발 R/90°(LF)	R/90°(1/4턴)
3보	오른발 R/90°(RF)	R/90°(1/4턴)
4보	왼발을 전진하면서 오른발 옆에 모으고(LF)	없음
5보	왼발 전진(LF)	없음
6보	오른발을 왼발 옆에 모으고(RF)	없음
	C	
1보	오른발 전진(RF)	없음
2보	왼발 R/90°(LF)	R/90°(1/4턴)
3보	오른발 R/90°(RF)	R/90°(1/4턴)
4보	왼발을 오른발 옆에 모으고(LF)	없음
5보	왼발 옆으로(LF)	없음
6보	오른발을 왼발 옆에 모으고(RF)	없음

스텝	리드 / 사인 / 텐션
	A
1보 2보	여성 왼발, 오른발이 댄스 라인에 맞춰 전진하도록 여성 정면 앞으로 당긴다.
3보 4보	여성 왼발이 왼쪽으로 45°, 135° 턴하도록 손을 왼쪽으로 틀어주면서 여성 오른발이 댄스 라인에 위치하도록 리드하면서 남성은 오른손에서 왼손으로 등 뒤에서 손 체인지
5보	여성 왼발이 후진하도록 그립 상태에서 여성 손에 힘을 주면서 밀어준다.
6보	손을 내려주면서 여성 오른발이 왼발에 모으도록 손 텐션 및 리드를 멈춘다.
	B
1보 2보	남성은 오른쪽으로 턴하면서 여성 왼발이 댄스 라인에 맞춰 전진하도록 여성 정면 앞으로 당기면서
3보 4보	남성은 오른쪽으로 턴하면서 여성 왼발이 왼쪽으로 45°, 135° 턴하도록 손을 왼쪽으로 틀어주면서 여성의 오른발이 댄스 라인에 위치하도록 리드하면서 남성은 오른손에서 왼손으로 등 뒤에서 손 체인지
5보	여성 왼발이 후진하도록 그립 상태에서 여성 손에 힘을 주면서 밀어준다.
6보	손을 내려주면서 여성 오른발이 왼발에 모으도록 손 텐션 및 리드를 멈춘다.
	C
1보 2보	여성 왼발, 오른발이 댄스 라인에 맞춰 전진하도록 여성 정면 앞으로 당긴다.
3보 4보	남성 오른쪽으로 턴하면서 여성 왼발이 왼쪽으로 45°, 135° 턴하도록 손을 왼쪽으로 틀어주면서 여성 오른발이 댄스 라인에 위치하도록 리드하면서 남성 오른손에서 왼손으로 손 체인지
5보	여성 왼발이 후진하도록 그립 상태에서 여성 손에 힘을 주면서 밀어준다.
6보	손을 내려주면서 여성 오른발이 왼발에 모으도록 손 텐션 및 리드를 멈춘다.

〈여성〉

스텝	회전량	핸드	스텝 방식	풋 워크	풋 포지션	L액션
A						
1보	없음	오른손	놓고	BF	왼발 전진(LF)	Forward Walk
2보	없음	오른손	놓고	BF	오른발 전진(RF)	Forward Walk
3보	L/45° (1/8턴)	오른손	놓고	B	왼발 45°턴(LF)	Turn
4보	L/135° (3/8턴) 오른발-없음	오른손	놓고	B, HF	왼발 135°턴(LF) 오른발 후진(RF)	Turn, Backward Walk
5보	없음	오른손	놓고	HF	왼발 후진(LF)	Backward Walk
6보	없음	오른손	놓고	HF	오른발 후진하면서 왼발 옆에 모으고(RF)	Backward Walk
B						
1보	없음	오른손	놓고	BF	왼발 전진(LF)	Forward Walk
2보	없음	오른손	놓고	BF	오른발 전진(RF)	Forward Walk
3보	R/45° (1/8턴)	오른손	놓고	B	왼발 R/45°턴(LF)	Turn
4보	L/135° (3/8턴) 오른발-없음	오른손	놓고	B, HF	왼발 135°턴(LF) 오른발 후진(RF)	Turn, Backward Walk
5보	없음	오른손	놓고	HF	왼발 후진(LF)	Backward Walk
6보	없음	오른손	놓고	HF	오른발 후진하면서 왼발 옆에 모으고(RF)	Backward Walk
C						
1보	없음	오른손	놓고	BF	왼발 전진(LF)	Forward Walk
2보	없음	오른손	놓고	BF	오른발 전진(RF)	Forward Walk
3보	L/45° (1/8턴	오른손	놓고	B	왼발 45°턴(RF)	Turn
4보	L/135° (3/8턴) 오른발-없음	오른손	놓고	B, HF	왼발 R/135°턴(LF) 오른발 후진(RF)	Turn, Backward Walk
5보	없음	오른손	놓고	HF	왼발 후진(LF)	Backward Walk
6보	없음	오른손	놓고	HF	오른발 후진하면서 왼발 옆에 모으고(RF)	Backward Walk

27번 후진 6박 허리걸이, R/540°턴

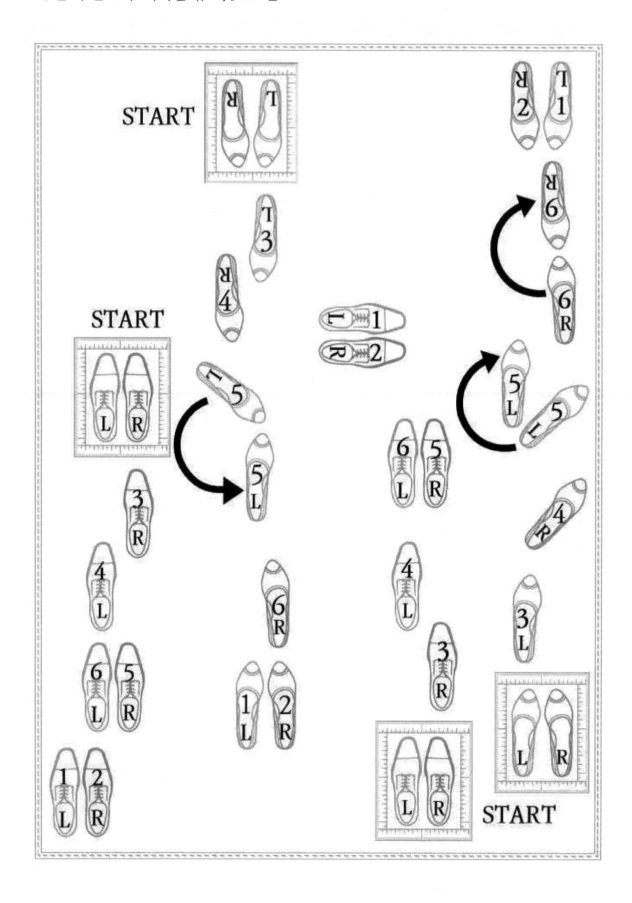

〈남성&여성〉

스텝	카운트	리듬	읽을 때	음악 타이밍	보수	핸드 포지션	악센트
1보	3	S	슬로우	쿵	1	One Hand Joined	
2보	4	&	엔	짝	1	One Hand Joined	
3보	5	Q	퀵	쿵	1	One Hand Joined	V
4보	6	Q	퀵	짝	1	One Hand Joined	V
5보	1	S	슬로우	쿵	1	One Hand Joined	
6보	2	&	엔	짝	1	One Hand Joined	
1보	3	S	슬로우	쿵	1	One Hand Joined	
2보	4	&	엔	짝	1	One Hand Joined	
3보	5	Q	퀵	쿵	1	One Hand Joined	V
4보	6	Q	퀵	짝	1	One Hand Joined	V
5보	1	S	슬로우	쿵	1	One Hand Joined	
6보	2	&	엔	짝	1	One Hand Joined	

〈남성〉

스텝	핸드	방향	풋 워크	스텝 방식	액션
1보	오른손	12시	HF	놓고	Backward Walk
2보	오른손	12시	HF	놓고	Backward Walk
3보	오른손	12시	HF	놓고	Backward Walk
4보	오른손	12시	HF/T	놓고/찍고(선택)	Backward Walk
5보	오른손	12시	HF	놓고	Diagonally Backward Walk
6보	오른손	12시	HF	놓고	Diagonally Backward Walk
1보	오른손	12시	BF	놓고	Forward Walk
2보	오른손	12시	BF	놓고	Forward Walk
3보	오른손	12시	BF	놓고	Forward Walk
4보	오른손	12시	BF/T	놓고/찍고(선택)	Forward Walk
5보	오른손	3시	WF	놓고	Side line(Left),Turn
6보	오른손	3시	WF	놓고	Side line(Left)

스텝	풋 포지션	회전량
1보	오른발 후진(RF)	없음
2보	왼발 후진(LF)	없음
3보	오른발 후진(RF)	없음
4보	왼발을 후진하면서 오른발 옆에 모으고(LF)	없음
5보	왼발 왼쪽 사선으로 후진(LF)	없음
6보	오른발을 왼쪽 사선으로 후진하면서 왼발 옆에 모으고(RF)	없음
1보	오른발 전진(RF)	없음
2보	왼발 전진(LF)	없음
3보	오른발 전진(RF)	없음
4보	왼발을 전진하면서 오른발 옆에 모으고(LF)	없음
5보	왼발 R/90°턴 (LF)	R/90°(1/4턴)
6보	오른발을 왼발에 옆에 모으고(RF)	없음

스텝	리드 / 사인 / 텐션
1보	여성 왼발, 오른발이 댄스 라인에 맞춰 전진하도록 여성 오른손을 여성 정면 앞으로
2보	당기면서 허리 쪽으로 내려준다.
3보	여성 왼발이 왼쪽으로 45°, 135°턴하도록 팔꿈치를 꺾어 주면서 여성 허리 쪽으로 이동
4보	여성 오른발, 왼발이 후진하도록 살짝 당겨주고
5보	
6보	6보에 여성 오른발이 왼발에 모으도록 잡아준다. (허리 걸이)
1보	여성 허리 걸이 상태에서 여성이 전진할 수 있도록 왼손으로 살짝 여성 등을 밀어준다.
2보	여성이 회전할 수 있도록 손을 여성 정수리 5-10cm 정도 위로 들어준다.
3보	여성의 왼발이 오른쪽으로 45°, 315°턴 할 수 있도록 회전시켜준다.
4보	
5보	여성이 오른발이 오른쪽으로 180°턴 하도록 계속 회전시켜 주면서 여성 왼발이 댄스 라인에 위치하도록 손을 내리기 시작한다.
6보	손을 내려주면서 여성 오른발이 왼발에 모으도록 손 텐션 및 리드를 멈춘다.

〈여성〉

스텝	회전량	핸드	스텝 방식	풋 워크	풋 포지션	액션
1보	없음	오른손	놓고	BF	왼발 전진(LF)	Forward Walk
2보	없음	오른손	놓고	BF	오른발 전진(RF)	Forward Walk
3보	L/45°(1/8턴)	오른손	놓고	B	왼발 45°턴(LF)	Turn
4보	L/135°(3/8턴) 오른발-없음	오른손	놓고	B, HF	왼발 135°턴(LF) 오른발 후진(RF)	Turn, Backward Walk
5보	없음	오른손	놓고	HF	왼발 후진(LF)	Backward Walk
6보	없음	오른손	놓고	HF	오른발 후진하면서 왼발 옆에 모으고(RF)	Backward Walk
1보	없음	오른손	놓고	BF	왼발 전진(LF)	Forward Walk
2보	R/45°(1/8턴)	오른손	놓고	BF	오른발 45°턴(RF)	Turn
3보	R/45°(1/8턴)	오른손	놓고	B	왼발 45°턴(LF)	Turn
4보	R/315°(7/8턴) 오른발-없음	오른손	놓고	B, BF	왼발 315°턴(LF) 오른발 전진(RF)	Turn, Forward Walk
5보	R/180°(1/2턴) 왼발-턴 없음	오른손	놓고	B, HF	오른발 180°턴(RF) 왼발 후진(LF)	Turn, Backward Walk
6보	없음	오른손	놓고	HF	오른발 후진하면서 왼발 옆에 모으고(RF)	Backward Walk

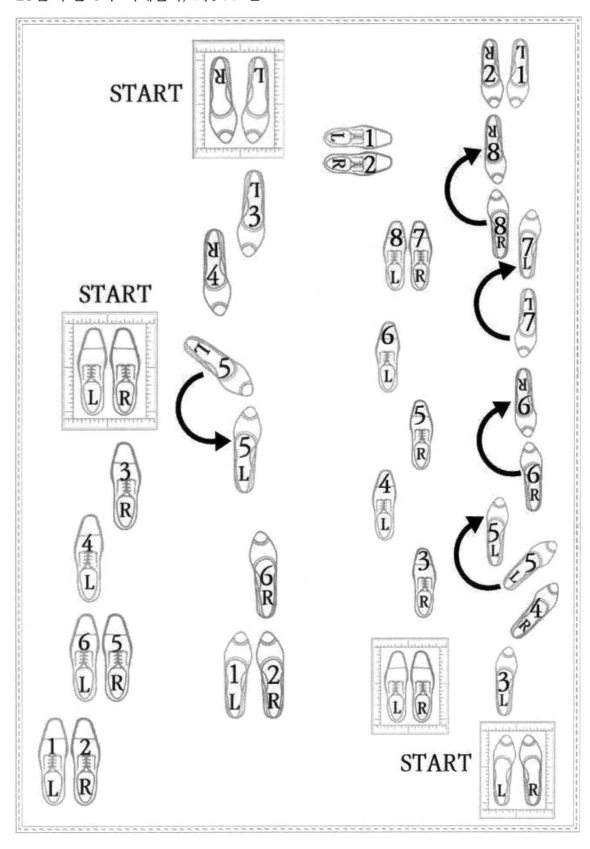

〈남성&여성〉

스텝	카운트	리듬	읽을 때	음악 타이밍	보수	핸드 포지션	악센트
1보	3	S	슬로우	쿵	1	One Hand Joined	
2보	4	&	엔	짝	1	One Hand Joined	
3보	5	Q	퀵	쿵	1	One Hand Joined	V
4보	6	Q	퀵	짝	1	One Hand Joined	V
5보	1	S	슬로우	쿵	1	One Hand Joined	
6보	2	&	엔	짝	1	One Hand Joined	
1보	3	S	슬로우	쿵	1	One Hand Joined	
2보	4	&	엔	짝	1	One Hand Joined	
3보	5	Q	퀵	쿵	1	One Hand Joined	V
4보	6	Q	퀵	짝	1	One Hand Joined	V
5보	7	Q	퀵	쿵	1	One Hand Joined	V
6보	8	Q	퀵	짝	1	One Hand Joined	V
7보	1	S	슬로우	쿵	1	One Hand Joined	
8보	2	&	엔	짝	1	One Hand Joined	

〈남성〉

스텝	핸드	방향	풋 워크	스텝 방식	액션
1보	오른손	12시	HF	놓고	Backward Walk
2보	오른손	12시	HF	놓고	Backward Walk
3보	오른손	12시	HF	놓고	Backward Walk
4보	오른손	12시	HF/T	놓고/찍고(선택)	Backward Walk
5보	오른손	12시	HF	놓고	Diagonally Backward Walk
6보	오른손	12시	HF	놓고	Diagonally Backward Walk
1보	오른손	12시	BF	놓고	Forward Walk
2보	오른손	12시	BF	놓고	Forward Walk
3보	오른손	12시	BF	놓고	Forward Walk
4보	오른손	12시	BF	넝거	Forward Walk
5보	오른손	12시	BF	놓고	Forward Walk
6보	오른손	12시	BF/T	놓고/찍고(선택)	Forward Walk
7보	오른손	3시	WF	놓고	Side line(Left),Turn
8보	오른손	3시	WF	놓고	Side line(Left)

스텝	풋 포지션	회전량
1보	오른발 후진(RF)	없음
2보	왼발 후진(LF)	없음
3보	오른발 후진(RF)	없음
4보	왼발을 후진하면서 오른발 옆에 모으고(LF)	없음
5보	왼발 왼쪽 사선으로 후진(LF)	없음
6보	오른발을 왼쪽 사선으로 후진하면서 왼발 옆에 모으고(RF)	없음
1보	오른발 전진(RF)	없음
2보	왼발 전진(LF)	없음
3보	오른발 전진(RF)	없음

스텝		
4보	왼발 전진(LF)	없음
5보	오른발 전진(RF)	없음
6보	왼발을 전진하면서 오른발 옆에 모으고(LF)	없음
7보	왼발 R/90°턴(LF)	R/90°(1/4턴)
8보	오른발을 왼발에 옆에 모으고(RF)	없음

스텝	리드 / 사인 / 텐션
1보	여성 왼발, 오른발이 댄스 라인에 맞춰 전진하도록 여성 오른손을 여성 정면 앞으로
2보	당긴다.
3보	여성 왼발이 왼쪽으로 45°, 135°턴하도록 여성 오른손 손바닥이 하늘 쪽으로 보이도록
4보	손목을 꺾어 주면서 여성 손등이 여성 어깨 쪽으로 유도(리드)해 준다.
	4보에 여성 오른발이 후진하도록 살짝 당겨주고
5보	5보에 여성 왼발이 후진하도록 살짝 당겨주고
6보	6보에 여성 오른발이 왼발에 모으도록 잡아 준다. (어깨걸이)
1보	Shadow Position에서 여성이 전진할 수 있도록 왼손으로 살짝 여성 등을 밀어준다.
2보	여성이 회전 할 수 있도록 손을 여성 정수리 5-10cm 정도 위로 들어준다.
3보	여성 왼발이 오른쪽으로 45°, 315°턴 할 수 있도록 회전시켜준다.
4보	여성이 오른발이 오른쪽으로 180°턴하도록 계속 회전시켜준다.
5보	여성이 왼발이 오른쪽으로 180°턴하도록 계속 회전시켜준다.
6보	여성 오른발이 오른쪽으로 180°턴 및 왼발이 후진하도록 계속 텐션주면서
7보	
8보	오른발이 후진하면서 왼발에 모으도록 손을 내려준다.

〈여성〉

스텝	회전량	핸드	스텝 방식	풋 워크	풋 포지션	액션
1보	없음	오른손	놓고	BF	왼발 전진(LF)	Forward Walk
2보	없음	오른손	놓고	BF	오른발 전진(RF)	Forward Walk
3보	L/45° (1/8턴)	오른손	놓고	B	왼발 45°턴(LF)	Turn
4보	L/135° (3/8턴) 오른발-없음	오른손	놓고	B, HF	왼발 135°턴(LF) 오른발 후진(RF)	Turn, Backward Walk
5보	없음	오른손	놓고	HF	왼발 후진(LF)	Backward Walk
6보	없음	오른손	놓고	HF	오른발 후진하면서 왼발 옆에 모으고(RF)	Backward Walk
1보	없음	오른손	놓고	BF	왼발 전진(LF)	Forward Walk
2보	R/45° (1/8턴)	오른손	놓고	BF	오른발 45°턴(RF)	Turn
3보	R/45°(1/8턴) R/315°(7/8턴)	오른손	놓고	B	왼발 45°턴 315°턴(LF)	Turn
4보	R/180°(1/2턴)	오른손	놓고	B	오른발	Turn

					180°턴(RF)	
5보	R/180°(1/2턴)	오른손	놓고	B	왼발 180°턴(LF)	Turn
6보	R/180°(1/2턴)	오른손	놓고	B	오른발 180°턴(RF)	Turn
7보	없음	오른손	놓고	HF	왼발 후진(LF)	Backward Walk
8보	없음	오른손	놓고	HF	오른발 후진하면서 왼발 옆에 모으고(RF)	Backward Walk

29번 아치(터널), 손 당겨 손 놓기

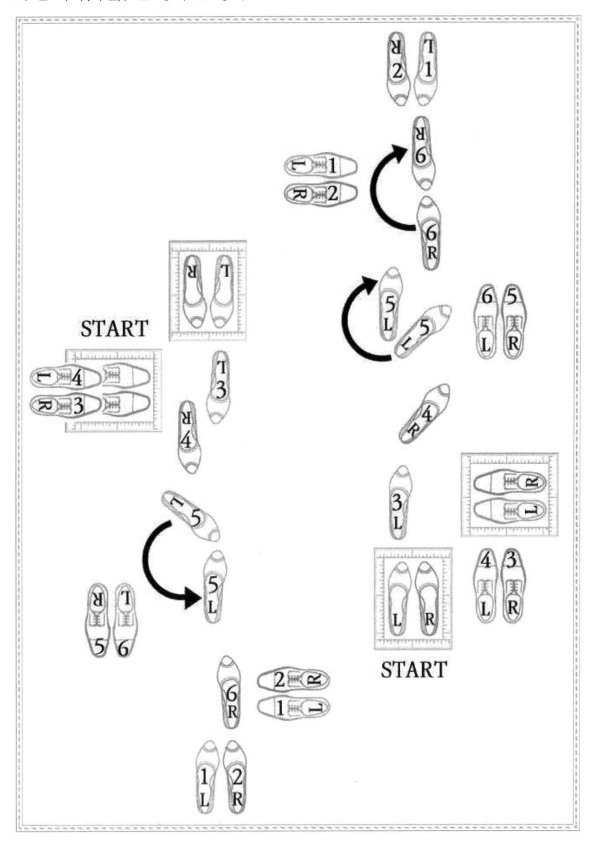

〈남성&여성〉

스텝	카운트	리듬	읽을 때	음악 타이밍	보수	핸드 포지션	악센트
1보	3	S	슬로우	쿵	1	One Hand Joined	
2보	4	&	엔	짝	1	One Hand Joined	
3보	5	Q	퀵	쿵	1	One Hand Joined	V
4보	6	Q	퀵	짝	1	One Hand Joined	V
5보	1	S	슬로우	쿵	1	One Hand Joined	
6보	2	&	엔	짝	1	One Hand Joined	
1보	3	S	슬로우	쿵	1	One Hand Joined	
2보	4	&	엔	짝	1	One Hand Joined	
3보	5	Q	퀵	쿵	1		V
4보	6	Q	퀵	짝	1		V
5보	1	S	슬로우	쿵	1		
6보	2	&	엔	짝	1	One Hand Joined	

〈남성〉

스텝	핸드	방향	풋 워크	스텝 방식	액션
1보	왼손	3시	HF	놓고	Backward Walk
2보	왼손	3시	HF	놓고	Backward Walk
3보	왼손	6시	BF	놓고	Forward Walk,Turn
4보	왼손	6시	T/BF	찍고/놓고(선택)	Forward Walk
5보	왼손	9시	WF	놓고	Side line(Left),Turn
6보	왼손	9시	WF	놓고	Side line(Left)
1보	왼손	12시	HF	놓고	Backward Walk,Turn
2보	왼손	12시	HF	놓고	Backward Walk
3보		12시	BF	놓고	Forward Walk
4보		12시	T/BF	찍고/놓고(선택)	Forward Walk
5보		3시	WF	놓고	Side line(Right), Turn
6보	오른손	3시	WF	놓고	Side line(Right)

스텝	풋 포지션	회전량
1보	오른발 후진(RF)	없음
2보	왼발 후진하면서 오른발 옆으로 모으고(LF)	없음
3보	오른발 R/90°턴(RF)	R/90°(1/4턴)
4보	왼발을 오른발 옆에 모으고(LF)	없음
5보	왼발 R/90°턴(LF)	R/90°(1/4턴)
6보	오른발 왼발 옆에 모으고(RF)	없음
1보	오른발 R/90°턴(RF)	R/90°(1/4턴)
2보	왼발 후진하면서 오른발 옆으로 모으고(LF)	없음
3보	오른발 전진(RF)	없음
4보	왼발 전진하면서 오른발 옆에 모으고(LF)	없음
5보	왼발 R/90°턴(LF)	R/90°(1/4턴)
6보	오른발을 왼발 옆에 모으고(RF)	없음

스텝	리드 / 사인 / 텐션
1보	남성은 사이드 스텝을 하면서 여성 왼발이 댄스 라인에 맞춰 전진하도록 여성 정면
2보	앞으로 당기면서
3보	여성 왼발이 왼쪽으로 45°, 135°턴하도록 손을 들어주면서 왼쪽으로 틀어주면서 여성
4보	오른발이 댄스 라인에 위치하도록 리드
5보	손을 들어준 상태에서 남성은 팔 아래로 들어가 L/Under arm turn
6보	손을 내려주면서 여성 오른발이 왼발에 모으도록 손 텐션 및 리드를 멈춘다
1보	
2보	
3보	1보에 여성 왼발이 댄스 라인에 맞춰 전진하도록 당기면서 2보에 여성 손을 돌리면서
4보	여성 손을 놓아준다.
5보	
6보	

〈여성〉

스텝	회전량	핸드	스텝 방식	풋 워크	풋 포지션	액션
1보	없음	오른손	놓고	BF	왼발 전진(LF)	Forward Walk
2보	없음	오른손	놓고	BF	오른발 전진(RF)	Forward Walk
3보	L/45° (1/8턴)	오른손	놓고	B	왼발 45°턴(LF)	Turn
4보	L/135° (3/8턴) 오른발-없음	오른손	놓고	BF	왼발 135°턴(LF) 오른발 후진(RF)	Turn, Backward Walk
5보	없음	오른손	놓고	HF	왼발 후진(LF)	Backward Walk
6보	없음	오른손	놓고	HF	오른발 후진하면서 왼발 옆에 모으고(RF)	Backward Walk
1보	없음	오른손	놓고	BF	왼발 전진(LF)	Forward Walk
2보	R/45° (1/8턴)	오른손	놓고	BF	오른발 45°턴(RF)	Turn
3보	R/45° (1/8턴)		놓고	B	왼발 45°턴(LF)	Turn
4보	R/315° (7/8턴) 오른발-없음		놓고	B	왼발 315°턴(LF) 오른발 전진(RF)	Turn
5보	R/180° (1/2턴) 왼발-없음		놓고	B, HF	오른발 180°턴(RF) 왼발 후진(LF)	Turn, Backward Walk
6보	없음	오른손	놓고	HF	오른발 후진하면서 왼발 옆에 모으고(RF)	Backward Walk

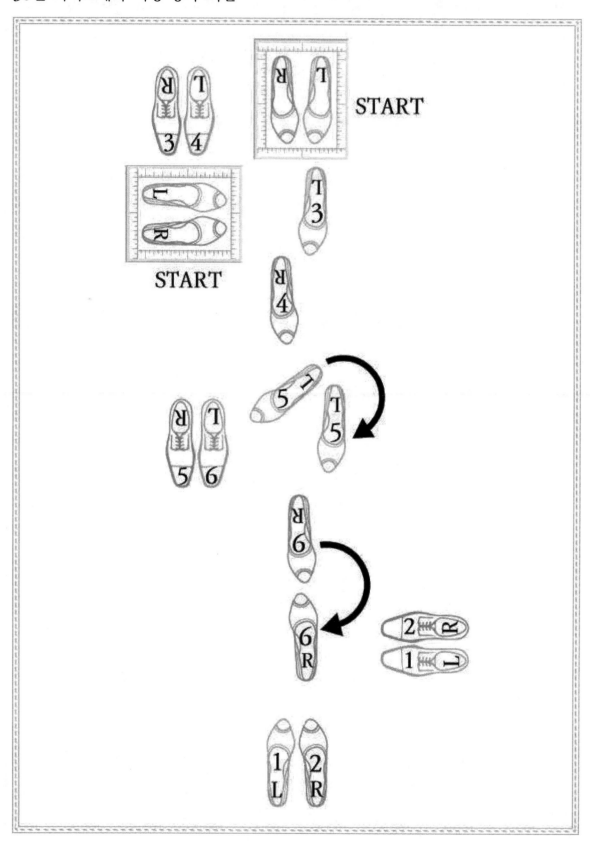

〈남성&여성〉

스텝	카운트	리듬	읽을 때	음악 타이밍	보수	핸드 포지션	악센트
1보	3	S	슬로우	쿵	1	One Hand Joined	
2보	4	&	엔	짝	1	One Hand Joined	
3보	5	Q	퀵	쿵	1		V
4보	6	Q	퀵	짝	1		V
5보	1	S	슬로우	쿵	1		
6보	2	&	엔	짝	1	One Hand Joined	

〈남성〉

스텝	핸드	방향	풋 워크	스텝 방식	액션
1보	왼손	6시	HF	놓고	Backward Walk, Turn
2보	왼손	6시	HF	놓고	Backward Walk
3보		6시	BF	놓고	Forward Walk
4보		6시	T/BF	찍고/놓고(선택)	Forward Walk
5보		6시	WF	놓고	Side line(Right), Turn
6보	오른손	6시	WF	놓고	Side line(Right)

스텝	풋 포지션	회전량
1보	오른발 R/90°턴(RF)	R/90°(1/4턴)
2보	왼발 후진하면서 오른발 옆으로 모으고(LF)	없음
3보	오른발 전진(RF)	없음
4보	왼발을 전진하면서 오른발 옆에 모으고(LF)	없음
5보	왼발 R/90°턴(LF)	R/90°(1/4턴)
6보	오른발을 왼발 옆에 모으고(RF)	없음

스텝	리드 / 사인 / 텐션
1보	1보에 여성 왼발이 댄스 라인에 맞춰 전진하도록 당기면서 2보에 여성 손을
2보	돌리면서 여성의 손을 놓아준다.
	3보~6보 리드/사인/텐션 없음

〈여성〉

스텝	회전량	핸드	스텝 방식	풋 워크	풋 포지션	액션
1보	없음	오른손	놓고	BF	왼발 전진(LF)	Forward Walk
2보	R/45°(1/8턴)	오른손	놓고	BF	오른발 45°턴(RF)	Turn
3보	R/45°(1/8턴)		놓고	B	왼발 45°턴(LF)	Turn
4보	R/315°(7/8턴) 오른발-없음		놓고	B, BF	왼발 315°턴(LF) 오른발 전진(RF)	Turn
5보	R/180°(1/2턴) 왼발-없음		놓고	B, HF	오른발 180°턴(RF) 왼발 후진(LF)	Turn, Backward Walk

6보	없음	오른손	놓고	HF	오른발 후진하면서 왼발 옆에 모으고(RF)	Backward Walk

31번 손 놓고 자리바꿈

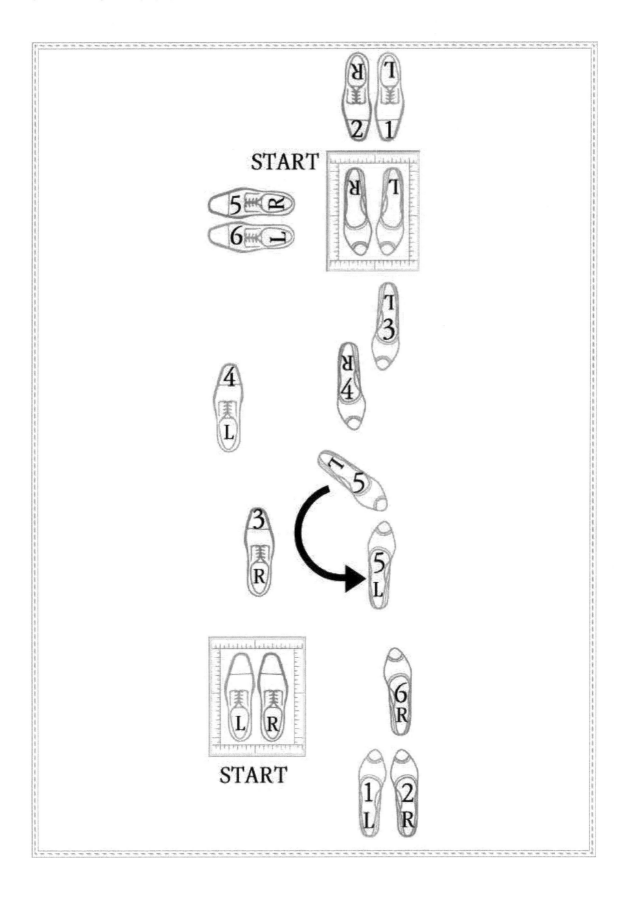

〈남성&여성〉

스텝	카운트	리듬	읽을 때	음악 타이밍	보수	핸드 포지션	악센트
1보	3	S	슬로우	쿵	1	One Hand Joined	
2보	4	&	엔	짝	1	One Hand Joined	
3보	5	Q	퀵	쿵	1		V
4보	6	Q	퀵	짝	1		V
5보	1	S	슬로우	쿵	1		
6보	2	&	엔	짝	1		

〈남성〉

스텝	핸드	방향	풋 워크	스텝 방식	액션
1보	오른손	12시	BF	놓고	Forward Walk
2보	오른손	12시	BF	놓고	Forward Walk
3보		9시	WF	놓고	Side Step
4보		9시	WF	놓고	Side Step
5보		6시	WF	놓고	Turn, 정면(正面)
6보		6시	WF	놓고	정면(正面)

스텝	풋 포지션	회전량
1보	오른발 전진(RF)	없음
2보	왼발 전진(LF)	없음
3보	오른발 L/90°턴(RF)	L/90°(1/4턴)
4보	왼발을 오른발 옆에 모으고(LF)	없음
5보	왼발 L/90°턴(LF)	L/90°(1/4턴)
6보	오른발을 왼발 옆에 모으고(RF)	없음

스텝	리드 / 사인 / 텐션
1보	여성 왼발, 오른발이 댄스 라인에 맞춰 전진하도록 여성 오른손을 여성 정면 앞으로
2보	당기면서 손을 놓아준다. (3보~6보 리드/사인/텐션 없음)

〈여성〉

스텝	회전량	핸드	스텝 방식	풋 워크	풋 포지션	액션
1보	없음	오른손	놓고	BF	왼발 전진(LF)	Forward Walk
2보	없음	오른손	놓고	BF	오른발 전진(RF)	Forward Walk
3보	L/45° (1/8턴)	오른손	놓고	B	왼발 45°턴(LF)	Turn
4보	L/135° (3/8턴) 오른발-없음	오른손	놓고	B, HF	왼발 135°턴(LF) 오른발 후진(RF)	Turn, Backward Walk
5보	없음	오른손	놓고	HF	왼발 후진(LF)	Backward Walk
6보	없음	오른손	놓고	HF	오른발 후진하면서 왼발 옆에	Backward Walk

				모으고(RF)	

32번 기차놀이(꼬리 자르기)

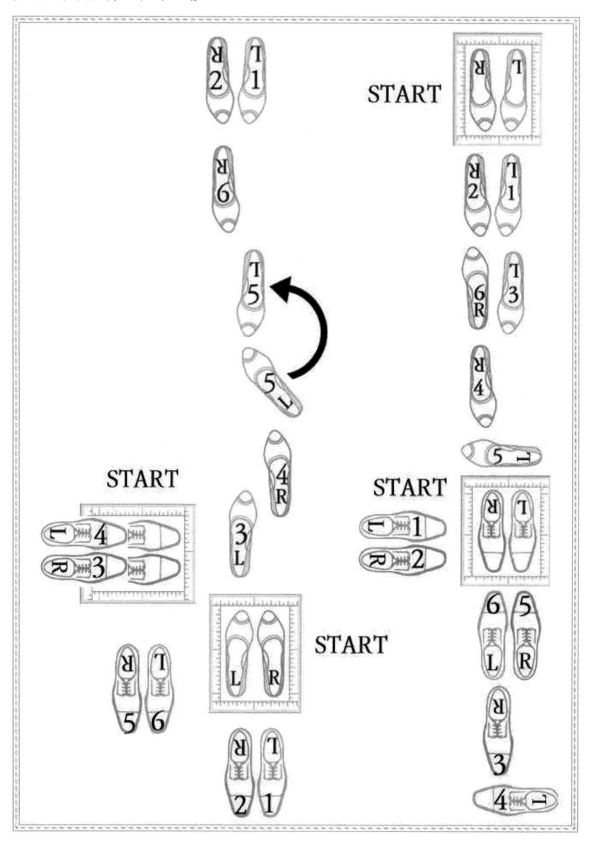

〈남성&여성〉

스텝	카운트	리듬	읽을 때	음악 타이밍	보수	핸드 포지션	악센트
1보	3	S	슬로우	쿵	1	One Hand Joined	
2보	4	&	엔	짝	1	One Hand Joined	
3보	5	Q	퀵	쿵	1	One Hand Joined	V
4보	6	Q	퀵	짝	1	One Hand Joined	V
5보	1	S	슬로우	쿵	1	One Hand Joined	
6보	2	&	엔	짝	1	One Hand Joined	
1보	3	S	슬로우	쿵	1	One Hand Joined	
2보	4	&	엔	짝	1	One Hand Joined	
3보	5	Q	퀵	쿵	1		V
4보	6	Q	퀵	짝	1		V
5보	1	S	슬로우	쿵	1		
6보	2	&	엔	짝	1	One Hand Joined	

〈남성〉

스텝	핸드	방향	풋 워크	스텝 방식	액션
1보	오른손	3시	HF	놓고	Backward Walk
2보	왼손	3시	HF	놓고	Backward Walk
3보	왼손	6시	BF	놓고	Forward Walk,Turn
4보	왼손	6시	T/BF	찍고/놓고(선택)	Forward Walk
5보	왼손	9시	WF	놓고	Tandem
6보	왼손	9시	WF	놓고	Tandem
1보	왼손	6시	BF	놓고	Forward Walk
2보	왼손	9시	WF	놓고	Turn
3보		12시	WF	놓고	Turn
4보		12시	T/BF	찍고/놓고(선택)	Forward Walk
5보		3시	WF	놓고	Side line(Left),Turn
6보	오른손	3시	WF	놓고	Side line(Left)

스텝	풋 포지션	회전량
1보	오른발 후진(RF)	없음
2보	왼발 후진하면서 오른발 옆으로 모으고(LF)	없음
3보	오른발 R/90°틴(RF)	R/90°(1/4틴)
4보	왼발을 전진하면서 오른발 옆에 모으고(LF)	없음
5보	왼발 사선 앞으로(LF)	없음
6보	오른발 전진하면서 왼발 옆에 모으고(RF)	없음
1보	오른발 전진(RF)	없음
2보	왼발 R/90°틴(LF)	R/90°(1/4틴)
3보	오른발 R/90°틴(RF)	R/90°(1/4틴)
4보	왼발을 오른발 옆에 모으고(LF)	없음
5보	왼발 R/90°틴(LF)	R/90°(1/4틴)
6보	오른발을 왼발 옆에 모으고(RF)	없음

스텝	리드 / 사인 / 텐션
1보	여성 왼발, 오른발이 댄스 라인에 맞춰 전진하도록 여성 오른손을 여성 정면 앞으로
2보	당기면서 2보에 남성은 왼손으로 손 체인지
3보	여성 왼발이 왼쪽으로 180°턴하도록 손을 왼쪽으로 틀어준다
4보	
5보	여성 왼발이 후진하도록 그립 상태에서 여성 손에 힘을 주면서 밀어주면서 여성 정면 앞 등지면서 이동한다. (Tandem position)
6보	여성 오른발이 왼발에 모으도록 손 텐션 및 리드를 멈춘다.
1보	여성 왼발, 오른발이 댄스 라인에 맞춰 전진하도록 여성 오른손을 여성 정면 앞으로
2보	당기면서 2보에 여성 손을 놓아준다. (Tandem position)
	6보에 남성은 오른손으로 여성 오른손을 잡는다.

〈여성〉

스텝	회전량	핸드	스텝 방식	풋 워크	풋 포지션	액션
1보	없음	오른손	놓고	BF	왼발 전진(LF)	Forward Walk
2보	없음	오른손	놓고	BF	오른발 전진(RF)	Forward Walk
3보	L/45° (1/8턴)	오른손	놓고	B	왼발 45°턴(LF)	Turn
4보	L/135° (3/8턴) 오른발-없음	오른손	놓고	B, HF	왼발 135°턴(LF) 오른발 후진(RF)	Turn, Backward Walk
5보	없음	오른손	놓고	HF	왼발 후진(LF)	Backward Walk
6보	없음	오른손	놓고	HF	오른발 후진하면서 왼발 옆에 모으고(RF)	Backward Walk
1보	없음	오른손	놓고	BF	왼발 전진(LF)	Forward Walk
2보	없음	오른손	놓고	BF	오른발 전진(RF)	Forward Walk
3보	R/90° (1/4턴)		놓고	B	왼발 90°턴(LF)	Turn
4보	R/90° (1/4턴), R/180° (1/2턴)		놓고	B	오른발 90°턴, 180°턴(RF)	Turn
5보	없음		놓고	HF	왼발 후진(LF)	Backward Walk
6보	없음	오른손	놓고	HF	오른발 후진하면서 왼발 옆에 모으고(RF)	Backward Walk

33번 아치(터널), 목걸이, R/540°

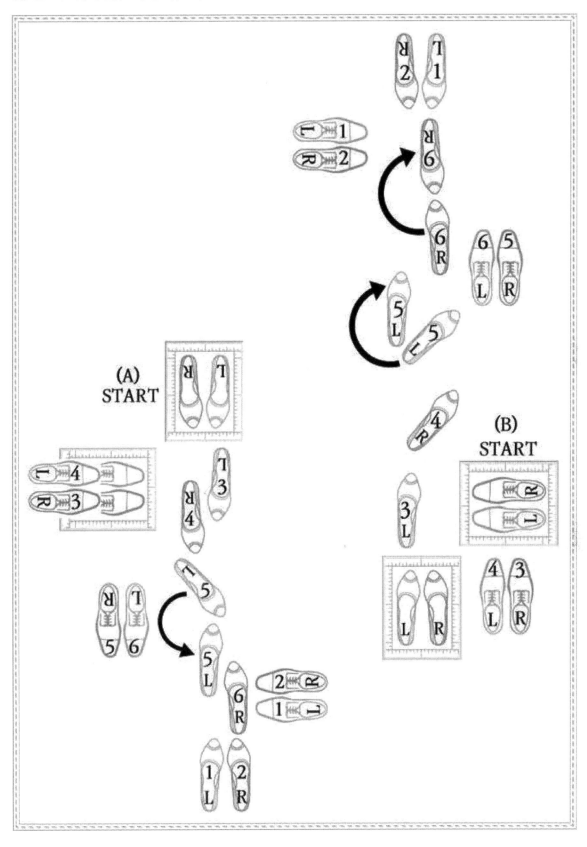

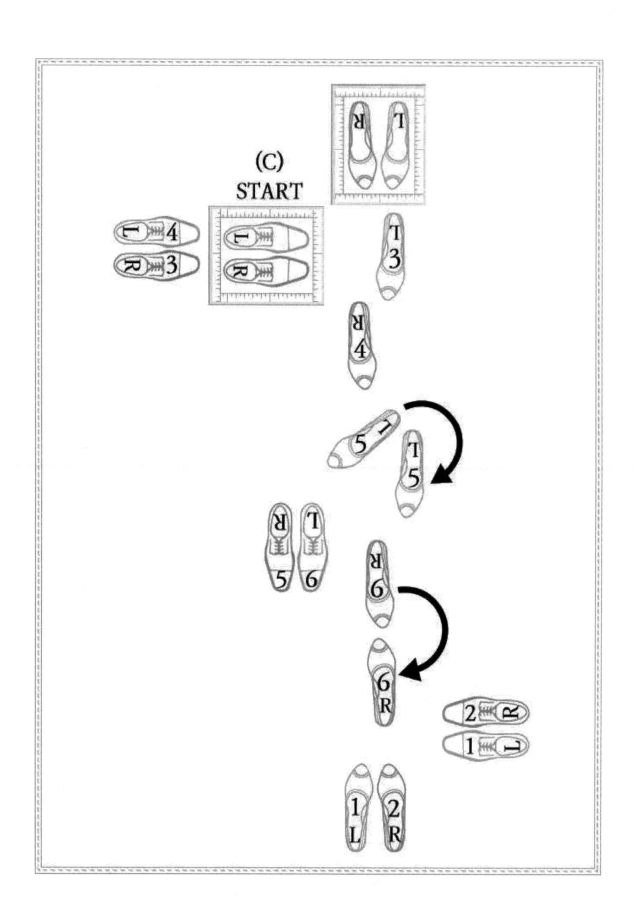

〈남성&여성〉

스텝	카운트	리듬	읽을 때	음악 타이밍	보수	핸드 포지션	악센트
A							
1보	3	S	슬로우	쿵	1	One Hand Joined	
2보	4	&	엔	짝	1	One Hand Joined	
3보	5	Q	퀵	쿵	1	One Hand Joined	V
4보	6	Q	퀵	짝	1	One Hand Joined	V
5보	1	S	슬로우	쿵	1	One Hand Joined	
6보	2	&	엔	짝	1	One Hand Joined	
B							
1보	3	S	슬로우	쿵	1	One Hand Joined	
2보	4	&	엔	짝	1	One Hand Joined	
3보	5	Q	퀵	쿵	1	One Hand Joined	V
4보	6	Q	퀵	짝	1	One Hand Joined	V
5보	1	S	슬로우	쿵	1	One Hand Joined	
6보	2	&	엔	짝	1	One Hand Joined	
C							
1보	3	S	슬로우	쿵	1	One Hand Joined	
2보	4	&	엔	짝	1	One Hand Joined	
3보	5	Q	퀵	쿵	1	One Hand Joined	V
4보	6	Q	퀵	짝	1	One Hand Joined	V
5보	1	S	슬로우	쿵	1	One Hand Joined	
6보	2	&	엔	짝	1	One Hand Joined	

〈남성〉

스텝	핸드	방향	풋 워크	스텝 방식	액션
A					
1보	왼손	3시	HF	놓고	Backward Walk
2보	왼손	3시	HF	놓고	Backward Walk
3보	왼손	6시	BF	놓고	Forward Walk, Turn
4보	왼손	6시	T/BF	찍고/놓고(선택)	Forward Walk
5보	왼손	9시	WF	놓고	Side line(Right), Turn
6보	왼손	9시	WF	놓고	Side line(Right)
B					
1보	왼손	6시	HF	놓고	Backward Walk, Turn
2보	왼손	6시	HF	놓고	Backward Walk
3보	왼손	6시	BF	놓고	Forward Walk
4보	왼손	6시	T/BF	찍고/놓고(선택)	Forward Walk
5보	왼손	3시	WF	놓고	Side line(Left), Turn
6보	왼손	3시	WF	놓고	Side line(Left)
C					
1보	오른손	3시	HF	놓고	Backward Walk
2보	오른손	3시	HF	놓고	Backward Walk
3보	오른손	6시	BF	놓고	Forward Walk, Turn
4보	오른손	6시	T/BF	찍고/놓고(선택)	Forward Walk
5보	오른손	9시	WF	놓고	Side line(Right), Turn
6보	오른손	9시	WF	놓고	Side line(Right)

스텝	풋 포지션	회전량
	A	
1보	오른발 후진(RF)	없음
2보	왼발 후진하면서 오른발 옆으로 모으고(LF)	없음
3보	오른발 R/90°턴(RF)	R/90°(1/4턴)
4보	왼발을 오른발 옆에 모으고(LF)	없음
5보	왼발 R/90°턴(LF)	R/90°(1/4턴)
6보	오른발을 왼발 옆에 모으고(RF)	없음
	B	
1보	오른발 R/90°턴(RF)	R/90°(1/4턴)
2보	왼발 후진하면서 오른발 옆으로 모으고(LF)	없음
3보	오른발 전진(RF)	없음
4보	왼발을 전진하면서 오른발 옆에 모으고(LF)	없음
5보	왼발 R/90°턴(LF)	R/90°(1/4턴)
6보	오른발을 왼발 옆에 모으고(RF)	없음
	C	
1보	오른발 후진(RF)	없음
2보	왼발 후진하면서 오른발 옆으로 모으고(LF)	없음
3보	오른발 R/90°턴(RF)	R/90°(1/4턴)
4보	왼발을 전진하면서 오른발 옆에 모으고(LF)	없음
5보	왼발 R/90°턴(LF)	R/90°(1/4턴)
6보	오른발을 왼발 옆에 모으고(RF)	없음

스텝	리드 / 사인 / 텐션
	A
1보 2보	여성 왼발이 댄스 라인에 맞춰 전진하도록 여성 정면 앞으로 당기면서
3보 4보	여성 왼발이 왼쪽으로 45°, 135° 턴하도록 손을 들어주면서 왼쪽으로 회전시켜주면서
5보	손을 들어준 상태에서 남성은 팔 아래로 들어가 L/Under arm turn
6보	손을 내려주면서 여성의 오른발이 왼발에 모으도록 손 텐션 및 리드를 멈춘다
	B
1보	여성 왼발이 댄스 라인에 맞춰 전진하도록 여성 정면 앞으로 당기면서
2보 3보 4보	계속 정면 앞으로 당기면서 오른쪽으로 45°, 315° 턴 할 수 있도록 텐션을 주면서 여성 목을 감아 준다.
5보	여성이 오른발이 오른쪽으로 180° 턴 하도록 계속 텐션주면서 목을 감아 준다.
6보	여성 오른발이 왼발에 모으도록 손 텐션 및 리드를 멈춘다.
	C
1보	목걸이 상태에서 왼손에서 오른손으로 체인지하고 여성이 전진할 수 있도록 왼손으로 살짝 여성 등을 밀어주고 오른손으로 여성 왼발이 댄스 라인에 맞춰 전진하도록 여성의 정면 앞으로 당겨준다.
2보	여성이 회전 할 수 있도록 손을 여성 정수리 5-10cm 정도 위로 들어준다.
3보 4보	여성 왼발이 오른쪽으로 45°, 315° 턴 할 수 있도록 회전시켜준다.
5보	여성이 오른발이 오른쪽으로 180° 턴 하도록 계속 회전시켜주면서 여성 왼발이 댄스 라인에 위치하도록 손을 내리기 시작한다.
6보	여성 오른발이 후진하면서 왼발에 모으도록 손을 내려준다.

〈여성〉

스텝	회전량	핸드	스텝 방식	풋 워크	풋 포지션	액션
A						
1보	없음	오른손	놓고	BF	왼발 전진(LF)	Forward Walk
2보	없음	오른손	놓고	BF	오른발 전진(RF)	Forward Walk
3보	L/45°(1/8턴)	오른손	놓고	B	왼발 45°턴(LF)	Turn
4보	L/135° (3/8턴) 오른발-없음	오른손	놓고	B, HF	왼발 135°턴(LF) 오른발 후진(RF)	Turn, Backward Walk
5보	없음	오른손	놓고	HF	왼발 후진(LF)	Backward Walk
6보	없음	오른손	놓고	HF	오른발 후진하면서 왼발에 모으고(RF)	Backward Walk
B						
1보	없음	오른손	놓고	BF	왼발 전진(LF)	Forward Walk
2보	R/45°(1/8턴)	오른손	놓고	BF	오른발 45°턴(RF)	Turn
3보	R/45° (1/8턴)	오른손	놓고	B	왼발 45°턴(LF)	Turn
4보	R/315° (7/8턴) 오른발-없음	오른손	놓고	B, BF	왼발 315°턴(LF) 오른발 전진(RF)	Turn
5보	R/180° (1/2턴) 왼발-없음	오른손	놓고	B, HF	오른발 180°턴(RF) 왼발 후진(LF)	Turn, Backward Walk
6보	없음	오른손	놓고	HF	오른발 후진하면서 왼발에 모으고(RF)	Backward Walk
C(2보-남성 리드에 따라 R/45°(1/8턴)도 가능)						
1보	없음	오른손	놓고	BF	왼발 전진(LF)	Forward Walk
2보	없음	오른손	놓고	BF	오른발 전진(RF)	Forward Walk
3보	R/45°(1/8턴)	오른손	놓고	B	왼발 45°턴(LF)	Turn
4보	R/315° (7/8턴) 오른발-없음	오른손	놓고	B	왼발 315°턴(LF) 오른발 전진(RF)	Turn
5보	R/180° (1/2턴) 왼발-없음	오른손	놓고	B, HF	오른발 180°턴(RF) 왼발 후진(LF)	Turn, Backward Walk
6보	없음	오른손	놓고	HF	오른발 후진하면서 왼발에 모으고(RF)	Backward Walk

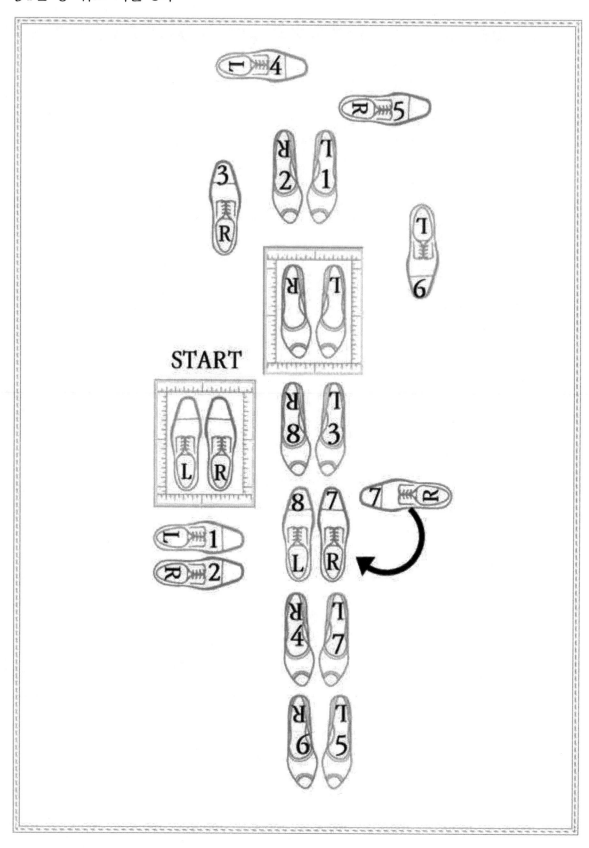

〈남성&여성〉

스텝	카운트	리듬	읽을 때	음악 타이밍	보수	핸드 포지션	악센트
1보	3	S	슬로우	쿵	1	One Hand Joined	
2보	4	&	엔	짝	1	One Hand Joined	
3보	5	Q	퀵	쿵	1	One Hand Joined	V
4보	6	Q	퀵	짝	1	One Hand Joined	V
5보	7	Q	퀵	쿵	1	One Hand Joined	V
6보	8	Q	퀵	짝	1	One Hand Joined	V
7보	1	S	슬로우	쿵	1	One Hand Joined	
8보	2	&	엔	짝	1	One Hand Joined	

〈남성〉

스텝	핸드	방향	풋 워크	스텝 방식	액션
1보	오른손	12시	BF	놓고	Forward Walk
2보	오른손	3시	BF	놓고	Turn
3보	오른손	3시	BF	놓고	Forward Walk
4보	오른손	6시	BF	놓고	Turn
5보	오른손	12시	BF	놓고	Turn, 정면(正面)
6보	오른손	12시	T/BF	찍고/놓고(선택)	정면(正面)
7보	오른손	3시	WF	놓고	Side line(Left), Turn
8보	오른손	3시	WF	놓고	Side line(Left)

스텝	풋 포지션	회전량
1보	오른발 전진(RF)	없음
2보	왼발 R/90°턴(LF)	R/90°(1/4턴)
3보	오른발 전진(RF)	없음
4보	왼발 R/90°턴(LF)	R/90°(1/4턴)
5보	오른발 R/180°턴(LF)	R/180°(1/2턴)
6보	오른발을 왼발 옆에 모으고(RF)	없음
7보	왼발 R/90°턴(LF)	R/90°(1/4턴)
8보	오른발을 왼발 옆에 모으고(RF)	없음

스텝	리드 / 사인 / 텐션
1보 2보 3보 4보	여성 댄스 라인에 맞춰 전진하도록 여성 오른손을 여성 정면 앞으로 당기면서 여성 등 뒤로 이동하면서 남성은 여성 오른손 손바닥이 하늘 쪽으로 보이도록 손목을 꺾어 주면서 여성 손등이 여성 어깨 쪽으로 유도(리드)해 준다. (어깨걸이)
5보 6보 7보 8보	여성이 후진할 수 있도록 오른손은 여성 머리 위로 올려주면서 남성 왼손은 여성 어깨를 살짝 뒤로 밀어주고 손을 내려 준다.

〈여성〉

스텝	회전량	핸드	스텝 방식	풋 워크	풋 포지션	액션
1보	없음	오른손	놓고	BF	왼발 전진(LF)	Forward Walk
2보	없음	오른손	놓고	BF	오른발 전진(RF)	Forward Walk
3보	없음	오른손	놓고	BF	왼발 전진(LF)	Forward Walk
4보	없음	오른손	놓고	BF	오른발 전진하면서 왼발 옆에 모으고(RF)	Forward Walk
5보	없음	오른손	놓고	HF	왼발 후진(LF)	Backward Walk
6보	없음	오른손	놓고	HF	오른발 후진(RF)	Backward Walk
7보	없음	오른손	놓고	HF	왼발 후진(LF)	Backward Walk
8보	없음	오른손	놓고	HF	오른발 후진하면서 왼발 옆에 모으고(RF)	Backward Walk

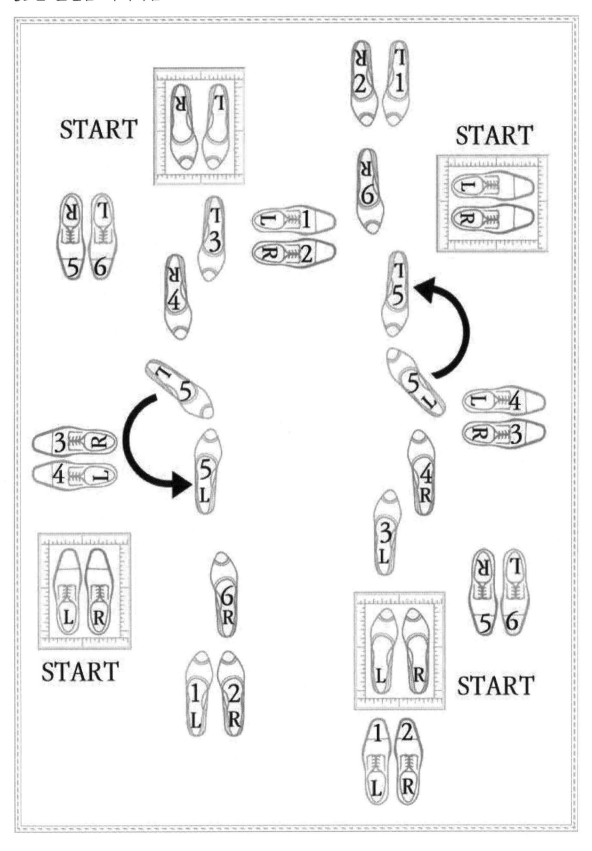

〈남성&여성〉

스텝	카운트	리듬	읽을 때	음악 타이밍	보수	핸드 포지션	악센트
1보	3	S	슬로우	쿵	1	One Hand Joined	
2보	4	&	엔	짝	1	One Hand Joined	
3보	5	Q	퀵	쿵	1		V
4보	6	Q	퀵	짝	1		V
5보	1	S	슬로우	쿵	1		
6보	2	&	엔	짝	1		
1보	3	S	슬로우	쿵	1	One Hand Joined	
2보	4	&	엔	짝	1	One Hand Joined	
3보	5	Q	퀵	쿵	1		V
4보	6	Q	퀵	짝	1		V
5보	1	S	슬로우	쿵	1		
6보	2	&	엔	짝	1		

〈남성〉

스텝	핸드	방향	풋 워크	스텝 방식	액션
1보	오른손	9시	WF	놓고	Side Step,Turn
2보	오른손	9시	WF	놓고	Side Step
3보		6시	HF	놓고	Backward Walk,Turn
4보		6시	T/HF	찍고/놓고(선택)	Backward Walk
5보		3시	BF	놓고	Forward Walk,Turn
6보		3시	BF	놓고	Forward Walk
1보	오른손	9시	WF	놓고	Side Step
2보	오른손	9시	WF	놓고	Side Step
3보		6시	BF	놓고	Forward Walk,Turn
4보		6시	T/BF	찍고/놓고(선택)	Forward Walk
5보		3시	WF	놓고	Turn
6보		3시	WF	놓고	

스텝	풋 포지션	회전량
1보	오른발 L/90°턴(RF)	L/90°(1/4턴)
2보	왼발 오른발 옆으로 모으고(LF)	없음
3보	오른발 L/90°턴(RF)	L/90°(1/4턴)
4보	왼발을 후진하면서 오른발 옆에 모으고(LF)	없음
5보	왼발 L/90°턴LF)	L/90°(1/4턴)
6보	오른발 왼발 옆에 모으고(RF)	없음
1보	오른발 옆으로(RF)	없음
2보	왼발 오른발 옆으로 모으고(LF)	없음
3보	오른발 R/90°턴(RF)	R/90°(1/4턴)
4보	왼발 오른발 옆에 모으고(LF)	없음
5보	왼발 R/180°턴(LF)	R/180°(1/2턴)
6보	오른발 왼발 옆에 모으고(RF)	없음

스텝	리드 / 사인 / 텐션
1보	여성 왼발이 댄스 라인에 맞춰 전진하도록 여성 정면 앞으로 당기면서 여성 손을
2보	놓아준다.
	3보~6보 리드/사인/텐션 없음
1보	여성 왼발이 댄스 라인에 맞춰 전진하도록 남성 등 뒤로 여성 오른손을 여성 정면
2보	앞으로 당기면서 여성 손을 놓아준다.
	3보-6보 리드/사인/텐션 없음

〈여성〉

스텝	회전량	핸드	스텝 방식	풋 워크	풋 포지션	액션
1보	없음	오른손	놓고	BF	왼발 전진(LF)	Forward Walk
2보	없음	오른손	놓고	BF	오른발 전진(RF)	Forward Walk
3보	L/45° (1/8턴)	오른손	놓고	B	왼발 45°턴(LF)	Turn
4보	L/135° (3/8턴) 오른발-없음	오른손	놓고	B, BF	왼발 135°턴(LF) 오른발 후진(RF)	Turn, Backward Walk
5보	없음	오른손	놓고	HF	왼발 후진(LF)	Backward Walk
6보	없음	오른손	놓고	HF	오른발 후진하면서 왼발 옆에 모으고(RF)	Backward Walk
1보	없음	오른손	놓고	BF	왼발 전진(LF)	Forward Walk
2보	없음	오른손	놓고	BF	오른발 전진(RF)	Forward Walk
3보	없음	오른손	놓고	B	왼발 전진(LF)	Forward Walk
4보	R/45° (1/8턴)	오른손	놓고	BF	오른발 45°턴(RF)	Turn
5보	R/135° (3/8턴) 왼발-없음	양손	놓고	B, HF	오른발 135°턴(RF) 왼발 후진(LF)	Turn, Backward Walk
6보	없음	양손	놓고	HF	오른발 후진하면서 왼발 옆에 모으고(RF)	Backward Walk

36번 후진 6박 어깨걸이, 제자리 전&후진 8박, R/540°턴

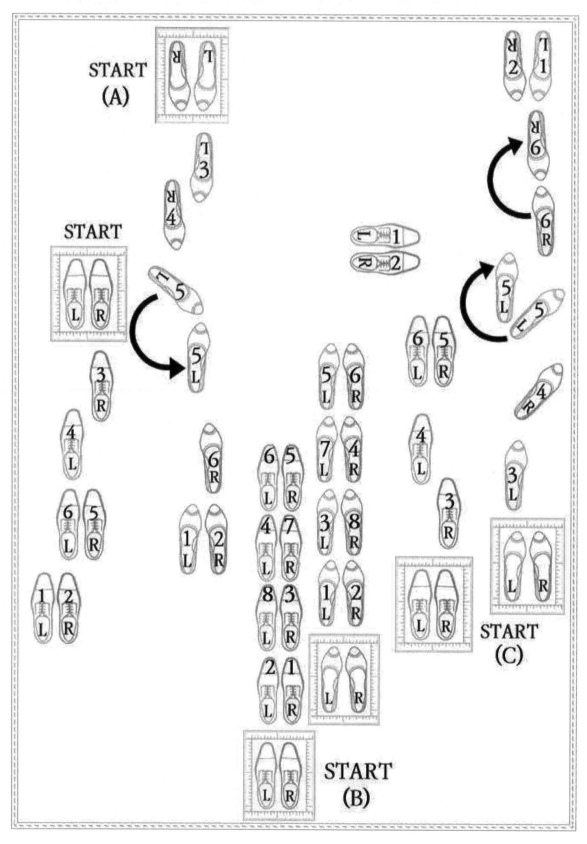

<남성&여성>

스텝	카운트	리듬	읽을 때	음악 타이밍	보수	핸드 포지션	악센트
A							
1보	3	S	슬로우	쿵	1	One Hand Joined	
2보	4	&	엔	짝	1	One Hand Joined	
3보	5	Q	퀵	쿵	1	One Hand Joined	V
4보	6	Q	퀵	짝	1	One Hand Joined	V
5보	1	S	슬로우	쿵	1	One Hand Joined	
6보	2	&	엔	짝	1	One Hand Joined	
B							
1보	3	S	슬로우	쿵	1	One Hand Joined	
2보	4	&	엔	짝	1	One Hand Joined	
3보	5	Q	퀵	쿵	1	One Hand Joined	V
4보	6	Q	퀵	짝	1	One Hand Joined	V
5보	7	Q	퀵	쿵	1	One Hand Joined	V
6보	8	Q	퀵	짝	1	One Hand Joined	V
7보	1	S	슬로우	쿵	1	One Hand Joined	
8보	2	&	엔	짝	1	One Hand Joined	
C							
1보	3	S	슬로우	쿵	1	One Hand Joined	
2보	4	&	엔	짝	1	One Hand Joined	
3보	5	Q	퀵	쿵	1	One Hand Joined	V
4보	6	Q	퀵	짝	1	One Hand Joined	V
5보	1	S	슬로우	쿵	1	One Hand Joined	
6보	2	&	엔	짝	1	One Hand Joined	

<남성>

스텝	핸드	방향	풋 워크	스텝 방식	액션
A					
1보	오른손	12시	HF	놓고	Backward Walk
2보	오른손	12시	HF	놓고	Backward Walk
3보	오른손	12시	HF	놓고	Backward Walk
4보	오른손	12시	HF/T	놓고/찍고(선택)	Backward Walk
5보	오른손	12시	HF	놓고	Diagonally Backward Walk
6보	오른손	12시	HF	놓고	Diagonally Backward Walk
B					
1보	오른손	12시	BF	놓고	Forward Walk
2보	오른손	12시	BF	놓고	Forward Walk
3보	오른손	12시	BF	놓고	Forward Walk
4보	오른손	12시	BF	놓고	Forward Walk
5보	오른손	12시	HF	놓고	Backward Walk
6보	오른손	12시	HF	놓고	Backward Walk
7보	오른손	12시	HF	놓고	Backward Walk
8보	오른손	12시	HF	놓고	Backward Walk
C					
1보	오른손	12시	BF	놓고	Forward Walk
2보	오른손	12시	BF	놓고	Forward Walk
3보	오른손	12시	BF	놓고	Forward Walk

스텝	손	방향		리드	영문
4보	오른손	12시	BF/T	놓고/찍고(선택)	Forward Walk
5보	오른손	3시	WF	놓고	Side line(Left),Turn
6보	오른손	3시	WF	놓고	Side line(Left)

스텝	풋 포지션	회전량
	A	
1보	오른발 후진(RF)	없음
2보	왼발 후진(LF)	없음
3보	오른발 후진(RF)	없음
4보	왼발을 후진하면서 오른발 옆에 모으고(LF)	없음
5보	왼발 왼쪽 사선으로 후진(LF)	없음
6보	오른발을 왼쪽 사선으로 후진하면서 왼발 옆에 모으고(RF)	없음
	B	
1보	오른발 전진(RF)	없음
2보	왼발 전진(LF)	없음
3보	오른발 전진(RF)	없음
4보	왼발 전진하면서 오른발 옆에 모으고(LF)	없음
5보	오른발 후진(RF)	없음
6보	왼발 후진(LF)	없음
7보	오른발 후진(RF)	없음
8보	왼발 후진하면서 오른발 옆에 모으고(LF)	없음
	C	
1보	오른발 전진(RF)	없음
2보	왼발 전진(LF)	없음
3보	오른발 전진(RF)	없음
4보	왼발을 전진하면서 오른발 옆에 모으고(LF)	없음
5보	왼발 R/90°턴(LF)	R/90°(1/4턴)
6보	오른발을 왼발에 옆에 모으고(RF)	없음

스텝	리드 / 사인 / 텐션
	A
1보	여성 왼발, 오른발이 댄스 라인에 맞춰 전진하도록 여성 오른손을 여성 정면 앞으로
2보	당긴다.
3보	여성 왼발이 왼쪽으로 45°, 135° 턴하도록 여성 오른손 손바닥이 하늘 쪽으로
4보	보이도록 손목을 꺾어 주면서 여성 손등이 여성 어깨 쪽으로 유도(리드)해 준다. 4보에 여성 오른발이 후진하도록 살짝 당겨주고
5보	5보에 여성 왼발이 후진하도록 살짝 당겨주고
6보	6보에 여성 오른발이 왼발에 모으도록 잡아 준다. (어깨걸이)
	B
1보	어깨걸이 상태에서 여성이 전진할 수 있도록 남성 왼손은 여성 왼쪽 어깨를 살짝
2보	밀어주면서 동시에 어깨걸이 상태인 오른손으로 앞으로 밀어주면서 여성과 같이
3보	
4보	전진한다.
5보	어깨걸이 상태에서 여성이 후진할 수 있도록 남성 왼손은 여성 왼쪽 어깨를 살짝
6보	당겨주면서 동시에 어깨걸이 상태인 오른손도 뒤로 당겨주면서 여성과 같이 후진한다.
7보	

			C			
8보						
1보	Shadow Position에서 여성이 전진할 수 있도록 왼손으로 살짝 여성 등을 밀어준다.					
2보	여성이 회전 할 수 있도록 손을 여성 정수리 5-10cm 정도 위로 들어준다.					
3보	여성 왼발이 오른쪽으로 45°, 315° 턴 할 수 있도록 회전시켜준다.					
4보						
5보	여성이 오른발이 오른쪽으로 180° 턴 하도록 계속 회전시켜주면서 여성 왼발이 댄스 라인에 위치하도록 손을 내리기 시작한다.					
6보	여성 오른발이 후진하면서 왼발에 모으도록 손을 내려준다.					

〈여성〉

스텝	회전량	핸드	스텝 방식	풋 워크	풋 포지션	액션
			A			
1보	없음	오른손	놓고	BF	왼발 전진(LF)	Forward Walk
2보	없음	오른손	놓고	BF	오른발 전진(RF)	Forward Walk
3보	L/45° (1/8턴)	오른손	놓고	B	왼발 45°턴(LF)	Turn
4보	L/135°(3/8턴) 오른발-없음	오른손	놓고	B, HF	왼발 135°턴(LF) 오른발 후진(RF)	Turn, Backward Walk
5보	없음	오른손	놓고	HF	왼발 후진(LF)	Backward Walk
6보	없음	오른손	놓고	HF	오른발 후진하면서 왼발 옆에 모으고(RF)	Backward Walk
			B			
1보	없음	오른손	놓고	BF	왼발 전진(LF)	Forward Walk
2보	없음	오른손	놓고	BF	오른발 전진(RF)	Forward Walk
3보	없음	오른손	놓고	BF	왼발 전진(LF)	Forward Walk
4보	없음	오른손	놓고	BF	오른발 전진하면서 왼발 옆에 모으고(RF)	Forward Walk
5보	없음	오른손	놓고	HF	왼발 후진(LF)	Backward Walk
6보	없음	오른손	놓고	HF	오른발 후진(RF)	Backward Walk
7보	없음	오른손	놓고	HF	왼발 후진(LF)	Backward Walk
8보	없음	오른손	놓고	HF	오른발 후진하면서 왼발 옆에 모으고(RF)	Backward Walk
			C			
1보	없음	오른손	놓고	BF	왼발 전진(LF)	Forward Walk
2보	R/45° (1/8턴)	오른손	놓고	BF	오른발 45°턴(RF)	Turn
3보	R/45°(1/8턴)	오른손	놓고	B	왼발 45°턴(LF)	Turn
4보	R/315°(7/8턴) 오른발-없음	오른손	놓고	B, BF	왼발 315°턴(LF) 오른발 전진(RF)	Turn
5보	R/180°(1/2턴) 왼발-턴 없음	오른손	놓고	B, HF	오른발 180°턴(RF)	Turn, Backward Walk

6보	없음	오른손	놓고	BF	왼발 후진(LF) 오른발 후진하면서 왼발 옆에 모으고(RF)	Backward Walk

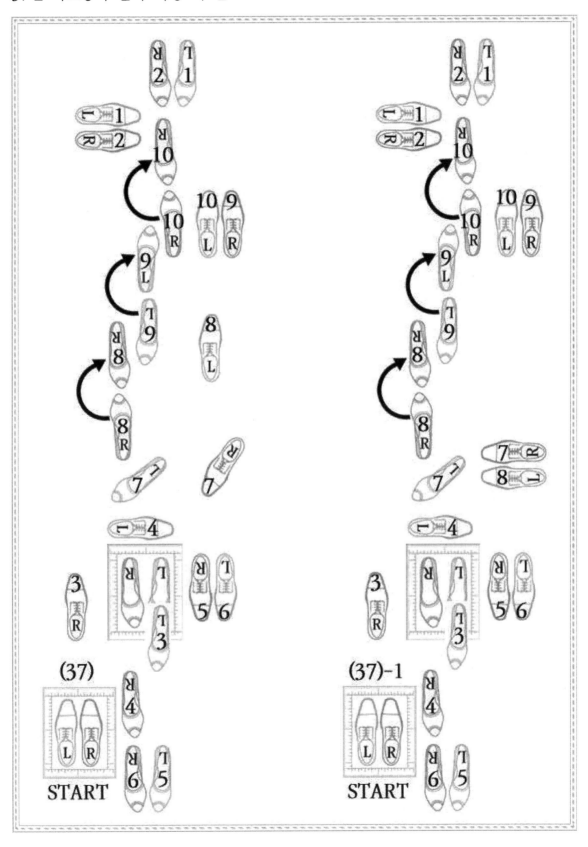

〈남성&여성〉

스텝	카운트	리듬	읽을 때	음악 타이밍	보수	핸드 포지션	악센트
1보	3	S	슬로우	쿵	1	One Hand Joined	
2보	4	&	엔	짝	1	One Hand Joined	
3보	5	Q	퀵	쿵	1	One Hand Joined	V
4보	6	Q	퀵	짝	1	One Hand Joined	V
5보	7	Q	퀵	쿵	1	One Hand Joined	
6보	8	Q	퀵	짝	1	One Hand Joined	
7보	9	Q	퀵	쿵	1	One Hand Joined	V
8보	10	Q	퀵	짝	1	One Hand Joined	V
9보	1	S	슬로우	쿵	1	One Hand Joined	
10보	2	&	엔	짝	1	One Hand Joined	

〈남성〉

스텝	핸드	방향	풋 워크	스텝 방식	액션
1보	오른손	12시	BF	놓고	Forward Walk
2보	오른손	3시	BF	놓고	Turn
3보	오른손	6시	BF	놓고	Turn
4보	오른손	6시	BF	놓고	Forward Walk
5보	오른손	7시	HF	놓고	Diagonally Backward Walk
6보	오른손	12시	BF	놓고	Forward Walk
7보	오른손	12시	BF	놓고	Forward Walk
8보	오른손	12시	T/BF	찍고/놓고(선택)	Forward Walk
9보	오른손	3시	WF	놓고	Side line(Left),Turn
10보	오른손	3시	WF	놓고	Side line(Left)

스텝	풋 포지션	회전량
1보	오른발 전진(RF)	없음
2보	왼발 R/90°턴(LF)	R/90°(1/4턴)
3보	오른발 R/90°턴(RF)	R/90°(1/4턴)
4보	왼발 전진하면서 오른발에 모으고(LF)	없음
5보	오른발 사선으로 후진(RF)	R/45°(1/8턴)
6보	왼발 R/135°턴(LF)	R/135°(3/8턴)
7보	오른발 전진(RF)	없음
8보	왼발 전진하면서 오른발에 모으고(LF)	없음
9보	왼발 R/90°턴(LF)	R/90°(1/4턴)
10보	오른발을 왼발 옆에 모으고(RF)	없음

스텝	리드 / 사인 / 텐션
1보	여성이 댄스 라인에 맞춰 전진하도록 여성의 오른손을 여성 정면 앞으로 당기면서
2보	
3보	남성은 여성 등 뒤로 이동하면서 여성 오른손 손목을 꺾어 주면서
4보	여성 겨드랑에 위치하도록 유도(리드)해 준다. (겨드랑이 걸이)
5보	여성이 회전할 수 있도록 손을 여성 정수리 5-10cm 정도 위로 들어주면서
6보	여성 왼발이 오른쪽으로 720° 회전시켜주면서 9보에 여성 왼발이 위치하도록 손을

7보	내리기 시작한다.
8보	
9보	
10보	여성 오른발이 왼발에 모으도록 손 텐션 및 리드를 멈춘다.

〈여성〉

스텝	회전량	핸드	스텝 방식	풋 워크	풋 포지션	액션
1보	없음	오른손	놓고	BF	왼발 전진(LF)	Forward Walk
2보	없음	오른손	놓고	BF	오른발 전진(RF)	Forward Walk
3보	없음	오른손	놓고	BF	왼발 전진(LF)	Forward Walk
4보	없음	오른손	놓고	BF	오른발 전진면서 왼발 옆에 모으고(RF)	Forward Walk
5보	왼발-R/45°(1/8턴) 오른발-R/135° (3/8턴)	오른손	놓고	B	왼발 45°턴(LF) 오른발 135°턴(RF)	Turn
6보	R/180°(1/2턴)	오른손	놓고	B	오른발 180°턴(RF)	Turn
7보	R/180°(1/2턴)	오른손	놓고	B	왼발 180°턴(LF)	Turn
8보	R/180°(1/2턴)	오른손	놓고	B	오른발 180°턴(RF)	Turn
9보	없음	오른손	놓고	HF	왼발 후진(LF)	Backward Walk
10보	없음	오른손	놓고	HF	오른발 후진하면서 왼발 옆에 모으고(RF)	Backward Walk

37번 남성 5보, 6보는 걷는 스텝이고, 37-1번 5보, 6보는 찍는 스텝이다.

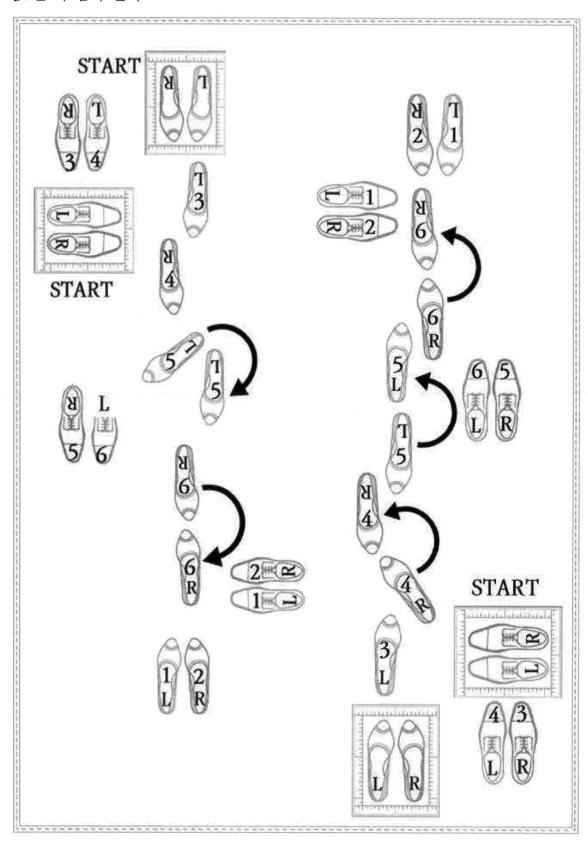

〈남성&여성〉

스텝	카운트	리듬	읽을 때	음악 타이밍	보수	핸드 포지션	악센트
1보	3	S	슬로우	쿵	1	One Hand Joined	
2보	4	&	엔	짝	1	One Hand Joined	
3보	5	Q	퀵	쿵	1	One Hand Joined	V
4보	6	Q	퀵	짝	1	One Hand Joined	V
5보	1	S	슬로우	쿵	1	One Hand Joined	
6보	2	&	엔	짝	1	One Hand Joined	
1보	3	S	슬로우	쿵	1	One Hand Joined	
2보	4	&	엔	짝	1	One Hand Joined	
3보	5	Q	퀵	쿵	1	One Hand Joined	V
4보	6	Q	퀵	짝	1	One Hand Joined	V
5보	1	S	슬로우	쿵	1	One Hand Joined	
6보	2	&	엔	짝	1	One Hand Joined	

〈남성〉

스텝	핸드	방향	풋 워크	스텝 방식	액션
1보	왼손	6시	HF	놓고	Backward Walk, Turn
2보	왼손	6시	HF	놓고	Backward Walk
3보	왼손	6시	BF	놓고	Forward Walk
4보	왼손	6시	T/BF	찍고/놓고(선택)	Forward Walk
5보	왼손	9시	WF	놓고	Side line(Right),Turn
6보	왼손	9시	WF	놓고	Side line(Right)
1보	왼손	12시	HF	놓고	Backward Walk, Turn
2보	왼손	12시	HF	놓고	Backward Walk
3보	왼손	12시	BF	놓고	Forward Walk
4보	왼손	12시	T/BF	찍고/놓고(선택)	Forward Walk
5보	왼손	3시	WF	놓고	Side line(Left),Turn
6보	왼손	3시	WF	놓고	Side line(Left)

스텝	풋 포지션	회전량
1보	오른발 R/90°턴(RF)	R/90°(1/4턴)
2보	왼발 후진하면서 오른발 옆으로 모으고(LF)	없음
3보	오른발 전진(RF)	없음
4보	왼발을 전진하면서 오른발 옆에 모으고(LF)	없음
5보	왼발 R/90°턴(LF)	R/90°(1/4턴)
6보	오른발을 왼발 옆에 모으고(RF)	없음
1보	오른발 R/90°턴(RF)	R/90°(1/4턴)
2보	왼발 후진하면서 오른발 옆으로 모으고(LF)	없음
3보	오른발 R/90°턴(RF)	없음
4보	왼발을 전진하면서 오른발 옆에 모으고(LF)	없음
5보	왼발 R/90°턴(LF	R/90°(1/4턴)
6보	오른발을 왼발 옆에 모으고(RF)	없음

스텝	리드 / 사인 / 텐션
1보	여성 왼발이 댄스 라인에 맞춰 전진하도록 여성 정면 앞으로 당기면서
2보 3보 4보	계속 정면 앞으로 당기면서 오른쪽으로 45°, 315° 턴 할 수 있도록 텐션을 주면서 여성 목을 감아 준다.
5보	여성 오른발이 오른쪽으로 180° 턴하도록 계속 텐션주면서 목을 감아 준다.
6보	여성 오른발이 왼발에 모으도록 손 텐션 및 리드를 멈춘다.
1보	목걸이 상태에서 여성이 왼발이 댄스 라인에 맞춰 전진하도록 왼쪽 팔로 살짝 여성 목덜미 및 등을 밀어주면서
2보 3보 4보	여성이 역회전할 수 있도록 손을 여성 정수리 5-10cm 정도 위로 들어주면서 왼쪽으로 540° 턴 여성을 회전시킨다.
5보 6보	여성 왼발이 후진, 여성 오른발이 후진하면서 왼발에 모으도록 손을 내려준다.

〈여성〉

스텝	회전량	핸드	스텝 방식	풋 워크	풋 포지션	액션
1보	없음	오른손	놓고	BF	왼발 전진(LF)	Forward Walk
2보	R/45°(1/8턴)	오른손	놓고	BF	오른발 45°턴(RF)	Turn
3보	R/45°(1/8턴)	오른손	놓고	B	왼발 45°턴(LF)	Turn
4보	R/315° (7/8턴) 오른발-없음	오른손	놓고	B, BF	왼발 315°턴(LF) 오른발 전진(RF)	Turn, Forward Walk
5보	R/180° (1/2턴) 왼발-턴 없음	오른손	놓고	B, HF	오른발 180°턴(RF) 왼발 후진(LF)	Turn, Backward Walk
6보	없음	오른손	놓고	HF	오른발 후진하면서 왼발 옆에 모으고(RF)	Backward Walk
1보	없음	오른손	놓고	BF	왼발 전진(LF)	Forward Walk
2보	L/45°(1/8턴) 135°(3/8턴)	오른손	놓고	B	오른발 180°턴(RF)	Turn
3보	L/180°(1/2턴)	오른손	놓고	B	왼발 180°턴(LF)	Turn
4보	L/180°(1/2턴)	오른손	놓고	B	오른발 180°턴(RF)	Turn
5보	없음	오른손	놓고	HF	왼발 후진(LF)	Backward Walk
6보	없음	오른손	놓고	HF	오른발 후진하면서 왼발 옆에 모으고(RF)	Backward Walk

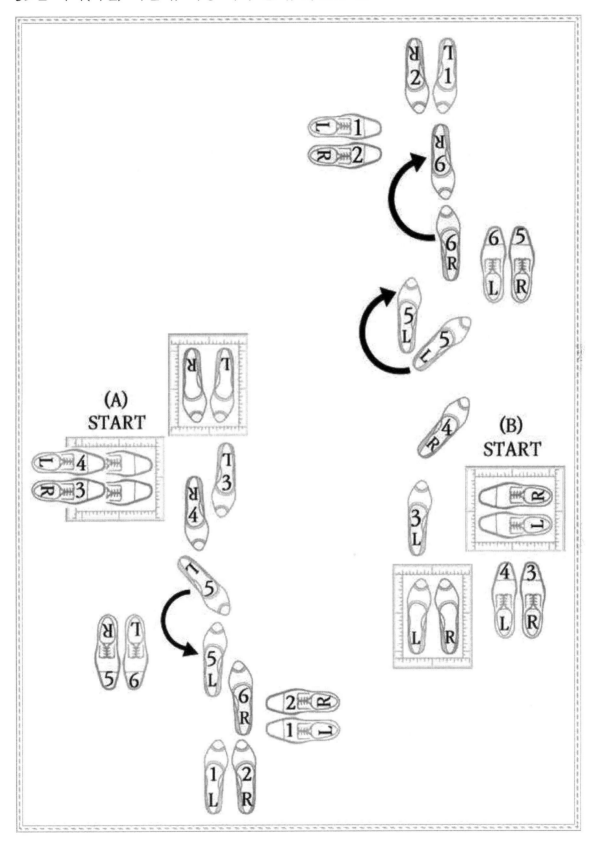

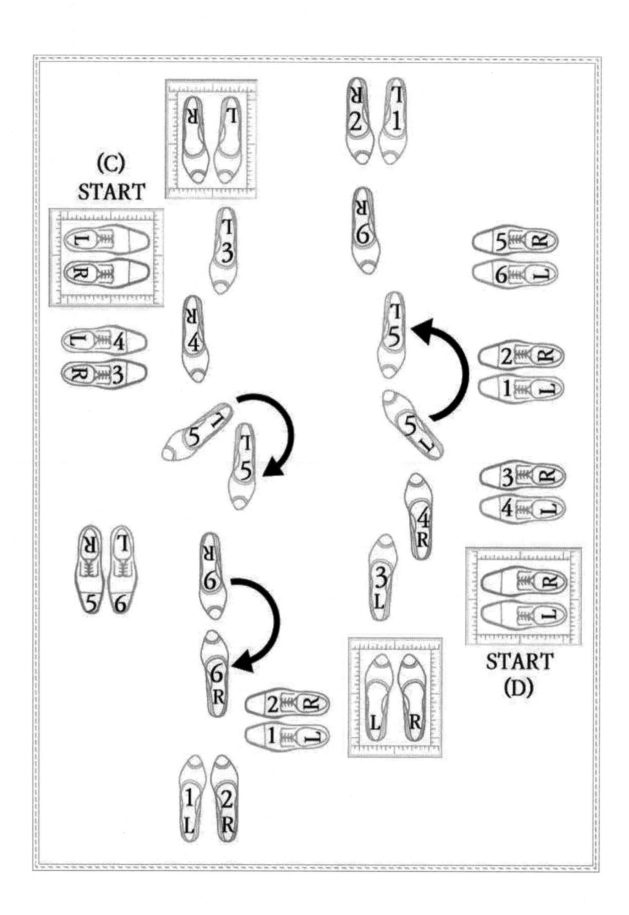

〈남성&여성〉

스텝	카운트	리듬	읽을 때	음악 타이밍	보수	핸드 포지션	악센트
A							
1보	3	S	슬로우	쿵	1	One Hand Joined	
2보	4	&	엔	짝	1	One Hand Joined	
3보	5	Q	퀵	쿵	1	One Hand Joined	V
4보	6	Q	퀵	짝	1	One Hand Joined	V
5보	1	S	슬로우	쿵	1	One Hand Joined	
6보	2	&	엔	짝	1	One Hand Joined	
B							
1보	3	S	슬로우	쿵	1	One Hand Joined	
2보	4	&	엔	짝	1	One Hand Joined	
3보	5	Q	퀵	쿵	1	One Hand Joined	V
4보	6	Q	퀵	짝	1	One Hand Joined	V
5보	1	S	슬로우	쿵	1	One Hand Joined	
6보	2	&	엔	짝	1	Two Hand Joined	
C							
1보	3	S	슬로우	쿵	1	One Hand Joined	
2보	4	&	엔	짝	1	One Hand Joined	
3보	5	Q	퀵	쿵	1	One Hand Joined	V
4보	6	Q	퀵	짝	1	One Hand Joined	V
5보	1	S	슬로우	쿵	1	One Hand Joined	
6보	2	&	엔	짝	1	Two Hand Joined	
D							
1보	3	S	슬로우	쿵	1	Two Hand Joined	
2보	4	&	엔	짝	1	One Hand Joined	
3보	5	Q	퀵	쿵	1	One Hand Joined	V
4보	6	Q	퀵	짝	1	One Hand Joined	V
5보	1	S	슬로우	쿵	1	One Hand Joined	
6보	2	&	엔	짝	1	One Hand Joined	

〈남성〉

스텝	핸드	방향	풋 워크	스텝 방식	액션
A					
1보	왼손	3시	HF	놓고	Backward Walk
2보	왼손	3시	HF	놓고	Backward Walk
3보	왼손	6시	BF	놓고	Forward Walk,Turn
4보	왼손	6시	T/BF	찍고/놓고(선택)	Forward Walk
5보	왼손	9시	WF	놓고	Side line(Right),Turn
6보	왼손	9시	WF	놓고	Side line(Right)
B					
1보	왼손	12시	HF	놓고	Backward Walk,Turn
2보	왼손	12시	HF	놓고	Backward Walk
3보	왼손	12시	BF	놓고	Forward Walk
4보	왼손	12시	T/BF	찍고/놓고(선택)	Forward Walk
5보	왼손	3시	WF	놓고	Side line(Left),Turn
6보	양손	3시	WF	놓고	Side line(Left)
C					

1보	오른손	3시	WF	놓고	Side Step
2보	오른손	3시	WF	놓고	Side Step
3보	오른손	6시	BF	놓고	Forward Walk,Turn
4보	왼손	6시	T/BF	찍고/놓고(선택)	Forward Walk
5보	왼손	9시	WF	놓고	Side line(Right), Turn
6보	양손	9시	WF	놓고	Side line(Right)
D					
1보	양손	9시	WF	놓고	Side Step
2보	오른손	9시	WF	놓고	Side Step
3보	오른손	9시	WF	놓고	Side Step
4보	오른손	9시	WF	놓고	Side Step
5보	오른손	9시	WF	놓고	Side Step
6보	오른손	9시	WF	놓고	Side Step

스텝	풋 포지션	회전량
A		
1보	오른발 후진(RF)	없음
2보	왼발 후진하면서 오른발 옆으로 모으고(LF)	없음
3보	오른발 R/90°턴(RF)	R/90°(1/4턴)
4보	왼발 전진하면서 오른발 옆에 모으고(LF)	없음
5보	왼발 R/90°턴(LF)	R/90°(1/4턴)
6보	오른발을 왼발 옆에 모으고(RF)	없음
B		
1보	오른발 R/90°턴(RF)	R/90°(1/4턴)
2보	왼발 후진하면서 오른발 옆으로 모으고(LF)	없음
3보	오른발 전진(RF)	없음
4보	왼발을 전진하면서 오른발 옆에 모으고(LF)	없음
5보	왼발 R/90°턴(LF)	R/90°(1/4턴)
6보	오른발을 왼발 옆에 모으고(RF)	없음
C		
1보	오른발 옆으로(RF)	없음
2보	왼발 오른발 옆으로 모으고(LF)	없음
3보	오른발 R/90°턴(RF)	R/90°(1/4턴)
4보	왼발을 전진하면서 오른발 옆에 모으고(LF)	없음
5보	왼발 R/90°턴(LF)	R/90°(1/4턴)
6보	오른발을 왼발 옆에 모으고(RF)	없음
D		
1보	오른발 옆으로(RF)	없음
2보	왼발 오른발 옆으로 모으고(LF)	없음
3보	오른발 옆으로(RF)	없음
4보	왼발 오른발 옆으로 모으고(LF)	없음
5보	왼발 옆으로(LF)	없음
6보	오른발 왼발 옆으로 모으고(RF)	없음

스텝	리드 / 사인 / 텐션
A	
1보	남성은 사이드 스텝을 하면서 여성 왼발이 댄스 라인에 맞춰 전진하도록 여성 정면

2보	앞으로 당기면서
3보	여성 왼발이 왼쪽으로 45°, 135° 턴하도록 손을 들어주면서 왼쪽으로 틀어주면서 여성
4보	오른발이 댄스 라인에 위치하도록 리드
5보	손을 들어준 상태에서 남성은 팔 아래로 들어가 L/Under arm turn
6보	손을 내려주면서 여성 오른발이 왼발에 모으도록 손 텐션 및 리드를 멈춘다

B	
1보	여성 왼발이 댄스 라인에 맞춰 전진하도록 여성 정면 앞으로 당기면서
2보	계속 정면 앞으로 당기면서 오른쪽으로 45°, 315° 턴 할 수 있도록 텐션을 주면서 여성
3보	
4보	목을 감아 준다.
5보	여성이 오른발이 오른쪽으로 180° 턴 하도록 계속 텐션 주면서 목을 감아준다.
6보	여성 오른발이 왼발에 모으도록 손 텐션 및 리드를 멈춘다. 남성 오른손으로 여성의 왼손을 잡는다.

C	
1보	목걸이 상태에서 여성 왼손을 오른쪽으로 45° 턴하도록 오른쪽으로 틀어준다.
2보	
3보	여성이 오른쪽으로 45°, 315° 턴 할 수 있도록 회전시켜주면서 남성은 4보에 왼손으로
4보	여성 왼손을 잡는다. (핸드 체인지)
5보	댄스 라인을 건너면서 여성 왼손을 허리 걸이
6보	남성 오른손으로 여성 오른손을 잡는다. (여성 허리걸이)

D	
1보	남성은 여성 허리를 앞으로 밀고 오른손으로 여성 오른손을 정면 앞으로 당기면서
2보	2보에 여성 왼손을 놓아주면서
3보	여성 왼발이 왼쪽으로 45°, 135° 턴하도록 손을 들어주면서 왼쪽으로 회전시켜주면서
4보	여성 오른발이 댄스 라인에 위치하도록 손을 내리기 시작한다.
5보	여성 왼발이 후진하도록 그립 상태에서 여성의 손에 힘을 주면서 밀어준다.
6보	여성 오른발이 후진하면서 왼발에 모으도록 손을 내려준다.

〈여성〉

스텝	회전량	핸드	스텝 방식	풋 워크	풋 포지션	액션
A						
1보	없음	오른손	놓고	BF	왼발 전진(LF)	Forward Walk
2보	없음	오른손	놓고	BF	오른발 전진(RF)	Forward Walk
3보	L/45° (1/8턴)	오른손	놓고	B	왼발 45°턴(LF)	Turn
4보	L/135° (3/8턴) 오른발-없음	오른손	놓고	B, HF	왼발 135°턴(LF) 오른발 후진(RF)	Turn, Backward Walk
5보	없음	오른손	놓고	HF	왼발 후진(LF)	Backward Walk
6보	없음	오른손	놓고	HF	오른발 후진하면서 왼발 옆에 모으고(RF)	Backward Walk
B						
1보	없음	오른손	놓고	BF	왼발 전진(LF)	Forward Walk
2보	R/45°	오른손	놓고	BF	오른발 45°턴(RF)	Turn

보		손		박자	발 동작	
	(1/8턴)					
3보	R/45° (1/8턴)	오른손	놓고	B	왼발 45°턴(LF)	Turn
4보	R/315° (7/8턴) 오른발-없음	오른손	놓고	B, BF	왼발 315°턴(LF) 오른발 전진(RF)	Turn, Forward Walk
5보	R/180° (1/2턴) 왼발-없음	오른손	놓고	B, HF	오른발 180°턴(RF) 왼발 후진(LF)	Turn, Backward Walk
6보	없음	양손	놓고	HF	오른발 후진하면서 왼발 옆에 모으고(RF)	Backward Walk
C						
1보	없음	왼손	놓고	BF	왼발 전진(LF)	Forward Walk
2보	R/45° (1/8턴)	왼손	놓고	B	오른발 45°턴(RF)	Turn
3보	R/45° (1/8턴)	왼손	놓고	B	왼발 45°턴(LF)	Turn
4보	R/315° (7/8턴) 오른발-없음	왼손	놓고	B, BF	왼발 315°턴(LF) 오른발 전진(RF)	Turn, Forward Walk
5보	R/180° (1/2턴) 왼발-없음	왼손	놓고	B, HF	오른발 180°턴(RF) 왼발 후진(LF)	Turn, Backward Walk
6보	없음	양손	놓고	HF	오른발 후진하면서 왼발 옆에 모으고(RF)	Backward Walk
D						
1보	없음	오른손	놓고	BF	왼발 전진(LF)	Forward Walk
2보	없음	오른손	놓고	BF	오른발 전진(RF)	Forward Walk
3보	L/45° (1/8턴	오른손	놓고	B	왼발 45°턴(LF)	Turn
4보	L/135° (3/8턴) 오른발-없음	오른손	놓고	B, HF	왼발 135°턴(LF) 오른발 후진(RF)	Turn, Backward Walk
5보	없음	오른손	놓고	HF	왼발 후진(LF)	Backward Walk
6보	없음	오른손	놓고	HF	오른발 후진하면서 왼발 옆에 모으고(RF)	Backward Walk

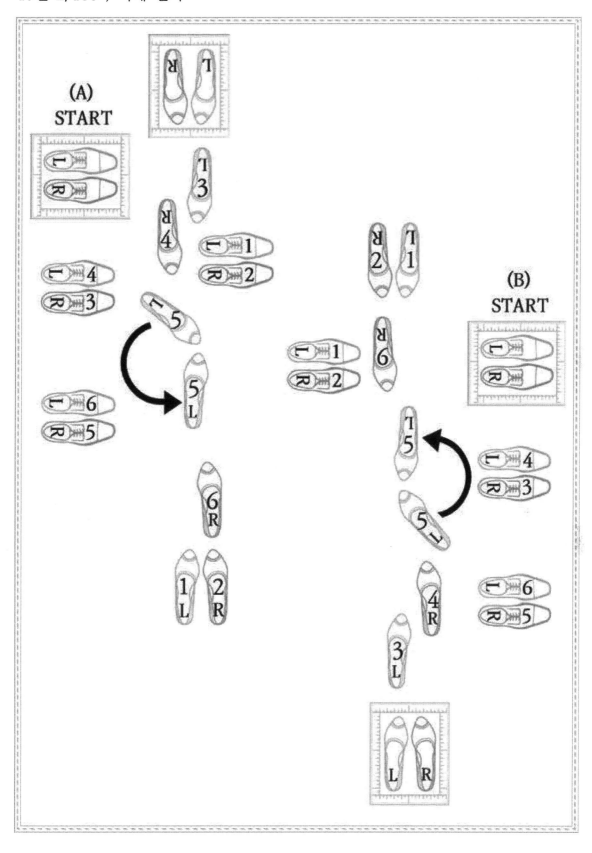

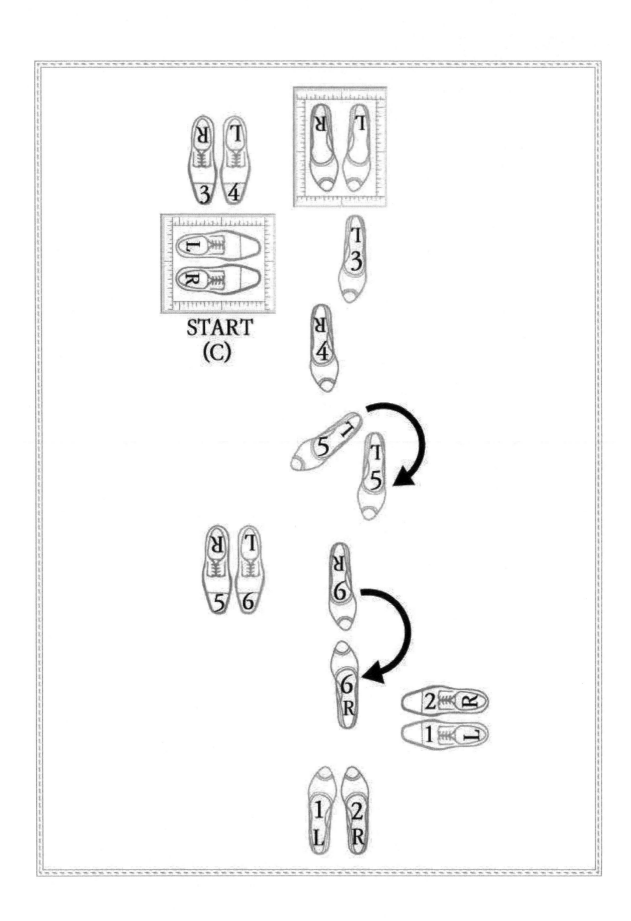

START
(C)

〈남성&여성〉

스텝	카운트	리듬	읽을 때	음악 타이밍	보수	핸드 포지션	악센트
A							
1보	3	S	슬로우	쿵	1	One Hand Joined	
2보	4	&	엔	짝	1	One Hand Joined	
3보	5	Q	퀵	쿵	1	One Hand Joined	V
4보	6	Q	퀵	짝	1	One Hand Joined	V
5보	1	S	슬로우	쿵	1	One Hand Joined	
6보	2	&	엔	짝	1	One Hand Joined	
B							
1보	3	S	슬로우	쿵	1	One Hand Joined	
2보	4	&	엔	짝	1	One Hand Joined	
3보	5	Q	퀵	쿵	1	One Hand Joined	V
4보	6	Q	퀵	짝	1	One Hand Joined	V
5보	1	S	슬로우	쿵	1	One Hand Joined	
6보	2	&	엔	짝	1	One Hand Joined	
C							
1보	3	S	슬로우	쿵	1	One Hand Joined	
2보	4	&	엔	짝	1	One Hand Joined	
3보	5	Q	퀵	쿵	1	One Hand Joined	V
4보	6	Q	퀵	짝	1	One Hand Joined	V
5보	1	S	슬로우	쿵	1	One Hand Joined	
6보	2	&	엔	짝	1	One Hand Joined	

〈남성〉

스텝	핸드	방향	풋 워크	스텝 방식	액션
A					
1보	오른손	3시	WF	놓고	Side Step
2보	오른손	3시	WF	놓고	Side Step
3보	오른손	3시	WF	놓고	Side Step
4보	오른손	3시	T/WF	찍고/놓고(선택)	Side Step
5보	오른손	3시	BF	놓고	Side line(Right), Turn
6보	오른손	3시	BF	놓고	Side line(Right)
B					
1보	오른손	3시	WF	놓고	Side Step
2보	오른손	3시	WF	놓고	Side Step
3보	오른손	3시	WF	놓고	Side Step
4보	오른손	3시	T/WF	찍고/놓고(선택)	Side Step
5보	오른손	3시	BF	놓고	Side line(Left), Turn
6보	오른손	3시	BF	놓고	Side line(Left)
C					
1보	오른손	6시	HF	놓고	Backward Walk, Turn
2보		6시	HF	놓고	Backward Walk
3보		6시	BF	놓고	Forward Walk
4보		6시	T/BF	찍고/놓고(선택)	Forward Walk
5보		9시	WF	놓고	Side line(Right), Turn
6보		9시	WF	놓고	Side line(Right)

스텝	풋 포지션	회전량
	A	
1보	오른발 옆으로(RF)	없음
2보	왼발 오른발 옆으로 모으고(LF)	없음
3보	오른발 옆으로(RF)	없음
4보	왼발을 오른발 옆에 모으고(LF)	없음
5보	왼발 전진(LF)	없음
6보	오른발 전진하면서 왼발 옆에 모으고(RF)	없음
	B	
1보	오른발 옆으로(RF)	없음
2보	왼발 오른발 옆으로 모으고(LF)	없음
3보	오른발 옆으로(RF)	없음
4보	왼발을 오른발 옆에 모으고(LF)	없음
5보	왼발 후진(LF)	없음
6보	오른발 후진하면서 왼발 옆에 모으고(RF)	없음
	C	
1보	오른발 R/90°턴(RF)	R/90°(1/4턴)
2보	왼발 후진하면서 오른발 옆으로 모으고(LF)	없음
3보	오른발 전진(RF)	없음
4보	왼발 전진하면서 오른발에 모으고(LF)	없음
5보	왼발 R/90°턴(LF)	R/90°(1/4턴)
6보	오른발을 왼발 옆에 모으고(RF)	없음

스텝	리드 / 사인 / 텐션
	A
1보 2보	남성은 사이드 스텝을 하면서 여성 왼발이 댄스 라인에 맞춰 전진하도록 여성 정면 앞으로 당기면서
3보 4보	여성 왼발이 왼쪽으로 45°, 135° 턴하도록 손을 들어주면서 왼쪽으로 회전시켜준다.
5보	여성 왼발이 후진하도록 살짝 밀어주고
6보	손을 내려주면서 여성 오른발이 왼발에 모으도록 손 텐션 및 리드를 멈춘다
	B
1보 2보	여성 오른손을 잡은 남성 오른손을 남성의 허리 뒤로 이동시킨 상태에서 여성을 앞으로 당겨주면서
3보 4보	등 뒤에서 여성 왼발이 오른쪽으로 45°, 135° 턴하도록 오른쪽으로 틀어주면서 여성 오른발이 댄스 라인에 위치하도록 리드
5보	여성 오른손을 잡은 남성 오른손을 남성 허리 뒤로 이동시킨 상태로 댄스 라인 건너간다.
6보	여성 오른발이 왼발에 모으도록 손 텐션 및 리드를 멈추면서 남성 왼손으로 여성 오른쪽 어깨 터치
	C
1보 2보	여성 오른손을 잡은 남성 오른손을 남성 허리 뒤로 이동시킨 상태에서 여성을 앞으로 당겨주면서 왼손으로 여성 오른쪽 어깨를 밀어주면서 오른쪽으로 회전하도록 오른손 놓아준다.
	3보-6보 리드/사인/텐션 없음

〈여성〉

스텝	회전량	핸드	스텝 방식	풋 워크	풋 포지션	액션
A						
1보	없음	오른손	놓고	BF	왼발 전진(LF)	Forward Walk
2보	없음	오른손	놓고	BF	오른발 전진(RF)	Forward Walk
3보	L/45° (1/8턴)	오른손	놓고	B	왼발 45°턴(LF)	Turn
4보	L/135° (3/8턴) 오른발-없음	오른손	놓고	B, BF	왼발 135°턴(LF) 오른발 후진(RF)	Turn, Backward Walk
5보	없음	오른손	놓고	HF	왼발 후진(LF)	Backward Walk
6보	없음	오른손	놓고	HF	오른발 후진하면서 왼발 옆에 모으고(RF)	Backward Walk
B						
1보	없음	오른손	놓고	BF	왼발 전진(LF)	Forward Walk
2보	없음	오른손	놓고	BF	오른발 전진(RF)	Forward Walk
3보	L/45° (1/8턴)	오른손	놓고	B	왼발 45°턴(LF)	Turn
4보	L/135° (3/8턴) 오른발-없음	오른손	놓고	B, HF	왼발 135°턴(LF) 오른발 후진(RF)	Turn, Backward Walk
5보	없음	오른손	놓고	HF	왼발 후진(LF)	Backward Walk
6보	없음	오른손	놓고	HF	오른발 후진하면서 왼발 옆에 모으고(RF)	Backward Walk
C						
1보	없음	오른손	놓고	BF	왼발 전진(LF)	Forward Walk
2보	R/45° (1/8턴)		놓고	BF	오른발 45°턴(RF)	Turn
3보	R/45° (1/8턴)		놓고	B	왼발 45°턴(LF)	Turn
4보	R/315° (7/8턴) 오른발-없음		놓고	B, BF	왼발 315°턴(LF) 오른발 전진(RF)	Turn, Forward Walk
5보	R/180° (1/2턴) 왼발-없음		놓고	B, HF	오른발 180°턴(RF) 왼발 후진(LF)	Turn, Backward Walk
6보	없음		놓고	HF	오른발 후진하면서 왼발 옆에 모으고(RF)	Backward Walk

41번 등 뒤로 어깨 잡고, 전&후진 스텝, R/540°

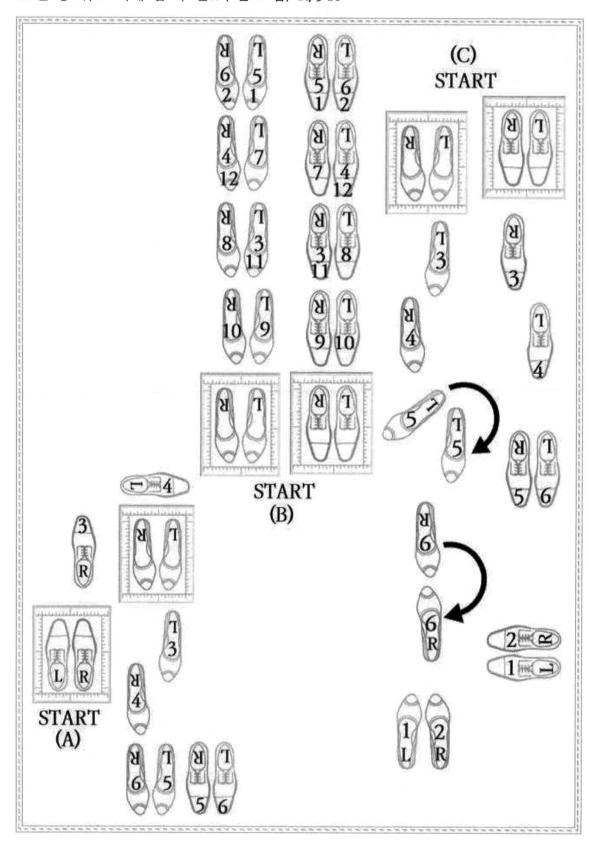

〈남성&여성〉

스텝	카운트	리듬	읽을 때	음악 타이밍	보수	핸드 포지션	악센트
A							
1보	5	Q	퀵	쿵	1	One Hand Joined	V
2보	6	Q	퀵	짝	1		V
3보	1	S	슬로우	쿵	1		
4보	2	&	엔	짝	1		
B							
1보	3	S	슬로우	쿵	1		
2보	4	&	엔	짝	1		
3보	5	Q	퀵	쿵	1		V
4보	6	Q	퀵	짝	1		V
5보	7	Q	퀵	쿵	1		
6보	8	Q	퀵	짝	1		
7보	9	Q	퀵	쿵	1		
8보	10	Q	퀵	짝	1		
9보	11	Q	퀵	쿵	1		V
10보	12	Q	퀵	짝	1		V
11보	1	S	슬로우	쿵	1		
12보	2	&	엔	짝	1		
C							
1보	3	S	슬로우	쿵	1		
2보	4	&	엔	짝	1		
3보	5	Q	퀵	쿵	1		V
4보	6	Q	퀵	짝	1		V
5보	1	S	슬로우	쿵	1		
6보	2	&	엔	짝	1		

〈남성〉

스텝	핸드	방향	풋 워크	스텝 방식	액션
A					
1보	오른손	12시	BF	놓고	Forward Walk
2보		3시	BF	놓고	Turn
3보		6시	BF	놓고	Side line(Right), Turn
4보		6시	BF	놓고	Side line(Right)
B					
1보		6시	HF	놓고	Backward Walk
2보		6시	HF	놓고	Backward Walk
3보		6시	HF	놓고	Backward Walk
4보		6시	HF	놓고	Backward Walk
5보		6시	BF	놓고	Forward Walk
6보		6시	BF	놓고	Forward Walk
7보		6시	BF	놓고	Forward Walk
8보		6시	BF	놓고	Forward Walk
9보		6시	HF	놓고	Backward Walk
10보		6시	HF	놓고	Backward Walk
11보		6시	HF	놓고	Backward Walk
12보		6시	HF	놓고	Backward Walk

			C		
1보		6시	BF	놓고	Forward Walk
2보		6시	BF	놓고	Forward Walk
3보		6시	BF	놓고	Forward Walk
4보		6시	T/BF	찍고/놓고(선택)	Forward Walk
5보		9시	WF	놓고	Side line(Right), Turn
6보	오른손	9시	WF	놓고	Side line(Right)

스텝	풋 포지션	회전량
	A	
1보	오른발 전진(RF)	없음
2보	왼발 R/90°턴(LF)	R/90°(1/4턴)
3보	오른발 R/90°턴(RF)	R/90°(1/4턴)
4보	왼발을 오른발 옆에 모으고(LF)	없음
	B	
1보	오른발 후진(RF)	없음
2보	왼발 후진(LF)	없음
3보	오른발 후진(RF)	없음
4보	왼발 후진하면서 오른발 옆에 모으고(LF)	없음
5보	오른발 전진(RF)	없음
6보	왼발 전진(LF)	없음
7보	오른발 전진(RF)	없음
8보	왼발 전진하면서 오른발 옆에 모으고(LF)	없음
9보	오른발 후진(RF)	없음
10보	왼발 후진(LF)	없음
11보	오른발 후진(RF)	없음
12보	왼발 후진하면서 오른발 옆에 모으고(LF)	없음
	C	
1보	오른발 전진(RF)	없음
2보	왼발 전진(LF)	없음
3보	오른발 전진(RF)	없음
4보	왼발 전진하면서 오른발에 모으고(LF)	없음
5보	왼발 R/90°턴(LF)	R/90°(1/4턴)
6보	오른발을 왼발 옆에 모으고(RF)	없음

스텝	리드 / 사인 / 텐션
	A
1보 2보 3보 4보	1보에서 여성 댄스 라인에 맞춰 전진하도록 여성 오른손을 여성 정면 앞으로 당기면서 손을 놓아준다. 2보~4보에서 여성 등 뒤로 이동하면서 오른손으로 여성 오른쪽 어깨, 왼손으로는 여성 왼쪽 어깨를 터치
	B
1보 2보 3보 4보	여성 어깨를 뒤로 당기면서 후진 스텝
5보 6보	여성 어깨를 앞으로 밀면서 전진 스텝

7보	
8보	
9보	
10보	여성 어깨를 뒤로 당기면서 후진 스텝
11보	
12보	
C	
1보	1보에서 여성 양쪽 어깨 터치를 유지하면서 여성 왼발이 전진할 수 있도록 밀어주고
2보	2보에 여성이 540° 턴을 할 수 있도록 양쪽 손으로 여성 어깨를 오른쪽으로 돌려준다.

〈여성〉

스텝	회전량	핸드	스텝 방식	풋 워크	풋 포지션	액션
A						
1보	없음	오른손	놓고	BF	왼발 전진(LF)	Forward Walk
2보	없음		놓고	BF	오른발 전진(RF)	Forward Walk
3보	없음		놓고	BF	왼발 전진(LF)	Forward Walk
4보	없음		놓고	BF	오른발 전진하면서 왼발 옆에 모으고(RF)	Forward Walk
B						
1보	없음		놓고	HF	왼발 후진(LF)	Backward Walk
2보	없음		놓고	HF	오른발 후진(RF)	Backward Walk
3보	없음		놓고	HF	왼발 후진(LF)	Backward Walk
4보	없음		놓고	HF	오른발 후진하면서 왼발 옆에 모으고(RF)	Backward Walk
5보	없음		놓고	BF	왼발 전진(LF)	Forward Walk
6보	없음		놓고	BF	오른발 전진(RF)	Forward Walk
7보	없음		놓고	BF	왼발 전진(LF)	Forward Walk
8보	없음		놓고	BF	오른발 전진하면서 왼발 옆에 모으고(RF)	Forward Walk
9보	없음		놓고	HF	왼발 후진(LF)	Backward Walk
10보	없음		놓고	HF	오른발 후진(RF)	Backward Walk
11보	없음		놓고	HF	왼발 후진(LF)	Backward Walk
12보	없음		놓고	HF	오른발 후진하면서 왼발 옆에 모으고(RF)	Backward Walk
C						
1보	없음		놓고	BF	왼발 전진(LF)	Forward Walk
2보	R/45° (1/8턴)		놓고	BF	오른발 45°턴(RF)	Turn
3보	R/45° (1/8턴)		놓고	B	왼발 45°턴(LF)	Turn
4보	R/315° (7/8턴) 오른발-없음		놓고	B, BF	왼발 315°턴(LF) 오른발 전진(RF)	Turn, Forward Walk
5보	R/180°		놓고	B, HF	오른발 180°턴(RF)	Turn,

	(1/2턴) 왼발-없음				왼발 후진(LF)	Backward Walk
6보	없음		놓고	HF	오른발 후진하면서 왼발 옆에 모으고(RF)	Backward Walk

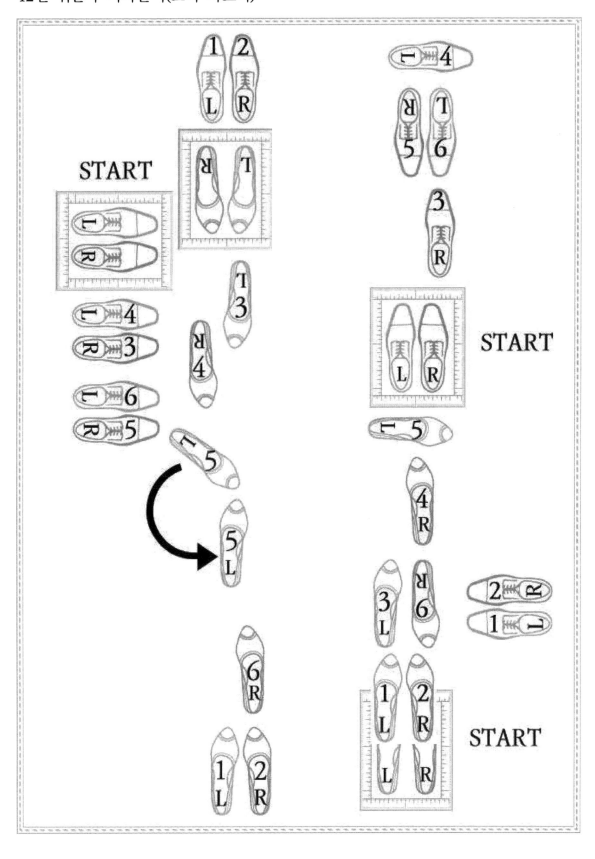

〈남성&여성〉

스텝	카운트	리듬	읽을 때	음악 타이밍	보수	핸드 포지션	악센트
1보	3	S	슬로우	쿵	1	One Hand Joined	
2보	4	&	엔	짝	1	One Hand Joined	
3보	5	Q	퀵	쿵	1	One Hand Joined	V
4보	6	Q	퀵	짝	1	One Hand Joined	V
5보	1	S	슬로우	쿵	1	One Hand Joined	
6보	2	&	엔	짝	1	One Hand Joined	
1보	3	S	슬로우	쿵	1	One Hand Joined	
2보	4	&	엔	짝	1	One Hand Joined	
3보	5	Q	퀵	쿵	1		V
4보	6	Q	퀵	짝	1		V
5보	1	S	슬로우	쿵	1		
6보	2	&	엔	짝	1	One Hand Joined	

〈남성〉

스텝	핸드	방향	풋 워크	스텝 방식	액션
1보	오른손	3시	WF	놓고	Side Step
2보	오른손	3시	WF	놓고	Side Step
3보	오른손	3시	WF	놓고	Side Step
4보	오른손	3시	T/WF	찍고/놓고(선택)	Side Step
5보	오른손	12시	WF	놓고	Tandem, Turn
6보	오른손	12시	WF	놓고	Tandem
1보	오른손	12시	BF	놓고	Forward Walk
2보	오른손	3시	WF	놓고	Turn
3보		6시	WF	놓고	Turn
4보		6시	T/BF	찍고/놓고(선택)	Forward Walk
5보		9시	WF	놓고	Side line(Left),Turn
6보	오른손	9시	WF	놓고	Side line(Left)

스텝	풋 포지션	회전량
1보	오른발 옆으로(RF)	없음
2보	왼발 오른발 옆으로 모으고(LF)	없음
3보	오른발 옆으로(RF)	없음
4보	왼발을 오른발 옆에 모으고(LF)	없음
5보	왼발 L/90°턴(LF)	L/90°(1/4턴)
6보	오른발 왼발 옆에 모으고(RF)	없음
1보	오른발 전진(RF)	없음
2보	왼발 R/90°턴(LF)	R/90°(1/4턴)
3보	오른발 R/90°턴 (RF)	R/90°(1/4턴)
4보	왼발을 오른발 옆에 모으고(LF)	없음
5보	왼발 R/90°턴(LF	R/90°(1/4턴)
6보	오른발을 왼발 옆에 모으고(RF)	없음

스텝	리드 / 사인 / 텐션
1보	여성 왼발, 오른발이 댄스 라인에 맞춰 전진하도록 여성 오른손을 여성 정면 앞으로
2보	당기면서
3보	여성 왼발이 왼쪽으로 45° 턴하도록 손을 들어주면서 왼쪽으로 회전시켜준다.
4보	여성의 왼발이 왼쪽으로 135° 턴하도록 왼쪽으로 회전시켜주면서 여성 오른발이 댄스 라인에 위치하도록 손을 내리기 시작한다.
5보	여성 왼발이 후진하도록 여성 손을 밀어주고, 여성 정면 앞 등지면서 이동한다. (Tandem position)
6보	여성 오른발이 왼발에 모으도록 손 텐션 및 리드를 멈춘다.
1보	여성 왼발, 오른발이 댄스 라인에 맞춰 전진하도록 여성 오른손을 여성 정면 앞으로
2보	당기면서 2보에 여성 손을 놓아준다. (Tandem position)
	6보에 남성은 오른손으로 여성 오른손을 잡는다.

〈여성〉

스텝	회전량	핸드	스텝 방식	풋 워크	풋 포지션	액션
1보	없음	오른손	놓고	BF	왼발 전진(LF)	Forward Walk
2보	없음	오른손	놓고	BF	오른발 전진(RF)	Forward Walk
3보	L/45° (1/8턴)	오른손	놓고	B	왼발 45°턴(LF)	Turn
4보	L/135° (3/8턴) 오른발-없음	오른손	놓고	B, HF	왼발 135°턴(LF) 오른발 후진(RF)	Turn, Backward Walk
5보	없음	오른손	놓고	HF	왼발 후진(LF)	Backward Walk
6보	없음	오른손	놓고	HF	오른발 후진하면서 왼발 옆에 모으고(RF)	Backward Walk
1보	없음	오른손	놓고	BF	왼발 전진(LF)	Forward Walk
2보	없음	오른손	놓고	BF	오른발 전진(RF)	Forward Walk
3보	R/90° (1/4턴)		놓고	B	왼발 90°턴(LF)	Turn
4보	R/90° (1/4턴), R/180° (1/2턴)		놓고	B	오른발 90°턴(RF) 180°턴(RF)	Turn
5보	없음		놓고	HF	왼발 후진(LF)	Backward Walk
6보	없음	오른손	놓고	HF	오른발 후진하면서 왼발 옆에 모으고(RF)	Backward Walk

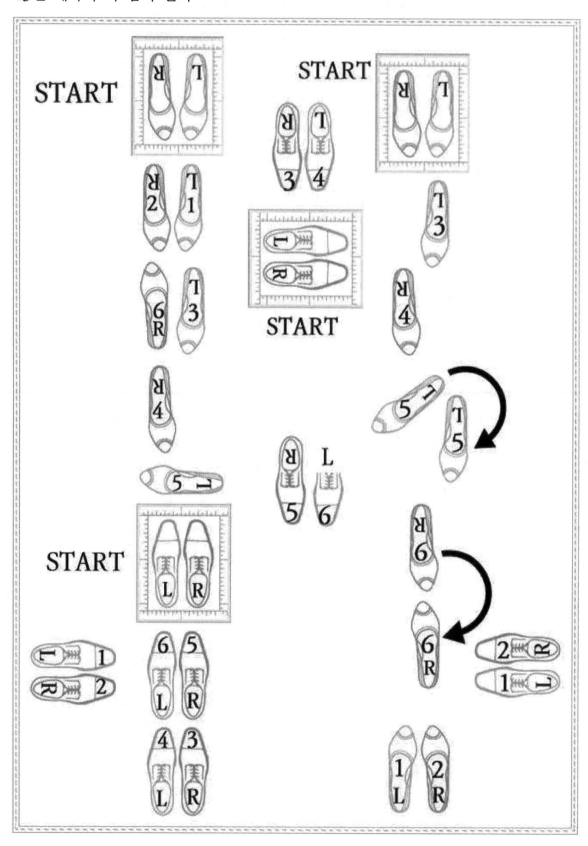

〈남성&여성〉

스텝	카운트	리듬	읽을 때	음악 타이밍	보수	핸드 포지션	악센트
1보	3	S	슬로우	쿵	1	One Hand Joined	
2보	4	&	엔	짝	1	One Hand Joined	
3보	5	Q	퀵	쿵	1	One Hand Joined	V
4보	6	Q	퀵	짝	1	One Hand Joined	V
5보	1	S	슬로우	쿵	1	One Hand Joined	
6보	2	&	엔	짝	1	One Hand Joined	
1보	3	S	슬로우	쿵	1	One Hand Joined	
2보	4	&	엔	짝	1	One Hand Joined	
3보	5	Q	퀵	쿵	1	One Hand Joined	V
4보	6	Q	퀵	짝	1	One Hand Joined	V
5보	1	S	슬로우	쿵	1	One Hand Joined	
6보	2	&	엔	짝	1	One Hand Joined	

〈남성〉

스텝	핸드	방향	풋 워크	스텝 방식	액션
1보	왼손	12시	HF	놓고	Backward Walk
2보	왼손	12시	HF	놓고	Backward Walk
3보	왼손	12시	BF	놓고	Forward Walk
4보	왼손	12시	T/BF	찍고/놓고(선택)	Forward Walk
5보	왼손	3시	WF	놓고	Side line(Left),Turn
6보	왼손	3시	WF	놓고	Side line(Left)
1보	오른손	6시	HF	놓고	Backward Walk,Turn
2보	오른손	6시	HF	놓고	Backward Walk
3보	오른손	6시	BF	놓고	Forward Walk
4보	오른손	6시	T/BF	찍고/놓고(선택)	Forward Walk
5보	오른손	9시	WH	놓고	Side line(Right),Turn
6보	오른손	9시	WH	놓고	Side line(Left)

스텝	풋 포지션	회전량
1보	오른발 후진(RF)	없음
2보	왼발 후진하면서 오른발 옆에 모으고(LF)	없음
3보	오른발 전진(RF)	없음
4보	왼발 전진하면서 오른발 옆에 모으고(LF)	없음
5보	왼발 R/90°턴(LF)	R/90°(1/4턴)
6보	오른발 왼발 옆에 모으고(RF)	없음
1보	오른발 R/90°턴(RF)	R/90°(1/4턴)
2보	왼발 후진하면서 오른발 옆에 모으고(LF)	없음
3보	오른발 전진(RF)	없음
4보	왼발 전진하면서 오른발 옆에 모으고(LF)	없음
5보	왼발 R/90°턴(LF)	R/90°(1/4턴)
6보	오른발 왼발 옆에 모으고(RF)	없음

스텝	리드 / 사인 / 텐션
1보	전진하도록 여성의 오른손을 여성의 정면 앞으로 당긴다.
2보	
3보	여성 왼발이 오른쪽으로 90°턴, 오른발이 오른쪽으로 90°, 180° 턴
4보	하도록 밀어주면서 여성 목을 감아준다.
5보	여성 왼발이 후진하도록 밀어주면서
6보	여성 오른발이 왼발에 모으도록 텐션 및 리드를 멈춘다.
1보	여성 목걸이 상태에서 남성 왼손에서 오른손으로 여성 오른손을 잡아주면서
2보	여성 왼발이 댄스 라인에 맞춰 전진하도록 여성 오른손을 여성 정면 앞으로 당기고,
3보	여성이 회전할 수 있도록 손을 여성 정수리 5-10cm 정도 위로 들어주면서
4보	오른쪽으로 360° 회전시켜준다.
5보	여성이 오른발이 오른쪽으로 180° 회전시켜주면서 여성의 왼발이 댄스 라인에 위치하도록 손을 내리기 시작한다.
6보	여성 오른발이 후진하면서 왼발에 모으도록 손을 내려준다.

〈여성〉

스텝	회전량	핸드	스텝 방식	풋 워크	풋 포지션	액션
1보	없음	오른손	놓고	BF	왼발 전진(LF)	Forward Walk
2보	없음	오른손	놓고	BF	오른발 전진(RF)	Forward Walk
3보	R/90°(1/4턴)	오른손	놓고	B	왼발 90°턴(LF)	Turn
4보	R/90°(1/4턴) R/180°(1/2턴)	오른손	놓고	B	오른발 270°턴(RF)	Turn
5보	없음	오른손	놓고	HF	왼발 후진(LF)	Backward Walk
6보	없음	오른손	놓고	HF	오른발 후진하면서 왼발 옆에 모으고(RF)	Backward Walk
1보	없음	오른손	놓고	BF	왼발 전진(LF)	Forward Walk
2보	R/45°(1/8턴)	오른손	놓고	BF	오른발 45°턴(RF)	Turn
3보	R/45°(1/8턴)	오른손	놓고	B	왼발 45°턴(LF)	Turn
4보	R/315° (7/8턴) 오른발-없음	오른손	놓고	B, BF	왼발 315°턴(LF) 오른발 전진(RF)	Turn, Forward Walk
5보	R/180° (1/2턴) 왼발-턴 없음	오른손	놓고	B, HF	오른발 180°턴(RF) 왼발 후진(LF)	Turn, Backward Walk
6보	없음	오른손	놓고	HF	오른발 후진하면서 왼발 옆에 모으고(RF)	Backward Walk

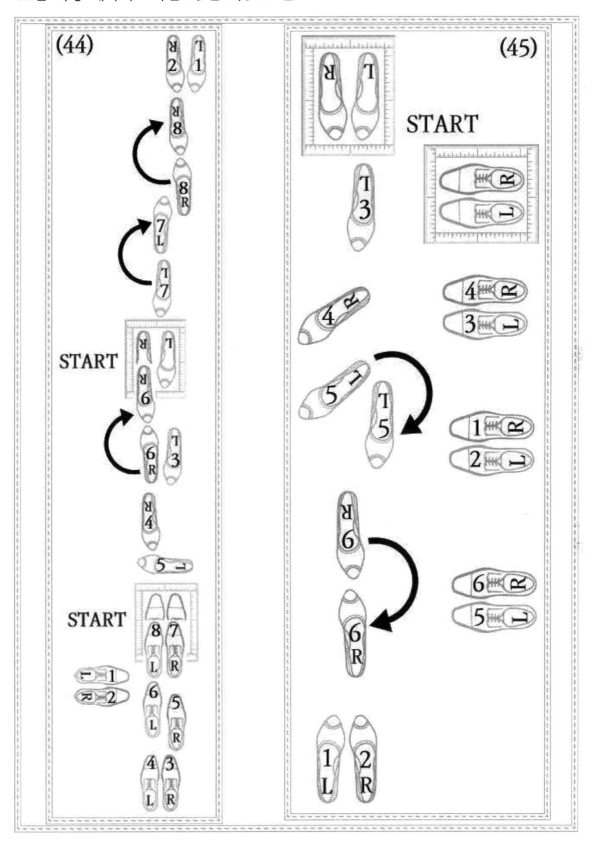

44번 여성 제자리 2회전

〈남성&여성〉

스텝	카운트	리듬	읽을 때	음악 타이밍	보수	핸드 포지션	악센트
1보	3	S	슬로우	쿵	1	One Hand Joined	
2보	4	&	엔	짝	1	One Hand Joined	
3보	5	Q	퀵	쿵	1	One Hand Joined	V
4보	6	Q	퀵	짝	1	One Hand Joined	V
5보	7	Q	퀵	쿵	1	One Hand Joined	V
6보	8	Q	퀵	짝	1	One Hand Joined	V
7보	1	S	슬로우	쿵	1	One Hand Joined	
8보	2	&	엔	짝	1	One Hand Joined	

〈남성〉

스텝	핸드	방향	풋 워크	스텝 방식	액션
1보	오른손	12시	HF	놓고	Backward Walk
2보	오른손	12시	HF	놓고	Backward Walk
3보	오른손	12시	BF	놓고	Forward Walk
4보	오른손	12시	BF	놓고	Forward Walk
5보	오른손	12시	BF	놓고	Forward Walk
6보	오른손	12시	T/BF	찍고/놓고(선택)	Forward Walk
7보	오른손	3시	WF	놓고	Side line(Left),Turn
8보	오른손	3시	WF	놓고	Side line(Left)

스텝	풋 포지션	회전량
1보	오른발 후진(RF)	없음
2보	왼발 후진하면서 오른발에 모으고(LF)	없음
3보	오른발 전진(RF)	없음
4보	왼발 전진(LF)	없음
5보	오발 전진(RF)	없음
6보	왼발 전진하면서 오른발 옆에 모으고(LF)	없음
7보	왼발 R/90°턴(LF)	R/90°(1/4턴)
8보	오른발을 왼발 옆에 모으고(RF)	없음

리드/사인/텐션	
1보~2보	전진하도록 여성 오른손을 여성의 정면 앞으로 당긴다.
3보	여성 왼발이 R/90° 턴하도록 손을 들어주면서 텐션을 주면서 밀어준다.
4보	여성 오른발이 R/90°, R/180° 턴하도록 회전시켜주면서 여성을 회전시켜준다.
5보	여성 왼발이 R/180°턴, 여성 오른발이 R/180° 턴 하도록 텐션을 주면서 여성을
6보	회전시켜준다.
7보	여성 왼발이 후진하도록 밀어주면서 손을 내리기 시작한다.
8보	여성 오른발이 왼발에 모으도록 손을 완전히 내려주면서 텐션 및 리드를 멈춘다.

〈여성〉

스텝	회전량	핸드	스텝 방식	풋 워크	풋 포지션	액션
1보	없음	오른손	놓고	BF	왼발 전진(LF)	Forward Walk
2보	없음	오른손	놓고	BF	오른발 전진(RF)	Forward Walk
3보	R/90°(1/4턴)	오른손	놓고	B	왼발 90°턴(LF)	Turn
4보	R/90°(1/4턴) 180°(1/2턴)	오른손	놓고	B	오른발 270°턴(RF)	Turn
5보	R/180° (1/2턴)	오른손	놓고	B	왼발 180°턴(LF)	Turn
6보	R/180° (1/2턴)	오른손	놓고	B	오른발 180°턴(RF)	Turn
7보	없음	오른손	놓고	HF	왼발 후진(LF)	Backward Walk
8보	없음	오른손	놓고	HF	오른발 후진하면서 왼발 옆에 모으고(RF)	Backward Walk

45번 R/540°턴

〈남성&여성〉

스텝	카운트	리듬	읽을 때	음악 타이밍	보수	핸드 포지션	악센트
1보	3	S	슬로우	쿵	1	One Hand Joined	
2보	4	&	엔	짝	1	One Hand Joined	
3보	5	Q	퀵	쿵	1	One Hand Joined	V
4보	6	Q	퀵	짝	1	One Hand Joined	V
5보	1	S	슬로우	쿵	1	One Hand Joined	
6보	2	&	엔	짝	1	One Hand Joined	

〈남성〉

스텝	핸드	방향	풋 워크	스텝 방식	액션
1보	오른손	9시	WF	놓고	Side Step
2보	오른손	9시	WF	놓고	Side Step
3보	오른손	9시	WF	놓고	Side Step
4보	오른손	9시	WF	놓고	Side Step
5보	오른손	9시	WF	놓고	Side Step
6보	오른손	9시	WF	놓고	Side Step

스텝	풋 포지션	회전량
1보	왼발 옆으로(LF)	없음
2보	오른발 왼발 옆으로 모으고(RF)	없음
3보	왼발 옆으로(LF)	없음
4보	오른발 왼발 옆으로 모으고(RF)	없음

스텝			
5보	오른발 옆으로(LF)		없음
6보	왼발 오른발 옆으로 모으고(RF)		없음

스텝	리드 / 사인 / 텐션
1보	여성 왼발이 댄스 라인에 맞춰 전진하도록 여성 오른손을 여성 정면 앞으로 당기면서 여성 팔을 들어준다.
2보	여성이 회전할 수 있도록 손을 여성 정수리 5-10cm 정도 위로 들어준다.
3보 4보	여성 왼발이 오른쪽으로 45°, 315° 턴 할 수 있도록 회전시켜준다.
5보	여성이 오른발이 오른쪽으로 180° 턴 하도록 계속 회전시켜주면서 여성 왼발이 댄스 라인에 위치하도록 손을 내리기 시작한다.
6보	여성 오른발이 후진하면서 왼발에 모으도록 손을 내려준다.

〈여성〉

스텝	회전량	핸드	스텝 방식	풋 워크	풋 포지션	액션
1보	없음	오른손	놓고	BF	왼발 전진(LF)	Forward Walk
2보	R/45°(1/8턴)	오른손	놓고	BF	오른발 45°턴(RF)	Turn
3보	R/45°(1/8턴)	오른손	놓고	B	왼발 45°턴(LF)	Turn
4보	R/315° (7/8턴) 오른발-없음	오른손	놓고	B, BF	왼발 315°턴(LF) 오른발 전진(RF)	Turn, Forward Walk
5보	R/180° (1/2턴) 왼발-턴 없음	오른손	놓고	B, HF	오른발 180°턴(RF) 왼발 후진(LF)	Turn, Backward Walk
6보	없음	오른손	놓고	HF	오른발 후진하면서 왼발 옆에 모으고(RF)	Backward Walk

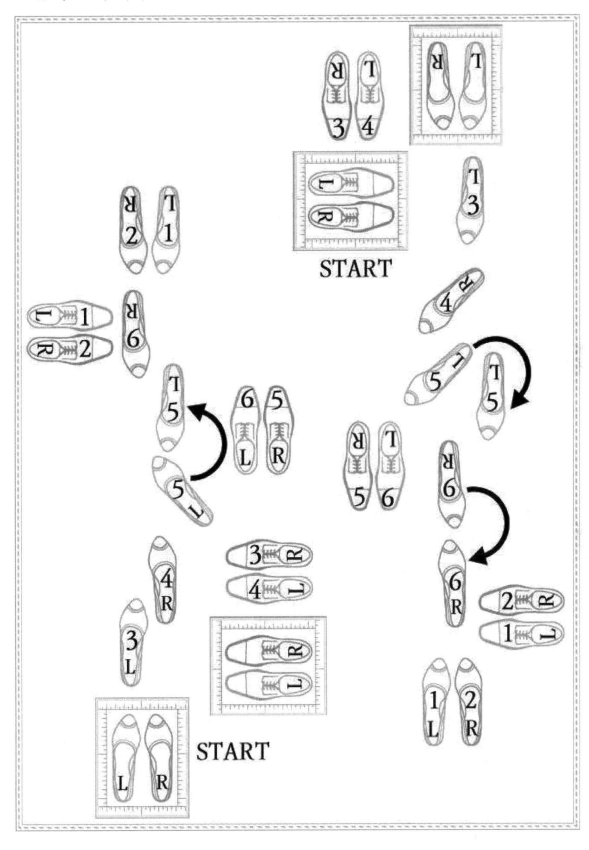

START

START

<남성&여성>

스텝	카운트	리듬	읽을 때	음악 타이밍	보수	핸드 포지션	악센트
1보	3	S	슬로우	쿵	1	One Hand Joined	
2보	4	&	엔	짝	1	One Hand Joined	
3보	5	Q	퀵	쿵	1	One Hand Joined	V
4보	6	Q	퀵	짝	1	One Hand Joined	V
5보	1	S	슬로우	쿵	1	One Hand Joined	
6보	2	&	엔	짝	1	One Hand Joined	
1보	3	S	슬로우	쿵	1		
2보	4	&	엔	짝	1		
3보	5	Q	퀵	쿵	1		V
4보	6	Q	퀵	짝	1		V
5보	1	S	슬로우	쿵	1		
6보	2	&	엔	짝	1		

<남성>

스텝	핸드	방향	풋 워크	스텝 방식	액션
1보	오른손	9시	WF	놓고	Side Step
2보	오른손	9시	WF	놓고	Side Step
3보	오른손	12시	BF	놓고	Forward Walk, Turn
4보	오른손	12시	T/BF	찍고/놓고(선택)	Forward Walk
5보	오른손	3시	WF	놓고	Side line(Left), Turn
6보	오른손	3시	WF	놓고	Side line(Left)
1보		6시	HF	놓고	Backward Walk, Turn
2보		6시	HF	놓고	Backward Walk
3보		6시	BF	놓고	Forward Walk
4보		6시	T/BF	찍고/놓고(선택)	Forward Walk
5보		9시	WF	놓고	Side line(Right), Turn
6보		9시	WF	놓고	Side line(Right)

스텝	풋 포지션	회전량
1보	오른발 옆으로(RF)	없음
2보	왼발 오른발 옆으로 모으고(LF)	없음
3보	오른발 R/90°턴(RF)	R/90°(1/4턴)
4보	왼발을 오른발 옆에 모으고(LF)	없음
5보	왼발 R/90°턴(LF)	R/90°(1/4턴)
6보	오른발을 왼발 옆에 모으고(RF)	없음
1보	오른발 R/90°턴(RF)	R/90°(1/4턴)
2보	왼발 후진하면서 오른발 옆으로 모으고(LF)	없음
3보	오른발 전진(RF)	없음
4보	왼발을 전진하면서 오른발 옆에 모으고(LF)	없음
5보	왼발 R/90°턴(LF)	R/90°(1/4턴)
6보	오른발을 왼발 옆에 모으고(RF)	없음

스텝	리드 / 사인 / 텐션
1보	남성은 사이드 스텝을 하면서 여성 왼발이 댄스 라인에 맞춰 전진하도록 여성 정면
2보	앞으로 당기면서
3보	여성 왼발이 왼쪽으로 45°, 135° 턴하도록 손을 들어주면서 왼쪽으로 틀어주면서
4보	여성 오른발이 댄스 라인에 위치하도록 손을 내리기 시작한다.
5보	여성 왼발이 후진하도록 그립 상태에서 여성 손에 힘을 주면서 밀어주고
6보	여성 오른발이 왼발에 모으도록 손 텐션 및 리드를 멈추고 여성 오른손을 놓아주면서 왼손으로 여성 왼쪽 어깨 터치
1보	1보에서 여성 왼쪽 어깨 터치를 유지하면서 여성 왼발이 전진할 수 있도록 당겨주고
2보	2보에 여성이 540° 턴을 할 수 있도록 왼손으로 여성 어깨를 오른쪽으로 돌려준다.

〈여성〉

스텝	회전량	핸드	스텝 방식	풋 워크	풋 포지션	액션
1보	없음	오른손	놓고	BF	왼발 전진(LF)	Forward Walk
2보	없음	오른손	놓고	BF	오른발 전진(RF)	Forward Walk
3보	L/45° (1/8턴)	오른손	놓고	B	왼발 45°턴(LF)	Turn
4보	L/135° (3/8턴) 오른발-없음	오른손	놓고	BF	왼발 135°턴(LF) 오른발 후진(RF)	Turn, Backward Walk
5보	없음	오른손	놓고	HF	왼발 후진(LF)	Backward Walk
6보	없음	오른손	놓고	HF	오른발 후진하면서 왼발 옆에 모으고(RF)	Backward Walk
1보	없음	오른손	놓고	BF	왼발 전진(LF)	Forward Walk
2보	R/45° (1/8턴)	오른손	놓고	BF	오른발 45°턴(RF)	Turn
3보	R/45° (1/8턴)	오른손	놓고	B	왼발 45°턴(LF)	Turn
4보	R/315° (7/8턴) 오른발-없음	오른손	놓고	B, BF	왼발 315°턴(LF) 오른발 전진(RF)	Turn, Forward Walk
5보	R/180° (1/2턴) 왼발-없음	오른손	놓고	B, HF	오른발 180°턴(RF) 왼발 후진(LF)	Turn, Backward Walk
6보	없음	오른손	놓고	HF	오른발 후진하면서 왼발 옆에 모으고(RF)	Backward Walk

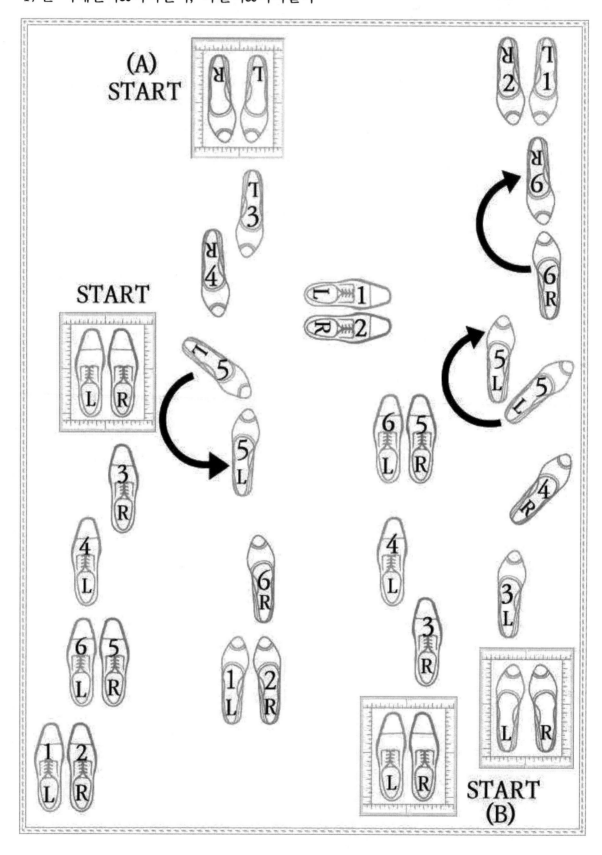

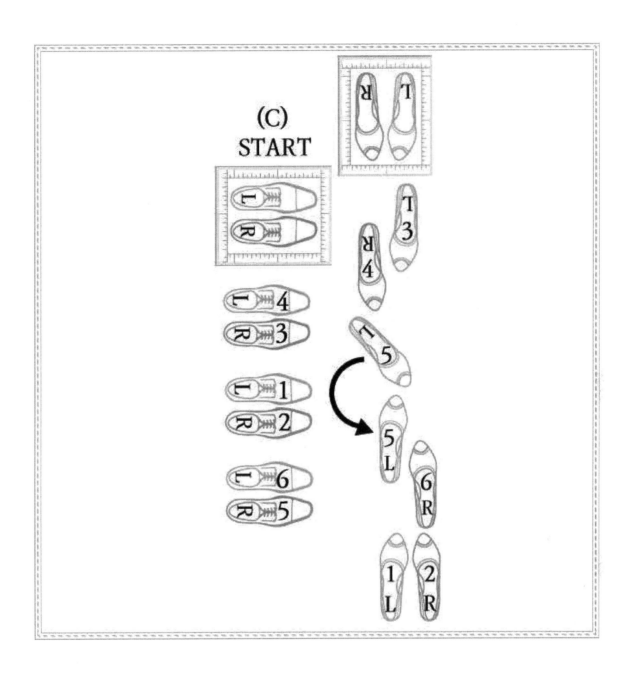

〈남성&여성〉

스텝	카운트	리듬	읽을 때	음악 타이밍	보수	핸드 포지션	악센트
				A			
1보	3	S	슬로우	쿵	1	Two Hand Joined	
2보	4	&	엔	짝	1	Two Hand Joined	
3보	5	Q	퀵	쿵	1	Two Hand Joined	V
4보	6	Q	퀵	짝	1	Two Hand Joined	V
5보	1	S	슬로우	쿵	1	Two Hand Joined	
6보	2	&	엔	짝	1	Two Hand Joined	
				B			

스텝		핸드	방향	풋 워크	스텝 방식	액션	
1보	3	S	슬로우	쿵	1	Two Hand Joined	
2보	4	&	엔	짝	1	Two Hand Joined	
3보	5	Q	퀵	쿵	1	Two Hand Joined	V
4보	6	Q	퀵	짝	1	Two Hand Joined	V
5보	1	S	슬로우	쿵	1	Two Hand Joined	
6보	2	&	엔	짝	1	Two Hand Joined	
C							
1보	3	S	슬로우	쿵	1	Two Hand Joined	
2보	4	&	엔	짝	1	Two Hand Joined	
3보	5	Q	퀵	쿵	1	Two Hand Joined	V
4보	6	Q	퀵	짝	1	Two Hand Joined	V
5보	1	S	슬로우	쿵	1	Two Hand Joined	
6보	2	&	엔	짝	1	Two Hand Joined	

〈남성〉

스텝	핸드	방향	풋 워크	스텝 방식	액션
A					
1보	양손	12시	HF	놓고	Backward Walk
2보	양손	12시	HF	놓고	Backward Walk
3보	양손	12시	HF	놓고	Backward Walk
4보	양손	12시	HF/T	놓고/찍고(선택)	Backward Walk
5보	양손	12시	HF	놓고	Diagonally Backward Walk
6보	양손	12시	HF	놓고	Diagonally Backward Walk
B					
1보	양손	12시	BF	놓고	Forward Walk
2보	양손	12시	BF	놓고	Forward Walk
3보	양손	12시	BF	놓고	Forward Walk
4보	양손	12시	BF/T	놓고/찍고(선택)	Forward Walk
5보	양손	3시	WF	놓고	Side line(Left),Turn
6보	양손	3시	WF	놓고	Side line(Left)
C					
1보	양손	3시	WF	놓고	Side Step
2보	양손	3시	WF	놓고	Side Step
3보	양손	3시	WF	놓고	Side Step
4보	양손	3시	WF	놓고	Side Step
5보	양손	3시	WF	놓고	Side Step
6보	양손	3시	WF	놓고	Side Step

스텝	풋 포지션	회전량
A		
1보	오른발 후진(RF)	없음
2보	왼발 후진(LF)	없음
3보	오른발 후진(RF)	없음
4보	왼발을 후진하면서 오른발 옆에 모으고(LF)	없음
5보	왼발 왼쪽 사선으로 후진(LF)	없음
6보	오른발을 왼쪽 사선으로 후진하면서 왼발 옆에 모으고(RF)	없음
B		

1보	오른발 전진(RF)	없음
2보	왼발 전진(LF)	없음
3보	오른발 전진(RF)	없음
4보	왼발을 전진하면서 오른발 옆에 모으고(LF)	없음
5보	왼발 R/90°턴 (LF)	R/90°(1/4턴)
6보	오른발을 왼발에 옆에 모으고(RF)	없음
	C	
1보	오른발 옆으로(RF)	없음
2보	왼발 오른발 옆에 모으고(LF)	없음
3보	오른발 옆으로(RF)	없음
4보	왼발 오른발 옆에 모으고(LF)	없음
5보	왼발 옆으로(LF)	없음
6보	오른발 왼발 옆으로(RF)	없음

스텝	리드 / 사인 / 텐션
	A
1보	여성 양손을 잡은 상태에서 여성 왼발, 오른발이 댄스 라인에 맞춰 전진하도록 정면
2보	앞으로 당긴다.
3보	여성 왼발 왼쪽으로 45°, 135° 턴하도록 남성 오른손으로 여성 왼손을 여성 머리 위로
	넘겨주면서 손바닥이 하늘 쪽으로 보이도록 손목을 꺾어 주고, 여성 손등이 여성 어깨
4보	쪽으로 유도(리드)해 준다. 남성 왼손으로 여성 오른손을 여성 허리 쪽으로 유도(리드)해
	준다.
5보	5보에 여성 왼발이 후진하도록 살짝 당겨주고
6보	6보에 여성 오른발이 왼발에 모으도록 잡아준다. (어깨걸이, 허리 걸이)
	B
1보	어깨걸이, 허리 걸이를 유지하면서 여성이 전진할 수 있도록 밀어준다.
2보	여성이 회전할 수 있도록 남성 오른손으로 여성 왼손을 여성 정수리 5-10cm 정도
	위로 들어준다.
3보	
4보	남성은 여성 왼손을 여성 허리로 이동하는 동시에 여성 오른손을 여성 목을
5보	감아주면서 여성이 오른쪽으로 540°턴 할 수 있도록 밀어준다.
6보	
	C
1보	허리 걸이, 목걸이 상태에서 여성이 전진할 수 있도록 남성 왼팔로 여성 목덜미 등 쪽,
2보	남성 오른손으로 여성 허리 쪽을 밀어준다.
3보	
4보	
5보	여성이 왼쪽으로 180° 턴 할 수 있도록 목걸이, 허리 걸이를 풀어 준다.
6보	

〈여성〉

스텝	회전량	핸드	스텝 방식	풋 워크	풋 포지션	액션
				A		
1보	없음	양손	놓고	BF	왼발 전진(LF)	Forward Walk
2보	없음	양손	놓고	BF	오른발 전진(RF)	Forward Walk
3보	L/45°	양손	놓고	B	왼발 45°턴(LF)	Turn

	(1/8턴)					
4보	L/135° (3/8턴) 오른발-없음	양손	놓고	B, HF	왼발 135°턴(LF) 오른발 후진(RF)	Turn, Backward Walk
5보	없음	양손	놓고	HF	왼발 후진(LF)	Backward Walk
6보	없음	양손	놓고	HF	오른발 후진하면서 왼발 옆에 모으고(RF)	Backward Walk
B						
1보	없음	양손	놓고	BF	왼발 전진(LF)	Forward Walk
2보	R/45°(1/8턴)	양손	놓고	BF	오른발 45°턴(RF)	Turn
3보	R/45° (1/8턴)	오른손	놓고	B	왼발 45°턴(LF)	Turn
4보	R/315° (7/8턴) 오른발-없음	오른손	놓고	B, BF	왼발 315°턴(LF) 오른발 전진(RF)	Turn
5보	R/180° (1/2턴) 왼발-없음	오른손	놓고	B, HF	오른발 180°턴(RF) 왼발 후진(LF)	Turn, Backward Walk
6보	없음	오른손	놓고	HF	오른발 후진하면서 왼발 옆에 모으고(RF)	Backward Walk
C						
1보	없음	양손	놓고	BF	왼발 전진(LF)	Forward Walk
2보	없음	양손	놓고	BF	오른발 전진(RF)	Forward Walk
3보	L/45° (1/8턴)	양손	놓고	B	왼발 45°턴(LF)	Turn
4보	L/135° (3/8턴) 오른발-없음	양손	놓고	B, BF	왼발 135°턴(LF) 오른발 후진(RF)	Turn, Backward Walk
5보	없음	양손	놓고	HF	왼발 후진(LF)	Backward Walk
6보	없음	양손	놓고	HF	오른발 후진하면서 왼발 옆에 모으고(RF)	Backward Walk

48번 남성 허리감기, 그림자, 등 턴(R/540°)

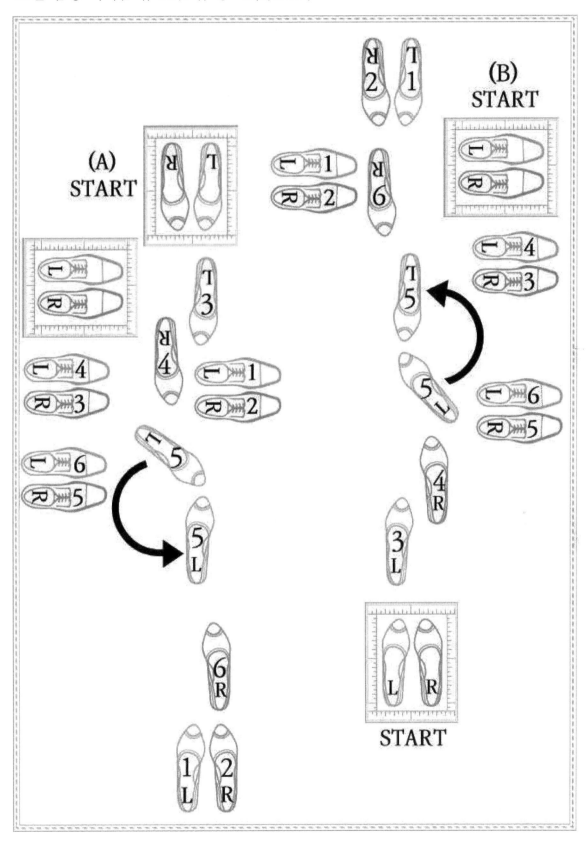

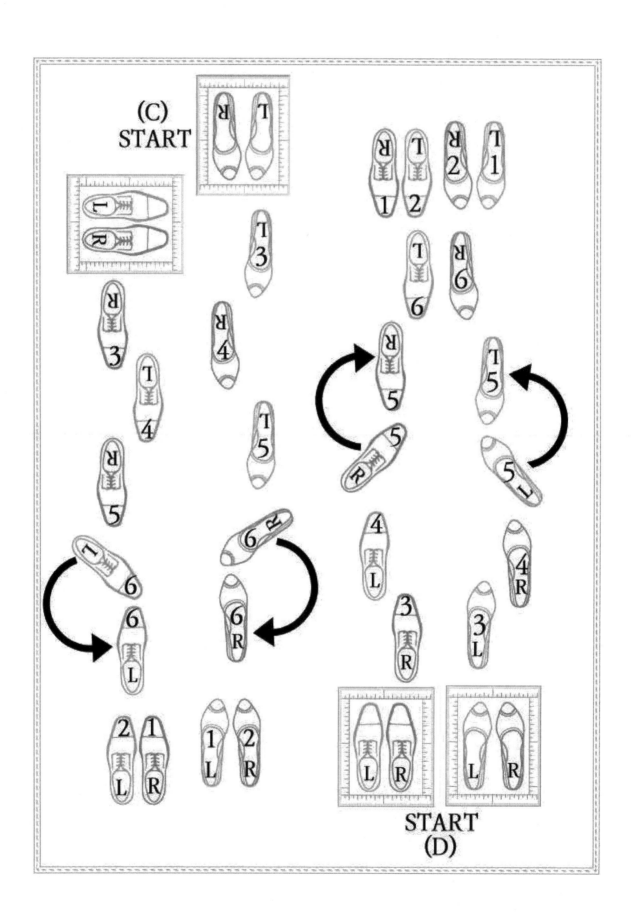

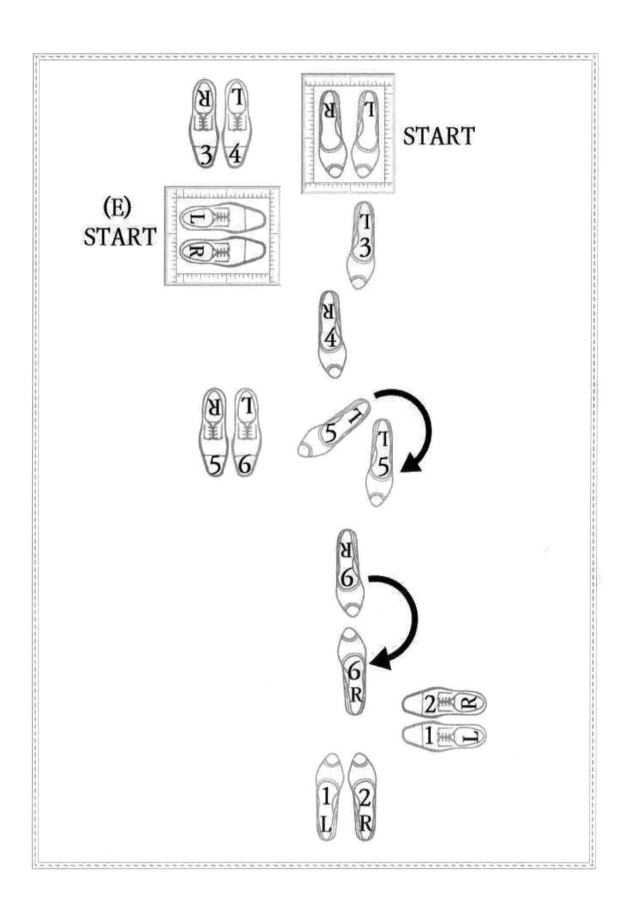

〈남성&여성〉

스텝	카운트	리듬	읽을 때	음악 타이밍	보수	핸드 포지션	악센트
A							
1보	3	S	슬로우	쿵	1	One Hand Joined	
2보	4	&	엔	짝	1	One Hand Joined	
3보	5	Q	퀵	쿵	1	One Hand Joined	V
4보	6	Q	퀵	짝	1	One Hand Joined	V
5보	1	S	슬로우	쿵	1	One Hand Joined	
6보	2	&	엔	짝	1	One Hand Joined	
B							
1보	3	S	슬로우	쿵	1	One Hand Joined	
2보	4	&	엔	짝	1	One Hand Joined	
3보	5	Q	퀵	쿵	1	One Hand Joined	V
4보	6	Q	퀵	짝	1	One Hand Joined	V
5보	1	S	슬로우	쿵	1	One Hand Joined	
6보	2	&	엔	짝	1	One Hand Joined	
C							
1보	3	S	슬로우	쿵	1		
2보	4	&	엔	짝	1		
3보	5	Q	퀵	쿵	1		V
4보	6	Q	퀵	짝	1		V
5보	1	S	슬로우	쿵	1		
6보	2	&	엔	짝	1		
D							
1보	3	S	슬로우	쿵	1		
2보	4	&	엔	짝	1		
3보	5	Q	퀵	쿵	1		V
4보	6	Q	퀵	짝	1		V
5보	1	S	슬로우	쿵	1		
6보	2	&	엔	짝	1		
E							
1보	3	S	슬로우	쿵	1		
2보	4	&	엔	짝	1		
3보	5	Q	퀵	쿵	1		V
4보	6	Q	퀵	짝	1		V
5보	1	S	슬로우	쿵	1		
6보	2	&	엔	짝	1	One Hand Joined	

〈남성〉

스텝	핸드	방향	풋 워크	스텝 방식	액션
A					
1보	오른손	3시	WF	놓고	Side Step
2보	오른손	3시	WF	놓고	Side Step
3보	오른손	3시	WF	놓고	Side Step
4보	오른손	3시	T/WF	찍고/놓고(선택)	Side Step
5보	오른손	3시	BF	놓고	Side line(Right), Forward Walk

					Side line(Right), Forward Walk
6보	오른손	3시	BF	놓고	Side line(Right), Forward Walk
B					
1보	오른손	3시	WF	놓고	Side Step
2보	오른손	3시	WF	놓고	Side Step
3보	오른손	3시	WF	놓고	Side Step
4보	오른손	3시	T/WF	찍고/놓고(선택)	Side Step
5보	오른손	3시	BF	놓고	Side line(Left), Backward Walk
6보	오른손	3시	BF	놓고	Side line(Left), Backward Walk
C					
1보	오른손	6시	BF	놓고	Forward Walk
2보		6시	BF	놓고	Forward Walk
3보		6시	BF	놓고	Forward Walk
4보		4시 30분, 6시	B	놓고	Turn
5보		12시	HF	놓고	Backward Walk
6보		12시	HF	놓고	Backward Walk
D					
1보		12시	BF	놓고	Forward Walk
2보		12시	BF	놓고	Forward Walk
3보		1시 30분, 6시	BF	놓고	Turn
4보		6시	B	놓고	Backward Walk
5보		6시	HF	놓고	Backward Walk
6보		6시	HF	놓고	Backward Walk
E					
1보		6시	HF	놓고	Backward Walk, Turn
2보		6시	HF	놓고	Backward Walk
3보		6시	BF	놓고	Forward Walk
4보		6시	T/BF	찍고/놓고(선택)	Forward Walk
5보		9시	WF	놓고	Side line(Right), Turn
6보	오른손	9시	WF	놓고	Side line(Right)

스텝	풋 포지션	회전량
A		
1보	오른발 옆으로(RF)	없음
2보	왼발 오른발 옆으로 모으고(LF)	없음
3보	오른발 옆으로(RF)	없음
4보	왼발을 오른발 옆에 모으고(LF)	없음
5보	왼발 전진(LF)	없음
6보	오른발 전진하면서 왼발 옆에 모으고(RF)	없음
B		
1보	오른발 옆으로(RF)	없음
2보	왼발 오른발 옆으로 모으고(LF)	없음
3보	오른발 옆으로(RF)	없음
4보	왼발을 오른발 옆에 모으고(LF)	없음
5보	왼발 후진(LF)	없음
6보	오른발 후진하면서 왼발 옆에 모으고(RF)	없음

C		
1보	오른발 전진(RF)	없음
2보	왼발 전진(LF)	없음
3보	오른발 전진(RF)	없음
4보	왼발 L/45°, L/135°턴(LF)	L/180°(1/2턴)
5보	오른발 후진(RF)	없음
6보	왼발 후진하면서 오른발 옆에 모으고(RF)	없음
D		
1보	오른발 전진(RF)	없음
2보	왼발 전진(LF)	없음
3보	오른발 R/45°, L/135°턴(LF)	R/180°(1/2턴)
4보	왼발 후진(LF)	없음
5보	오른발 후진(LF)	없음
6보	왼발 후진하면서 오른발 옆에 모으고(RF)	없음
E		
1보	오른발 R/90°(LF)	R/90°(1/4턴)
2보	왼발 후진(LF)	없음
3보	오른발 전진(RF)	없음
4보	왼발 전진(LF)	없음
5보	왼발 R/90°(LF)	R/90°(1/4턴)
6보	오른발 왼발 옆에 모으고	없음

스텝	리드 / 사인 / 텐션
A	
1보	남성은 사이드 스텝을 하면서 여성 왼발이 댄스 라인에 맞춰 전진하도록 여성 정면
2보	앞으로 당기면서
3보	여성 왼발이 왼쪽으로 45°, 135° 턴하도록 손을 들어주면서 왼쪽으로 회전시켜주고
4보	
5보	여성 왼발이 후진하도록 살짝 밀어주고
6보	손을 내려주면서 여성 오른발이 왼발에 모으도록 손 텐션 및 리드를 멈춘다.
B	
1보	여성 오른손을 잡은 남성의 오른손을 남성의 허리 뒤로 이동시킨 상태에서 여성을
2보	앞으로 당겨주면서
3보	여성 오른손을 잡은 남성의 오른손을 남성의 허리 뒤로 이동시키면서 여성 왼발이
4보	오른쪽으로 45°, 135° 턴하도록 오른쪽으로 틀어주면서 여성 오른발이 댄스 라인에 위치하도록 리드
5보	여성 오른손을 잡은 남성 오른손을 남성 허리 뒤로 이동시킨 상태로 댄스 라인 건너간다.
6보	여성 오른발이 왼발에 모으도록 손 텐션 및 리드를 멈추면서 남성 왼손으로 여성 등 터치
C	
1보	여성 오른손을 놓아주면서 왼손으로 여성이 전진할 수 있게 등을 앞으로 밀어주면서
2보	
3보	남성도 전진한다.
4보	여성이 오른쪽으로 45°, 135° 턴하도록 여성 등을 오른쪽으로 밀어주면서 남성도
5보	여성처럼 왼쪽으로 45°, 135° 턴하고 5보~6보에 후진하면서 남성 오른손을 여성 등
6보	쪽으로 이동한다.

D	
1보	오른손으로 여성이 전진할 수 있게 등을 앞으로 밀어주면서 남성도 전진한다.
2보	
3보	여성이 왼쪽으로 45°, 135° 턴하도록 여성 등을 왼쪽으로 밀어주면서 남성도
4보	여성처럼 오른쪽으로 45°, 135° 턴하고 4보~6보에 후진하면서 남성 왼손을
5보	여성 등 쪽으로 이동한다.
6보	
E	
1보	남성 왼손으로 여성이 오른쪽으로 540° 턴하도록 등을 밀어준다.
2보	

〈여성〉

스텝	회전량	핸드	스텝 방식	풋 워크	풋 포지션	액션
A						
1보	없음	오른손	놓고	BF	왼발 전진(LF)	Forward Walk
2보	없음	오른손	놓고	BF	오른발 전진(RF)	Forward Walk
3보	L/45° (1/8턴)	오른손	놓고	B	왼발 45°턴(LF)	Turn
4보	L/135°(3/8턴) 오른발-없음	오른손	놓고	B, BF	왼발 135°턴(LF) 오른발 후진(RF)	Turn, Backward Walk
5보	없음	오른손	놓고	HF	왼발 후진(LF)	Backward Walk
6보	없음	오른손	놓고	HF	오른발 후진하면서 왼발 옆에 모으고(RF)	Backward Walk
B						
1보	없음	오른손	놓고	BF	왼발 전진(LF)	Forward Walk
2보	없음	오른손	놓고	BF	오른발 전진(RF)	Forward Walk
3보	L/45°(1/8턴)	오른손	놓고	B	왼발 45°턴(LF)	Turn
4보	L/135°(3/8턴) 오른발-없음	오른손	놓고	B, HF	왼발 135°턴(LF) 오른발 후진(RF)	Turn, Backward Walk
5보	없음	오른손	놓고	HF	왼발 후진(LF)	Backward Walk
6보	없음	오른손	놓고	HF	오른발 후진하면서 왼발 옆에 모으고(RF)	Backward Walk
C						
1보	없음		놓고	BF	왼발 전진(LF)	Forward Walk
2보	없음		놓고	BF	오른발 전진(RF)	Forward Walk
3보	없음		놓고	BF	왼발 전진(LF)	Forward Walk
4보	R/45°(1/8턴) 135°(3/8턴)		놓고	B	오른발 180°턴(RF)	Turn
5보	없음		놓고	HF	왼발 후진(LF)	Backward Walk
6보	없음		놓고	HF	오른발 후진하면서 왼발 옆에 모으고(RF)	Backward Walk
D						

1보	없음		놓고	BF	왼발 전진(LF)	Forward Walk
2보	없음		놓고	BF	오른발 전진(RF)	Forward Walk
3보	L/45°(1/8턴) 135°(3/8턴)		놓고	B	왼발 180°턴(LF)	Turn
4보	없음		놓고	HF	오른발 후진(RF)	Backward Walk
5보	없음		놓고	HF	왼발 후진(LF)	Backward Walk
6보	없음		놓고	HF	오른발 후진하면서 왼발 옆에 모으고(RF)	Backward Walk
E						
1보	없음		놓고	BF	왼발 전진(LF)	Forward Walk
2보	R/45°(1/8턴)		놓고	BF	오른발 45°턴(RF)	Turn
3보	R/45°(1/8턴)		놓고	B	왼발 45°턴(LF)	Turn
4보	R/315°(7/8턴) 오른발-없음		놓고	B, BF	왼발 315°턴(LF) 오른발 전진(RF)	Turn, Forward Walk
5보	R/180°(1/2턴) 왼발-없음		놓고	B, HF	오른발 180°턴(RF) 왼발 후진(LF)	Turn, Backward Walk
6보	없음	오른손	놓고	HF	오른발 후진하면서 왼발 옆에 모으고(RF)	Backward Walk

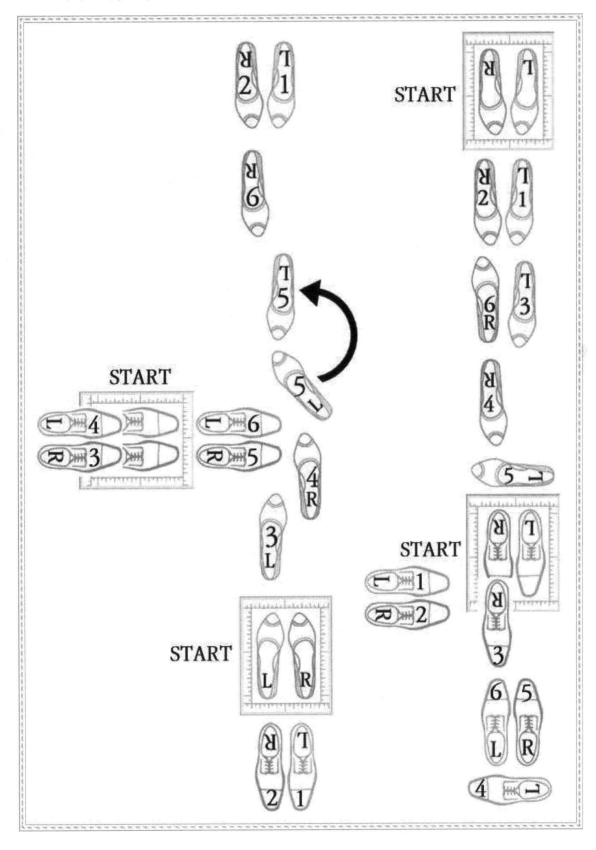

<남성&여성>

스텝	카운트	리듬	읽을 때	음악 타이밍	보수	핸드 포지션	악센트
1보	3	S	슬로우	쿵	1	One Hand Joined	
2보	4	&	엔	짝	1	One Hand Joined	
3보	5	Q	퀵	쿵	1	One Hand Joined	V
4보	6	Q	퀵	짝	1	One Hand Joined	V
5보	1	S	슬로우	쿵	1	One Hand Joined	
6보	2	&	엔	짝	1	One Hand Joined	
1보	3	S	슬로우	쿵	1	One Hand Joined	
2보	4	&	엔	짝	1	One Hand Joined	
3보	5	Q	퀵	쿵	1		V
4보	6	Q	퀵	짝	1		V
5보	1	S	슬로우	쿵	1		
6보	2	&	엔	짝	1	One Hand Joined	

<남성>

스텝	핸드	방향	풋 워크	스텝 방식	액션
1보	오른손	3시	HF	놓고	Backward Walk
2보	오른손	3시	HF	놓고	Backward Walk
3보	오른손	3시	BF	놓고	Forward Walk,Turn
4보	오른손	3시	T/BF	찍고/놓고(선택)	Forward Walk
5보	오른손	6시	WF	놓고	Tandem, Turn
6보	오른손	6시	WF	놓고	Tandem
1보	오른손	6시	BF	놓고	Forward Walk
2보	오른손	9시	WF	놓고	Turn
3보		12시	WF	놓고	Turn
4보		12시	T/WF	찍고/놓고(선택)	Forward Walk
5보		3시	WF	놓고	Side line(Left),Turn
6보	오른손	3시	WF	놓고	Side line(Left)

스텝	풋 포지션	회전량
1보	오른발 후진(RF)	없음
2보	왼발 후진하면서 오른발 옆으로 모으고(LF)	없음
3보	오른발 전진(RF)	없음
4보	왼발을 전진하면서 오른발 옆에 모으고(LF)	없음
5보	왼발 R/90°턴(LF)	R/90°(1/4턴)
6보	오른발 왼발 옆에 모으고(RF)	없음
1보	오른발 전진(RF)	없음
2보	왼발 R/90°턴(LF)	R/90°(1/4턴)
3보	오른발 R/90°턴 (RF)	R/90°(1/4턴)
4보	왼발을 오른발 옆에 모으고(LF)	없음
5보	왼발 R/90°턴(LF)	R/90°(1/4턴)
6보	오른발을 왼발 옆에 모으고(RF)	없음

스텝	리드 / 사인 / 텐션
1보	여성 왼발, 오른발이 댄스 라인에 맞춰 전진하도록 여성 오른손을 여성 정면 앞으로
2보	당기면서
3보	여성 왼발이 왼쪽으로 45°, 135° 턴하도록 손을 들어주면서 왼쪽으로 틀어준다.
4보	
5보	5보에 여성 정면 앞 등지면서 남성 오른쪽 어깨로 오른손을 이동(남성 어깨걸이)
6보	(Tandem position) 6보에 여성 오른발이 왼발에 모으도록 손 텐션 및 리드를 멈춘다.
1보	남성 어깨걸이 상태를 유지하면서 여성 왼발, 오른발이 댄스 라인에 맞춰
2보	전진하도록 여성 오른손을 여성 정면 앞으로 당기면서 2보에 여성 손을 놓아준다. (Tandem position) 6보에 남성은 오른손으로 여성 오른손을 잡는다.

〈여성〉

스텝	회전량	핸드	스텝 방식	풋 워크	풋 포지션	액션
1보	없음	오른손	놓고	BF	왼발 전진(LF)	Forward Walk
2보	없음	오른손	놓고	BF	오른발 전진(RF)	Forward Walk
3보	L/45° (1/8턴)	오른손	놓고	B	왼발 45°턴(LF)	Turn
4보	L/135° (3/8턴) 오른발-없음	오른손	놓고	B, HF	왼발 135°턴(LF) 오른발 후진(RF)	Turn, Backward Walk
5보	없음	오른손	놓고	HF	왼발 후진(LF)	Backward Walk
6보	없음	오른손	놓고	HF	오른발 후진하면서 왼발 옆에 모으고(RF)	Backward Walk
1보	없음	오른손	놓고	BF	왼발 전진(LF)	Forward Walk
2보	없음	오른손	놓고	BF	오른발 전진(RF)	Forward Walk
3보	R/90° (1/4턴)		놓고	B	왼발 90°턴(LF)	Turn
4보	R/90° (1/4턴), R/180° (1/2턴)		놓고	B	오른발 270°턴	Turn
5보	없음		놓고	HF	왼발 후진(LF)	Backward Walk
6보	없음	오른손	놓고	HF	오른발 후진하면서 왼발 옆에 모으고(RF)	Backward Walk

50번 4박 6박 여성 턴(R/180°, R/540°)

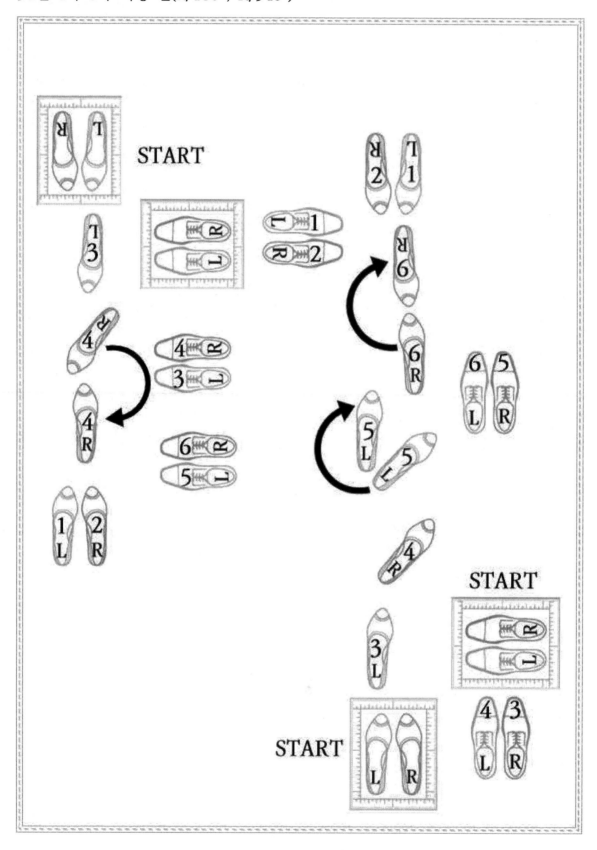

〈남성&여성〉

스텝	카운트	리듬	읽을 때	음악 타이밍	보수	핸드 포지션	악센트
1보	3	S	슬로우	쿵	1	One Hand Joined	
2보	4	&	엔	짝	1	One Hand Joined	
3보	5	Q	퀵	쿵	1	One Hand Joined	V
4보	6	Q	퀵	짝	1	One Hand Joined	V
1보	3	S	슬로우	쿵	1	One Hand Joined	
2보	4	&	엔	짝	1	One Hand Joined	
3보	5	Q	퀵	쿵	1	One Hand Joined	V
4보	6	Q	퀵	짝	1	One Hand Joined	V
5보	1	S	슬로우	쿵	1	One Hand Joined	
6보	2	&	엔	짝	1	One Hand Joined	

〈남성〉

스텝	핸드	방향	풋 워크	스텝 방식	액션
1보	오른손	9시	WF	놓고	Side Step
2보	오른손	9시	WF	놓고	Side Step
3보	오른손	9시	WF	놓고	Side Step
4보	오른손	9시	WF	놓고	Side Step
1보	오른손	12시	HF	놓고	Backward Walk, Turn
2보	오른손	12시	HF	놓고	Backward Walk
3보	오른손	12시	BF	놓고	Forward Walk
4보	오른손	12시	T/BF	찍고/놓고(선택)	Forward Walk
5보	오른손	3시	WF	놓고	Side line(Left), Turn
6보	오른손	3시	WF	놓고	Side line(Left)

스텝	풋 포지션	회전량
1보	왼발 옆으로(LF)	없음
2보	오른발 왼발 옆으로 모으고(RF)	없음
3보	왼발 옆으로(LF)	없음
4보	오른발 왼발 옆으로 모으고(RF)	없음
1보	오른발 후진(RF)	R/90°(1/4턴)
2보	왼발 후진하면서 오른발 옆으로 모으고(LF)	없음
3보	오른발 전진(RF)	없음
4보	왼발을 전진하면서 오른발 옆에 모으고(LF)	없음
5보	왼발 R/90°턴(LF)	R/90°(1/4턴)
6보	오른발을 왼발 옆에 모으고(RF)	없음

스텝	리드 / 사인 / 텐션
1보	여성 왼발 전진 및 오른쪽으로 45°, 135° 턴하도록 손을 들어주면서 오른쪽으로
2보	회전시켜준다.
3보	여성 손을 들어준 상태에서 여성 오른발이 왼발에 모으도록 손 텐션 및 리드를 멈춘다.

스텝						
4보						

스텝						
1보	여성 손을 들어준 상태에서 여성 왼발이 댄스 라인에 맞춰 전진하도록 여성 정면 앞으로 당기면서					
2보	계속 정면 앞으로 당기면서 오른쪽으로 45°, 315° 턴 할 수 있도록 오른쪽으로 회전시켜주면서					
3보						
4보						
5보	여성이 오른발이 오른쪽으로 180° 턴하도록 계속 회전시켜주면서 손을 내리기 시작한다.					
6보	여성 오른발이 왼발에 모으도록 손 텐션 및 리드를 멈춘다.					

〈여성〉

스텝	회전량	핸드	스텝 방식	풋 워크	풋 포지션	액션
1보	없음	오른손	놓고	BF	왼발 전진(LF)	Forward Walk
2보	R/45°(1/8턴) 135°(3/8턴)	오른손	놓고	B	오른발 45°턴(RF) 135°턴(RF)	Turn
3보	없음	오른손	놓고	HF	왼발 후진(LF)	Backward Walk
4보	없음	오른손	놓고	HF	오른발 후진하면서 왼발 옆에 모으고(RF)	Backward Walk
1보	없음	오른손	놓고	BF	왼발 전진(LF)	Forward Walk
2보	R/45° (1/8턴)	오른손	놓고	BF	오른발 45°턴(RF)	Turn
3보	R/45° (1/8턴)	오른손	놓고	B	왼발 45°턴(LF)	Turn
4보	R/315° (7/8턴) 오른발-없음	오른손	놓고	B, BF	왼발 315°턴(LF) 오른발 전진(RF)	Turn, Forward Walk
5보	R/180° (1/2턴) 왼발-없음	오른손	놓고	B, HF	오른발 180°턴(RF) 왼발 후진(LF)	Turn, Backward Walk
6보	없음	오른손	놓고	HF	오른발 후진하면서 왼발 옆에 모으고(RF)	Backward Walk

51번 등 뒤로 8박, 여성 겨드랑이 턴

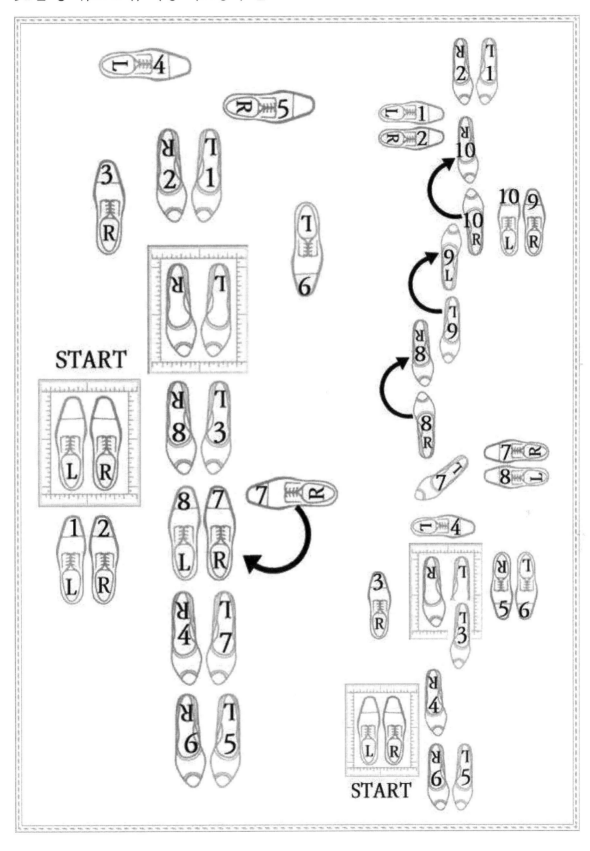

〈남성&여성〉

스텝	카운트	리듬	읽을 때	음악 타이밍	보수	핸드 포지션	악센트
1보	3	S	슬로우	쿵	1	One Hand Joined	
2보	4	&	엔	짝	1	One Hand Joined	
3보	5	Q	퀵	쿵	1	One Hand Joined	V
4보	6	Q	퀵	짝	1	One Hand Joined	V
5보	7	Q	퀵	쿵	1	One Hand Joined	V
6보	8	Q	퀵	짝	1	One Hand Joined	V
7보	1	S	슬로우	쿵	1	One Hand Joined	
8보	2	&	엔	짝	1	One Hand Joined	

스텝	카운트	리듬	읽을 때	음악 타이밍	보수	핸드 포지션	악센트
1보	3	S	슬로우	쿵	1	One Hand Joined	
2보	4	&	엔	짝	1	One Hand Joined	
3보	5	Q	퀵	쿵	1	One Hand Joined	V
4보	6	Q	퀵	짝	1	One Hand Joined	V
5보	7	Q	퀵	쿵	1	One Hand Joined	
6보	8	Q	퀵	짝	1	One Hand Joined	
7보	9	Q	퀵	쿵	1	One Hand Joined	
8보	10	Q	퀵	짝	1	One Hand Joined	V
9보	1	S	슬로우	쿵	1	One Hand Joined	
10보	2	&	엔	짝	1	One Hand Joined	

〈남성〉

스텝	핸드	방향	풋 워크	스텝 방식	액션
1보	오른손	12시	BF	놓고	Forward Walk
2보	오른손	3시	BF	놓고	Turn
3보	오른손	3시	BF	놓고	Forward Walk
4보	오른손	6시	BF	놓고	Turn
5보	오른손	12시	BF	놓고	Turn, 정면(正面)
6보	오른손	12시	T/WF	찍고/놓고(선택)	정면(正面)
7보	오른손	12시	WF	놓고	Side line(Left), Side Step
8보	오른손	12시	WF	놓고	Side line(Left), Side Step

스텝	핸드	방향	풋 워크	스텝 방식	액션
1보	오른손	12시	BF	놓고	Forward Walk
2보	오른손	3시	BF	놓고	Turn
3보	오른손	6시	BF	놓고	Turn
4보	오른손	6시	BF	놓고	Forward Walk
5보	오른손	7시	B	놓고	Turn
6보	오른손	12시	WF	놓고	Side Step
7보	오른손	12시	BF	놓고	Forward Walk
8보	오른손	12시	T/BF	찍고/놓고(선택)	Forward Walk

9보	오른손	3시	WF	놓고	Side line(Left),Turn
10보	오른손	3시	WF	놓고	Side line(Left)

스텝	풋 포지션	회전량
1보	오른발 전진(RF)	없음
2보	왼발 R/90°턴(LF)	R/90°(1/4턴)
3보	오른발 전진(RF)	없음
4보	왼발 R/90°턴(LF)	R/90°(1/4턴)
5보	오른발 R/180°턴(LF)	R/180°(1/2턴)
6보	오른발을 왼발 옆에 모으고(RF)	없음
7보	왼발 옆으로(LF)	없음
8보	오른발을 왼발 모으고(RF)	없음

스텝	풋 포지션	회전량
1보	오른발 전진(RF)	없음
2보	왼발 R/90°턴(LF)	R/90°(1/4턴)
3보	오른발 R/90°턴(RF)	R/90°(1/4턴)
4보	왼발 전진하면서 오른발에 모으고(LF)	없음
5보	오른발 R/90°턴(RF)	R/90°(1/4턴)
6보	왼발 오른발 옆에 모으고(LF)	없음
7보	오른발 R/90°턴(RF)	R/90°(1/4턴)
8보	왼발 전진하면서 오른발에 모으고(LF)	없음
9보	왼발 R/90°턴(LF)	R/90°(1/4턴)
10보	오른발을 왼발 옆에 모으고(RF)	없음

스텝	리드 / 사인 / 텐션
1보 2보 3보 4보	여성이 댄스 라인에 맞춰 전진하도록 여성 오른손을 여성 정면 앞으로 당기면서 여성 등 뒤로 이동하면서 남성은 여성 오른손 손바닥이 하늘 쪽으로 보이도록 손목을 꺾어 주면서 여성 손등이 여성 어깨 쪽으로 유도(리드)해 준다. (어깨걸이)
5보 6보 7보 8보	여성이 후진할 수 있도록 오른손은 여성 머리 위로 올려주면서 남성의 왼손은 여성 어깨를 살짝 뒤로 밀어주고 6보에 손을 내려 준다.

스텝	리드 / 사인 / 텐션
1보 2보 3보 4보	여성이 댄스 라인에 맞춰 전진하도록 여성 오른손을 여성 정면 앞으로 당기면서 남성은 여성 등 뒤로 이동하면서 여성 오른손 손목을 꺾어 주면서 여성 겨드랑에 위치하도록 유도(리드)해 준다. (겨드랑이 걸이)
5보 6보 7보 8보 9보	여성이 회전할 수 있도록 손을 여성 정수리 5-10cm 정도 위로 들어주면서 여성 왼발이 오른쪽으로 720°턴 할 수 있도록 회전시켜주면서 9보에 여성 왼발이 위치하도록 손을 내리기 시작한다.
10보	여성 오른발이 왼발에 모으도록 손 텐션 및 리드를 멈춘다.

〈여성〉

스텝	회전량	핸드	스텝 방식	풋 워크	풋 포지션	액션
1보	없음	오른손	놓고	BF	왼발 전진(LF)	Forward Walk
2보	없음	오른손	놓고	BF	오른발 전진(RF)	Forward Walk
3보	없음	오른손	놓고	BF	왼발 전진(LF)	Forward Walk
4보	없음	오른손	놓고	BF	오른발 전진하면서 왼발에 모으고(RF)	Forward Walk
5보	없음	오른손	놓고	HF	왼발 후진(LF)	Backward Walk
6보	없음	오른손	놓고	HF	오른발 후진(RF)	Backward Walk
7보	없음	오른손	놓고	HF	왼발 후진(LF)	Backward Walk
8보	없음	오른손	놓고	HF	오른발 후진하면서 왼발에 모으고(RF)	Backward Walk

스텝	회전량	핸드	스텝 방식	풋 워크	풋 포지션	액션
1보	없음	오른손	놓고	BF	왼발 전진(LF)	Forward Walk
2보	없음	오른손	놓고	BF	오른발 전진(RF)	Forward Walk
3보	없음	오른손	놓고	BF	왼발 전진(LF)	Forward Walk
4보	없음	오른손	놓고	BF	오른발 전진면서 왼발 옆에 모으고(RF)	Forward Walk
5보	R/45°(1/8턴) R/135°(3/8턴)	오른손	놓고	B	왼발 45°턴(LF) 오른발 135°턴(RF)	Turn
6보	R/180°(1/2턴)	오른손	놓고	B	오른발 180°턴(RF)	Turn
7보	R/180°(1/2턴)	오른손	놓고	B	왼발 180°턴(LF)	Turn
8보	R/180°(1/2턴)	오른손	놓고	B	오른발 180°턴(RF)	Turn
9보	없음	오른손	놓고	HF	왼발 후진(LF)	Backward Walk
10보	없음	오른손	놓고	HF	오른발 후진하면서 왼발 옆에 모으고(RF)	Backward Walk

52번 6박 홀드

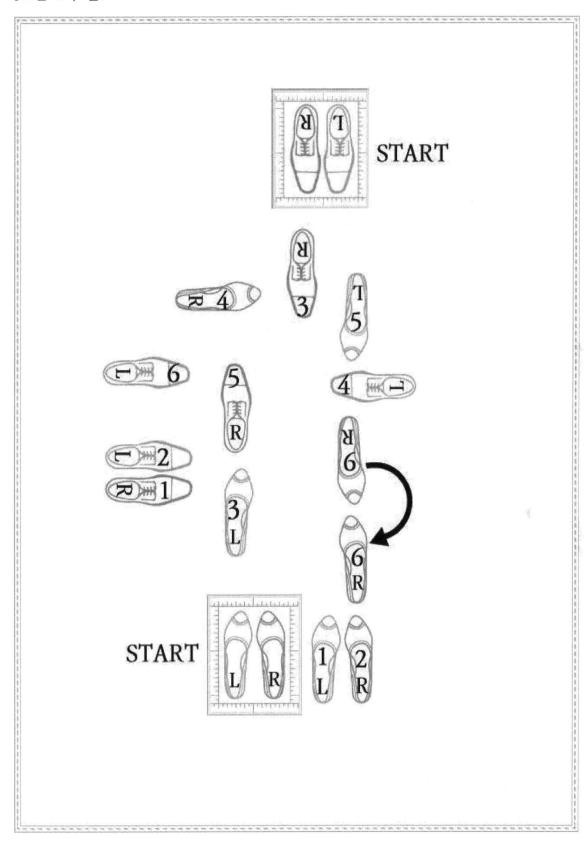

〈남성&여성〉

스텝	카운트	리듬	읽을 때	음악 타이밍	보수	핸드 포지션	악센트
1보	3	S	슬로우	쿵	1	One Hand Joined	
2보	4	&	엔	짝	1	정상 홀드 (正常hold)	
3보	5	Q	퀵	쿵	1	정상 홀드 (正常hold)	V
4보	6	Q	퀵	짝	1	정상 홀드 (正常hold)	V
5보	1	S	슬로우	쿵	1	One Hand Joined	
6보	2	&	엔	짝	1	One Hand Joined	

〈남성〉

스텝	핸드	방향	풋 워크	스텝 방식	액션
1보	왼손	6시	BF	놓고	Forward Walk
2보	왼손	9시	B	놓고	Turn
3보	왼손	12시	B	놓고	Turn
4보	왼손	3시	WF	놓고	Side line(Left),Turn
5보	왼손	3시	WF	놓고	Side Step
6보	왼손	3시	WF	놓고	Side Step

스텝	풋 포지션	회전량
1보	오른발 전진(RF)	없음
2보	왼발 R/90°턴LF)	R/90°(1/4턴)
3보	오른발 R/90°턴(RF)	R/90°(1/4턴)
4보	왼발 R/90°턴(LF)	R/90°(1/4턴)
5보	오른발 옆으로(RF)	없음
6보	왼발 오른발 옆으로 모으고(LF)	없음

스텝	리드 / 사인 / 텐션
1보	남성 오른손을 여성 왼쪽 견갑골 위에 놓고 여성 오른손을 남성의 왼손 위에 두며,
2보	여성 왼손으로 남자 오른손을 잡은 홀드 상태에서 여성이 360° 턴 할 수 있도록
3보	같이 오른쪽으로 회전하고 4보에 남성은 Side line(Left)으로 이동하면서 홀드
4보	분리(남성 오른손은 여성 견갑골 위치, 남성 왼손은 여성 오른손 그립 상태)
5보	여성이 후진할 수 있도록 왼손으로 여성 오른손을 밀어주고
6보	여성 오른발이 왼발에 모으도록 손 텐션 및 리드를 멈춘다.

〈여성〉

스텝	회전량	핸드	스텝 방식	풋 워크	풋 포지션	액션
1보	없음	오른손	놓고	BF	왼발 전진(LF)	Forward Walk
2보	R/90°(1/4턴)	오른손	놓고	B	오른발 90°턴(RF)	Forward Walk
3보	R/90°(1/4턴)	오른손	놓고	B	왼발 90°턴(LF)	Turn
4보	R/180°(1/2턴)	오른손	놓고	B	오른발 180°턴(RF)	Turn
5보	없음	오른손	놓고	HF	왼발 후진(LF)	Backward Walk
6보	없음	오른손	놓고	HF	오른발을 왼발에	Backward Walk

| | | | | | 모으고(RF) | |

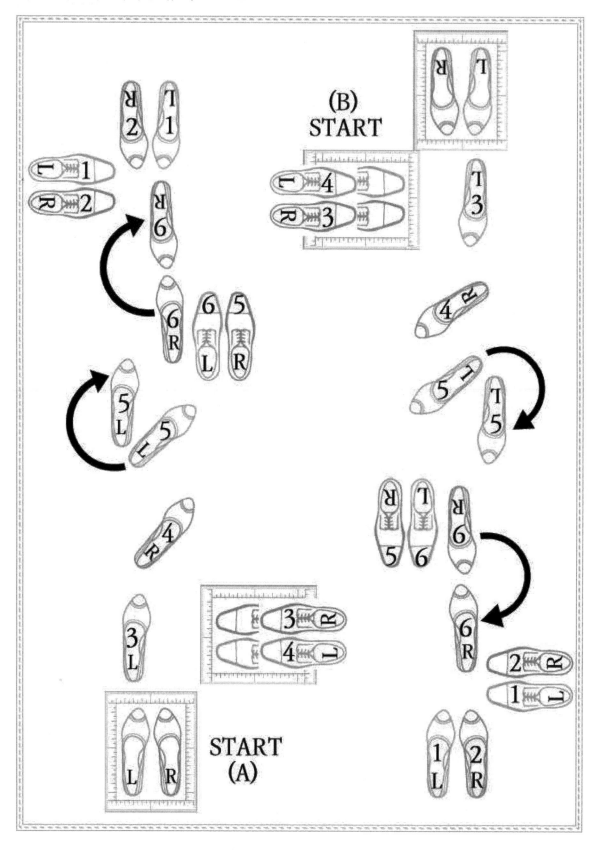

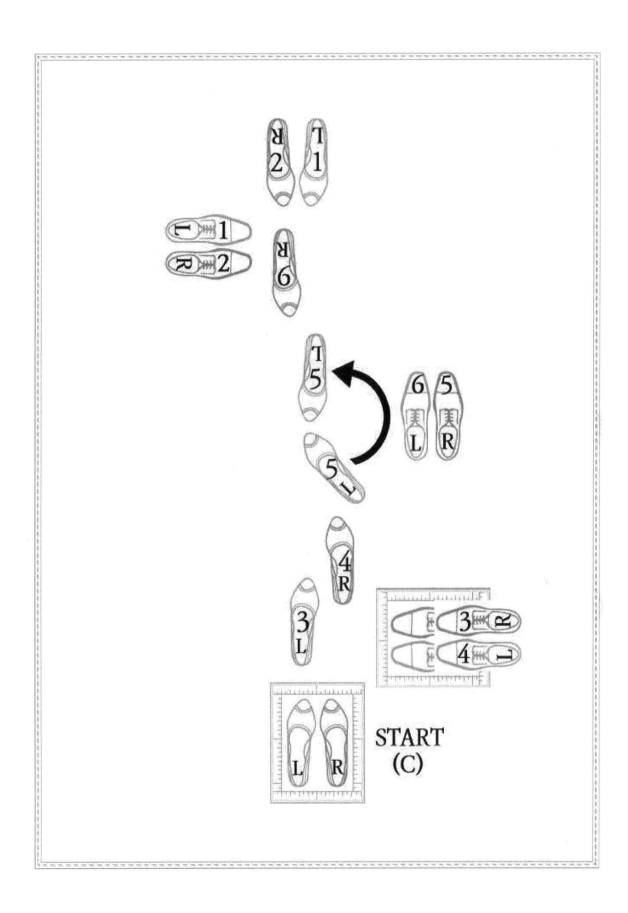

〈남성&여성〉

스텝	카운트	리듬	읽을 때	음악 타이밍	보수	핸드 포지션	악센트
A							
1보	3	S	슬로우	쿵	1	One Hand Joined	
2보	4	&	엔	짝	1	One Hand Joined	
3보	5	Q	퀵	쿵	1	One Hand Joined	V
4보	6	Q	퀵	짝	1	One Hand Joined	V
5보	1	S	슬로우	쿵	1	One Hand Joined	
6보	2	&	엔	짝	1	Two Hand Joined	
B							
1보	3	S	슬로우	쿵	1	One Hand Joined	
2보	4	&	엔	짝	1	One Hand Joined	
3보	5	Q	퀵	쿵	1	One Hand Joined	V
4보	6	Q	퀵	짝	1	One Hand Joined	V
5보	1	S	슬로우	쿵	1	One Hand Joined	
6보	2	&	엔	짝	1	Two Hand Joined	
C							
1보	3	S	슬로우	쿵	1	Two Hand Joined	
2보	4	&	엔	짝	1	One Hand Joined	
3보	5	Q	퀵	쿵	1	One Hand Joined	V
4보	6	Q	퀵	짝	1	One Hand Joined	V
5보	1	S	슬로우	쿵	1	One Hand Joined	
6보	2	&	엔	짝	1	One Hand Joined	

〈남성〉

스텝	핸드	방향	풋 워크	스텝 방식	액션
A					
1보	왼손	9시	HF	놓고	Backward Walk
2보	왼손	9시	HF	놓고	Backward Walk
3보	왼손	12시	BF	놓고	Forward Walk,Turn
4보	왼손	12시	T/BF	찍고/놓고(선택)	Forward Walk
5보	왼손	3시	WF	놓고	Side line(Left),Turn
6보	양손	3시	WF	놓고	Side line(Left)
B					
1보	오른손	3시	HF	놓고	Backward Walk
2보	오른손	3시	HF	놓고	Backward Walk
3보	오른손	6시	BF	놓고	Forward Walk,Turn
4보	왼손	6시	T/BF	찍고/놓고(선택)	Forward Walk
5보	왼손	9시	WF	놓고	Side line(Right), Turn
6보	양손	9시	WF	놓고	Side line(Right)
C					
1보	양손	9시	HF	놓고	Backward Walk
2보	오른손	9시	HF	놓고	Backward Walk
3보	오른손	12시	BF	놓고	Forward Walk,Turn
4보	오른손	12시	T/BF	찍고/놓고(선택)	Forward Walk
5보	오른손	3시	WF	놓고	Side line(Left),Turn
6보	오른손	3시	WF	놓고	Side line(Left)

스텝	풋 포지션	회전량
	A	
1보	오른발 후진(RF)	없음
2보	왼발 후진하면서 오른발 옆으로 모으고(LF)	없음
3보	오른발 R/90°턴(RF)	R/90°(1/4턴)
4보	왼발 전진하면서 오른발 옆에 모으고(LF)	없음
5보	왼발 R/90°턴(LF)	R/90°(1/4턴)
6보	오른발을 왼발 옆에 모으고(RF)	없음
	B	
1보	오른발 후진(RF)	없음
2보	왼발 후진하면서 오른발 옆으로 모으고(LF)	없음
3보	오른발 R/90°턴(RF)	R/90°(1/4턴)
4보	왼발을 전진하면서 오른발 옆에 모으고(LF)	없음
5보	왼발 R/90°턴(LF)	R/90°(1/4턴)
6보	오른발을 왼발 옆에 모으고(RF)	없음
	C	
1보	오른발 후진(RF)	없음
2보	왼발 후진하면서 옆으로 모으고(LF)	없음
3보	오른발 R/90°턴(RF)	R/90°(1/4턴)
4보	왼발을 전진하면서 오른발 옆에 모으고(LF)	없음
5보	왼발 R/90°턴(LF)	R/90°(1/4턴)
6보	오른발을 왼발 옆에 모으고(RF)	없음

스텝	리드 / 사인 / 텐션
	A
1보	여성 왼발이 댄스 라인에 맞춰 전진하도록 여성 정면 앞으로 당기면서
2보 3보 4보	계속 정면 앞으로 당기면서 왼쪽으로 45°, 315° 턴 할 수 있도록 텐션을 주면서 여성 목을 감아 준다.
5보	여성 오른발이 오른쪽으로 180° 턴 하도록 계속 텐션주면서 목을 감아 준다.
6보	여성 오른발이 왼발에 모으도록 손 텐션 및 리드를 멈춘다. 남성 오른손으로 여성의 왼손을 잡는다.
	B
1보	목걸이 상태에서 남성 오른손으로 잡은 여성 왼손을 오른쪽으로 45° 턴하도록
2보	오른쪽으로 회전시켜주면서 여성 오른손을 놓아 준다.
3보	계속 오른쪽으로 45°, 315° 턴 할 수 있도록 텐션을 주면서 남성은 4보에 왼손으로
4보	여성 왼손을 잡는다. (핸드 체인지)
5보	댄스 라인을 건너면서 여성 왼손을 허리 걸이
6보	남성 오른손으로 여성 오른손을 잡는다.
	C
1보	남성은 여성 허리를 앞으로 밀고 오른손으로 여성 오른손을 정면 앞으로 당기면서
2보	2보에 여성 왼손을 놓아주면서
3보	
4보	여성 왼발이 왼쪽으로 45°, 135° 턴하도록 손을 들어주면서 왼쪽으로 회전시켜준다.
5보	
6보	

〈여성〉

스텝	회전량	핸드	스텝 방식	풋 워크	풋 포지션	액션
A						
1보	없음	오른손	놓고	BF	왼발 전진(LF)	Forward Walk
2보	R/45°(1/8턴)	오른손	놓고	BF	오른발 45°턴(RF)	Turn
3보	R/45°(1/8턴)	오른손	놓고	B	왼발 45°턴(LF)	Turn
4보	R/315° (7/8턴) 오른발-없음	오른손	놓고	B, BF	왼발 315°턴(LF) 오른발 전진(RF)	Turn
5보	R/180° (1/2턴) 왼발-없음	오른손	놓고	B, HF	오른발 180°턴(RF) 왼발 후진(LF)	Turn, Backward Walk
6보	없음	양손	놓고	HF	오른발 후진하면서 왼발 옆에 모으고(RF)	Backward Walk
B						
1보	없음	왼손	놓고	BF	왼발 전진(LF)	Forward Walk
2보	R/45°(1/8턴)	왼손	놓고	B	오른발 45°턴(RF)	Turn
3보	R/45°(1/8턴)	왼손	놓고	B	왼발 45°턴(LF)	Turn
4보	R/315° (7/8턴) 오른발-없음	왼손	놓고	B, BF	왼발 315°턴(LF) 오른발 전진(RF)	Turn
5보	R/180° (1/2턴) 왼발-없음	왼손	놓고	B, HF	오른발 180°턴(RF) 왼발 후진(LF)	Turn, Backward Walk
6보	없음	양손	놓고	HF	오른발 후진하면서 왼발 옆에 모으고(RF)	Backward Walk
C						
1보	없음	양손	놓고	BF	왼발 전진(LF)	Forward Walk
2보	없음	오른손	놓고	BF	오른발 전진(RF)	Forward Walk
3보	L/45°(1/8턴)	오른손	놓고	B	왼발 45°턴(LF)	Turn
4보	L/135° (3/8턴) 오른발-없음	오른손	놓고	B, HF	왼발 135°턴(LF) 오른발 후진(RF)	Turn, Backward Walk
5보	없음	오른손	놓고	HF	왼발 후진(LF)	Backward Walk
6보	없음	오른손	놓고	HF	오른발 후진하면서 왼발 옆에 모으고(RF)	Backward Walk

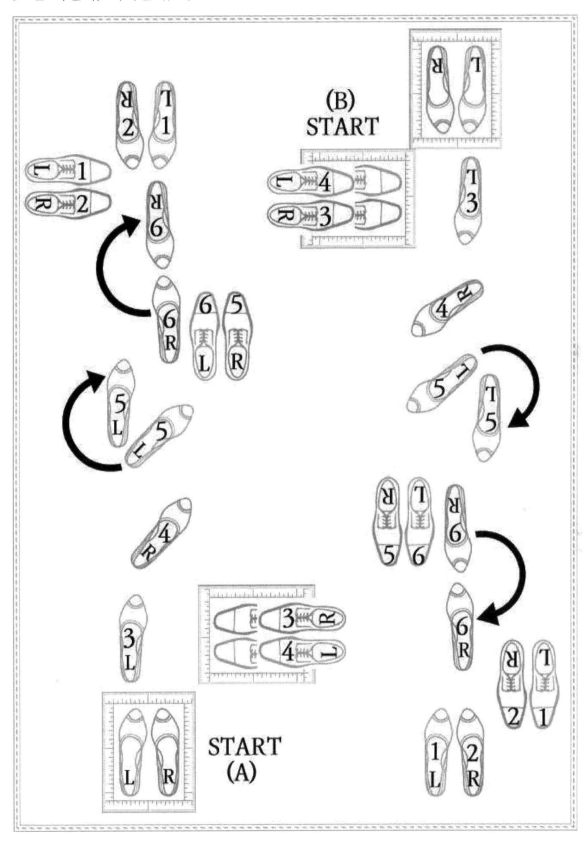

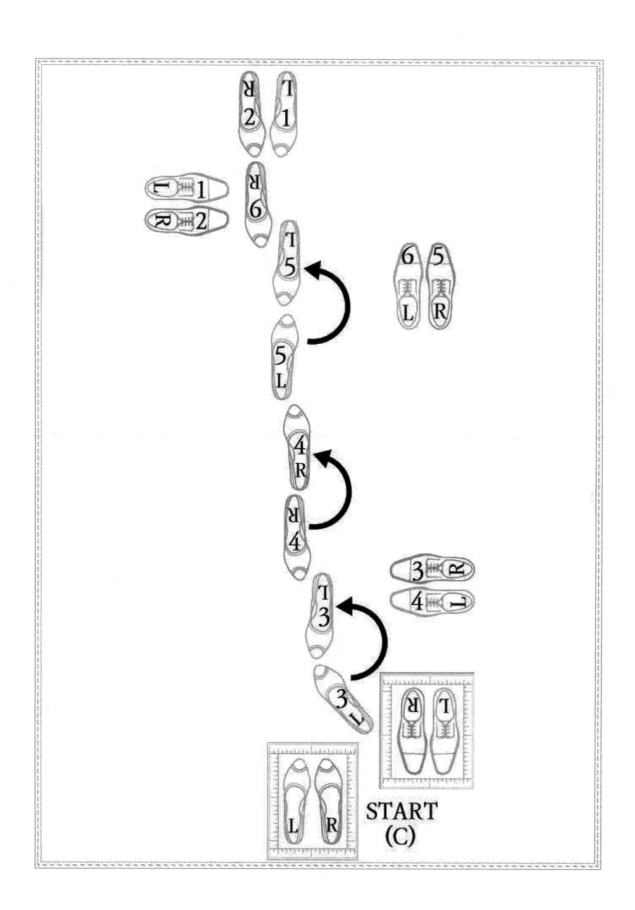

〈남성&여성〉

스텝	카운트	리듬	읽을 때	음악 타이밍	보수	핸드 포지션	악센트
				A			
1보	3	S	슬로우	쿵	1	One Hand Joined	
2보	4	&	엔	짝	1	One Hand Joined	
3보	5	Q	퀵	쿵	1	One Hand Joined	V
4보	6	Q	퀵	짝	1	One Hand Joined	V
5보	1	S	슬로우	쿵	1	One Hand Joined	
6보	2	&	엔	짝	1	Two Hand Joined	
				B			
1보	3	S	슬로우	쿵	1	One Hand Joined	
2보	4	&	엔	짝	1	One Hand Joined	
3보	5	Q	퀵	쿵	1	One Hand Joined	V
4보	6	Q	퀵	짝	1	One Hand Joined	V
5보	1	S	슬로우	쿵	1	One Hand Joined	
6보	2	&	엔	짝	1	One Hand Joined	
				C			
1보	3	S	슬로우	쿵	1	One Hand Joined	
2보	4	&	엔	짝	1		
3보	5	Q	퀵	쿵	1		V
4보	6	Q	퀵	짝	1		V
5보	1	S	슬로우	쿵	1		
6보	2	&	엔	짝	1		

〈남성〉

스텝	핸드	방향	풋 워크	스텝 방식	액션
				A	
1보	왼손	9시	HF	놓고	Backward Walk
2보	왼손	9시	HF	놓고	Backward Walk
3보	왼손	12시	BF	놓고	Forward Walk,Turn
4보	왼손	12시	T/BF	찍고/놓고(선택)	Forward Walk
5보	왼손	3시	WF	놓고	Side line(Left),Turn
6보	양손	3시	WF	놓고	Side line(Left)
				B	
1보	오른손	3시	HF	놓고	Backward Walk
2보	오른손	3시	HF	놓고	Backward Walk
3보	오른손	6시	BF	놓고	Forward Walk,Turn
4보	오른손	6시	T/BF	찍고/놓고(선택)	Forward Walk
5보	오른손	6시	BF	놓고	Side line(Right)
6보	오른손	6시	BF	놓고	Side line(Right)
				C	
1보	오른손	9시	WF	놓고	Side Step,Turn
2보		9시	WF	놓고	Side Step
3보		12시	BF	놓고	Forward Walk,Turn
4보		12시	T/BF	찍고/놓고(선택)	Forward Walk
5보		3시	WF	놓고	Side line(Left),Turn
6보		3시	WF	놓고	Side line(Left)

스텝	풋 포지션	회전량
	A	
1보	오른발 후진(RF)	없음
2보	왼발 후진하면서 오른발 옆으로 모으고(LF)	없음
3보	오른발 R/90°턴(RF)	R/90°(1/4턴)
4보	왼발 전진하면서 오른발 옆에 모으고(LF)	없음
5보	왼발 R/90°턴(LF)	R/90°(1/4턴)
6보	오른발을 왼발 옆에 모으고(RF)	없음
	B	
1보	오른발 후진(RF)	없음
2보	왼발 후진하면서 오른발 옆으로 모으고(LF)	없음
3보	오른발 R/90°턴(RF)	R/90°(1/4턴)
4보	왼발을 전진하면서 오른발 옆에 모으고(LF)	없음
5보	왼발 전진(LF)	없음
6보	오른발을 왼발 옆에 모으고(RF)	없음
	C	
1보	오른발 옆으로(RF)	없음
2보	왼발 옆으로 모으고(LF)	없음
3보	오른발 R/90°턴(RF)	R/90°(1/4턴)
4보	왼발을 전진하면서 오른발 옆에 모으고(LF)	없음
5보	왼발 R/90°턴(LF)	R/90°(1/4턴)
6보	오른발을 왼발 옆에 모으고(RF)	없음

스텝	리드 / 사인 / 텐션
	A
1보	여성 왼발이 댄스 라인에 맞춰 전진하도록 여성 정면 앞으로 당기면서
2보	계속 정면 앞으로 당기면서 왼쪽으로 45°, 315° 턴 할 수 있도록 텐션을 주면서 여성
3보	
4보	목을 감아 준다.
5보	여성이 오른발이 오른쪽으로 180° 턴 하도록 계속 텐션주면서 목을 감아 준다.
6보	여성 오른발이 왼발에 모으도록 손 텐션 및 리드를 멈춘다. 남성 오른손으로 여성 왼손을 잡는다.
	B
1보	목걸이 상태에서 남성 오른손으로 잡은 여성 왼손을 오른쪽으로 45° 턴하도록
2보	오른쪽으로 회전시켜면서 여성 오른손을 놓아 준다.
3보	계속 오른쪽으로 45°, 315° 턴 할 수 있도록 회전시켜주면서 남성 오른손으로 여성
4보	왼손을 여성 허리 쪽으로 이동 시작
5보	댄스 라인을 건너면서 여성 왼손을 허리 걸이
6보	
	C
1보	허리 걸이를 유지한 상태에서 남성은 여성이 역으로 회전할 수 있도록 여성 왼손을 앞으로 당기면서
2보	2보에 여성 왼손을 놓아준다.

〈여성〉

스텝	회전량	핸드	스텝 방식	풋 워크	풋 포지션	액션

A						
1보	없음	오른손	놓고	BF	왼발 전진(LF)	Forward Walk
2보	R/45°(1/8턴)	오른손	놓고	BF	오른발 45°턴(RF)	Turn
3보	R/45°(1/8턴)	오른손	놓고	B	왼발 45°턴(LF)	Turn
4보	R/315° (7/8턴) 오른발-없음	오른손	놓고	B, BF	왼발 315°턴(LF) 오른발 전진(RF)	Turn, Forward Walk
5보	R/180° (1/2턴) 왼발-없음	오른손	놓고	B, HF	오른발 180°턴(RF) 왼발 후진(LF)	Turn, Backward Walk
6보	없음	양손	놓고	HF	오른발 후진하면서 왼발 옆에 모으고(RF)	Backward Walk
B						
1보	없음	왼손	놓고	BF	왼발 전진(LF)	Forward Walk
2보	R/45°(1/8턴)	왼손	놓고	B	오른발 45°턴(RF)	Turn
3보	R/45°(1/8턴)	왼손	놓고	B	왼발 45°턴(LF)	Turn
4보	R/315° (7/8턴) 오른발-없음	왼손	놓고	B, BF	왼발 315°턴(LF) 오른발 전진(RF)	Turn, Forward Walk
5보	R/180° (1/2턴) 왼발-없음	왼손	놓고	B, HF	오른발 180°턴(RF) 왼발 후진(LF)	Turn, Backward Walk
6보	없음	왼손	놓고	HF	오른발 후진하면서 왼발 옆에 모으고(RF)	Backward Walk
C						
1보	L/45°(1/8턴) 135°(3/8턴)	왼손	놓고	B	왼발 180°턴(LF)	Turn
2보	L/180° (1/2턴)		놓고	B	오른발 180°턴(RF)	Turn
3보	L/180° (1/2턴)		놓고	B	왼발 L/180°턴(LF)	Turn
4보	없음		놓고	HF	오른발 후진(RF)	Backward Walk
5보	없음		놓고	HF	왼발 후진(LF)	Backward Walk
6보	없음		놓고	HF	오른발 후진하면서 왼발 옆에 모으고(RF)	Backward Walk

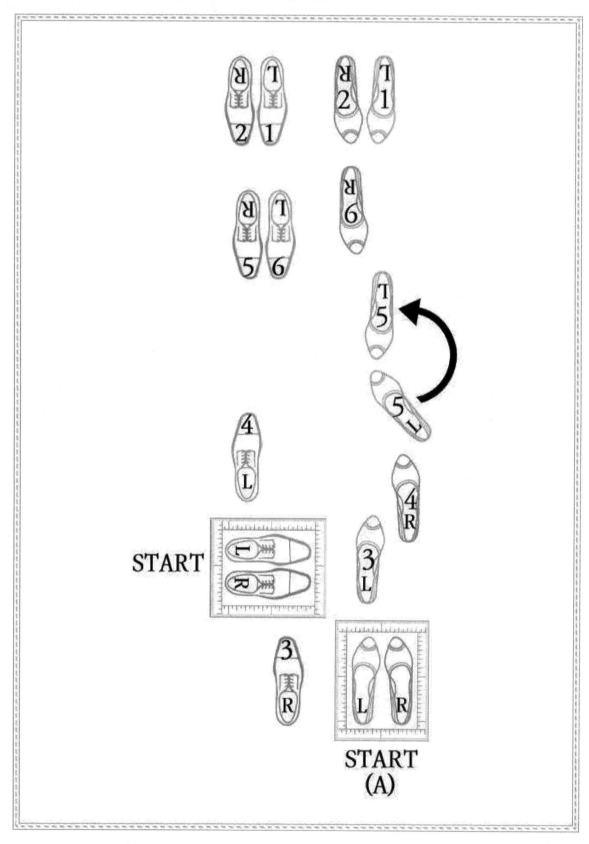

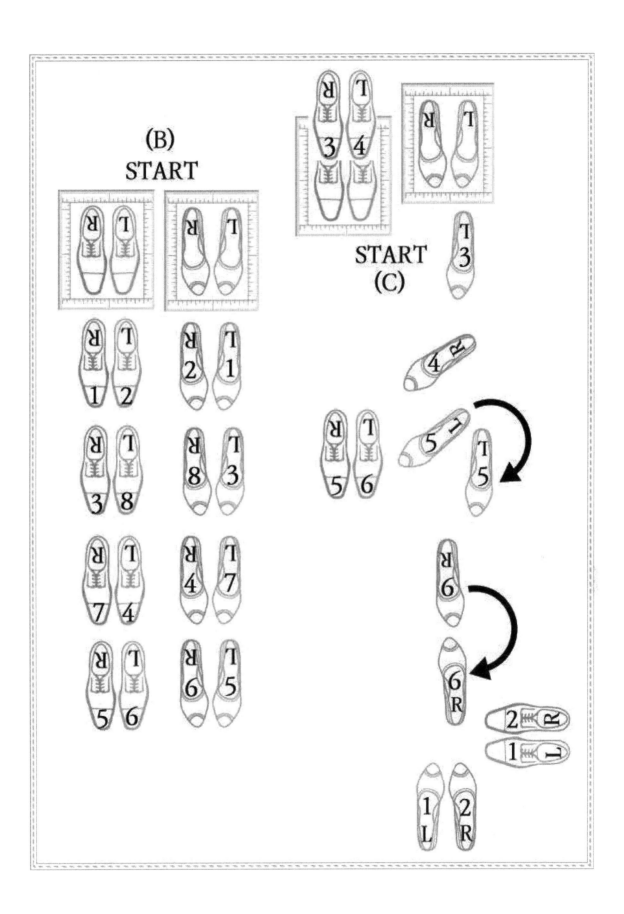

〈남성&여성〉

스텝	카운트	리듬	읽을 때	음악 타이밍	보수	핸드 포지션	악센트
A							
1보	3	S	슬로우	쿵	1	One Hand Joined	
2보	4	&	엔	짝	1	One Hand Joined	
3보	5	Q	퀵	쿵	1	One Hand Joined	V
4보	6	Q	퀵	짝	1	One Hand Joined	V
5보	1	S	슬로우	쿵	1	One Hand Joined	
6보	2	&	엔	짝	1	Two Hand Joined	
B							
1보	3	S	슬로우	쿵	1	Two Hand Joined	
2보	4	&	엔	짝	1	Two Hand Joined	
3보	5	Q	퀵	쿵	1	Two Hand Joined	V
4보	6	Q	퀵	짝	1	Two Hand Joined	V
5보	7	Q	퀵	쿵	1	Two Hand Joined	V
6보	8	Q	퀵	짝	1	Two Hand Joined	V
7보	1	S	슬로우	쿵	1	Two Hand Joined	
8보	2	&	엔	짝	1	Two Hand Joined	
C							
1보	3	S	슬로우	쿵	1	Two Hand Joined	
2보	4	&	엔	짝	1	One Hand Joined	
3보	5	Q	퀵	쿵	1	One Hand Joined	V
4보	6	Q	퀵	짝	1	One Hand Joined	V
5보	1	S	슬로우	쿵	1	One Hand Joined	
6보	2	&	엔	짝	1	One Hand Joined	

〈남성〉

스텝	핸드	방향	풋 워크	스텝 방식	액션
A					
1보	오른손	12시	HF	놓고	Backward Walk
2보	오른손	12시	BF	놓고	Forward Walk
3보	오른손	6시	WF	놓고	Backward Walk,Turn
4보	오른손	6시	T/WF	찍고/놓고(선택)	Backward Walk
5보	오른손	6시	HF	놓고	Backward Walk
6보	양손	6시	HF	놓고	Backward Walk
B					
1보	양손	6시	BF	놓고	Forward Walk
2보	양손	6시	BF	놓고	Forward Walk
3보	양손	6시	BF	놓고	Forward Walk
4보	양손	6시	BF	놓고	Forward Walk
5보	양손	6시	WF	놓고	Backward Walk
6보	양손	6시	WF	놓고	Backward Walk
7보	양손	6시	WF	놓고	Backward Walk
8보	양손	6시	WF	놓고	Backward Walk
C					
1보	왼손	6시	HF	놓고	Backward Walk
2보	왼손	6시	HF	놓고	Backward Walk
3보		6시	BF	놓고	Forward Walk

보	시			
4보	6시	T/BF	찍고/놓고(선택)	Forward Walk
5보	9시	WF	놓고	Side line(Right),Turn
6보	9시	WF	놓고	Side line(Right)

스텝	풋 포지션	회전량
	A	
1보	오른발 후진(RF)	없음
2보	왼발 전진(LF)	없음
3보	오른발 L/180°턴(RF)	L/180°(1/2턴)
4보	왼발을 오른발 옆에 모으고(LF)	없음
5보	왼발 후진(LF)	없음
6보	오른발 후진하면서 왼발 옆에 모으고(RF)	없음
	B	
1보	오른발 전진(RF)	없음
2보	왼발 전진(LF)	없음
3보	오른발 전진(RF)	없음
4보	왼발 전진하면서 오른발 옆에 모으고(LF)	없음
5보	오른발 후진(RF)	없음
6보	왼발 후진(LF)	없음
7보	오른발 후진(RF)	없음
8보	왼발 후진하면서 오른발 옆에 모으고(RF)	없음
	C	
1보	오른발 후진(RF)	없음
2보	왼발 후진하면서 오른발 옆으로 모으고(LF)	없음
3보	오른발 전진(RF)	없음
4보	왼발 전진하면서 오른발에 모으고(LF)	없음
5보	왼발 R/90°턴(LF)	R/90°(1/4턴)
6보	오른발을 왼발 옆에 모으고(RF)	없음

스텝	리드 / 사인 / 텐션
	A
1보 2보	여성 왼발이 댄스 라인에 맞춰 전진하도록 여성 정면 앞으로 당기면서
3보 4보	여성 왼발이 왼쪽으로 45°, 135° 턴하도록 왼쪽으로 회전시켜 주고 남성도 동시에 L/180° 턴 한다.
5보 6보	오른손으로 잡은 여성 오른손을 남성 오른쪽 옆구리 쪽으로 이동하면서 남성 왼손은 여성 왼손을 잡는다.
	B
1보 2보 3보 4보	여성 양손을 앞으로 당기면서 남성도 앞으로 나간다.
5보 6보 7보 8보	여성 양손을 뒤로 밀면서 남성도 뒤로 후진한다.
	C
1보	여성 오른손을 놓아 주는 동시에 여성 왼손을 앞으로 당기면서

2보	여성을 오른쪽으로 회전시켜주면서 왼손을 놓아준다.
	3보-6보 리드/사인/텐션 없음

〈여성〉

스텝	회전량	핸드	스텝 방식	풋 워크	풋 포지션	액션
A
1보	없음	오른손	놓고	BF	왼발 전진(LF)	Forward Walk
2보	없음	오른손	놓고	BF	오른발 전진(RF)	Forward Walk
3보	L/45°(1/8턴)	오른손	놓고	B	왼발 45°턴(LF)	Turn
4보	L/135° (3/8턴) 오른발-없음	오른손	놓고	B, BF	왼발 135°턴(LF) 오른발 후진(RF)	Turn, Backward Walk
5보	없음	오른손	놓고	HF	왼발 후진(LF)	Backward Walk
6보	없음	오른손	놓고	HF	오른발 후진하면서 왼발 옆에 모으고(RF)	Backward Walk
B
1보	없음	양손	놓고	BF	왼발 전진(LF)	Forward Walk
2보	없음	양손	놓고	BF	오른발 전진(RF)	Forward Walk
3보	없음	양손	놓고	BF	왼발 전진(LF)	Forward Walk
4보	없음	양손	놓고	BF	오른발 전진하면서 왼발에 모으고(RF)	Forward Walk
5보	없음	양손	놓고	HF	왼발 후진(LF)	Backward Walk
6보	없음	양손	놓고	HF	오른발 후진(RF)	Backward Walk
7보	없음	양손	놓고	HF	왼발 후진(LF)	Backward Walk
8보	없음	양손	놓고	HF	오른발 후진하면서 왼발 옆에 모으고(RF)	Backward Walk
C
1보	없음	왼손	놓고	BF	왼발 전진(LF)	Forward Walk
2보	R/45°(1/8턴)	왼손	놓고	BF	오른발 45°턴(RF)	Turn
3보	R/45°(1/8턴)		놓고	B	왼발 45°턴(LF)	Turn
4보	R/315° (7/8턴) 오른발-없음		놓고	B, BF	왼발 315°턴(LF) 오른발 전진(RF)	Turn, Forward Walk
5보	R/180° (1/2턴) 왼발-없음		놓고	B, HF	오른발 180°턴(RF) 왼발 후진(LF)	Turn, Backward Walk
6보	없음		놓고	HF	오른발 후진하면서 왼발 옆에 모으고(RF)	Backward Walk

56번 등 뒤로 기본 8박, R/540°턴

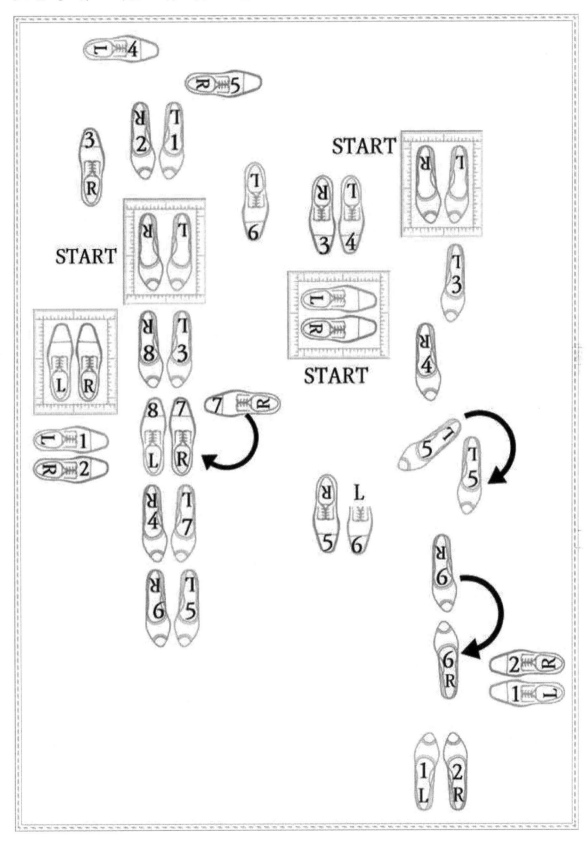

〈남성&여성〉

스텝	카운트	리듬	읽을 때	음악 타이밍	보수	핸드 포지션	악센트
1보	3	S	슬로우	쿵	1	One Hand Joined	
2보	4	&	엔	짝	1		
3보	5	Q	퀵	쿵	1		V
4보	6	Q	퀵	짝	1		V
5보	7	Q	퀵	쿵	1		V
6보	8	Q	퀵	짝	1		V
7보	1	S	슬로우	쿵	1		
8보	2	&	엔	짝	1	One Hand Joined	

스텝	카운트	리듬	읽을 때	음악 타이밍	보수	핸드 포지션	악센트
1보	3	S	슬로우	쿵	1	One Hand Joined	
2보	4	&	엔	짝	1	One Hand Joined	
3보	5	Q	퀵	쿵	1		V
4보	6	Q	퀵	짝	1		V
5보	1	S	슬로우	쿵	1		
6보	2	&	엔	짝	1		

〈남성〉

스텝	핸드	방향	풋 워크	스텝 방식	액션
1보	오른손	12시	BF	놓고	Forward Walk
2보		3시	BF	놓고	Turn
3보		3시	BF	놓고	Forward Walk
4보		6시	BF	놓고	Turn
5보		12시	BF	놓고	Turn
6보		12시	T/WF	찍고/놓고(선택)	Side Step
7보		3시	WF	놓고	Side line(Left),Turn
8보	왼손	3시	WF	놓고	Side line(Left)

스텝	핸드	방향	풋 워크	스텝 방식	액션
1보	왼손	6시	HF	놓고	Backward Walk
2보	왼손	6시	HF	놓고	Backward Walk
3보		6시	BF	놓고	Forward Walk
4보		6시	T/BF	찍고/놓고(선택)	Forward Walk
5보		9시	WF	놓고	Side line(Right),Turn
6보	오른손	9시	WF	놓고	Side line(Right)

스텝	풋 포지션	회전량
1보	오른발 전진(RF)	없음
2보	왼발 R/90°턴(LF)	R/90°(1/4턴)
3보	오른발 전진(RF)	없음
4보	왼발 R/90°턴(LF)	R/90°(1/4턴)
5보	오른발 R/180°턴(LF)	R/180°(1/2턴)

스텝	풋 포지션	회전량
6보	오른발을 왼발 옆에 모으고(RF)	없음
7보	왼발 R/90°턴(LF)	R/90°(1/4턴)
8보	오른발을 왼발 모으고(RF)	없음

스텝	풋 포지션	회전량
1보	오른발 R/90°턴하면서 후진(RF)	R/90°(1/4턴)
2보	왼발 후진하면서 오른발 옆으로 모으고(LF)	없음
3보	오른발 전진(RF)	없음
4보	왼발을 전진하면서 오른발 옆에 모으고(LF)	없음
5보	왼발 R/90°턴(LF)	R/90°(1/4턴)
6보	오른발을 왼발 옆에 모으고(RF)	없음

스텝	리드 / 사인 / 텐션
1보	여성 댄스 라인에 맞춰 전진하도록 여성 오른손을 여성 정면 앞으로 당기면서 손을
2보	놓아주고, 남성은 여성 등 뒤로 이동하면서 오른손으로 여성 오른쪽 어깨 터치,
3보	왼손으로 여성 왼쪽 어깨를 터치하면서 여성이 전진을 계속하도록 양쪽 어깨를 앞으로
4보	밀어주고
5보	여성 양쪽 어깨를 남성 양손으로 터치한 상태에서 여성이 후진할 수 있도록 당겨주고,
6보	
7보	8보에 남성은 왼손으로 여성 오른손을 잡는다.
8보	

스텝	리드 / 사인 / 텐션
1보	왼손으로 여성 오른손을 잡은 상태에서 여성의 왼발이 댄스 라인에 맞춰 전진하도록
2보	여성의 오른손을 여성 정면 앞으로 밀면서 회전시켜주면서 여성 오른손을 놓아준다.
3보~6보	
리드/사인/텐션 없음	

〈여성〉

스텝	회전량	핸드	스텝 방식	풋 워크	풋 포지션	액션
1보	없음	오른손	놓고	BF	왼발 전진(LF)	Forward Walk
2보	없음		놓고	BF	오른발 전진(RF)	Forward Walk
3보	없음		놓고	BF	왼발 전진(LF)	Forward Walk
4보	없음		놓고	BF	오른발 전진하면서 왼발 옆에 모으고(RF)	Forward Walk
5보	없음		놓고	HF	왼발 후진(LF)	Backward Walk
6보	없음		놓고	HF	오른발 후진(RF)	Backward Walk
7보	없음		놓고	HF	왼발 후진(LF)	Backward Walk
8보	없음	오른손	놓고	HF	오른발 후진하면서 왼발 옆에 모으고(RF)	Backward Walk

스텝	회전량	핸드	스텝 방식	풋 워크	풋 포지션	액션
1보	없음	오른손	놓고	BF	왼발 전진(LF)	Forward Walk
2보	R/45°(1/8턴)	오른손	놓고	BF	오른발 45°턴(RF)	Turn
3보	R/45°(1/8턴)		놓고	B	왼발 45°턴(LF)	Turn
4보	R/315° (7/8턴) 오른발-없음		놓고	B, BF	왼발 315°턴(LF) 오른발 전진(RF)	Turn, Forward Walk
5보	R/180° (1/2턴) 왼발-턴 없음		놓고	B, HF	오른발 180°턴(RF) 왼발 후진(LF)	Turn, Backward Walk
6보	없음	오른손	놓고	HF	오른발 후진하면서 왼발에 모으고(RF)	Backward Walk

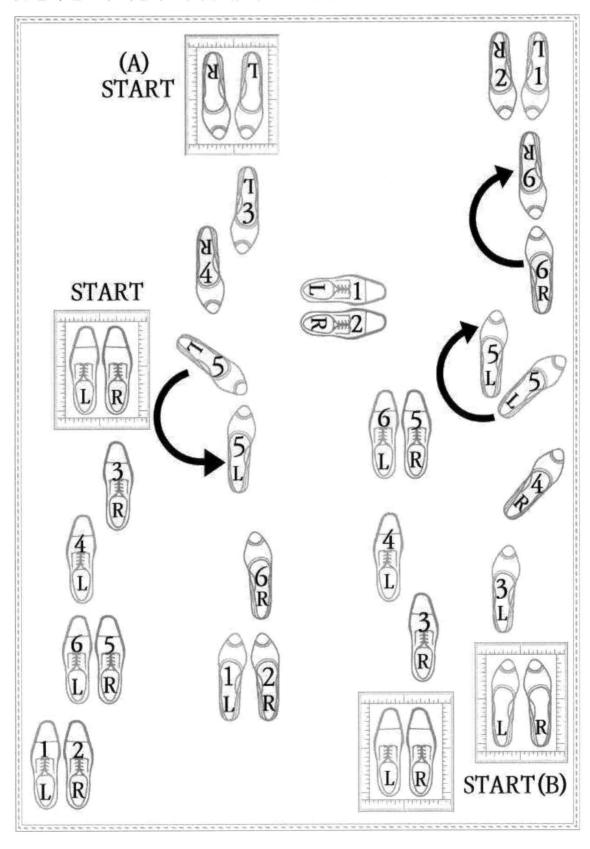

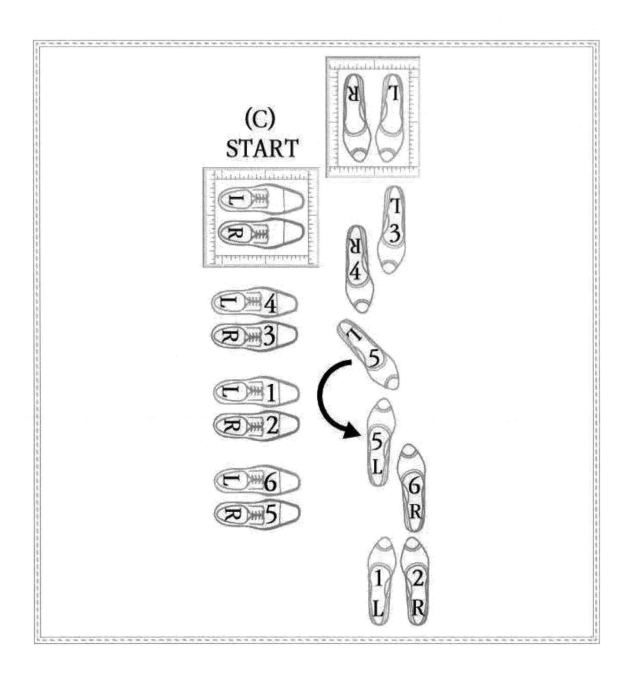

〈남성&여성〉

스텝	카운트	리듬	읽을 때	음악 타이밍	보수	핸드 포지션	악센트
A							
1보	3	S	슬로우	쿵	1	Two Hand Joined	
2보	4	&	엔	짝	1	Two Hand Joined	
3보	5	Q	퀵	쿵	1	Two Hand Joined	V
4보	6	Q	퀵	짝	1	Two Hand Joined	V
5보	1	S	슬로우	쿵	1	Two Hand Joined	
6보	2	&	엔	짝	1	Two Hand Joined	
B							

스텝	핸드	방향	풋 워크	스텝 방식	액션	
1보	3	S	슬로우	쿵	1	One Hand Joined	
2보	4	&	엔	짝	1	One Hand Joined	
3보	5	Q	퀵	쿵	1	One Hand Joined	V
4보	6	Q	퀵	짝	1	One Hand Joined	V
5보	1	S	슬로우	쿵	1	One Hand Joined	
6보	2	&	엔	짝	1	One Hand Joined	
C							
1보	3	S	슬로우	쿵	1	One Hand Joined	
2보	4	&	엔	짝	1	One Hand Joined	
3보	5	Q	퀵	쿵	1	One Hand Joined	V
4보	6	Q	퀵	짝	1	One Hand Joined	V
5보	1	S	슬로우	쿵	1	One Hand Joined	
6보	2	&	엔	짝	1	One Hand Joined	

〈남성〉

스텝	핸드	방향	풋 워크	스텝 방식	액션
A					
1보	양손	12시	HF	놓고	Backward Walk
2보	양손	12시	HF	놓고	Backward Walk
3보	양손	12시	HF	놓고	Backward Walk
4보	양손	12시	HF/T	놓고/찍고(선택)	Backward Walk
5보	양손	12시	HF	놓고	Diagonally Backward Walk
6보	양손	12시	HF	놓고	Diagonally Backward Walk
B					
1보	오른손	12시	BF	놓고	Forward Walk
2보	오른손	12시	BF	놓고	Forward Walk
3보	오른손	12시	BF	놓고	Forward Walk
4보	오른손	12시	BF/T	놓고/찍고(선택)	Forward Walk
5보	오른손	3시	WF	놓고	Side line(Left),Turn
6보	오른손	3시	WF	놓고	Side line(Left)
C					
1보	오른손	3시	WF	놓고	Side Step
2보	오른손	3시	WF	놓고	Side Step
3보	오른손	3시	WF	놓고	Side Step
4보	오른손	3시	WF	놓고	Side Step
5보	오른손	3시	WF	놓고	Side Step
6보	오른손	3시	WF	놓고	Side Step

스텝	풋 포지션	회전량
A		
1보	오른발 후진(RF)	없음
2보	왼발 후진(LF)	없음
3보	오른발 후진(RF)	없음
4보	왼발을 후진하면서 오른발 옆에 모으고(LF)	없음
5보	왼발 왼쪽 사선으로 후진(LF)	없음
6보	오른발을 왼쪽 사선으로 후진하면서 왼발 옆에 모으고(RF)	없음
B		

스텝		
1보	오른발 전진(RF)	없음
2보	왼발 전진(LF)	없음
3보	오른발 전진(RF)	없음
4보	왼발을 전진하면서 오른발 옆에 모으고(LF)	없음
5보	왼발 R/90°턴 (LF)	R/90°(1/4턴)
6보	오른발을 왼발에 옆에 모으고(RF)	없음
C		
1보	오른발 옆으로(RF)	없음
2보	왼발 오른발 옆에 모으고(LF)	없음
3보	오른발 옆으로(RF)	없음
4보	왼발 오른발 옆에 모으고(LF)	없음
5보	왼발 옆으로(LF)	없음
6보	오른발 왼발 옆으로(RF)	없음

스텝	리드 / 사인 / 텐션
A	
1보	여성 양손을 잡은 상태에서 여성 왼발, 오른발이 댄스 라인에 맞춰 전진하도록 여성
2보	양손을 여성 정면 앞으로 당긴다.
3보	여성 왼발이 왼쪽으로 45°, 135° 턴하도록
4보	남성 오른손으로 여성 왼손을 여성 목 쪽으로 이동시켜 목을 감고, 남성 왼손으로 여성 오른손을 여성 허리 쪽으로 유도(리드)해 준다.
5보	5보에 여성 왼발이 후진하도록 살짝 당겨주고
6보	6보에 여성 오른발이 왼발에 모으도록 잡아 준다. (목걸이, 허리 걸이)
B	
1보	목걸이, 허리 걸이를 유지하면서 여성이 전진할 수 있도록 밀어주면서 허리 걸이를 한 여성 오른손을 놓아주고
2보	
3보	여성이 540° 턴 할 수 있게 목걸이 상태에서 왼손을 오른쪽으로 회전시켜주는 동시에
4보	여성 머리 위로 들어주면서 오른쪽으로 회전시켜준다.
5보	6보에 남성 왼손으로 여성 오른쪽 어깨 뒤 터치
6보	
C	
1보	남성 왼손으로 여성 어깨를 앞으로 밀고 오른손으로 여성 왼손을 앞으로 당긴다.
2보	
3보	3보에 여성이 왼쪽으로 180° 턴 할 수 있게 남성 왼손으로 여성 어깨를 왼쪽으로 틀어주고 오른손으로 여성 왼손을 여성 머리 위로 들어준다.
4보	
5보	
6보	

〈여성〉

스텝	회전량	핸드	스텝 방식	풋 워크	풋 포지션	액션
A						
1보	없음	양손	놓고	BF	왼발 전진(LF)	Forward Walk
2보	없음	양손	놓고	BF	오른발 전진(RF)	Forward Walk
3보	L/45°(1/8턴)	양손	놓고	B	왼발 45°턴(LF)	Turn

4보	L/135°(3/8턴) 오른발-없음	양손	놓고	B, HF	왼발 135°턴(LF) 오른발 후진(RF)	Turn, Backward Walk
5보	없음	양손	놓고	HF	왼발 후진(LF)	Backward Walk
6보	없음	양손	놓고	HF	오른발 후진하면서 왼발 옆에 모으고(RF)	Backward Walk
B						
1보	없음	양손	놓고	BF	왼발 전진(LF)	Forward Walk
2보	R/45°(1/8턴)	양손	놓고	BF	오른발 45°턴(RF)	Turn
3보	R/45°(1/8턴)	오른손	놓고	B	왼발 45°턴(LF)	Turn
4보	R/315°(7/8턴) 오른발-없음	오른손	놓고	B, BF	왼발 315°턴(LF) 오른발 전진(RF)	Turn, Forward Walk
5보	R/180°(1/2턴) 왼발-없음	오른손	놓고	B, HF	오른발 180°턴(RF) 왼발 후진(LF)	Turn, Backward Walk
6보	없음	오른손	놓고	HF	오른발 후진하면서 왼발 옆에 모으고(RF)	Backward Walk
C						
1보	없음	양손	놓고	BF	왼발 전진(LF)	Forward Walk
2보	없음	양손	놓고	BF	오른발 전진(RF)	Forward Walk
3보	L/45°(1/8턴)	양손	놓고	B	왼발 45°턴(LF)	Turn
4보	L/135°(3/8턴) 오른발-없음	양손	놓고	B, BF	왼발 135°턴(LF) 오른발 후진(RF)	Turn, Backward Walk
5보	없음	양손	놓고	HF	왼발 후진(LF)	Backward Walk
6보	없음	양손	놓고	HF	오른발 후진하면서 왼발 옆에 모으고(RF)	Backward Walk

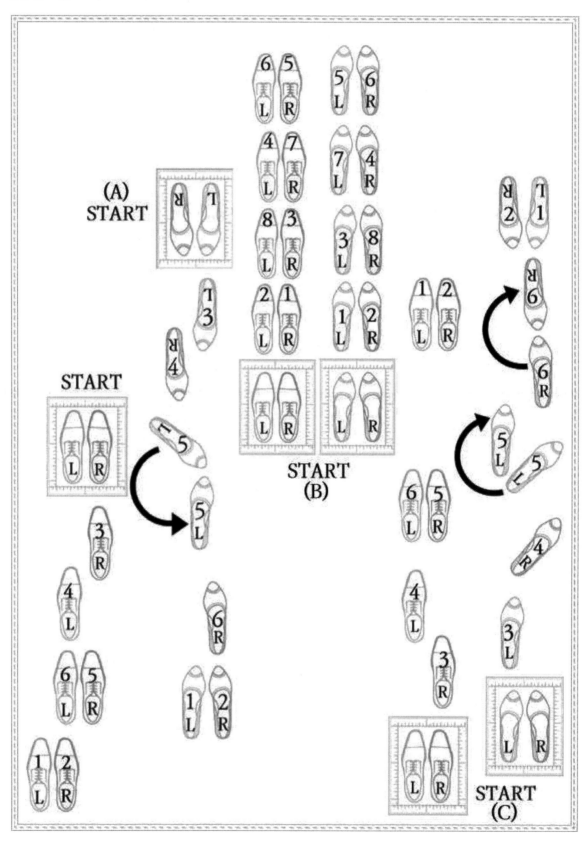

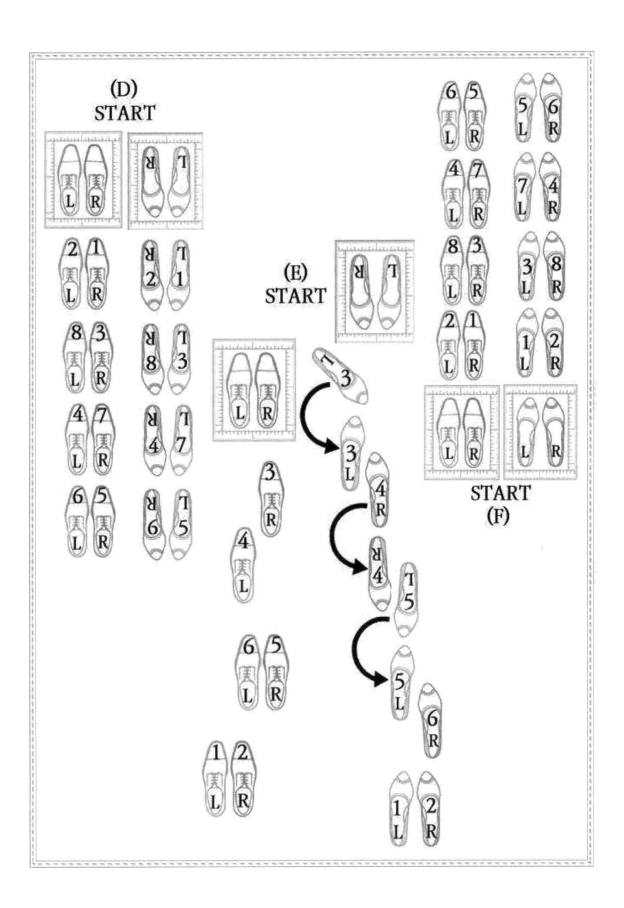

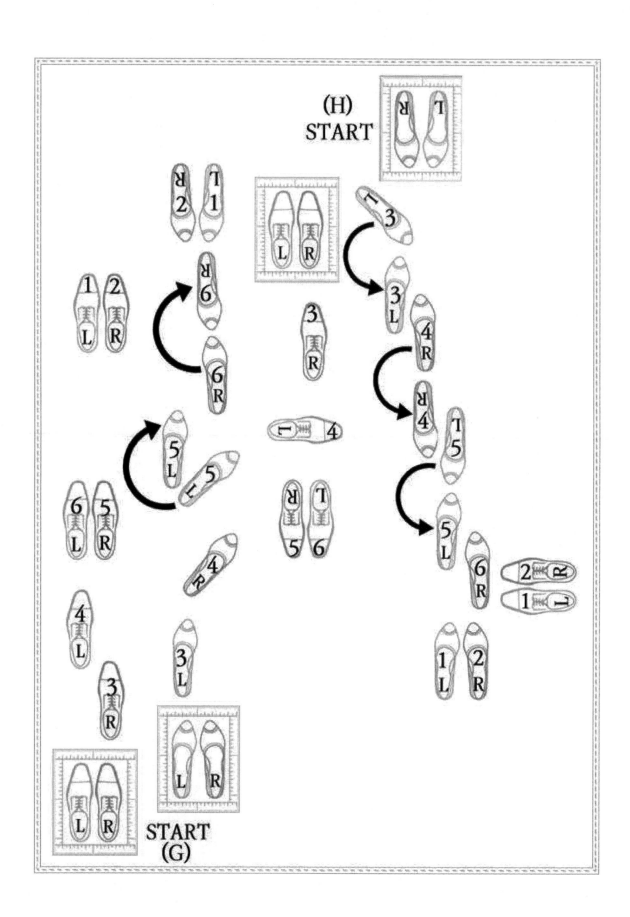

〈남성&여성〉

스텝	카운트	리듬	읽을 때	음악 타이밍	보수	핸드 포지션	악센트
A							
1보	3	S	슬로우	쿵	1	Two Hand Joined	
2보	4	&	엔	짝	1	Two Hand Joined	
3보	5	Q	퀵	쿵	1	Two Hand Joined	V
4보	6	Q	퀵	짝	1	Two Hand Joined	V
5보	1	S	슬로우	쿵	1	Two Hand Joined	
6보	2	&	엔	짝	1	Two Hand Joined	
B							
1보	3	S	슬로우	쿵	1	Two Hand Joined	
2보	4	&	엔	짝	1	Two Hand Joined	
3보	5	Q	퀵	쿵	1	Two Hand Joined	V
4보	6	Q	퀵	짝	1	Two Hand Joined	V
5보	7	Q	퀵	쿵	1	Two Hand Joined	V
6보	8	Q	퀵	짝	1	Two Hand Joined	V
7보	1	S	슬로우	쿵	1	Two Hand Joined	
8보	2	&	엔	짝	1	Two Hand Joined	
C							
1보	3	S	슬로우	쿵	1	Two Hand Joined	
2보	4	&	엔	짝	1	Two Hand Joined	
3보	5	Q	퀵	쿵	1	Two Hand Joined	V
4보	6	Q	퀵	짝	1	Two Hand Joined	V
5보	1	S	슬로우	쿵	1	Two Hand Joined	
6보	2	&	엔	짝	1	Two Hand Joined	
D							
1보	3	S	슬로우	쿵	1	Two Hand Joined	
2보	4	&	엔	짝	1	Two Hand Joined	
3보	5	Q	퀵	쿵	1	Two Hand Joined	V
4보	6	Q	퀵	짝	1	Two Hand Joined	V
5보	7	Q	퀵	쿵	1	Two Hand Joined	V
6보	8	Q	퀵	짝	1	Two Hand Joined	V
7보	1	S	슬로우	쿵	1	Two Hand Joined	
8보	2	&	엔	짝	1	Two Hand Joined	
E							
1보	3	S	슬로우	쿵	1	Two Hand Joined	
2보	4	&	엔	짝	1	Two Hand Joined	
3보	5	Q	퀵	쿵	1	Two Hand Joined	V
4보	6	Q	퀵	짝	1	Two Hand Joined	V
5보	1	S	슬로우	쿵	1	Two Hand Joined	
6보	2	&	엔	짝	1	Two Hand Joined	
F							
1보	3	S	슬로우	쿵	1	Two Hand Joined	
2보	4	&	엔	짝	1	Two Hand Joined	
3보	5	Q	퀵	쿵	1	Two Hand Joined	V
4보	6	Q	퀵	짝	1	Two Hand Joined	V
5보	7	Q	퀵	쿵	1	Two Hand Joined	V
6보	8	Q	퀵	짝	1	Two Hand Joined	V
7보	1	S	슬로우	쿵	1	Two Hand Joined	

스텝					액션	
8보	2	&	엔	짝	1	Two Hand Joined	
G							
1보	3	S	슬로우	쿵	1	Two Hand Joined	
2보	4	&	엔	짝	1	One Hand Joined	
3보	5	Q	퀵	쿵	1	One Hand Joined	V
4보	6	Q	퀵	짝	1	One Hand Joined	V
5보	1	S	슬로우	쿵	1	One Hand Joined	
6보	2	&	엔	짝	1	One Hand Joined	
H							
1보	3	S	슬로우	쿵	1	One Hand Joined	
2보	4	&	엔	짝	1		
3보	5	Q	퀵	쿵	1		V
4보	6	Q	퀵	짝	1		V
5보	1	S	슬로우	쿵	1		
6보	2	&	엔	짝	1		

〈남성〉

스텝	핸드	방향	풋 워크	스텝 방식	액션
A					
1보	양손	12시	HF	놓고	Backward Walk
2보	양손	12시	HF	놓고	Backward Walk
3보	양손	12시	HF	놓고	Backward Walk
4보	양손	12시	HF/T	놓고/찍고(선택)	Backward Walk
5보	양손	12시	HF	놓고	Diagonally Backward Walk
6보	양손	12시	HF	놓고	Diagonally Backward Walk
B					
1보	양손	12시	BF	놓고	Forward Walk
2보	양손	12시	BF	놓고	Forward Walk
3보	양손	12시	BF	놓고	Forward Walk
4보	양손	12시	BF	놓고	Forward Walk
5보	양손	12시	HF	놓고	Backward Walk
6보	양손	12시	HF	놓고	Backward Walk
7보	양손	12시	HF	놓고	Backward Walk
8보	양손	12시	HF	놓고	Backward Walk
C					
1보	양손	12시	BF	놓고	Forward Walk
2보	양손	12시	BF	놓고	Forward Walk
3보	양손	12시	BF	놓고	Forward Walk
4보	양손	12시	BF/T	놓고/찍고(선택)	Forward Walk
5보	양손	12시	BF	놓고	Headlock
6보	양손	12시	BF	놓고	Headlock
D					
1보	양손	12시	HF	놓고	Backward Walk
2보	양손	12시	HF	놓고	Backward Walk
3보	양손	12시	HF	놓고	Backward Walk
4보	양손	12시	HF	놓고	Backward Walk
5보	양손	12시	BF	놓고	Forward Walk
6보	양손	12시	BF	놓고	Forward Walk

7보	양손	12시	BF	놓고	Forward Walk
8보	양손	12시	BF	놓고	Forward Walk
E					
1보	양손	12시	HF	놓고	Backward Walk
2보	양손	12시	HF	놓고	Backward Walk
3보	양손	12시	HF	놓고	Backward Walk
4보	양손	12시	HF/T	놓고/찍고(선택)	Backward Walk
5보	양손	12시	HF	놓고	Backward Walk
6보	양손	12시	HF	놓고	Backward Walk
F					
1보	양손	12시	BF	놓고	Forward Walk
2보	양손	12시	BF	놓고	Forward Walk
3보	양손	12시	BF	놓고	Forward Walk
4보	양손	12시	BF	놓고	Forward Walk
5보	양손	12시	HF	놓고	Forward Walk
6보	양손	12시	HF	놓고	Forward Walk
7보	양손	12시	HF	놓고	Forward Walk
8보	양손	12시	HF	놓고	Forward Walk
G					
1보	양손	12시	BF	놓고	Forward Walk
2보	오른손	12시	BF	놓고	Forward Walk
3보	오른손	12시	BF	놓고	Forward Walk
4보	오른손	12시	BF/T	놓고/찍고(선택)	Forward Walk
5보	오른손	12시	BF	놓고	Forward Walk
6보	오른손	12시	BF	놓고	Forward Walk
H					
1보	오른손	12시	HF	놓고	Backward Walk
2보		3시	WF	놓고	Turn
3보		6시	BF	놓고	Turn
4보		6시	BF/T	놓고/찍고(선택)	Forward Walk
5보		9시	WF	놓고	Side line(Right),Turn
6보		9시	WF	놓고	Side line(Right)

스텝	풋 포지션	회전량
A		
1보	오른발 후진(RF)	없음
2보	왼발 후진(LF)	없음
3보	오른발 후진(RF)	없음
4보	왼발을 후진하면서 오른발 옆에 모으고(LF)	없음
5보	왼발 왼쪽 사선으로 후진(LF)	없음
6보	오른발을 왼쪽 사선으로 후진하면서 왼발 옆에 모으고(RF)	없음
B		
1보	오른발 전진(RF)	없음
2보	왼발 전진(LF)	없음
3보	오른발 전진(RF)	없음
4보	왼발 전진하면서 오른발 옆에 모으고(LF)	없음
5보	오른발 후진(RF)	없음
6보	왼발 후진(LF)	없음
7보	오른발 후진(RF)	없음
8보	왼발 후진하면서 오른발 옆에 모으고(LF)	없음

C		
1보	오른발 전진(RF)	없음
2보	왼발 전진(LF)	없음
3보	오른발 전진(RF)	없음
4보	왼발을 전진하면서 오른발 옆에 모으고(LF)	없음
5보	왼발 전진(LF)	없음
6보	오른발을 왼발에 옆에 모으고(RF)	없음
D		
1보	오른발 후진(RF)	없음
2보	왼발 후진(LF)	없음
3보	오른발 후진(RF)	없음
4보	왼발 후진하면서 오른발 옆에 모으고(LF)	없음
5보	오른발 전진(RF)	없음
6보	왼발 전진(LF)	없음
7보	오른발 전진(RF)	없음
8보	오른발을 왼발에 옆에 모으고(RF)	없음
E		
1보	오른발 후진(RF)	없음
2ㅂ	왼발 후진(LF)	없음
3보	오른발 후진(RF)	없음
4보	왼발 후진하면서 오른발 옆에 모으고(LF)	없음
5보	왼발 후진(LF)	없음
6보	오른발을 왼발에 옆에 모으고(RF)	없음
F		
1보	오른발 전진(RF)	없음
2보	왼발 전진(LF)	없음
3보	오른발 전진(RF)	없음
4보	왼발 전지하면서 오른발 옆에 모으고(LF)	없음
5보	오른발 후진(RF)	없음
6보	왼발 후진(LF)	없음
7보	오른발 후진(RF)	없음
8보	왼발 후진하면서 오른발 옆에 모으고(LF)	없음
G		
1보	오른발 전진(RF)	없음
2보	왼발 전진(LF)	없음
3보	오른발 전진(RF)	없음
4보	왼발 전지하면서 오른발 옆에 모으고(LF)	없음
5보	왼발 전진(LF)	없음
6보	오른발을 왼발에 옆에 모으고(RF)	없음
H		
1보	오른발 후진(RF)	없음
2보	왼발 R/90°턴(LF)	R/90°(1/4턴)
3보	오른발 R/90°턴(LF)	R/90°(1/4턴)
4보	왼발 오른발 옆에 모으고(LF)	없음
5보	왼발 R/90°턴(LF)	R/90°(1/4턴)
6보	오른발 왼발옆에 모으고(RF)	없음

스텝	리드 / 사인 / 텐션
	A
1보 2보	양손 그립 상태에서 여성 왼발, 오른발이 댄스 라인에 맞춰 전진하도록 여성 오른손을 여성 정면 앞으로 당긴다.
3보 4보 5보 6보	여성 왼쪽으로 45°, 135° 턴하도록 남성 왼손으로 여성 오른손을 여성 머리 위로 들어 감아주면서 남성 오른손으로 잡은 여성 왼손을 여성 왼쪽 옆구리 옆으로 이동하고, 남성 왼손으로 잡은 여성 오른손을 내리면서 여성 배를 감아주면서 여성 왼쪽 옆구리에 이동 (Wrap(포장))
	B
1보 2보 3보 4보	Wrap position에서 여성이 전진할 수 있도록 앞으로 밀어주면서 남성도 전진
5보 6보 7보 8보	Wrap position에서 여성이 후진할 수 있도록 앞으로 당겨주면서 남성도 후진
	C
1보	Wrap position에서 여성이 전진할 수 있도록 양손 그립 상태에서 살짝 여성 정면 앞으로 밀어준다.
2보 3보 4보	남성 왼손으로 잡은 여성 오른손은 여성 정수리 5-10cm 정도 위로 들어주고, 남성 오른손으로 잡은 여성 왼손은 오른쪽으로 여성이 45°, 315°턴 할 수 있도록 틀어 회전시켜 준다.
5보	여성 오른발이 오른쪽으로 180°턴 하도록 계속 회전시켜주면서 여성 왼발이 댄스 라인에 위치하도록 여성 오른손을 내리기 시작한다. 남성 오른손으로 잡은 여성 왼손은 여성 허리 걸이(Headlock)
6보	여성 오른발이 후진하면서 왼발에 모으도록 손을 내려준다. (Headlock)
	D
1보 2보 3보 4보	Headlock position에서 여성이 전진할 수 있도록 앞으로 당겨주면서 남성 후진
5보 6보 7보 8보	Headlock position에서 여성이 후진할 수 있도록 앞으로 밀어주면서 남성 전진
	E
1보 2보 3보 4보 5보 6보	Headlock position에서 여성을 당기면서 여성의 왼쪽으로 540° 턴하도록 남성 왼손으로 여성 오른손을 여성 머리 위로 들어 감아주면서 남성 오른손으로 잡은 여성 왼손을 여성 왼쪽 옆구리 옆으로 이동하고, 남성 왼손으로 잡은 여성 오른손을 내리면서 여성 배를 감아주면서 여성 왼쪽 옆구리에 이동 (Wrap(포장))
	F
1보 2보 3보 4보	Wrap position에서 여성이 전진할 수 있도록 앞으로 밀어주면서 남성도 전진

5보	
6보	
7보	Wrap position에서 여성이 후진할 수 있도록 앞으로 당겨주면서 남성도 후진
8보	

G	
1보	Wrap position에서 여성이 전진할 수 있도록 양손 그립 상태에서 살짝 여성이 정면 앞으로 밀어준다.
2보	
3보	
4보	여성 오른손을 놓아주고, 여성이 오른쪽으로 540° 턴 할 수 있도록 남성 오른손으로 잡은 여성 왼손을 오른쪽으로 틀어 회전시켜주면서 여성 허리 쪽으로 이동한다.
5보	
6보	

C	
1보	허리 걸이 상태에서 여성이 왼쪽으로 540° 턴 할 수 있도록 여성 왼손을 앞으로 잡아당기면서 손을 놓아준다.

1보-6보 리드 / 사인 / 텐션 없음

〈여성〉

스텝	회전량	핸드	스텝 방식	풋 워크	풋 포지션	액션
A						
1보	없음	양손	놓고	BF	왼발 전진(LF)	Forward Walk
2보	없음	양손	놓고	BF	오른발 전진(RF)	Forward Walk
3보	L/45°(1/8턴)	양손	놓고	B	왼발 45°턴(LF)	Turn
4보	L/135°(3/8턴) 오른발-없음	양손	놓고	B, HF	왼발 135°턴(LF) 오른발 후진(RF)	Turn, Backward Walk
5보	없음	양손	놓고	HF	왼발 후진(LF)	Backward Walk
6보	없음	양손	놓고	HF	오른발 후진하면서 왼발 옆에 모으고(RF)	Backward Walk
B						
1보	없음	양손	놓고	BF	왼발 전진(LF)	Forward Walk
2보	없음	양손	놓고	BF	오른발 전진(RF)	Forward Walk
보	없음	양손	놓고	BF	왼발 전진(LF)	Forward Walk
4보	없음	양손	놓고	BF	오른발 전진하면서 왼발 옆에 모으고(RF)	Forward Walk
5보	없음	양손	놓고	HF	왼발 후진(LF)	Backward Walk
6보	없음	양손	놓고	HF	오른발 후진(RF)	Backward Walk
7보	없음	양손	놓고	HF	왼발 후진(LF)	Backward Walk
8보	없음	양손	놓고	HF	오른발 후진하면서 왼발 옆에 모으고(RF)	Backward Walk
C						
1보	없음	양손	놓고	BF	왼발 전진(LF)	Forward Walk
2보	R/45°(1/8턴)	양손	놓고	BF	오른발 45°턴(RF)	Turn
3보	R/45°(1/8턴)	양손	놓고	B	왼발 45°턴(LF)	Turn

4보	R/315°(7/8턴) 오른발-없음	양손	놓고	B, BF	왼발 315°턴(LF) 오른발 전진(RF)	Turn, Forward Walk
5보	R/180°(1/2턴) 왼발-없음	양손	놓고	B, HF	오른발 180°턴(RF) 왼발 후진(LF)	Turn, Backward Walk
6보	없음	양손	놓고	HF	오른발 후진하면서 왼발 옆에 모으고(RF)	Backward Walk
D						
1보	없음	양손	놓고	BF	왼발 전진(LF	Forward Walk
2보	없음	양손	놓고	BF	오른발 전진(RF)	Forward Walk
3보	없음	양손	놓고	BF	왼발 전진(LF)	Forward Walk
4보	없음	양손	놓고	BF	오른발 전진하면서 왼발 옆에 모으고(RF)	Forward Walk
5보	없음	양손	놓고	HF	왼발 후진(LF)	Backward Walk
6보	없음	양손	놓고	HF	오른발 후진(RF)	Backward Walk
7보	없음	양손	놓고	HF	왼발 후진(LF)	Backward Walk
8보	없음	양손	놓고	HF	오른발 후진하면서 왼발 옆에 모으고(RF)	Backward Walk
E						
1보	L/45°(1/8턴) 135°(3/8턴)	양손	놓고	B	왼발 180°턴(LF)	Turn
2보	L/180°(1/2턴)	양손	놓고	B	오른발 180°턴(RF)	Turn
3보	L/180°(1/2턴)	양손	놓고	B	왼발 180°턴(LF)	Turn
4보	없음	양손	놓고	HF	오른발 후진(RF)	Backward Walk
5보	없음	양손	놓고	HF	왼발 후진(LF)	Backward Walk
6보	없음	양손	놓고	HF	오른발 후진하면서 왼발 옆에 모으고(RF)	Backward Walk
F						
1보	없음	양손	놓고	BF	왼발 전진(LF)	Forward Walk
2보	없음	양손	놓고	BF	오른발 전진(RF)	Forward Walk
3보	없음	양손	놓고	BF	왼발 전진(LF)	Forward Walk
4보	없음	양손	놓고	BF	오른발 전진하면서 왼발 옆에 모으고(RF)	Forward Walk
5보	없음	양손	놓고	HF	왼발 후진(LF)	Backward Walk
6보	없음	양손	놓고	HF	오른발 후진(RF)	Backward Walk
7보	없음	양손	놓고	HF	왼발 후진(LF)	Backward Walk
8보	없음	양손	놓고	HF	오른발 후진하면서 왼발 옆에 모으고(RF)	Backward Walk
G						
1보	없음	양손	놓고	BF	왼발 전진(LF)	Forward Walk
2보	R/45°(1/8턴)	왼손	놓고	BF	오른발 45°턴(RF)	Turn
3보	R/45°(1/8턴)	왼손	놓고	B	왼발 45°턴(LF)	Turn

4보	R/315°턴 ((7/8턴) 오른발-없음	왼손	놓고	B, BF	왼발 315°턴(LF) 오른발 전진(RF)	Turn, Forward Walk
5보	R/180°(1/2턴) 왼발-없음	왼손	놓고	B, HF	오른발 180°턴(RF) 왼발 후진(LF)	Turn, Backward Walk
6보	없음	왼손	놓고	HF	오른발을 왼발에 모으고(RF)	Backward Walk
H						
1보	L/45°(1/8턴) 135°(3/8턴)	왼손	놓고	B	왼발 180°턴(LF)	Turn
2보	L/180°(1/2턴)		놓고	B	오른발 180°턴(RF)	Turn
3보	L/180°(1/2턴)		놓고	B	왼발 180°턴(LF)	Turn
4보	없음		놓고	HF	오른발 후진(RF)	Backward Walk
5보	없음		놓고	HF	왼발 후진(LF)	Backward Walk
6보	없음		놓고	HF	오른발 후진하면서 왼발 옆에 모으고(RF)	Backward Walk

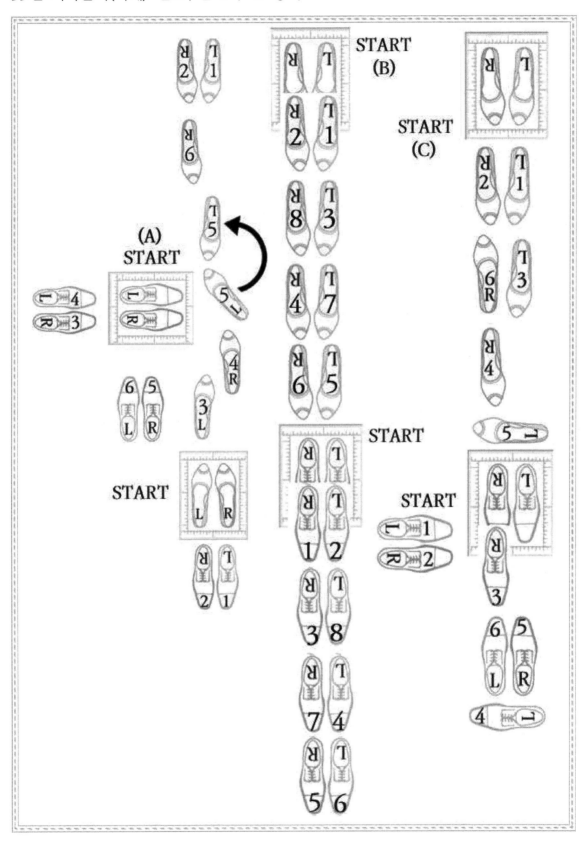

〈남성&여성〉

스텝	카운트	리듬	읽을 때	음악 타이밍	보수	핸드 포지션	악센트
A							
1보	3	S	슬로우	쿵	1	One Hand Joined	
2보	4	&	엔	짝	1	One Hand Joined	
3보	5	Q	퀵	쿵	1	One Hand Joined	V
4보	6	Q	퀵	짝	1	One Hand Joined	V
5보	1	S	슬로우	쿵	1	One Hand Joined	
6보	2	&	엔	짝	1	One Hand Joined	
B							
1보	3	S	슬로우	쿵	1	One Hand Joined	
2보	4	&	엔	짝	1	One Hand Joined	
3보	5	Q	퀵	쿵	1	One Hand Joined	V
4보	6	Q	퀵	짝	1	One Hand Joined	V
5보	7	Q	퀵	쿵	1		V
6보	8	Q	퀵	짝	1		V
7보	1	S	슬로우	쿵	1		
8보	2	&	엔	짝	1	One Hand Joined	
C							
1보	3	S	슬로우	쿵	1	One Hand Joined	
2보	4	&	엔	짝	1	One Hand Joined	
3보	5	Q	퀵	쿵	1		V
4보	6	Q	퀵	짝	1		V
5보	1	S	슬로우	쿵	1		
6보	2	&	엔	짝	1	One Hand Joined	

〈남성〉

스텝	핸드	방향	풋 워크	스텝 방식	액션
A					
1보	오른손	3시	HF	놓고	Backward Walk
2보	오른손	3시	HF	놓고	Backward Walk
3보	오른손	12시	WF	놓고	Turn
4보	오른손	12시	T/WF	찍고/놓고(선택)	Turn
5보	오른손	6시	WF	놓고	Tandem, Turn
6보	오른손	6시	WF	놓고	Tandem
B					
1보	오른손	6시	BF	놓고	Forward Walk
2보	오른손	6시	BF	놓고	Forward Walk
3보	오른손	6시	BF	놓고	Forward Walk
4보	오른손	6시	BF	놓고	Forward Walk
5보		6시	HF	놓고	Backward Walk
6보		6시	HF	놓고	Backward Walk
7보		6시	HF	놓고	Backward Walk
8보	오른손	6시	HF	놓고	Backward Walk
C					
1보	오른손	6시	BF	놓고	Forward Walk
2보	오른손	9시	WF	놓고	Turn
3보		12시	WF	놓고	Turn

4보		12시	T/BF	찍고/놓고(선택)	Forward Walk
5보		3시	WF	놓고	Side line(Left),Turn
6보	오른손	3시	WF	놓고	Side line(Left)

스텝	풋 포지션	회전량
A		
1보	오른발 후진(RF)	없음
2보	왼발 후진하면서 오른발 옆으로 모으고(LF)	없음
3보	오른발 L/90°(RF)	L/90°(1/4턴)
4보	왼발을 오른발 옆에 모으고(LF)	없음
5보	왼발 L/180°턴(LF)	L/180°(1/4턴)
6보	오른발 왼발 옆에 모으고(RF)	없음
B		
1보	오른발 전진(RF)	없음
2보	왼발 전진(LF)	없음
3보	오른발 전진(RF)	없음
4보	왼발 전진하면서 오른발 옆에 모으고(LF)	없음
5보	오른발 후진(RF)	없음
6보	왼발 후진(LF)	없음
7보	오른발 후진(RF)	없음
8보	왼발 후진하면서 오른발 옆에 모으고(LF)	없음
C		
1보	오른발 전진(RF)	없음
2보	왼발 R/90°턴(LF)	R/90°(1/4턴)
3보	오른발 R/90°턴 (RF)	R/90°(1/4턴)
4보	왼발을 오른발 옆에 모으고(LF)	없음
5보	왼발 R/90°턴(LF)	R/90°(1/4턴)
6보	오른발을 왼발 옆에 모으고(RF)	없음

스텝	리드 / 사인 / 텐션
A	
1보	여성 왼발, 오른발이 댄스 라인에 맞춰 전진하도록 여성 오른손을 여성 정면 앞으로
2보	당기면서
3보	남성 왼쪽으로 회전하면서 여성 왼발이 왼쪽으로 45°, 135° 턴하도록 손을
4보	왼쪽으로 틀어준다
5보	남성 오른손으로 잡은 여성 오른손을 여성을 등지면서 남성 오른쪽 어깨 쪽으로
6보	이동 (Tandem position)
B	
1보	남성 어깨걸이 상태를 유지하면서 여성 오른손을 앞으로 당시면서 여성과 같이
2보	
3보	전진한다.
4보	
5보	5보에 남성은 여성 오른손을 놓아주고, 남성 오른손을 허리 쪽으로 내리면서 후진을
6보	
7보	한다. 8보에 여성 오른손을 잡는다.
8보	
C	

1보	여성 왼발, 오른발이 댄스 라인에 맞춰 전진하도록 여성 오른손을 여성 정면 앞으로
2보	당기면서 2보에 여성 손을 놓아준다. (Tandem position)
	6보에 남성은 오른손으로 여성 오른손을 잡는다.

〈여성〉

스텝	회전량	핸드	스텝 방식	풋 워크	풋 포지션	액션
A						
1보	없음	오른손	놓고	BF	왼발 전진(LF)	Forward Walk
2보	없음	오른손	놓고	BF	오른발 전진(RF)	Forward Walk
3보	L/45°(1/8턴)	오른손	놓고	B	왼발 45°턴(LF)	Turn
4보	L/135° (3/8턴) 오른발-없음	오른손	놓고	B, HF	왼발 135°턴(LF) 오른발 후진(RF)	Turn, Backward Walk
5보	없음	오른손	놓고	HF	왼발 후진(LF)	Backward Walk
6보	없음	오른손	놓고	HF	오른발을 왼발에 모으고(RF)	Backward Walk
B						
1보	없음	오른손	놓고	BF	왼발 전진(LF)	Forward Walk
2보	없음	오른손	놓고	BF	오른발 전진(RF)	Forward Walk
3보	없음	오른손	놓고	BF	왼발 전진(LF)	Forward Walk
4보	없음	오른손	놓고	BF	오른발 전진하면서 왼발 옆에 모으고(RF)	Forward Walk
5보	없음		놓고	HF	왼발 후진(LF)	Backward Walk
6보	없음		놓고	HF	오른발 전진(RF)	Backward Walk
7보	없음		놓고	HF	왼발 후진(LF)	Backward Walk
8보	없음	오른손	놓고	HF	오른발 후진하면서 왼발 옆에 모으고(RF)	Backward Walk
C						
1보	없음	오른손	놓고	BF	왼발 전진(LF)	Forward Walk
2보	없음	오른손	놓고	BF	오른발 전진(RF)	Forward Walk
3보	R/90°(1/4턴)		놓고	B	왼발 90°턴(LF)	Turn
4보	R/90°(1/4턴) 180°(1/2턴)		놓고	B	오른발 270°턴(RF)	Turn
5보	없음		놓고	HF	왼발 후진(LF)	Backward Walk
6보	없음	오른손	놓고	HF	오른발 후진하면서 왼발 옆에 모으고(RF)	Backward Walk

60번 남성 제자리 턴

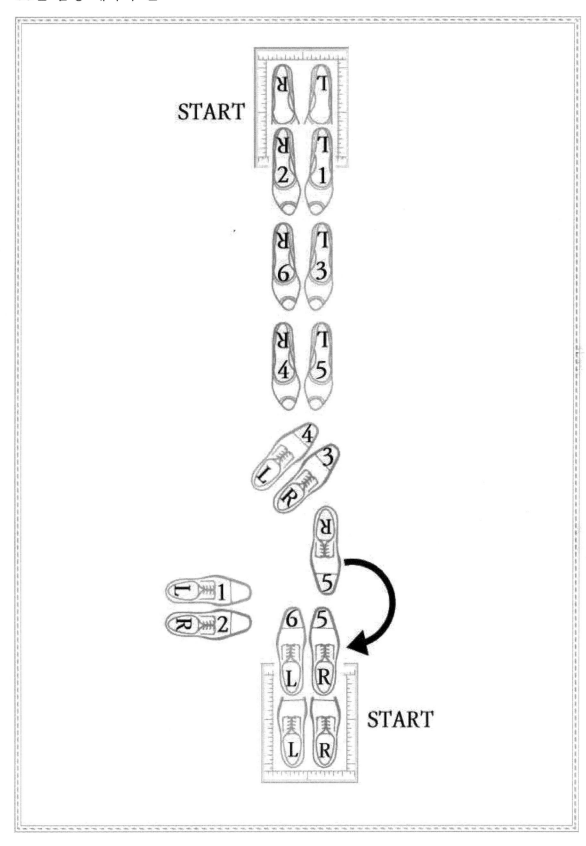

〈남성&여성〉

스텝	카운트	리듬	읽을 때	음악 타이밍	보수	핸드 포지션	악센트
1보	3	S	슬로우	쿵	1	One Hand Joined	
2보	4	&	엔	짝	1	One Hand Joined	
3보	5	Q	퀵	쿵	1	One Hand Joined	V
4보	6	Q	퀵	짝	1	One Hand Joined	V
5보	1	S	슬로우	쿵	1	One Hand Joined	
6보	2	&	엔	짝	1	One Hand Joined	

〈남성〉

스텝	핸드	방향	풋 워크	스텝 방식	액션
1보	오른손	1시 30분	BF	놓고	Diagonally Forward Walk
2보	오른손	1시 30분	BF	놓고	Diagonally Forward Walk
3보	오른손	12시	B	놓고	Turn
4보	오른손	12시	WF	놓고	Side Step, 정면(正面)
5보	오른손	3시	WF	놓고	Side line(Left),Turn
6보	오른손	3시	WF	놓고	Side line(Left)

스텝	풋 포지션	회전량
1보	오른발 R/45°턴(RF)	오른발 R/45°(1/8턴)
2보	왼발 오른발 옆으로 모으고(LF)	없음
3보	오른발 R/135°, 180°턴(RF)	R/135°(3/8턴) 180°(1/2턴)
4보	왼발 오른발 옆에 모으고(LF)	없음
5보	왼발 R/90°(LF)	R/90°(1/2턴)
6보	오른발을 왼발 옆에 모으고(RF)	없음

스텝	리드 / 사인 / 텐션
1보	
2보	
3보	1보~2보에 남성 오른손으로 잡은 여성 오른손을 남성 쪽 머리 위쪽으로 이동하면서
4보	오른쪽으로 360° 턴
5보	4보에 손을 내리기 시작하면서 여성이 후진할 수 있도록 밀어준다.
6보	

〈여성〉

스텝	회전량	핸드	스텝 방식	풋 워크	풋 포지션	액션
1보	없음	오른손	놓고	BF	왼발 전진(LF)	Forward Walk
2보	없음	오른손	놓고	BF	오른발 전진(RF)	Forward Walk
3보	없음	오른손	놓고	BF	왼발 전진하면서 오른발 옆에 모으고(LF)	Forward Walk
4보	없음	오른손	놓고	HF	오른발 후진(RF)	Backward Walk
5보	없음	오른손	놓고	HF	왼발 후진(LF)	Backward Walk

| 6보 | 없음 | 오른손 | 놓고 | HF | 오른발 후진하면서 왼발 옆에 모으고(RF) | Backward Walk |

61번 R/540°턴, L/540°턴

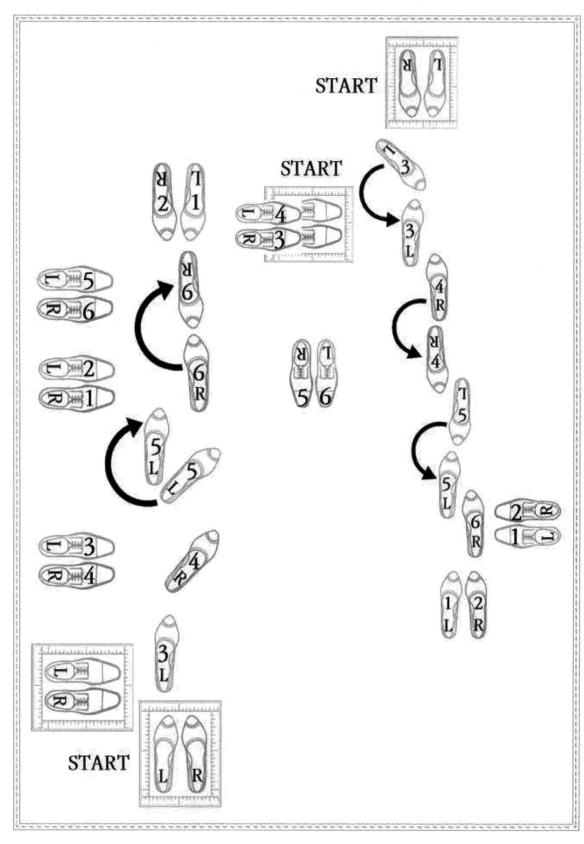

〈남성&여성〉

스텝	카운트	리듬	읽을 때	음악 타이밍	보수	핸드 포지션	악센트
1보	3	S	슬로우	쿵	1	One Hand Joined	
2보	4	&	엔	짝	1	One Hand Joined	
3보	5	Q	퀵	쿵	1	One Hand Joined	V
4보	6	Q	퀵	짝	1	One Hand Joined	V
5보	1	S	슬로우	쿵	1	One Hand Joined	
6보	2	&	엔	짝	1	One Hand Joined	
1보	3	S	슬로우	쿵	1	One Hand Joined	
2보	4	&	엔	짝	1	One Hand Joined	
3보	5	Q	퀵	쿵	1	One Hand Joined	V
4보	6	Q	퀵	짝	1	One Hand Joined	V
5보	1	S	슬로우	쿵	1	One Hand Joined	
6보	2	&	엔	짝	1	One Hand Joined	

〈남성〉

스텝	핸드	방향	풋 워크	스텝 방식	액션
1보	왼손	3시	WF	놓고	Side Step
2보	왼손	3시	WF	놓고	Side Step
3보	왼손	3시	WF	놓고	Side Step
4보	왼손	3시	WF	놓고	Side Step
5보	왼손	3시	WF	놓고	Side Step
6보	왼손	3시	WF	놓고	Side Step
1보	왼손	3시	HF	놓고	Backward Walk
2보	왼손	3시	HF	놓고	Backward Walk
3보	왼손	6시	BF	놓고	Forward Walk,Turn
4보	왼손	6시	T/BF	찍고/놓고(선택)	Forward Walk
5보	왼손	9시	WF	놓고	Side line(Right), Turn
6보	왼손	9시	WF	놓고	Side line(Right)

스텝	풋 포지션	회전량
1보	왼발 옆으로(LF)	없음
2보	오른발 왼발 옆에 모으고(RF)	없음
3보	왼발 옆으로(LF)	없음
4보	오른발 왼발 옆에 모으고(RF)	없음
5보	오른발 옆으로(RF)	없음
6보	왼발 오른발 옆에 모으고(LF)	없음
	C	
1보	오른발 후진(RF)	없음
2보	왼발 후진하면서 옆으로 모으고(LF)	없음
3보	오른발 R/90°턴(RF)	R/90°(1/4턴)
4보	왼발을 전진하면서 오른발 옆에 모으고(LF)	없음
5보	왼발 R/90°턴(LF)	R/90°(1/4턴)
6보	오른발을 왼발 옆에 모으고(RF)	없음

스텝	리드 / 사인 / 텐션
1보	남성 오른손으로 여성 왼쪽 어깨 뒤쪽을 밀면서 남성 왼손으로 잡은 여성 오른손을 여성 왼발이 댄스 라인에 맞춰 전진하도록 여성 정면 앞으로 당기고
2보 3보 4보	계속 정면 앞으로 당기면서 왼쪽으로 540° 턴 할 수 있도록 여성 오른손을 들어주면서 회전시켜준다.
5보 6보	여성 오른손을 들어준 상태에서 여성 오른발이 왼발에 모으도록 손 텐션 및 리드를 멈춘다.
1보 2보 3보	여성 오른손을 들어주면서 여성이 왼쪽으로 540° 턴 할 수 있도록 회전시켜준다.
4보 5보 6보	여성 오른손을 내리면서 여성 오른발이 왼발에 모으도록 손 텐션 및 리드를 멈춘다.

〈여성〉

스텝	회전량	핸드	스텝 방식	풋 워크	풋 포지션	액션
1보	없음	오른손	놓고	BF	왼발 전진(LF)	Forward Walk
2보	R/45°(1/8턴)	오른손	놓고	BF	오른발 45°턴(RF)	Turn
3보	R/45°(1/8턴)	오른손	놓고	B	왼발 45°턴(LF)	Turn
4보	R/315° (7/8턴) 오른발-없음	오른손	놓고	B, BF	왼발 315°턴(LF) 오른발 전진(RF)	Turn, Forward Walk
5보	R/180° (1/2턴) 왼발-없음	오른손	놓고	B, HF	오른발 180°턴(RF) 왼발 후진(LF)	Turn, Backward Walk
6보	없음	오른손	놓고	HF	오른발 후진하면서 왼발 옆에 모으고(RF)	Backward Walk
1보	L/45°(1/8턴) 135°(3/8턴)	오른손	놓고	B	왼발 180°턴(LF)	Turn
2보	L/180° (1/2턴)	오른손	놓고	B	오른발 180°턴(RF)	Turn
3보	L/180° (1/2턴)	오른손	놓고	B	왼발 180°턴(LF)	Turn
4보	없음	오른손	놓고	HF	오른발 후진(RF)	Backward Walk
5보	없음	오른손	놓고	HF	왼발 후진(LF)	Backward Walk
6보	없음	오른손	놓고	HF	오른발 후진하면서 왼발 옆에 모으고(RF)	Backward Walk

62번 허리, 목 뒤 핸드 체인지

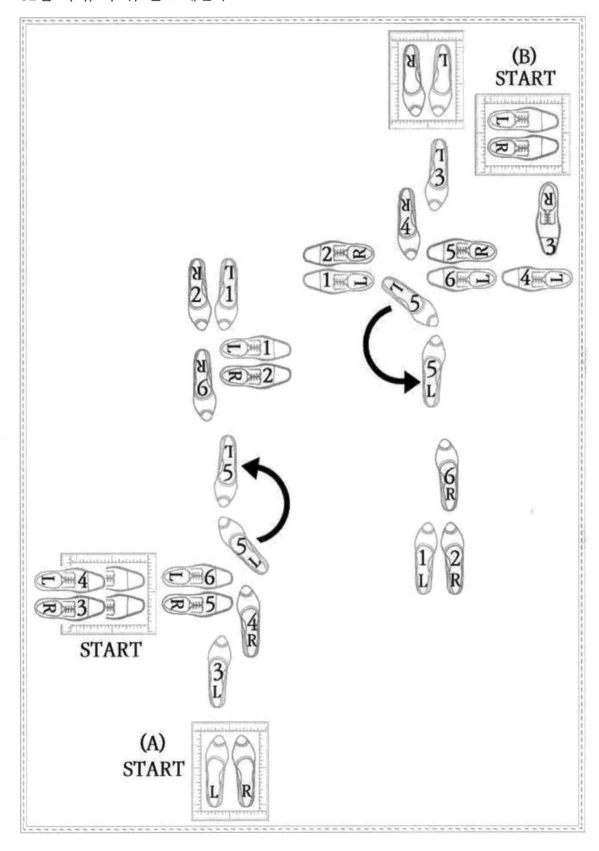

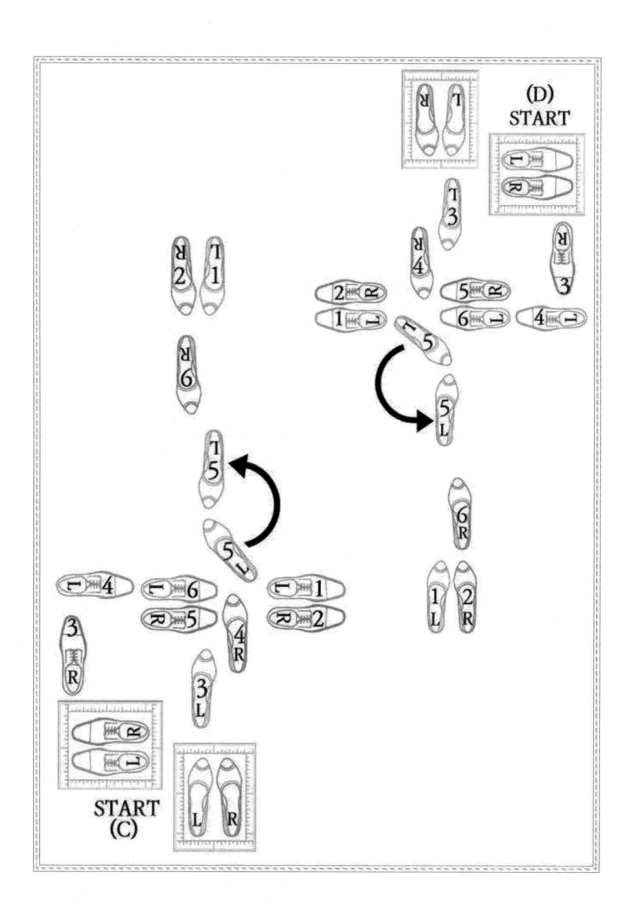

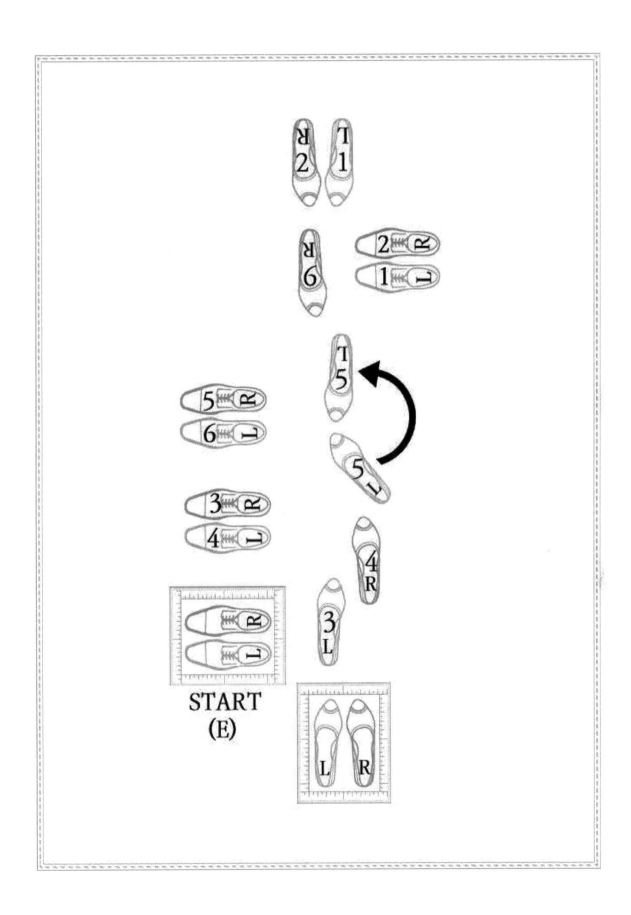

START
(E)

〈남성&여성〉

스텝	카운트	리듬	읽을 때	음악 타이밍	보수	핸드 포지션	악센트
A							
1보	3	S	슬로우	쿵	1	One Hand Joined	
2보	4	&	엔	짝	1	One Hand Joined	
3보	5	Q	퀵	쿵	1	One Hand Joined	V
4보	6	Q	퀵	짝	1	One Hand Joined	V
5보	1	S	슬로우	쿵	1	One Hand Joined	
6보	2	&	엔	짝	1	One Hand Joined	
B							
1보	3	S	슬로우	쿵	1	One Hand Joined	
2보	4	&	엔	짝	1	One Hand Joined	
3보	5	Q	퀵	쿵	1	One Hand Joined	V
4보	6	Q	퀵	짝	1	One Hand Joined	V
5보	1	S	슬로우	쿵	1	One Hand Joined	
6보	2	&	엔	짝	1	One Hand Joined	
C							
1보	3	S	슬로우	쿵	1	One Hand Joined	
2보	4	&	엔	짝	1	One Hand Joined	
3보	5	Q	퀵	쿵	1	One Hand Joined	V
4보	6	Q	퀵	짝	1	One Hand Joined	V
5보	1	S	슬로우	쿵	1	One Hand Joined	
6보	2	&	엔	짝	1	One Hand Joined	
D							
1보	3	S	슬로우	쿵	1	One Hand Joined	
2보	4	&	엔	짝	1	One Hand Joined	
3보	5	Q	퀵	쿵	1	One Hand Joined	V
4보	6	Q	퀵	짝	1	One Hand Joined	V
5보	1	S	슬로우	쿵	1	One Hand Joined	
6보	2	&	엔	짝	1	One Hand Joined	
E							
1보	3	S	슬로우	쿵	1	One Hand Joined	
2보	4	&	엔	짝	1	One Hand Joined	
3보	5	Q	퀵	쿵	1	One Hand Joined	V
4보	6	Q	퀵	짝	1	One Hand Joined	V
5보	1	S	슬로우	쿵	1	One Hand Joined	
6보	2	&	엔	짝	1	One Hand Joined	

〈남성〉

스텝	핸드	방향	풋 워크	스텝 방식	액션
A					
1보	오른손	3시	HF	놓고	Backward Walk
2보	오른손	3시	HF	놓고	Backward Walk
3보	오른손	3시	BF	놓고	Forward Walk
4보	왼손	3시	BF	놓고	Forward Walk
5보	왼손	3시	BF	놓고	Forward Walk
6보	왼손	3시	BF	놓고	Forward Walk
B					

스텝					
1보	오른손	6시	WF	놓고	Turn
2보	오른손	9시	WF	놓고	Turn
3보	오른손	9시	BF	놓고	Forward Walk
4보	왼손	9시	T/BF	찍고/놓고(선택)	Forward Walk
5보	왼손	9시	BF	놓고	Forward Walk
6보	왼손	9시	BF	놓고	Forward Walk
C					
1보	오른손	12시	WF	놓고	Turn
2보	오른손	3시	WF	놓고	Turn
3보	오른손	3시	BF	놓고	Forward Walk
4보	왼손	3시	T/BF	찍고/놓고(선택)	Forward Walk
5보	왼손	3시	BF	놓고	Forward Walk
6보	왼손	3시	BF	놓고	Forward Walk
D					
1보	오른손	6시	WF	놓고	Turn
2보	오른손	9시	WF	놓고	Turn
3보	오른손	9시	BF	놓고	Forward Walk
4보	왼손	9시	T/BF	찍고/놓고(선택)	Forward Walk
5보	왼손	9시	BF	놓고	Forward Walk
6보	왼손	9시	BF	놓고	Forward Walk
E					
1보	오른손	9시	WF	놓고	Side Step
2보		9시	WF	놓고	Side Step
3보		9시	WF	놓고	Side Step
4보		9시	WF	놓고	Side Step
5보		9시	WF	놓고	Backward Walk
6보	오른손	9시	WF	놓고	Backward Walk

스텝	풋 포지션	회전량
A		
1보	오른발 후진(RF)	없음
2보	왼발을 후진하면서 오른발 옆으로 모으고(LF)	없음
3보	오른발 전진(RF)	없음
4보	왼발을 전진하면서 오른발 옆에 모으고(LF)	없음
5보	왼발 전진(LF)	없음
6보	오른발을 전진하면서 왼발 옆에 모으고(RF)	없음
B		
1보	오른발 R/90°턴(RF)	R/90°(1/4턴)
2보	왼발 R/90턴(LF)	R/90°(1/4턴)
3보	오른발 전진((RF)	없음
4보	왼발을 전진하면서 오른발 옆에 모으고(LF)	없음
5보	왼발 전진(LF)	없음
6보	오른발을 왼발 옆에 모으고(RF)	없음
C		
1보	오른발 R/90°턴(RF)	R/90°(1/4턴)
2보	왼발 R/90턴(LF)	R/90°(1/4턴)
3보	오른발 전진((RF)	없음
4보	왼발을 전진하면서 오른발 옆에 모으고(LF)	없음
5보	왼발 전진(LF)	없음
6보	오른발을 왼발 옆에 모으고(RF)	없음

	D	
1보	오른발 R/90°턴(RF)	R/90°(1/4턴)
2보	왼발 R/90°턴(LF)	R/90°(1/4턴)
3보	오른발 전진((RF)	없음
4보	왼발을 전진하면서 오른발 옆에 모으고(LF)	없음
5보	왼발 전진(LF)	없음
6보	오른발을 왼발 옆에 모으고(RF)	없음
	E	
1보	오른발 옆에(RF)	없음
2보	왼발 오른발 옆에 모으고(LF)	없음
3보	오른발 옆에(RF)	없음
4보	왼발 오른발 옆에 모으고(LF)	없음
5보	왼발 후진(LF)	없음
6보	오른발 후진하면서 왼발 옆에 모으고(RF)	없음

스텝	리드 / 사인 / 텐션
	A
1보 2보	여성 왼발, 오른발이 댄스 라인에 맞춰 전진하도록 여성의 정면 앞으로 당긴다.
3보 4보	여성 왼발이 왼쪽으로 45°, 135° 턴하도록 손을 왼쪽으로 틀어주면서 여성 오른발이 댄스 라인에 위치하도록 리드하면서 남성은 오른손에서 왼손으로 바꿔 잡는다.
5보 6보	여성 오른손을 남성 오른손에서 왼손을 바꿔 잡은 상태에서 남성 허리 뒤쪽으로 이동한다.
	B
1보 2보	1보에 남성은 등 뒤에서 왼손에서 오른손으로 여성 오른손을 바꿔 잡고, 오른쪽으로 턴하면서 여성 왼발이 댄스 라인에 맞춰 전진하도록 여성 정면 앞으로 당기면서
3보 4보	여성 왼발이 왼쪽으로 45°, 135° 턴하는 것을 방해하지 않게 남성은 오른손에서 왼손으로 손 체인지
5보 6보	여성 오른손을 남성 오른손에서 왼손을 바꿔 잡은 상태에서 남성 허리 뒤쪽으로 이동한다.
	C
1보 2보	1보에 남성은 등 뒤에서 왼손에서 오른손으로 여성 오른손을 바꿔 잡고, 오른쪽으로 턴하면서 여성의 왼발이 댄스 라인에 맞춰 전진하도록 여성 정면 앞으로 당기면서
3보 4보	여성 왼발이 왼쪽으로 45°, 135° 턴하는 것을 방해하지 않게 남성은 오른손에서 왼손으로 손 체인지
5보 6보	여성 오른손을 남성 오른손에서 왼손을 바꿔 잡은 상태에서 남성 허리 뒤쪽으로 이동
	D
1보	1보에 남성은 등 뒤에서 왼손에서 오른손으로 여성 오른손을 바꿔 잡고, 오른쪽으로
2보	턴하면서 여성의 왼발이 댄스 라인에 맞춰 전진하도록 여성 정면 앞으로 당기면서 손을 올리기 시작한다.
3보	여성 왼발이 왼쪽으로 45°, 135° 턴하는 것을 방해하지 않게
4보	3보에 여성 오른손을 잡은 남성 오른손에서 왼손으로 남성 목 앞에서 바꿔 잡는다. 4보에 여성 오른손을 잡은 남성 왼손에서 오른손으로 목 뒤에서 바꿔 잡는다.
5보 6보	여성 오른손을 잡은 남성 오른손을 내린다. (허리)
	E

1보	여성 왼발이 댄스 라인에 맞춰 전진하도록 여성 정면 앞으로 당기면서 손을 놓아준다.
	2보~6보 리드/사인/텐션 없음

〈여성〉

스텝	회전량	핸드	스텝 방식	풋 워크	풋 포지션	액션
A						
1보	없음	오른손	놓고	BF	왼발 전진(LF)	Forward Walk
2보	없음	오른손	놓고	BF	오른발 전진(RF)	Forward Walk
3보	L/45°(1/8턴)	오른손	놓고	B	왼발 45°턴(LF)	Turn
4보	L/135° (3/8턴) 오른발-없음	오른손	놓고	B, HF	왼발 135°턴(LF) 오른발 후진(RF)	Turn, Backward Walk
5보	없음	오른손	놓고	HF	왼발 후진(LF)	Backward Walk
6보	없음	오른손	놓고	HF	오른발 후진하면서 왼발 옆에 모으고(RF)	Backward Walk
B						
1보	없음	오른손	놓고	BF	왼발 전진(LF)	Forward Walk
2보	없음	오른손	놓고	BF	오른발 전진(RF)	Forward Walk
3보	R/45°(1/8턴)	오른손	놓고	B	왼발 45°턴(LF)	Turn
4보	L/135° (3/8턴) 오른발-없음	오른손	놓고	B, HF	왼발 135°턴(LF) 오른발 후진(RF)	Turn, Backward Walk
5보	없음	오른손	놓고	HF	왼발 후진(LF)	Backward Walk
6보	없음	오른손	놓고	HF	오른발 후진하면서 왼발 옆에 모으고(RF)	Backward Walk
C						
1보	없음	오른손	놓고	BF	왼발 전진(LF)	Forward Walk
2보	없음	오른손	놓고	BF	오른발 전진(RF)	Forward Walk
3보	L/45°(1/8턴)	오른손	놓고	B	왼발 45°턴(RF)	Turn
4보	L/135° (3/8턴) 오른발-없음	오른손	놓고	B, HF	왼발 135°턴 오른발 후진(RF)	Turn, Backward Walk
5보	없음	오른손	놓고	HF	왼발 후진(LF)	Backward Walk
6보	없음	오른손	놓고	HF	오른발 후진하면서 왼발 옆에 모으고(RF)	Backward Walk
D						
1보	없음	오른손	놓고	BF	왼발 전진(LF)	Forward Walk
2보	없음	오른손	놓고	BF	오른발 전진(RF)	Forward Walk
3보	L/45°(1/8턴)	오른손	놓고	B	왼발 45°턴(RF)	Turn
4보	L/135° (3/8턴) 오른발-없음	오른손	놓고	B,HF	왼발 135°턴(LF) 오른발 후진(RF)	Turn, Backward Walk

5보	없음	오른손	놓고	HF	왼발 후진(LF)	Backward Walk
6보	없음	오른손	놓고	HF	오른발 후진하면서 왼발 옆에 모으고(RF)	Backward Walk
E						
1보	없음	오른손	놓고	BF	왼발 전진(LF)	Forward Walk
2보	없음		놓고	BF	오른발 전진(RF)	Forward Walk
3보	L/45°(1/8턴)		놓고	B	왼발 45°턴(RF)	Turn
4보	L/135° (3/8턴) 오른발-없음		놓고	B,HF	왼발 135°턴(LF) 오른발 후진(RF)	Turn, Backward Walk
5보	없음		놓고	HF	왼발 후진(LF)	Backward Walk
6보	없음	오른손	놓고	HF	오른발 후진하면서 왼발 옆에 모으고(RF)	Backward Walk

63번 후진 6박 목걸이(오,왼) L/180°턴

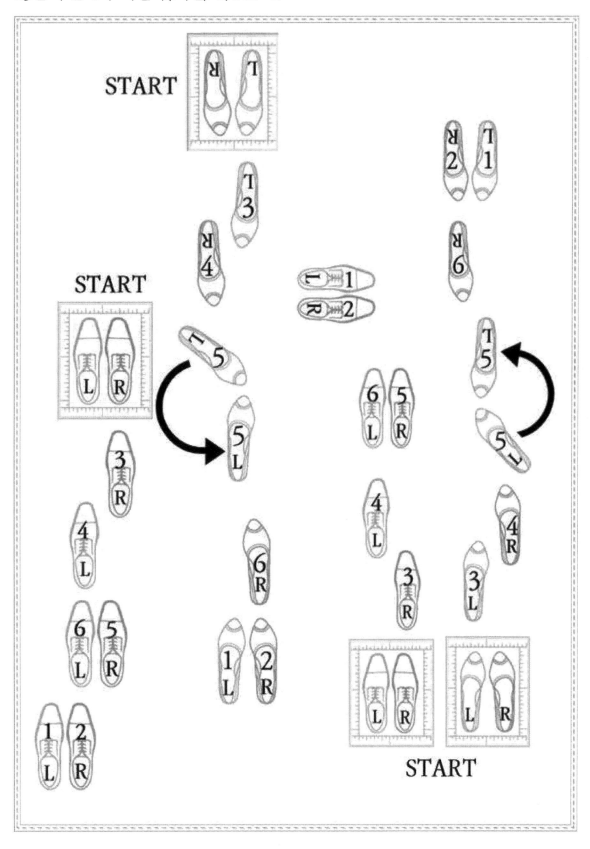

⟨남성&여성⟩

스텝	카운트	리듬	읽을 때	음악 타이밍	보수	핸드 포지션	악센트
1보	3	S	슬로우	쿵	1	Two Hand Joined	
2보	4	&	엔	짝	1	Two Hand Joined	
3보	5	Q	퀵	쿵	1	One Hand Joined	V
4보	6	Q	퀵	짝	1	One Hand Joined	V
5보	1	S	슬로우	쿵	1	One Hand Joined	
6보	2	&	엔	짝	1	One Hand Joined	
1보	3	S	슬로우	쿵	1	One Hand Joined	
2보	4	&	엔	짝	1	One Hand Joined	
3보	5	Q	퀵	쿵	1	One Hand Joined	V
4보	6	Q	퀵	짝	1	One Hand Joined	V
5보	1	S	슬로우	쿵	1	One Hand Joined	
6보	2	&	엔	짝	1	One Hand Joined	

⟨남성⟩

스텝	핸드	방향	풋 워크	스텝 방식	액션
1보	양손	12시	HF	놓고	Backward Walk
2보	양손	12시	HF	놓고	Backward Walk
3보	오른손	12시	HF	놓고	Backward Walk
4보	오른손	12시	HF/T	놓고/찍고(선택)	Backward Walk
5보	오른손	12시	HF	놓고	Diagonally Backward Walk
6보	오른손	12시	HF	놓고	Diagonally Backward Walk
1보	왼손	12시	BF	놓고	Forward Walk
2보	왼손	12시	BF	놓고	Forward Walk
3보	왼손	12시	BF	놓고	Forward Walk
4보	왼손	12시	BF/T	놓고/찍고(선택)	Forward Walk
5보	왼손	3시	WF	놓고	Side line(Left),Turn
6보	왼손	3시	WF	놓고	Side line(Left)

스텝	풋 포지션	회전량
1보	오른발 후진(RF)	없음
2보	왼발 후진(LF)	없음
3보	오른발 후진(RF)	없음
4보	왼발을 후진하면서 오른발 옆에 모으고(LF)	없음
5보	왼발 왼쪽 사선으로 후진(LF)	없음
6보	오른발을 왼쪽 사선으로 후진하면서 왼발 옆에 모으고(RF)	없음
1보	오른발 전진(RF)	없음
2보	왼발 전진(LF)	없음
3보	오른발 전진(RF)	없음
4보	왼발을 전진하면서 오른발 옆에 모으고(LF)	없음
5보	왼발 R/90°턴(LF)	R/90°(1/4턴)
6보	오른발을 왼발에 옆에 모으고(RF)	없음

스텝	리드 / 사인 / 텐션
1보	여성 왼발이 댄스 라인에 맞춰 전진하도록 여성 오른손, 왼손을 여성 정면 앞으로
2보	당기고, 여성 왼손을 허리 쪽으로 틀어주면서 여성 손을 놓아준다. 여성 왼손을 잡은
3보	남성 오른손으로 여성 목 쪽으로 이동해서 여성 왼발 왼쪽으로 45°, 135°턴하도록
4보	밀어준다. (목걸이)
5보	
6보	
1보	Shadow Position에서 여성이 전진할 수 있도록 왼손으로 여성 오른쪽 등을 살짝
2보	밀어주면서 여성 왼손을 잡은 오른손을 여성 머리 위로 올려준다.
3보	여성 왼발이 왼쪽으로 45°, 135°턴하도록 왼쪽으로 틀어주고,
4보	4보부터 손을 내리기 시작한다.
5보	여성 오른발이 왼발에 모으도록 손 텐션 및 리드를 멈춘다.
6보	

〈여성〉

스텝	회전량	핸드	스텝 방식	풋 워크	풋 포지션	액션
1보	없음	양손	놓고	BF	왼발 전진(LF)	Forward Walk
2보	없음	양손	놓고	BF	오른발 전진(RF)	Forward Walk
3보	L/45°(1/8턴)	왼손	놓고	B	왼발 45°턴(LF)	Turn
4보	L/135° (3/8턴) 오른발-없음	왼손	놓고	B, HF	왼발 135°턴(LF) 오른발 후진(RF)	Turn, Backward Walk
5보	없음	왼손	놓고	HF	왼발 후진(LF)	Backward Walk
6보	없음	왼손	놓고	HF	오른발 후진하면서 왼발 옆에 모으고(RF)	Backward Walk
1보	없음	왼손	놓고	BF	왼발 전진(LF)	Forward Walk
2보	없음	왼손	놓고	BF	오른발 전진(RF)	Forward Walk
3보	L/45°(1/8턴)	왼손	놓고	B	왼발 45°턴(LF)	Turn
4보	L/135° (3/8턴) 오른발-없음	왼손	놓고	B, HF	왼발 135°턴(LF) 오른발 후진(RF)	Turn, Backward Walk
5보	없음	왼손	놓고	HF	왼발 후진(LF)	Backward Walk
6보	없음	왼손	놓고	HF	오른발 후진하면서 왼발 옆에 모으고(RF)	Backward Walk

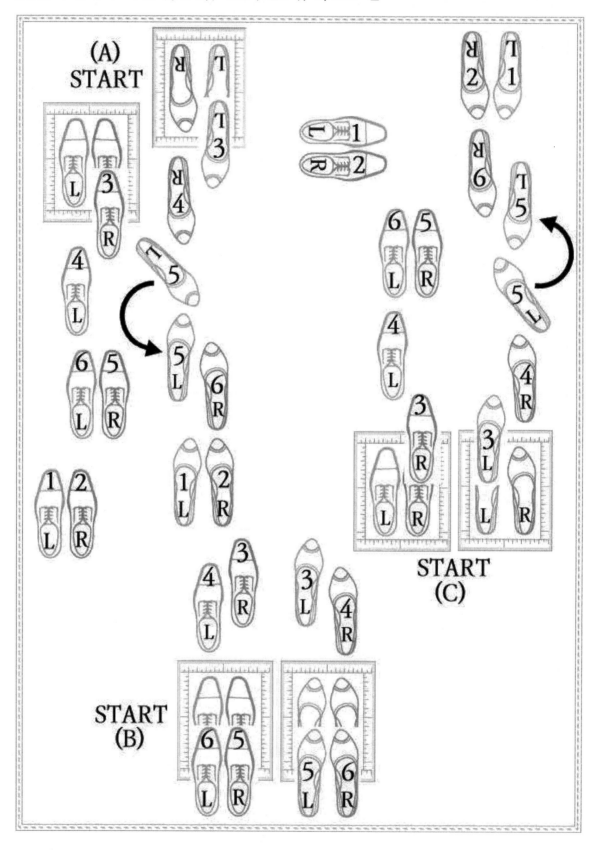

〈남성&여성〉

스텝	카운트	리듬	읽을 때	음악 타이밍	보수	핸드 포지션	악센트
A							
1보	3	S	슬로우	쿵	1	One Hand Joined	
2보	4	&	엔	짝	1	One Hand Joined	
3보	5	Q	퀵	쿵	1	One Hand Joined	V
4보	6	Q	퀵	짝	1	One Hand Joined	V
5보	1	S	슬로우	쿵	1	One Hand Joined	
6보	2	&	엔	짝	1	One Hand Joined	
B							
1보	3	S	슬로우	쿵	1	One Hand Joined	
2보	4	&	엔	짝	1	One Hand Joined	
3보	5	Q	퀵	쿵	1	One Hand Joined	V
4보	6	Q	퀵	짝	1		V
C							
1보	3	S	슬로우	쿵	1		
2보	4	&	엔	짝	1		
3보	5	Q	퀵	쿵	1		V
4보	6	Q	퀵	짝	1		V
5보	1	S	슬로우	쿵	1		
6보	2	&	엔	짝	1		

〈남성〉

스텝	핸드	방향	풋 워크	스텝 방식	액션
A					
1보	오른손	12시	HF	놓고	Backward Walk
2보	오른손	12시	HF	놓고	Backward Walk
3보	오른손	12시	HF	놓고	Backward Walk
4보	오른손	12시	HF/T	놓고/찍고(선택)	Backward Walk
5보	오른손	12시	HF	놓고	Diagonally Backward Walk
6보	오른손	12시	HF	놓고	Diagonally Backward Walk
B					
1보	오른손	12시	BF	놓고	Forward Walk
2보	오른손	12시	BF	놓고	Forward Walk
3보	오른손	12시	HF	놓고	Backward Walk
4보		12시	HF	놓고	Backward Walk
C					
1보		12시	BF	놓고	Forward Walk
2보		12시	BF	놓고	Forward Walk
3보		12시	BF	놓고	Forward Walk
4보		12시	BF/T	놓고/찍고(선택)	Forward Walk
5보		3시	WF	놓고	Side line(Left),Turn
6보		3시	WF	놓고	Side line(Left)

스텝	풋 포지션	회전량
A		
1보	오른발 후진(RF)	없음

2보	왼발 후진(LF)	없음
3보	오른발 후진(RF)	없음
4보	왼발을 후진하면서 오른발 옆에 모으고(LF)	없음
5보	왼발 왼쪽 사선으로 후진(LF)	없음
6보	오른발을 왼쪽 사선으로 후진하면서 왼발 옆에 모으고(RF)	없음
B		
1보	오른발 전진(RF)	없음
2보	왼발 전진(LF)	없음
3보	오른발 후진(RF)	없음
4보	왼발을 후진하면서 오른발 옆에 모으고(LF)	없음
C		
1보	오른발 전진(RF)	없음
2보	왼발 전진(LF)	없음
3보	오른발 전진(RF)	없음
4보	왼발을 전진하면서 오른발 옆에 모으고(LF)	없음
5보	왼발 R/90°턴 (LF)	R/90°(1/4턴)
6보	오른발을 왼발에 옆에 모으고(RF)	없음

스텝	리드 / 사인 / 텐션
1보 2보	여성 왼발이 댄스 라인에 맞춰 전진하도록 여성 왼손을 여성 정면 앞으로 당긴다.
3보 4보 5보 6보	여성 왼손을 잡은 남성 오른손으로 여성 목 쪽으로 이동해서 여성 왼발이 왼쪽으로 45°, 135° 턴하도록 밀어준다. (목걸이)
1보 2보	목걸이 한 상태를 유지하면서 여성이 전진할 수 있게 밀어준다.
3보 4보	여성이 후진할 수 있게 당겨주면서 손을 놓아 준다.
1보 2보	Shadow Position에서 여성이 전진할 수 있도록 오른손으로 여성 오른쪽 등을 살짝 밀어준다.

〈여성〉

스텝	회전량	핸드	스텝 방식	풋 워크	풋 포지션	액션
A						
1보	없음	왼손	놓고	BF	왼발 전진(LF)	Forward Walk
2보	없음	왼손	놓고	BF	오른발 전진(RF)	Forward Walk
3보	L/45°(1/8턴)	왼손	놓고	B	왼발 45°턴(LF)	Turn
4보	L/135° (3/8턴) 오른발-없음	왼손	놓고	B, HF	왼발 135°턴(LF) 오른발 후진(RF)	Turn, Backward Walk
5보	없음	왼손	놓고	HF	왼발 후진(LF)	Backward Walk
6보	없음	왼손	놓고	HF	오른발 후진	Backward Walk

						하면서 왼발 옆에 모으고(RF)	
				B			
1보	없음	왼손	놓고	BF	왼발 전진(LF)	Forward Walk
2보	없음	왼손	놓고	BF	오른발 전진(RF)	Forward Walk
3보	없음	왼손	놓고	HF	왼발 후진(LF)	Backward Walk
4보	없음			HF	오른발 후진 하면서 왼발 옆에 모으고(RF)	Backward Walk
				C		
1보	없음		놓고	BF	왼발 전진(LF)	Forward Walk
2보	없음		놓고	BF	오른발 전진(RF)	Forward Walk
3보	L/45°(1/8턴)		놓고	B	왼발 45°턴(LF)	Turn
4보	L/135° (3/8턴) 오른발-없음		놓고	B, HF	왼발 135°턴(LF) 오른발 후진(RF)	Turn, Backward Walk
5보	없음		놓고	HF	왼발 후진(LF)	Backward Walk
6보	없음		놓고	HF	오른발 후진하면서 왼발 옆에 모으고(RF)	Backward Walk

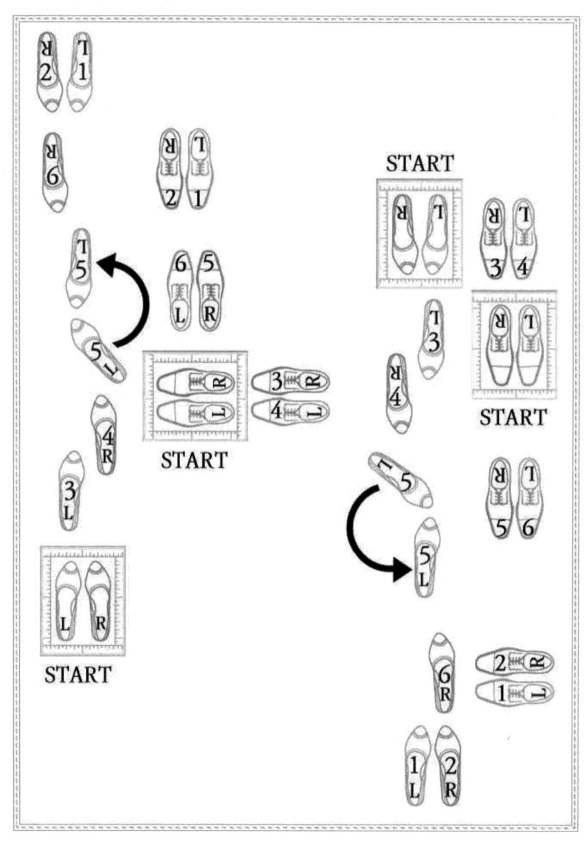

〈남성&여성〉

스텝	카운트	리듬	읽을 때	음악 타이밍	보수	핸드 포지션	악센트
1보	3	S	슬로우	쿵	1	One Hand Joined	
2보	4	&	엔	짝	1	One Hand Joined	
3보	5	Q	퀵	쿵	1	One Hand Joined	V
4보	6	Q	퀵	짝	1	One Hand Joined	V
5보	1	S	슬로우	쿵	1	One Hand Joined	
6보	2	&	엔	짝	1	One Hand Joined	
1보	3	S	슬로우	쿵	1	One Hand Joined	
2보	4	&	엔	짝	1	One Hand Joined	
3보	5	Q	퀵	쿵	1	One Hand Joined	V
4보	6	Q	퀵	짝	1	One Hand Joined	V
5보	1	S	슬로우	쿵	1	One Hand Joined	
6보	2	&	엔	짝	1	One Hand Joined	

〈남성〉

스텝	핸드	방향	풋 워크	스텝 방식	액션
1보	오른손	9시	HF	놓고	Backward Walk
2보	오른손	9시	HF	놓고	Backward Walk
3보	오른손	12시	BF	놓고	Turn
4보	오른손	12시	T/BF	찍고/놓고(선택)	Forward Walk
5보	오른손	6시	WF	놓고	Turn
6보	오른손	6시	HF	놓고	Backward Walk
1보	오른손	6시	HF	놓고	Backward Walk
2보	오른손	6시	HF	놓고	Backward Walk
3보	오른손	6시	BF	놓고	Forward Walk
4보	오른손	6시	T/BF	찍고/놓고(선택)	Forward Walk
5보	오른손	9시	WF	놓고	Turn
6보	오른손	9시	WF	놓고	Side Step

스텝	풋 포지션	회전량
1보	오른발 후진(RF)	없음
2보	왼발 후진하면서 오른발 옆으로 모으고(LF)	없음
3보	오른발 R/90°턴(RF)	R/90°(1/4턴)
4보	왼발 오른발 옆에 모으고(LF)	없음
5보	왼발 R/180°턴(LF)	R/180°(1/2턴)
6보	오른발 왼발 옆에 모으고(RF)	없음
1보	오른발 후진(RF)	없음
2보	왼발 후진하면서 오른발 옆으로 모으고(LF)	없음
3보	오른발 전진(RF)	없음
4보	왼발 전진하면서 오른발에 모으고(LF)	없음
5보	왼발 R/90°턴(LF)	R/90°(1/4턴)
6보	오른발을 왼발 옆에 모으고(RF)	없음

스텝	리드 / 사인 / 텐션
1보 2보	여성 왼발이 댄스 라인에 맞춰 전진하도록 여성의 정면 앞으로 당기면서
3보 4보	여성 왼발이 왼쪽으로 45°, 135° 턴하도록 손을 들어주고 왼쪽으로 회전시켜주면서 남성 오른쪽으로 회전을 한다.
5보 6보	남성은 여성 진행을 방해하지 말고 오른쪽으로 회전한다.
1보 2보	남성 오른손으로 잡은 여성 오른손을 내려주면서 여성을 앞으로 당겨준다.
3보 4보	등 뒤에서 여성 왼발이 오른쪽으로 45°, 135° 턴하도록 왼쪽으로 회전시켜준다.
5보 6보	여성 왼발이 후진하도록 그립 상태에서 여성 손에 힘을 주면서 밀어주고 여성 오른발이 왼발에 모으도록 손 텐션 및 리드를 멈춘다.

〈여성〉

스텝	회전량	핸드	스텝 방식	풋 워크	풋 포지션	액션
1보	없음	오른손	놓고	BF	왼발 전진(LF)	Forward Walk
2보	없음	오른손	놓고	BF	오른발 전진(RF)	Forward Walk
3보	L/45°(1/8턴)	오른손	놓고	B	왼발 45°턴(LF)	Turn
4보	L/135° (3/8턴) 오른발-없음	오른손	놓고	B, BF	왼발 135°턴(LF) 오른발 후진(RF)	Turn, Backward Walk
5보	없음	오른손	놓고	HF	왼발 후진(LF)	Backward Walk
6보	없음	오른손	놓고	HF	오른발 후진하면서 왼발 옆에 모으고(RF)	Backward Walk
1보	없음	오른손	놓고	BF	왼발 전진(LF)	Forward Walk
2보	없음	오른손	놓고	BF	오른발 전진(RF)	Forward Walk
3보	L/45°(1/8턴)	오른손	놓고	B	왼발 45°턴(LF)	Turn
4보	L/135° (3/8턴) 오른발-없음	오른손	놓고	B, HF	왼발 135°턴, 오른발 후진(RF)	Turn, Backward Walk
5보	없음	오른손	놓고	HF	왼발 후진(LF)	Backward Walk
6보	없음	오른손	놓고	HF	오른발 후진하면서 왼발 옆에 모으고(RF)	Backward Walk

66번 남성 목걸이, 전&후진8박, 외곽돌기(겹돌기)

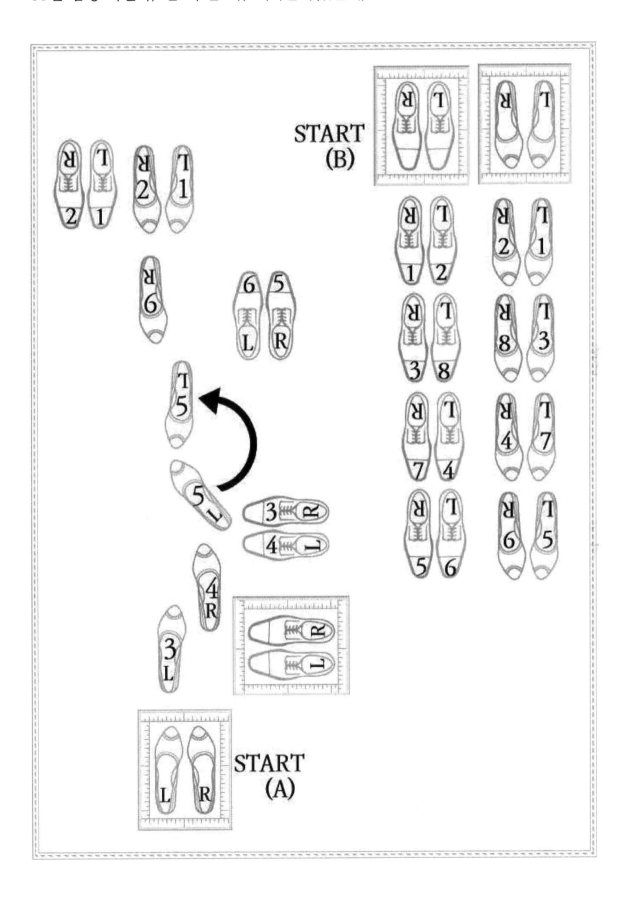

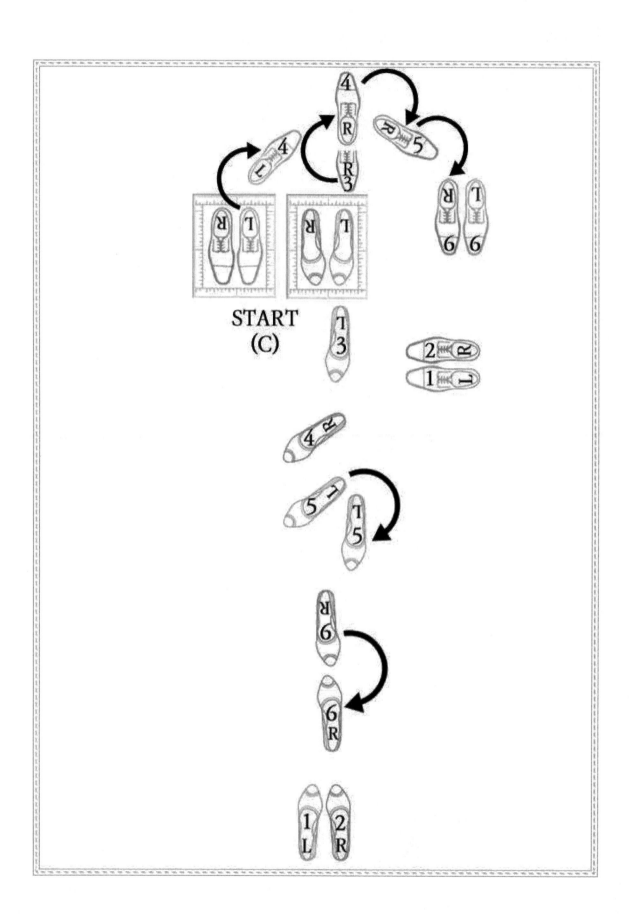

START
(C)

〈남성&여성〉

스텝	카운트	리듬	읽을 때	음악 타이밍	보수	핸드 포지션	악센트
A							
1보	3	S	슬로우	쿵	1	One Hand Joined	
2보	4	&	엔	짝	1	One Hand Joined	
3보	5	Q	퀵	쿵	1	One Hand Joined	V
4보	6	Q	퀵	짝	1	One Hand Joined	V
5보	1	S	슬로우	쿵	1	One Hand Joined	
6보	2	&	엔	짝	1	One Hand Joined	
B							
1보	3	S	슬로우	쿵	1	Two Hand Joined	
2보	4	&	엔	짝	1	Two Hand Joined	
3보	5	Q	퀵	쿵	1	Two Hand Joined	V
4보	6	Q	퀵	짝	1	Two Hand Joined	V
5보	7	Q	퀵	쿵	1	Two Hand Joined	V
6보	8	Q	퀵	짝	1	Two Hand Joined	V
7보	1	S	슬로우	쿵	1	Two Hand Joined	
8보	2	&	엔	짝	1	Two Hand Joined	
C							
1보	3	S	슬로우	쿵	1	One Hand Joined	
2보	4	&	엔	짝	1	One Hand Joined	
3보	5	Q	퀵	쿵	1	One Hand Joined	V
4보	6	Q	퀵	짝	1	One Hand Joined	V
5보	1	S	슬로우	쿵	1	One Hand Joined	
6보	2	&	엔	짝	1	One Hand Joined	

〈남성〉

스텝	핸드	방향	풋 워크	스텝 방식	액션
A					
1보	오른발	9시	WF	놓고	Side Step
2보	오른발	9시	WF	놓고	Side Step
3보	오른발	12시	BF	놓고	Forward Walk, Turn
4보	오른발	12시	T/BF	찍고/놓고(선택)	Forward Walk
5보	오른발	6시	WF	놓고	Side line(Left), Turn
6보	오른발	6시	WF	놓고	Side line(Left)
B					
1보	양손	6시	BF	놓고	Forward Walk
2보	양손	6시	BF	놓고	Forward Walk
3보	양손	6시	BF	놓고	Forward Walk
4보	양손	6시	BF	놓고	Forward Walk
5보	양손	6시	HF	놓고	Backward Walk
6보	양손	6시	HF	놓고	Backward Wal
7보	양손	6시	HF	놓고	Backward Walk
8보	양손	6시	HF	놓고	Backward Walk
C					
1보	양손	6시	T	놓고	Checked
2보	오른손	12시(R), 1시(L)	B	놓고	Turn
3보	오른손	4시	B	놓고	Turn

스텝	오른손	시간	WF	놓고	비고
4보	오른손	6시	WF	놓고	Turn
5보	오른손	9시	WF	놓고	Side line(Right), Turn
6보	오른손	9시	WF	놓고	Side line(Right)

스텝	풋 포지션	회전량
	A	
1보	오른발 옆으로(RF)	없음
2보	왼발 오른발 옆으로 모으고(LF)	없음
3보	오른발 R/90°턴(RF)	R/90°(1/4턴)
4보	왼발을 오른발 옆에 모으고(LF)	없음
5보	왼발 R/180°턴(LF)	R/180°(1/2턴)
6보	오른발을 왼발 옆에 모으고(RF)	없음
	B	
1보	오른발 전진(RF)	없음
2보	왼발 전진(LF)	없음
3보	오른발 전진(RF)	없음
4보	왼발을 전진하면서 오른발 옆에 모으고(LF)	없음
5보	오른발 후진(RF)	없음
6보	왼발 후진(LF)	없음
7보	오른발 후진(RF)	없음
8보	왼발을 후진하면서 오른발에 모으고(RF)	없음
	C	
1보	오른발 왼발 뒤에 교차(RF)	없음
2보	왼발 R/135°(LF)	왼발 R/135°(3/8턴))
	오른발 R/180°터(RF)	오른발 R/180°(1/2턴)
3보	오른발 R/135°턴(RF)	R/135°(3/8턴)
4보	왼발 R/45°턴(LF)	R/45°(1/8턴)
5보	왼발 R/90°턴(LF)	R/90°(1/4턴)
6보	오른발을 왼발 옆에 모으고(RF)	없음

스텝	리드 / 사인 / 텐션
	A
1보	남성은 사이드 스텝을 하면서 여성 왼발이 댄스 라인에 맞춰 전진하도록 여성
2보	정면 앞으로 당기면서
3보	여성 왼발이 왼쪽으로 45°, 135° 턴하도록 손을 들어주면서 왼쪽으로 회전시켜준다.
4보	손을 들어준 상태에서 남성은 팔 아래로 들어간다. (어깨동무)
5보	
6보	(남성 오른손으로 여성 오른손, 남성 왼손으로 여성 왼손을 잡는다.)
	B
1보	
2보	남성 어깨동무 상태에서 여성이 전진할 수 있도록 양손을 앞으로 당기면서 남성도 전진한다.
3보	
4보	
5보	
6보	남성 어깨동무 상태에서 여성이 후진할 수 있도록 양손을 뒤로 밀면서 남성도 후진한다.
7보	
8보	

	C
1보	남성 어깨동무 상태에서 남성 왼손으로 여성 왼손을 여성 왼발이 댄스 라인에 맞춰 전진하도록 여성 정면 앞으로 당겨준다.
2보 3보 4보	여성 왼손을 놓아주고 남성은 외곽으로 턴하면서 여성이 회전할 수 있도록 여성 오른손을 여성 정수리 5-10cm 정도 위로 들어준다.
5보	여성 오른발이 오른쪽으로 180°턴 하도록 계속 텐션 주면서 여성 왼발이 댄스 라인에 위치하도록 손을 내리기 시작한다.
6보	여성 오른발이 후진하면서 왼발에 모으도록 손을 내려준다.

〈여성〉

스텝	회전량	핸드	스텝 방식	풋 워크	풋 포지션	액션
A						
1보	없음	오른손	놓고	BF	왼발 전진(LF)	Forward Walk
2보	없음	오른손	놓고	BF	오른발 전진(RF)	Forward Walk
3보	L/45°(1/8턴)	오른손	놓고	B	왼발 45°턴(LF)	Turn
4보	L/135°(3/8턴) 오른발-없음	오른손	놓고	B, HF	왼발 135°턴(LF) 오른발 후진(RF)	Turn, Backward Walk
5보	없음	오른손	놓고	HF	왼발 후진(LF)	Backward Walk
6보	없음	오른손	놓고	HF	오른발 후진하면서 왼발 옆에 모으고(RF)	Backward Walk
B						
1보	없음	양손	놓고	BF	왼발 전진(LF)	Forward Walk
2보	없음	양손	놓고	BF	오른발 전진(RF)	Forward Walk
3보	없음	양손	놓고	BF	왼발 전진(LF)	Forward Walk
4보	없음	양손	놓고	BF	오른발 전진하면서 왼발 옆에 모으고(RF)	Forward Walk
5보	없음	양손	놓고	HF	왼발 후진(LF)	Backward Walk
6보	없음	양손	놓고	HF	오른발 후진(RF)	Backward Walk
7보	없음	양손	놓고	HF	왼발 후진(LF)	Backward Walk
8보	없음	양손	놓고	HF	오른발 후진하면서 왼발 옆에 모으고(RF)	Backward Walk
C						
1보	없음	오른손	놓고	BF	왼발 전진(LF)	Forward Walk
2보	R/45°(1/8턴)	오른손	놓고	BF	오른발 45°턴(RF)	Turn
3보	R/45°(1/8턴)	오른손	놓고	B	왼발 45°턴(LF)	Turn
4보	R/315°(7/8턴) 오른발-없음	오른손	놓고	B	왼발 315°턴(LF) 오른발 전진(RF)	Turn, Forward Walk
5보	R/180°(1/2턴) 왼발-없음	오른손	놓고	B, HF	오른발 180°턴(RF) 왼발 후진(LF)	Turn, Backward Walk

| 6보 | 없음 | 오른손 | 놓고 | HF | 오른발 후진하면서 왼발 옆에 모으고(RF) | Backward Walk |

67번 제자리 뒤돌아(겨드랑이 걸이), 기차놀이(꼬리 자르기)

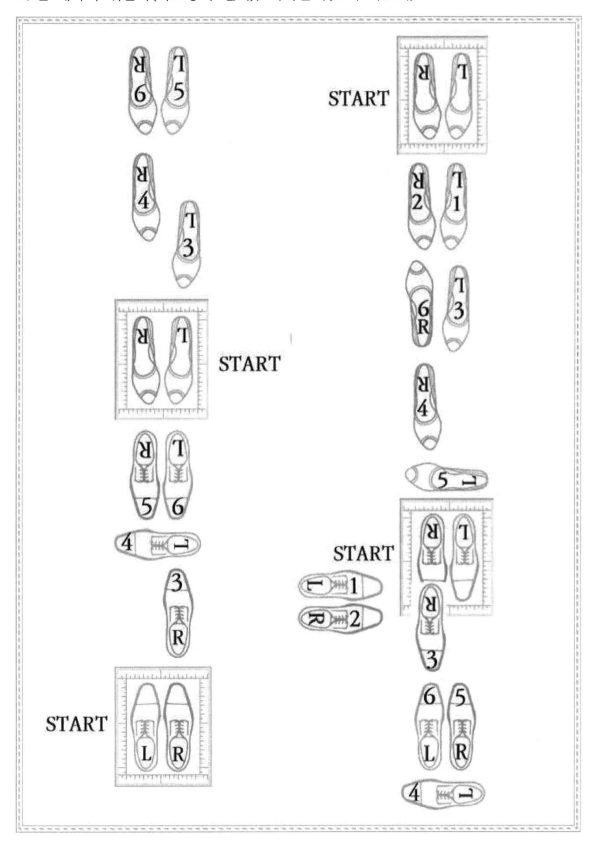

〈남성&여성〉

스텝	카운트	리듬	읽을 때	음악 타이밍	보수	핸드 포지션	악센트
1보	3	S	슬로우	쿵	1	One Hand Joined	
2보	4	&	엔	짝	1	One Hand Joined	
3보	5	Q	퀵	쿵	1	One Hand Joined	V
4보	6	Q	퀵	짝	1	One Hand Joined	V
1보	3	S	슬로우	쿵	1		
2보	4	&	엔	짝	1		
3보	5	Q	퀵	쿵	1		V
4보	6	Q	퀵	짝	1		V
5보	1	S	슬로우	쿵	1		
6보	2	&	엔	짝	1	One Hand Joined	

〈남성〉

스텝	핸드	방향	풋 워크	스텝 방식	액션
1보	오른손	12시	BF	놓고	Forward Walk
2보	오른손	9시	WF	놓고	Turn
3보	오른손	6시	HF	놓고	Backward Walk
4보	오른손	6시	HF	놓고	Backward Walk
1보		6시	BF	놓고	Forward Walk
2보		9시	WF	놓고	Turn
3보		12시	WF	놓고	Turn
4보		12시	T/BF	찍고/놓고(선택)	Forward Walk
5보		3시	WF	놓고	Side line(Left),Turn
6보	오른손	3시	WF	놓고	Side line(Left)

스텝	풋 포지션	회전량
1보	오른발 전진(RF)	없음
2보	왼발 L/90°턴(LF)	L/90°(1/4턴)
3보	오른발 L/90°턴 하면서 후진(RF)	L/90°(1/4턴)
4보	왼발을 후진하면서 오른발 옆에 모으고(LF)	없음
1보	오른발 전진(RF)	없음
2보	왼발 R/90°턴(LF)	R/90°(1/4턴)
3보	오른발 R/90°턴 (RF)	R/90°(1/4턴)
4보	왼발을 오른발 옆에 모으고(LF)	없음
5보	왼발 R/90°턴(LF)	R/90°(1/4턴)
6보	오른발을 왼발 옆에 모으고(RF)	없음

스텝	리드 / 사인 / 텐션
1보	여성 왼발, 오른발이 댄스 라인에 맞춰 후진하도록 여성 오른손을 밀고,
2보	2보에 남성은 왼쪽으로 턴 하면서 오른손으로 잡은 여성 오른손을 남성 오른쪽

				겨드랑이 쪽으로 이동을 시작한다.		
3보				남성 겨드랑이 걸이 하면서 여성 정면 앞 등지면서 이동한다. (Tandem position)		
4보				여성 오른발이 왼발에 모으도록 손 텐션 및 리드를 멈춘다.		
1보				여성 왼발, 오른발이 댄스 라인에 맞춰 전진하도록 여성 오른손을 여성 정면 앞으로		
2보				당기면서 2보에 여성 손을 놓아준다.		
				6보에 남성은 오른손으로 여성 오른손을 잡는다.		

〈여성〉

스텝	회전량	핸드	스텝 방식	풋 워크	풋 포지션	액션
1보	없음	오른손	놓고	HF	왼발 후진(LF)	Backward Walk
2보	없음	오른손	놓고	HF	오른발 후진(RF)	Backward Walk
5보	없음	오른손	놓고	HF	왼발 후진(LF)	Backward Walk
6보	없음	오른손	놓고	HF	오른발을 후진하면서 왼발 옆에 모으고(RF)	Backward Walk
1보	없음	오른손	놓고	BF	왼발 전진(LF)	Forward Walk
2보	없음	오른손	놓고	BF	오른발 전진(RF)	Forward Walk
3보	R/90°(1/4턴)		놓고	B	왼발 90°턴(LF)	Turn
4보	R/90°(1/4턴) 180°(1/2턴)		놓고	B	오른발 270°턴(RF)	Turn
5보	없음		놓고	HF	왼발 후진(LF)	Backward Walk
6보	없음	오른손	놓고	HF	오른발을 후진하면서 왼발 옆에 모으고(RF)	Backward Walk

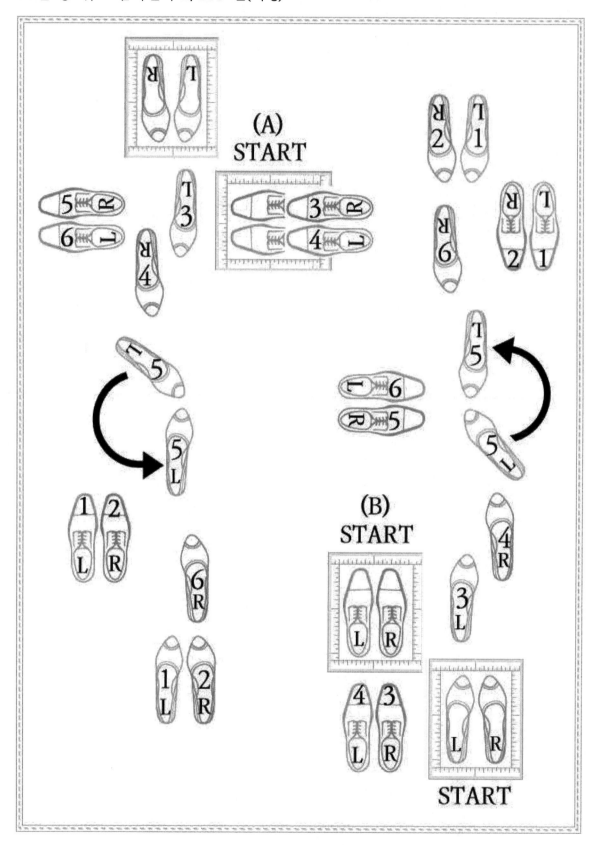

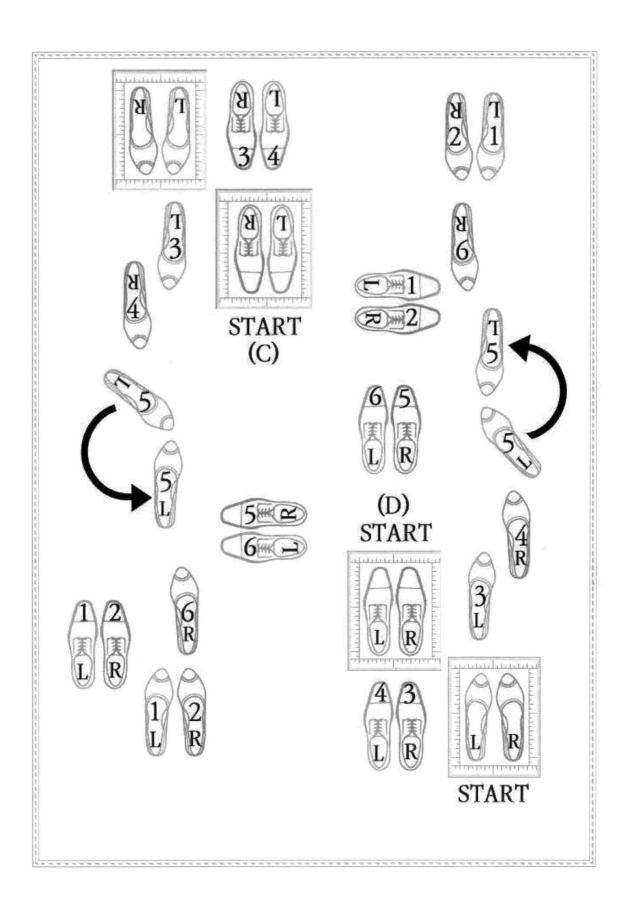

START
(C)

START
(D)

START

START

〈남성&여성〉

스텝	카운트	리듬	읽을 때	음악 타이밍	보수	핸드 포지션	악센트
A							
1보	3	S	슬로우	쿵	1	One Hand Joined	
2보	4	&	엔	짝	1	One Hand Joined	
3보	5	Q	퀵	쿵	1	One Hand Joined	V
4보	6	Q	퀵	짝	1	One Hand Joined	V
5보	1	S	슬로우	쿵	1	One Hand Joined	
6보	2	&	엔	짝	1	One Hand Joined	
B							
1보	3	S	슬로우	쿵	1	One Hand Joined	
2보	4	&	엔	짝	1	One Hand Joined	
3보	5	Q	퀵	쿵	1	One Hand Joined	V
4보	6	Q	퀵	짝	1	One Hand Joined	V
5보	1	S	슬로우	쿵	1	One Hand Joined	
6보	2	&	엔	짝	1	One Hand Joined	
C							
1보	3	S	슬로우	쿵	1	One Hand Joined	
2보	4	&	엔	짝	1	One Hand Joined	
3보	5	Q	퀵	쿵	1	One Hand Joined	V
4보	6	Q	퀵	짝	1	One Hand Joined	V
5보	1	S	슬로우	쿵	1	One Hand Joined	
6보	2	&	엔	짝	1	One Hand Joined	
D							
1보	3	S	슬로우	쿵	1	One Hand Joined	
2보	4	&	엔	짝	1	One Hand Joined	
3보	5	Q	퀵	쿵	1	One Hand Joined	V
4보	6	Q	퀵	짝	1	One Hand Joined	V
5보	1	S	슬로우	쿵	1	One Hand Joined	
6보	2	&	엔	짝	1	One Hand Joined	

〈남성〉

스텝	핸드	방향	풋 워크	스텝 방식	액션
A					
1보	오른손	9시	HF	놓고	Backward Walk
2보	오른손	9시	HF	놓고	Backward Walk
3보	왼손	9시	BF	놓고	Forward Walk
4보	오른손	9시	T/BF	찍고/놓고	Forward Walk
5보	오른손	12시	WF	놓고	Turn
6보	오른손	12시	WF	놓고	Backward Walk
B					
1보	오른손	12시	HF	놓고	Backward Walk
2보	오른손	12시	HF	놓고	Backward Walk
3보	왼손	3시	WF	놓고	Turn
4보	오른손	3시	T/WF	찍고/놓고(선택)	Side Step
5보	오른손	3시	WF	놓고	Side line(Right), Turn
6보	오른손	3시	WF	놓고	Side line(Right)
C					

1보	오른손	6시	HF	놓고	Backward Walk
2보	오른손	6시	HF	놓고	Backward Walk
3보	오른손	9시	WF	놓고	Turn
4보	오른손	9시	T/WF	찍고/놓고(선택)	Side Step
5보	오른손	12시	WF	놓고	Side line(Left), Turn
6보	오른손	12시	WF	놓고	Side line(Left)
			D		
1보	오른손	12시	HF	놓고	Backward Walk
2보	오른손	12시	HF	놓고	Backward Walk
3보	오른손	12시	BF	놓고	Forward Walk
4보	오른손	12시	T/BF	찍고/놓고(선택)	Forward Walk
5보	오른손	3시	WF	놓고	Side Step, Turn
6보	오른손	3시	WF	놓고	Side Step

스텝	풋 포지션	회전량
	A	
1보	오른발 후진(RF)	없음
2보	왼발을 후진하면서 오른발 옆으로 모으고(LF)	없음
3보	오른발 전진(RF)	없음
4보	왼발을 전진하면서 오른발 옆에 모으고(LF)	없음
5보	왼발 R/90°턴(LF)	R/90°(1/4턴)
6보	오른발 왼발 옆에 모으고(RF)	없음
	B	
1보	오른발 후진(RF)	없음
2보	왼발 후진하면서 오른발 옆에 모으고(LF)	없음
3보	오른발 R/90°턴((RF)	R/90°(1/4턴)
4보	왼발 오른발 옆에 모으고(LF)	없음
5보	왼발 R/90°턴(LF)	R/90°(1/4턴)
6보	오른발을 왼발 옆에 모으고(RF)	없음
	C	
1보	오른발 후진(RF)	없음
2보	왼발 후진하면서 오른발 옆에 모으고(LF)	없음
3보	오른발 R/90턴(RF)	R/90°(1/4턴)
4보	왼발 오른발 옆에 모으고(LF)	없음
5보	왼발 R/90°턴(LF)	R/90°(1/4턴)
6보	오른발을 왼발 옆에 모으고(RF)	없음
	D	
1보	오른발 후진(RF)	없음
2보	왼발 후진하면서 오른발 옆에 모으고(LF)	없음
3보	오른발 전진((RF)	없음
4보	왼발을 전진하면서 오른발 옆에 모으고(LF)	없음
5보	왼발 R/90°턴(LF)	R/90°(1/4턴)
6보	오른발을 왼발 옆에 모으고(RF)	없음

스텝	리드 / 사인 / 텐션
	A
1보 2보	여성 왼발, 오른발이 댄스 라인에 맞춰 전진하도록 여성 정면 앞으로 당긴다.

3보	여성 왼발이 왼쪽으로 45°, 135° 턴하도록 손을 왼쪽으로 틀어주면서 손을 들어준다.
4보	
5보	손을 들어준 상태에서 남성은 팔 아래로 들어가 Under arm turn
6보	손을 내려주면서 여성 오른발이 왼발에 모으도록 손 텐션 및 리드를 멈춘다.
B	
1보	여성 왼발, 오른발이 댄스 라인에 맞춰 전진하도록 여성 정면 앞으로 당긴다.
2보	
3보	여성 왼발이 왼쪽으로 45°, 135° 턴하도록 손을 왼쪽으로 틀어주면서 손을 들어준다.
4보	
5보	손을 들어준 상태에서 남성은 팔 아래로 들어가 Under arm turn
6보	손을 내려주면서 여성 오른발이 왼발에 모으도록 손 텐션 및 리드를 멈춘다.
C	
1보	여성 왼발, 오른발이 댄스 라인에 맞춰 전진하도록 여성 정면 앞으로 당긴다.
2보	
3보	여성 왼발이 왼쪽으로 45°, 135° 턴하도록 손을 왼쪽으로 틀어주면서 손을 들어준다.
4보	
5보	손을 들어준 상태에서 남성은 팔 아래로 들어가 Under arm turn
6보	손을 내려주면서 여성 오른발이 왼발에 모으도록 손 텐션 및 리드를 멈춘다.
D	
1보	여성 왼발, 오른발이 댄스 라인에 맞춰 전진하도록 여성 정면 앞으로 당긴다.
2보	
3보	여성 왼발이 왼쪽으로 45° 턴하도록 왼쪽으로 틀어준다. (손 허리)
4보	여성 왼발이 왼쪽으로 135° 턴하도록 왼쪽으로 틀어주면서 여성 오른발이 댄스 라인에 위치하도록 리드(손 허리)
5보	여성 왼발이 후진하도록 그립 상태에서 여성 손에 힘을 주면서 밀어준다.
6보	여성 오른발이 왼발에 모으도록 손 리드 및 텐션을 멈춘다.

〈여성〉

스텝	회전량	핸드	스텝 방식	풋 워크	풋 포지션	액션
A						
1보	없음	오른손	놓고	BF	왼발 전진(LF)	Forward Walk
2보	없음	오른손	놓고	BF	오른발 전진(RF)	Forward Walk
3보	L/45°(1/8턴)	오른손	놓고	B	왼발 45°턴(LF)	Turn
4보	L/135° (3/8턴) 오른발-없음	오른손	놓고	B, HF	왼발 135°턴(LF) 오른발 후진(RF)	Turn, Backward Walk
5보	없음	오른손	놓고	HF	왼발 후진(LF)	Backward Walk
6보	없음	오른손	놓고	HF	오른발 후진하면서 왼발 옆에 모으고(RF)	Backward Walk
B						
1보	없음	오른손	놓고	BF	왼발 전진(LF)	Forward Walk
2보	없음	오른손	놓고	BF	오른발 전진(RF)	Forward Walk
3보	R/45°(1/8턴)	오른손	놓고	B	왼발 45°턴(LF)	Turn
4보	L/135° (3/8턴)	오른손	놓고	B, HF	왼발 135°턴(LF) 오른발 후진(RF)	Turn, Backward Walk

	오른발-없음					
5보	없음	오른손	놓고	HF	왼발 후진(LF)	Backward Walk
6보	없음	오른손	놓고	HF	오른발 후진하면서 왼발 옆에 모으고(RF)	Backward Walk

C						
1보	없음	오른손	놓고	BF	왼발 전진(LF)	Forward Walk
2보	없음	오른손	놓고	BF	오른발 전진(RF)	Forward Walk
3보	L/45°(1/8턴)	오른손	놓고	B	왼발 45°턴(RF)	Turn
4보	L/135° (3/8턴) 오른발-없음	오른손	놓고	B, HF	왼발 135°턴(LF) 오른발 후진(RF)	Turn, Backward Walk
5보	없음	오른손	놓고	HF	왼발 후진(LF)	Backward Walk
6보	없음	오른손	놓고	HF	오른발 후진하면서 왼발 옆에 모으고(RF)	Backward Walk

D						
1보	없음	오른손	놓고	BF	왼발 전진(LF)	Forward Walk
2보	없음	오른손	놓고	BF	오른발 전진(RF)	Forward Walk
3보	L/45°(1/8턴)	오른손	놓고	B	왼발 45°턴(RF)	Turn
4보	L/135° (3/8턴) 오른발-없음	오른손	놓고	B,HF	왼발 135°턴(LF) 오른발 후진(RF)	Turn, Backward Walk
5보	없음	오른손	놓고	HF	왼발 후진(LF)	Backward Walk
6보	없음	오른손	놓고	HF	오른발 후진하면서 왼발 옆에 모으고(RF)	Backward Walk

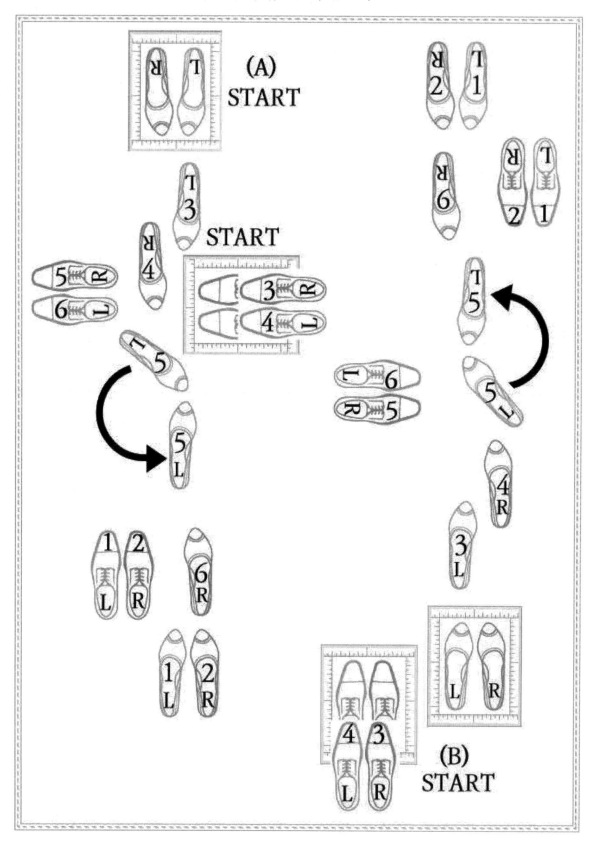

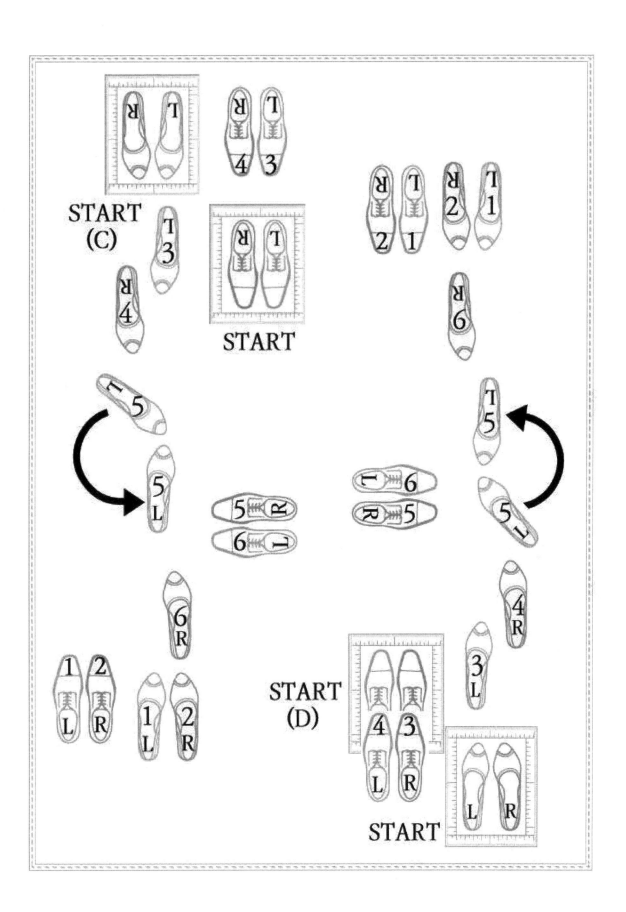

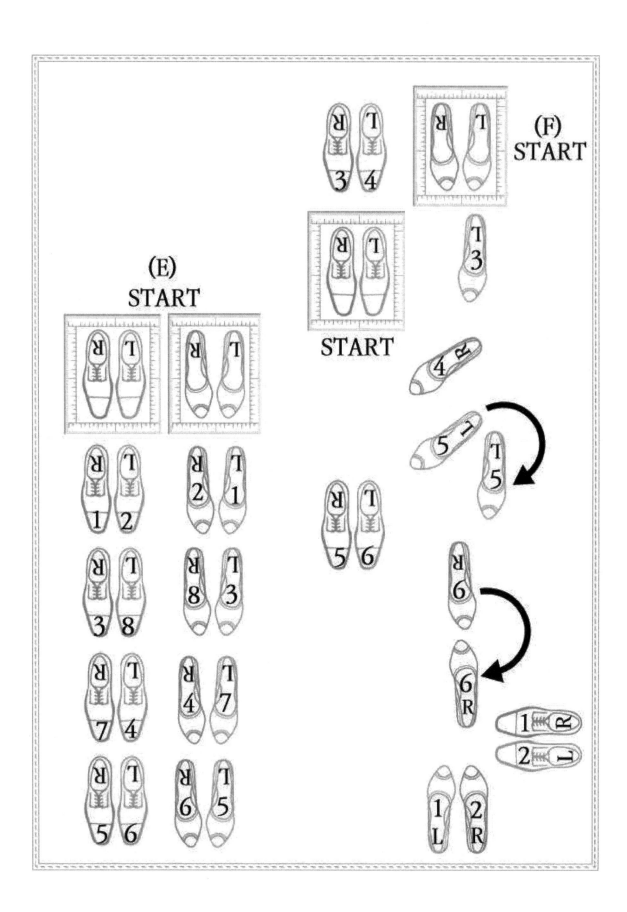

〈남성&여성〉

스텝	카운트	리듬	읽을 때	음악 타이밍	보수	핸드 포지션	악센트
A							
1보	3	S	슬로우	쿵	1	One Hand Joined	
2보	4	&	엔	짝	1	One Hand Joined	
3보	5	Q	퀵	쿵	1	One Hand Joined	V
4보	6	Q	퀵	짝	1	One Hand Joined	V
5보	1	S	슬로우	쿵	1	One Hand Joined	
6보	2	&	엔	짝	1	One Hand Joined	
B							
1보	3	S	슬로우	쿵	1	One Hand Joined	
2보	4	&	엔	짝	1	One Hand Joined	
3보	5	Q	퀵	쿵	1	One Hand Joined	V
4보	6	Q	퀵	짝	1	One Hand Joined	V
5보	1	S	슬로우	쿵	1	One Hand Joined	
6보	2	&	엔	짝	1	One Hand Joined	
C							
1보	3	S	슬로우	쿵	1	One Hand Joined	
2보	4	&	엔	짝	1	One Hand Joined	
3보	5	Q	퀵	쿵	1	One Hand Joined	V
4보	6	Q	퀵	짝	1	One Hand Joined	V
5보	1	S	슬로우	쿵	1	One Hand Joined	
6보	2	&	엔	짝	1	One Hand Joined	
D							
1보	3	S	슬로우	쿵	1	One Hand Joined	
2보	4	&	엔	짝	1	One Hand Joined	
3보	5	Q	퀵	쿵	1	One Hand Joined	V
4보	6	Q	퀵	짝	1	One Hand Joined	V
5보	1	S	슬로우	쿵	1	One Hand Joined	
6보	2	&	엔	짝	1	One Hand Joined	
E							
1보	3	S	슬로우	쿵	1	One Hand Joined	
2보	4	&	엔	짝	1	One Hand Joined	
3보	5	Q	퀵	쿵	1	One Hand Joined	V
4보	6	Q	퀵	짝	1	One Hand Joined	V
5보	7	Q	퀵	쿵	1	One Hand Joined	V
6보	8	Q	퀵	짝	1	One Hand Joined	V
7보	1	S	슬로우	쿵	1	One Hand Joined	
8보	2	&	엔	짝	1	One Hand Joined	
F							
1보	1	S	슬로우	쿵	1	One Hand Joined	
2보	2	&	엔	짝	1	One Hand Joined	
3보	3	Q	퀵	쿵	1		V
4보	4	Q	퀵	짝	1		V
5보	5	S	슬로우	쿵	1		
6보	6	&	엔	짝	1		

〈남성〉

스텝	핸드	방향	풋 워크	스텝 방식	액션
A					
1보	오른손	9시	HF	놓고	Backward Walk
2보	오른손	9시	HF	놓고	Backward Walk
3보	오른손	9시	BF	놓고	Forward Walk
4보	오른손	9시	T/BF	찍고/놓고	Forward Walk
5보	오른손	12시	WF	놓고	Turn
6보	오른손	12시	WF	놓고	Backward Walk
B					
1보	오른손	12시	HF	놓고	Backward Walk
2보	오른손	12시	HF	놓고	Backward Walk
3보	오른손	3시	WF	놓고	Turn
4보	오른손	3시	T/WF	찍고/놓고(선택)	Side Step
5보	오른손	3시	WF	놓고	Side line(Right), Turn
6보	오른손	3시	WF	놓고	Side line(Right)
C					
1보	오른손	6시	HF	놓고	Backward Walk
2보	오른손	6시	HF	놓고	Backward Walk
3보	오른손	9시	WF	놓고	Turn
4보	오른손	9시	T/WF	찍고/놓고(선택)	Side Step
5보	오른손	12시	WF	놓고	Side line(Left), Turn
6보	오른손	12시	WF	놓고	Side line(Left)
D					
1보	오른손	12시	HF	놓고	Backward Walk
2보	오른손	12시	HF	놓고	Backward Walk
3보	오른손	3시	WF	놓고	Turn
4보	오른손	3시	T/WF	찍고/놓고(선택)	Side Step
5보	오른손	6시	HF	놓고	Turn
6보	왼손	6시	HF	놓고	Backward Walk
E					
1보	왼손	6시	BF	놓고	Forward Walk
2보	왼손	6시	BF	놓고	Forward Walk
3보	왼손	6시	BF	놓고	Forward Walk
4보	왼손	6시	BF	놓고	Forward Walk
5보	왼손	6시	HF	놓고	Backward Walk
6보	왼손	6시	HF	놓고	Backward Walk
7보	왼손	6시	HF	놓고	Backward Walk
8보	왼손	6시	HF	놓고	Backward Walk
F					
1보	왼손	6시	HF	놓고	Backward Walk
2보	왼손	6시	HF	놓고	Backward Walk
3보		6시	BF	놓고	Forward Walk
4보		6시	T/BF	찍고/놓고(선택)	Forward Walk
5보		9시	WH	놓고	Side line(Right), Turn
6보		9시	WH	놓고	Side line(Right)

스텝	풋 포지션	회전량
A		
1보	오른발 후진(RF)	없음
2보	왼발을 후진하면서 오른발 옆으로 모으고(LF)	없음
3보	오른발 전진(RF)	없음
4보	왼발을 전진하면서 오른발 옆에 모으고(LF)	없음
5보	왼발 R/90°턴(LF)	R/90°(1/4턴)
6보	오른발 왼발 옆에 모으고(RF)	없음
B		
1보	오른발 후진(RF)	없음
2보	왼발 후진하면서 오른발 옆에 모으고(LF)	없음
3보	오른발 R/90°턴((RF)	R/90°(1/4턴)
4보	왼발 오른발 옆에 모으고(LF)	없음
5보	왼발 R/90°턴(LF)	R/90°(1/4턴)
6보	오른발을 왼발 옆에 모으고(RF)	없음
C		
1보	오른발 후진(RF)	없음
2보	왼발 후진하면서 오른발 옆에 모으고(LF)	없음
3보	오른발 R/90턴(RF)	R/90°(1/4턴)
4보	왼발 오른발 옆에 모으고(LF)	없음
5보	왼발 R/90°턴(LF)	R/90°(1/4턴)
6보	오른발을 왼발 옆에 모으고(RF)	없음
D		
1보	오른발 후진(RF)	없음
2보	왼발 후진하면서 오른발 옆에 모으고(LF)	없음
3보	오른발 전진((RF)	없음
4보	왼발을 전진하면서 오른발 옆에 모으고(LF)	없음
5보	왼발 R/90°턴(LF)	R/90°(1/4턴)
6보	오른발을 왼발 옆에 모으고(RF)	없음
E		
1보	오른발 전진((RF)	없음
2보	왼발 전진(LF)	없음
3보	오른발 전진((RF)	없음
4보	왼발 전진하면서 오른발에 모으고(LF)	없음
5보	오른발 후진(RF)	없음
6보	왼발 후진(LF)	없음
7보	오른발 후진(RF)	없음
8보	왼발 후진하면서 오른발에 모으고(LF)	없음
F		
1보	오른발 후진(RF)	없음
2보	왼발 후진하면서 오른발 옆에 모으고(LF)	없음
3보	오른발 전진((RF)	없음
4보	왼발을 전진하면서 오른발 옆에 모으고(LF)	없음
5보	왼발 R/90°턴(LF)	R/90°(1/4턴)
6보	오른발을 왼발 옆에 모으고(RF)	없음

스텝	리드 / 사인 / 텐션
A	
1보	여성 왼발, 오른발이 댄스 라인에 맞춰 전진하도록 여성 정면 앞으로 당기면서 서서히

2보	여성 오른손을 들어준다.
3보	3보에 여성 오른손을 남성 목 뒤로 이동하면서 여성이 왼쪽으로 180° 턴하도록 손을 왼쪽으로 틀어주면서 목 뒤에서 왼손으로 여성 오른손을 잡는다.
4보	왼손에서 오른손으로 여성 오른손을 잡는다.
5보 6보	여성 손을 내리지 않고 여성의 오른발이 왼발에 모으도록 손 텐션 및 리드를 멈춘다.

B	
1보 2보	여성 왼발, 오른발이 댄스 라인에 맞춰 전진하도록 여성 정면 앞으로 당기면서
3보	3보에 여성 오른손을 남성 목 뒤로 이동하면서 여성이 왼쪽으로 180° 턴하도록 손을 왼쪽으로 틀어주면서 목 뒤에서 왼손으로 여성 오른손을 잡는다.
4보	왼손에서 오른손으로 여성 오른손을 잡는다.
5보 6보	여성 손을 내리지 않고 여성 오른발이 왼발에 모으도록 손 텐션 및 리드를 멈춘다.

C	
1보 2보	여성 왼발, 오른발이 댄스 라인에 맞춰 전진하도록 여성 정면 앞으로 당긴다.
3보 4보 5보	여성 왼발이 왼쪽으로 45°, 135° 턴하도록 손을 왼쪽으로 틀어주면서 남성은 팔 아래로 들어가 Under arm turn
6보	손을 내려주면서 여성 오른발이 왼발에 모으도록 손 텐션 및 리드를 멈춘다.

D	
1보 2보	여성의왼발, 오른발이 댄스 라인에 맞춰 전진하도록 여성 정면 앞으로 당긴다.
3보	여성 왼발이 왼쪽으로 45° 턴하도록 왼쪽으로 틀어준다. (손 허리)
4보	여성 왼발이 왼쪽으로 135° 턴하도록 왼쪽으로 틀어주면서 여성 오른발이 댄스 라인에 위치하도록 리드(손 허리)
5보	여성 왼발이 후진하도록 그립 상태에서 여성 손에 힘을 주면서 밀어준다.
6보	여성 오른발이 왼발에 모으도록 손 리드 및 텐션을 멈춘다. (남성 왼손으로 여성 오른손을 잡는다.)

E	
1보 2보 3보 4보	남성 왼손으로 여성 오른손을 잡은 상태에서 여성이 앞으로 전진할 수 있도록 앞으로 밀어주면서 여성과 같이 전진한다.
5보 6보 7보 8보	남성 왼손으로 여성 오른손을 잡은 상태에서 여성이 뒤로 후진할 수 있도록 뒤로 밀어주면서 여성과 같이 후진한다.

F	
1보	여성이 오른쪽으로 540° 턴 할 수 있게 남성 왼손으로 여성 오른손을 잡은 상태에서
2보	여성 정면 앞으로 밀어주면서 2보에 여성을 오른쪽으로 회전시켜주면서 손을 놓아준다.

〈여성〉

스텝	회전량	핸드	스텝 방식	풋 워크	풋 포지션	액션
A						
1보	없음	오른손	놓고	BF	왼발 전진(LF)	Forward Walk

2보	없음	오른손	놓고	BF	오른발 전진(RF)	Forward Walk
3보	L/45°(1/8턴)	오른손	놓고	B	왼발 45°턴(LF)	Turn
4보	L/135° (3/8턴) 오른발-없음	오른손	놓고	B, HF	왼발 135°턴(LF) 오른발 후진(RF)	Turn, Backward Walk
5보	없음	오른손	놓고	HF	왼발 후진(LF)	Backward Walk
6보	없음	오른손	놓고	HF	오른발 후진하면서 왼발 옆에 모으고(RF)	Backward Walk
B						
1보	없음	오른손	놓고	BF	왼발 전진(LF)	Forward Walk
2보	없음	오른손	놓고	BF	오른발 전진(RF)	Forward Walk
3보	R/45°(1/8턴)	오른손	놓고	B	왼발 45°턴(LF)	Turn
4보	L/135° (3/8턴) 오른발-없음	오른손	놓고	B, HF	왼발 135°턴(LF) 오른발 후진(RF)	Turn, Backward Walk
5보	없음	오른손	놓고	HF	왼발 후진(LF)	Backward Walk
6보	없음	오른손	놓고	HF	오른발 후진하면서 왼발 옆에 모으고(RF)	Backward Walk
C						
1보	없음	오른손	놓고	BF	왼발 전진(LF)	Forward Walk
2보	없음	오른손	놓고	BF	오른발 전진(RF)	Forward Walk
3보	L/45°(1/8턴)	오른손	놓고	B	왼발 45°턴(RF)	Turn
4보	L/135° (3/8턴) 오른발-없음	오른손	놓고	B, HF	왼발 135°턴(LF) 오른발 후진(RF)	Turn, Backward Walk
5보	없음	오른손	놓고	HF	왼발 후진(LF)	Backward Walk
6보	없음	오른손	놓고	HF	오른발 후진하면서 왼발 옆에 모으고(RF)	Backward Walk
D						
1보	없음	오른손	놓고	BF	왼발 전진(LF)	Forward Walk
2보	없음	오른손	놓고	BF	오른발 전진(RF)	Forward Walk
3보	L/45°(1/8턴)	오른손	놓고	B	왼발 45°턴(RF)	Turn
4보	L/135° (3/8턴) 오른발-없음	오른손	놓고	B,HF	왼발 135°턴(LF) 오른발 후진(RF)	Turn, Backward Walk
5보	없음	오른손	놓고	HF	왼발 후진(LF)	Backward Walk
6보	없음	오른손	놓고	HF	오른발 후진하면서 왼발 옆에 모으고(RF)	Backward Walk
E						
1보	없음	오른손	놓고	BF	왼발 전진(LF)	Forward Walk
2보	없음	오른손	놓고	BF	오른발 전진(RF)	Forward Walk
3보	없음	오른손	놓고	BF	왼발 전진(LF)	Forward Walk

4보	없음	오른손	놓고	BF	오른발 전진하면서 왼발 옆에 모으고(RF)	Forward Walk
5보	없음	오른손	놓고	HF	왼발 후진(LF)	Backward Walk
6보	없음	오른손	놓고	HF	오른발 후진(RF)	Backward Walk
7보	없음	오른손	놓고	HF	왼발 후진(LF)	Backward Walk
8보	없음	오른손	놓고	HF	오른발 후진하면서 왼발 옆에 모으고(RF)	Backward Walk
F						
1보	없음	오른손	놓고	BF	왼발 전진(LF)	Forward Walk
2보	R/45°(1/8턴)	오른손	놓고	BF	오른발 45°턴(RF)	Turn
3보	R/45°(1/8턴)		놓고	B	왼발 45°턴(LF)	Turn
4보	R/315° (7/8턴) 오른발-없음		놓고	B, BF	왼발 315°턴(LF) 오른발 전진(RF)	Turn
5보	R/180° (1/2턴) 왼발-없음		놓고	B, HF	오른발 180°턴(RF) 왼발 후진(LF)	Turn, Backward Walk
6보	없음		놓고	HF	오른발 후진하면서 왼발 옆에 모으고(RF)	Backward Walk

70번 후진 6박 어깨걸이, 전진 4박 브레이크, R/180°턴

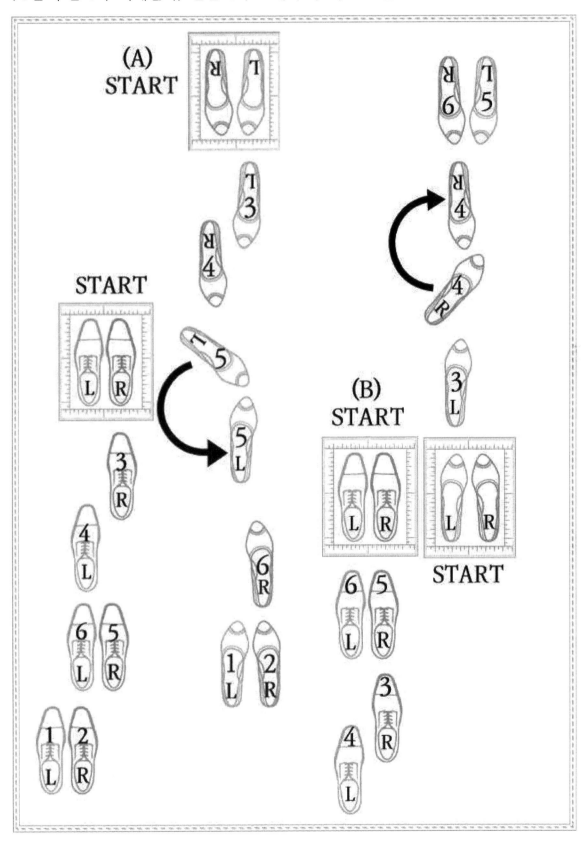

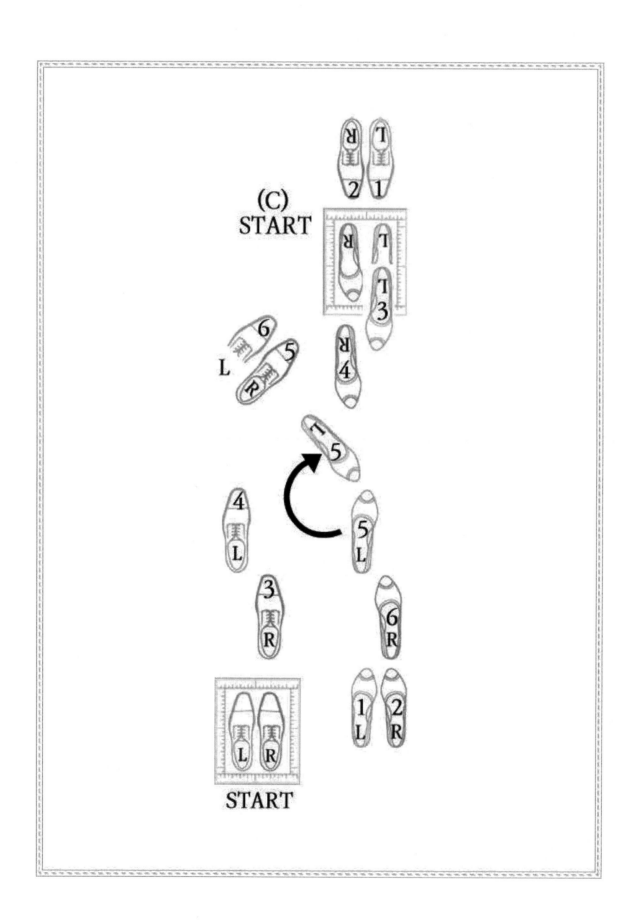

<남성&여성>

스텝	카운트	리듬	읽을 때	음악 타이밍	보수	핸드 포지션	악센트
				A			
1보	3	S	슬로우	쿵	1	One Hand Joined	
2보	4	&	엔	짝	1	One Hand Joined	
3보	5	Q	퀵	쿵	1	One Hand Joined	V
4보	6	Q	퀵	짝	1	One Hand Joined	V
5보	1	S	슬로우	쿵	1	One Hand Joined	
6보	2	&	엔	짝	1	One Hand Joined	
				B			
1보	3	S	슬로우	쿵	1	One Hand Joined	
2보	4	&	엔	짝	1	One Hand Joined	
3보	5	Q	퀵	쿵	1	One Hand Joined	V
4보	6	Q	퀵	짝	1	One Hand Joined	V
				C			
1보	3	S	슬로우	쿵	1	One Hand Joined	
2보	4	&	엔	짝	1	One Hand Joined	
3보	5	Q	퀵	쿵	1	One Hand Joined	V
4보	6	Q	퀵	짝	1	One Hand Joined	V
5보	1	S	슬로우	쿵	1	One Hand Joined	
6보	2	&	엔	짝	1	One Hand Joined	

<남성>

스텝	핸드	방향	풋 워크	스텝 방식	액션
				A	
1보	오른손	12시	HF	놓고	Backward Walk
2보	오른손	12시	HF	놓고	Backward Walk
3보	오른손	12시	HF	놓고	Backward Walk
4보	오른손	12시	HF/T	놓고/찍고(선택)	Backward Walk
5보	오른손	12시	HF	놓고	Diagonally Backward Walk
6보	오른손	12시	HF	놓고	Diagonally Backward Walk
				B	
1보	오른손	12시	HF	놓고	Backward Walk
2보	오른손	12시	HF	놓고	Backward Walk
3보	오른손	12시	BF	놓고	Forward Walk
4보	오른손	12시	BF	놓고	Forward Walk
				C	
1보	오른손	12시	BF	놓고	Forward Walk
2보	오른손	12시	BF	놓고	Forward Walk
3보	오른손	1시30분	BF	놓고	Diagonally Forward Walk
4보	오른손	1시30분	T/BF	놓고/찍고(선택)	Diagonally Forward Walk
5보	오른손	6시	WF	놓고	Turn, 정면(正面)
6보	오른손	6시	WF	놓고	Side Step, 정면(正面)

스텝	풋 포지션	회전량
	A	

스텝		
1보	오른발 후진(RF)	없음
2보	왼발 후진(LF)	없음
3보	오른발 후진(RF)	없음
4보	왼발을 후진하면서 오른발 옆에 모으고(LF)	없음
5보	왼발 왼쪽 사선으로 후진(LF)	없음
6보	오른발을 왼쪽 사선으로 후진하면서 왼발 옆에 모으고(RF)	없음
B		
1보	오른발 후진(RF)	없음
2보	왼발 후진(LF)	없음
3보	오른발 전진(RF)	없음
4보	왼발을 전진하면서 오른발 옆에 모으고(LF)	없음
C		
1보	오른발 전진(RF)	없음
2보	왼발 전진(LF)	없음
3보	오른발 사선으로 전진(RF)	R/45°(1/8턴)
4보	왼발 사선으로 전진하면서 오른발에 모으고(LF)	
5보	왼발 R/135°턴(LF)	R/135°(3/8턴)
6보	오른발 왼발 옆에 모으고(RF)	없음

스텝	리드 / 사인 / 텐션
A	
1보	양손 그립 상태에서 여성 왼발, 오른발이 댄스 라인에 맞춰 전진하도록 여성 오른손을
2보	여성 정면 앞으로 당긴다.
3보	여성 왼발이 왼쪽으로 45°, 135° 턴하도록 여성 오른손 손바닥이 하늘 쪽으로 보이도록 손목을 꺾어 주면서 여성 손등이 여성 어깨 쪽으로 유도(리드)해 준다.
4보	4보에 여성 오른발이 후진하도록 살짝 당겨주고
5보	5보에 여성 왼발이 후진하도록 살짝 당겨주고
6보	6보에 여성 오른발이 왼발에 모으도록 잡아준다. (어깨걸이)
B	
1보	여성 왼발이 댄스 라인에 맞춰 전진 및 오른쪽으로 180° 턴 할 수 있게
2보	남성 왼손으로 여성 왼쪽 어깨를 밀어주면서 여성 오른손도 밀어준다.
3보	여성 왼발이 후진하도록 그립 상태에서 여성 손에 힘을 주면서 밀어준다.
4보	여성 오른발이 왼발에 모으도록 손 텐션 및 리드를 멈춘다.
C	
1보	여성이 댄스 라인에 맞춰 전진하도록 여성 오른손을 여성 정면 앞으로 당긴다.
2보	
3보	여성 왼발이 왼쪽으로 45° 턴하도록 손을 들어주면서 왼쪽으로 회전시켜준다.
4보	여성 왼발이 왼쪽으로 135° 턴하도록 왼쪽으로 회전시켜주면서 여성 오른발이 댄스 라인에 위치하도록 손을 내리기 시작한다.
5보	여성 왼발이 후진하도록 그립 상태에서 여성 손에 힘을 주면서 밀어준다.
6보	여성 오른발이 왼발에 모으도록 손 텐션 및 리드를 멈춘다.

〈여성〉

스텝	회전량	핸드	스텝 방식	풋 워크	풋 포지션	액션
A						
1보	없음	오른손	놓고	BF	왼발 전진(LF)	Forward Walk
2보	없음	오른손	놓고	BF	오른발 전진(RF)	Forward Walk
3보	L/45°(1/8턴)	오른손	놓고	B	왼발 45°턴(LF)	Turn
4보	L/135° (3/8턴) 오른발-없음	오른손	놓고	B, HF	왼발 135°턴(LF) 오른발 후진(RF)	Turn, Backward Walk
5보	없음	오른손	놓고	HF	왼발 후진(LF)	Backward Walk
6보	없음	오른손	놓고	HF	오른발 후진하면서 왼발 옆에 모으고(RF)	Backward Walk
B						
1보	없음	오른손	놓고	BF	왼발 전진(LF)	Forward Walk
2보	R/45°(1/8턴) 135°(3/8턴)	오른손	놓고	B	오른발 180°턴(RF)	Turn
3보	없음	오른손	놓고	HF	왼발 후진(LF)	Backward Walk
4보	없음	오른손	놓고	HF	오른발 후진하면서 왼발 옆에 모으고(RF)	Backward Walk
C						
1보	없음	오른손	놓고	BF	왼발 전진(LF)	Forward Walk
2보	없음	오른손	놓고	BF	오른발 전진(RF)	Forward Walk
3보	L/45°(1/8턴)	오른손	놓고	B	왼발 45°턴(LF)	Turn
4보	L/135° (3/8턴) 오른발-없음	오른손	놓고	B, HF	왼발 135°턴(LF) 오른발 후진(RF)	Turn, Backward Walk
5보	없음	오른손	놓고	HF	왼발 후진(LF)	Backward Walk
6보	없음	오른손	놓고	HF	오른발 후진하면서 왼발 옆에 모으고(RF)	Backward Walk

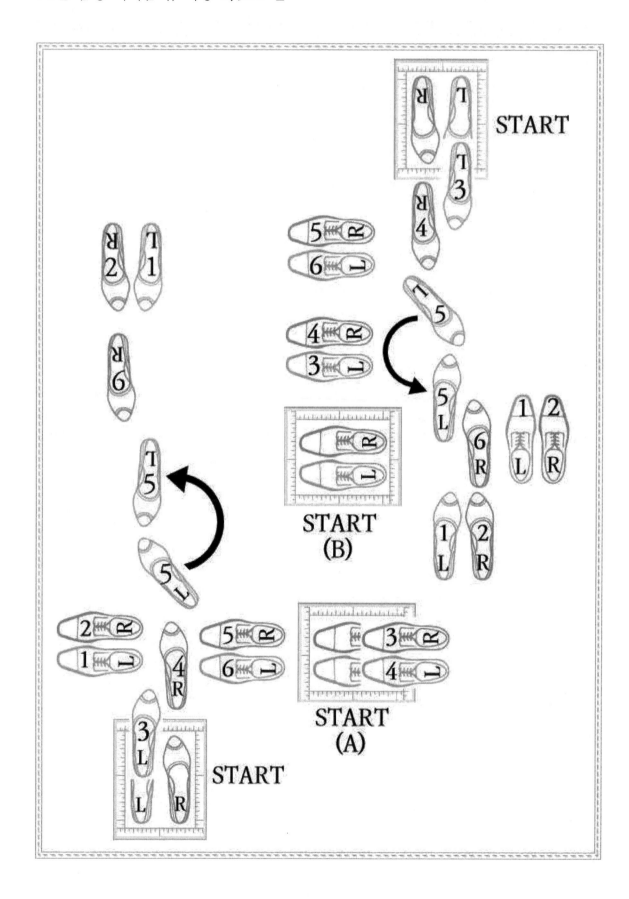

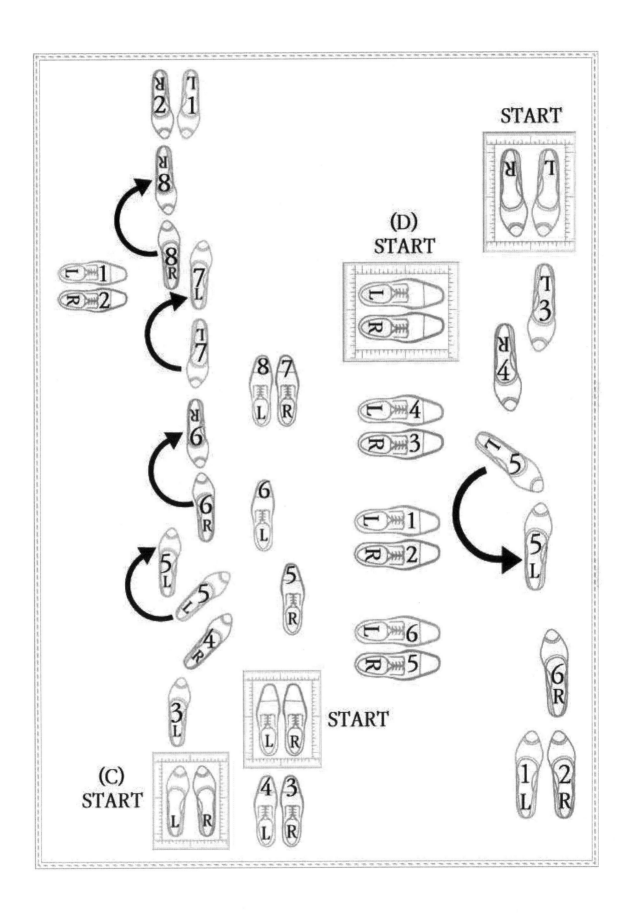

〈남성&여성〉

스텝	카운트	리듬	읽을 때	음악 타이밍	보수	핸드 포지션	악센트
A							
1보	3	S	슬로우	쿵	1	One Hand Joined	
2보	4	&	엔	짝	1	One Hand Joined	
3보	5	Q	퀵	쿵	1	One Hand Joined	V
4보	6	Q	퀵	짝	1	One Hand Joined	V
5보	1	S	슬로우	쿵	1	One Hand Joined	
6보	2	&	엔	짝	1	One Hand Joined	
B							
1보	3	S	슬로우	쿵	1	One Hand Joined	
2보	4	&	엔	짝	1	One Hand Joined	
3보	5	Q	퀵	쿵	1	One Hand Joined	V
4보	6	Q	퀵	짝	1	One Hand Joined	V
5보	1	S	슬로우	쿵	1	Two Hand Joined	
6보	2	&	엔	짝	1	Two Hand Joined	
C							
1보	3	S	슬로우	쿵	1	Two Hand Joined	
2보	4	&	엔	짝	1	One Hand Joined	
3보	5	Q	퀵	쿵	1	One Hand Joined	V
4보	6	Q	퀵	짝	1	One Hand Joined	V
5보	7	Q	퀵	쿵	1	One Hand Joined	V
6보	8	Q	퀵	짝	1	One Hand Joined	V
7보	1	S	슬로우	쿵	1	One Hand Joined	
8보	2	&	엔	짝	1	Two Hand Joined	
D							
1보	3	S	슬로우	쿵	1	Two Hand Joined	
2보	4	&	엔	짝	1	One Hand Joined	
3보	5	Q	퀵	쿵	1	One Hand Joined	V
4보	6	Q	퀵	짝	1	One Hand Joined	V
5보	1	S	슬로우	쿵	1	One Hand Joined	
6보	2	&	엔	짝	1	One Hand Joined	

〈남성〉

스텝	핸드	방향	풋 워크	스텝 방식	액션
A					
1보	오른손	9시	HF	놓고	Backward Walk
2보	오른손	9시	HF	놓고	Backward Walk
3보	오른손	9시	BF	놓고	Forward Walk
4보	오른손	9시	T/BF	찍고/놓고	Forward Walk
5보	오른손	9시	BF	놓고	Forward Walk
6보	오른손	9시	BF	놓고	Forward Walk
B					
1보	오른손	9시	WF	놓고	Side Step
2보	오른손	9시	WF	놓고	Side Step
3보	오른손	9시	WF	놓고	Side Step
4보	오른손	9시	T/WF	찍고/놓고(선택)	Side Step
5보	양손	9시	WF	놓고	Side line(Right),Turn

스텝					
6보	양손	9시	WF	놓고	Side line(Right)
C					
1보	양손	12시	HF	놓고	Backward Walk
2보	왼손	12시	HF	놓고	Backward Walk
3보	왼손	12시	BF	놓고	Forward Walk
4보	왼손	12시	BF	놓고	Forward Walk
5보	왼손	12시	BF	놓고	Forward Walk
6보	왼손	12시	T/BF	찍고/놓고(선택)	Forward Walk
7보	왼손	3시	WF	놓고	Side line(Left), Turn
8보	양손	3시	WF	놓고	Side line(Left)
D					
1보	양손	3시	WF	놓고	Side Step
2보	오른손	3시	WF	놓고	Side Step
3보	오른손	3시	WF	놓고	Side Step
4보	오른손	3시	WF	놓고	Side Step
5보	오른손	3시	WF	놓고	Side Step
6보	오른손	3시	WF	놓고	Side Step

스텝	풋 포지션	회전량
A		
1보	오른발 후진(RF)	없음
2보	왼발을 후진하며서 오른발 옆으로 모으고(LF)	없음
3보	오른발 전진(RF)	없음
4보	왼발을 전진하면서 오른발 옆에 모으고(LF)	없음
5보	왼발 전진(LF)	없음
6보	오른발 전진하면서 왼발 옆에 모으고(RF)	없음
B		
1보	오른발 옆으로(RF)	없음
2보	왼발 오른발 옆에 모으고(LF)	없음
3보	오른발 옆으로(RF)	없음
4보	왼발 오른발 옆에 모으고(LF)	없음
5보	왼발 R/90°턴(LF)	R/90°(1/4턴)
6보	오른발 후진하면서 왼발 옆에 모으고(RF)	없음
C		
1보	오른발 후진(RF)	없음
2보	왼발 후진하면서 오른발 옆에 모으고(LF)	없음
3보	오른발 전진(RF)	없음
4보	왼발 전진(LF)	없음
5보	오른발 전진(RF)	없음
6보	왼발 전진하면서 오른발 옆에 모으고(LF)	없음
7보	왼발 R/90°턴(LF)	R/90°(1/4턴)
8보	오른발을 왼발 옆에 모으고(RF)	없음
D		
1보	오른발 옆으로(RF)	없음
2보	왼발 오른발 옆에 모으고(LF)	없음
3보	오른발 옆으로((RF)	없음
4보	왼발 오른발 옆에 모으고(LF)	없음
5보	왼발 옆으로(LF)	없음

6보	오른발 왼발 옆에 모으고(RF)	없음

스텝	리드 / 사인 / 텐션
	A
1보	여성 왼발, 오른발이 댄스 라인에 맞춰 전진하도록 여성 정면 앞으로 당긴다.
2보	
3보	여성 왼발이 왼쪽으로 45°, 135° 턴하도록 손을 왼쪽으로 틀어주면서 손을 들어준다.
4보	
5보	손을 내려주면서 여성 오른발이 왼발에 모으도록 손 텐션 및 리드를 멈춘다.
6보	
	B
1보	여성 오른손을 잡은 남성 오른손을 남성 등 뒤로 이동하면서 여성 왼발, 오른발이 댄스
2보	라인에 맞춰 전진하도록 여성 정면 앞으로 당긴다.
3보	여성 오른손을 남성 등 뒤로 이동하면서 여성 왼발이 왼쪽으로 45°, 135° 턴하도록
4보	손을 왼쪽으로 틀어주면서
5보	후진 스텝을 하면서 남성은 왼손으로 여성 왼손을 잡는다.
6보	여성 오른발이 왼발에 모으도록 손 텐션 및 리드를 멈춘다. (남성 허리 걸이)
	C
1보	남성 오른손으로 여성 왼발이 댄스 라인에 맞춰 전진하도록 여성 오른손을 정면 앞으로 당긴다.
2보	
3보	여성 오른쪽으로 900° 턴하도록 손을 오른쪽으로 틀어주면서 손을 들어준다.
4보	4보부터 손을 들어준 상태에서 여성을 6보까지 여성을 오른쪽으로 회전시켜준다.
5보	
6보	7보에 남성은 여성 손을 내리기 시작한다.
7보	
8보	손을 내려주면서 여성 오른발이 왼발에 모으도록 손 텐션 및 리드를 멈춘다.
	D
1보	여성 왼발, 오른발이 댄스 라인에 맞춰 전진하도록 여성 정면 앞으로 당긴다.
2보	
3보	여성 왼발이 왼쪽으로 180° 턴하도록 여성 오른손을 여성 머리 위로 올려주면서 왼쪽으로 회전시켜준다.
4보	여성 오른발이 후진할 수 있게 여성 오른손을 내리기 시작한다.
5보	여성 왼발이 후진하도록 그립 상태에서 여성 손에 힘을 주면서 밀어준다.
6보	여성 오른발이 왼발에 모으도록 손 리드 및 텐션을 멈춘다.

〈여성〉

스텝	회전량	핸드	스텝 방식	풋 워크	풋 포지션	액션
				A		
1보	없음	오른손	놓고	BF	왼발 전진(LF)	Forward Walk
2보	없음	오른손	놓고	BF	오른발 전진(RF)	Forward Walk
3보	L/45°(1/8턴)	오른손	놓고	B	왼발 45°턴(LF)	Turn
4보	L/135° (3/8턴) 오른발-없음	오른손	놓고	B, HF	왼발 135°턴(LF) 오른발 후진(RF)	Turn, Backward Walk

5보	없음	오른손	놓고	HF	왼발 후진(LF)	Backward Walk
6보	없음	오른손	놓고	HF	오른발 후진하면서 왼발 옆에 모으고(RF)	Backward Walk
B						
1보	없음	오른손	놓고	BF	왼발 전진(LF)	Forward Walk
2보	없음	오른손	놓고	BF	오른발 전진(RF)	Forward Walk
3보	R/45°(1/8턴)	오른손	놓고	B	L(왼발) R/45°턴	Turn
4보	L/135° (3/8턴) 오른발-없음	오른손	놓고	B, HF	왼발 135°턴(LF) 오른발 후진(RF)	Turn, Backward Walk
5보	없음	오른손	놓고	HF	왼발 후진(LF)	Backward Walk
6보	없음	오른손	놓고	HF	오른발 후진하면서 왼발 옆에 모으고(RF)	Backward Walk
C						
1보	없음	오른손	놓고	BF	왼발 전진(LF)	Forward Walk
2보	L/45°(1/8턴)	오른손	놓고	BF	오른발 45°턴(RF)	Turn
3보	R/315° (7/8턴)	오른손	놓고	B	왼발 315°(LF)	Turn
4보	R/180° (1/2턴)	오른손	놓고	B	오른발 180°턴(RF)	Turn
5보	R/180° (1/2턴)	오른손	놓고	B	왼발 180°턴(LF)	Turn
6보	R/180° (1/2턴)	오른손	놓고	B	오른발 180°턴(RF)	Turn
7보	없음	오른손	놓고	HF	왼발 후진(LF)	Backward Walk
8보	없음	오른손	놓고	HF	오른발 후진하면서 왼발 옆에 모으고(RF)	Backward Walk
D						
1보	없음	오른손	놓고	BF	왼발 전진(LF)	Forward Walk
2보	없음	오른손	놓고	BF	오른발 전진(RF)	Forward Walk
3보	L/45°(1/8턴)	오른손	놓고	B	왼발 45°턴(RF)	Turn
4보	L/135° (3/8턴) 오른발-없음	오른손	놓고	B,HF	왼발 135°턴(LF) 오른발 후진(RF)	Turn, Backward Walk
5보	없음	오른손	놓고	HF	왼발 후진(LF)	Backward Walk
6보	없음	오른손	놓고	HF	오른발 후진하면서 왼발 옆에 모으고(RF)	Backward Walk

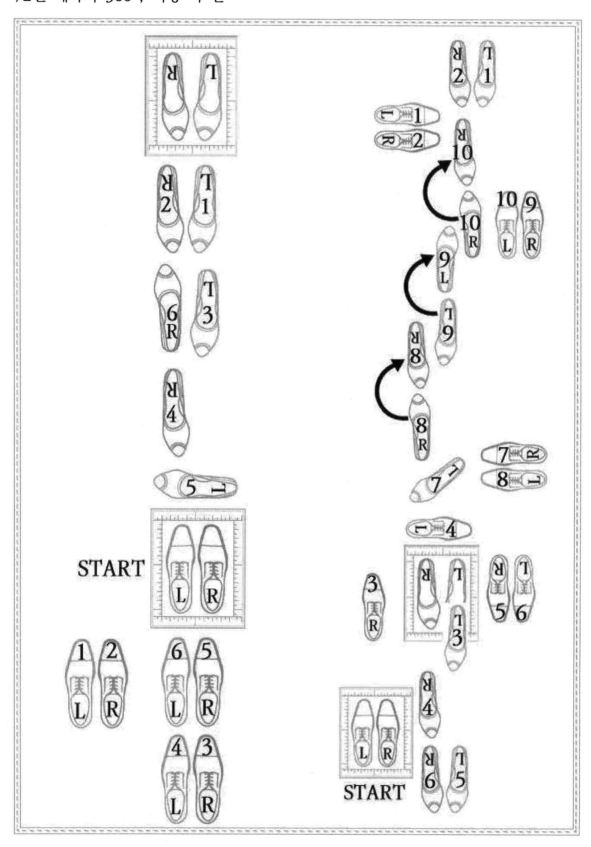

〈남성&여성〉

스텝	카운트	리듬	읽을 때	음악 타이밍	보수	핸드 포지션	악센트
1보	3	S	슬로우	쿵	1	One Hand Joined	
2보	4	&	엔	짝	1	One Hand Joined	
3보	5	Q	퀵	쿵	1		V
4보	6	Q	퀵	짝	1		V
5보	1	S	슬로우	쿵	1		
6보	2	&	엔	짝	1	One Hand Joined	

스텝	카운트	리듬	읽을 때	음악 타이밍	보수	핸드 포지션	악센트
1보	3	S	슬로우	쿵	1	One Hand Joined	
2보	4	&	엔	짝	1	One Hand Joined	
3보	5	Q	퀵	쿵	1	One Hand Joined	V
4보	6	Q	퀵	짝	1	One Hand Joined	V
5보	7	Q	퀵	쿵	1	One Hand Joined	
6보	8	Q	퀵	짝	1	One Hand Joined	
7보	9	Q	퀵	쿵	1	One Hand Joined	V
8보	10	Q	퀵	짝	1	One Hand Joined	V
9보	1	S	슬로우	쿵	1	One Hand Joined	
10보	2	&	엔	짝	1	One Hand Joined	

〈남성〉

스텝	핸드	방향	풋 워크	스텝 방식	액션
1보	왼손	12시	HF	놓고	Backward Walk
2보	왼손	12시	HF	놓고	Backward Walk
3보		12시	BF	놓고	Forward Walk
4보		12시	T/BF	찍고/놓고(선택)	Forward Walk
5보		12시	WF	놓고	Side line(Left), Side Step
6보	오른손	12시	WF	놓고	Side line(Left), Side Step

스텝	핸드	방향	풋 워크	스텝 방식	액션
1보	오른손	12시	BF	놓고	Forward Walk
2보	오른손	3시	BF	놓고	Turn
3보	오른손	6시	BF	놓고	Turn
4보	오른손	6시	BF	놓고	Forward Walk
5보	오른손	9시	HF	놓고	Turn
6보	오른손	9시	BF	놓고	Side Step
7보	오른손	12시	BF	놓고	Forward Walk, Turn
8보	오른손	12시	T/BF	찍고/놓고(선택)	Forward Walk
9보	오른손	3시	WF	놓고	Side line(Left),Turn
10보	오른손	3시	WF	놓고	Side line(Left)

스텝	풋 포지션	회전량
1보	오른발 후진(RF)	없음

스텝	풋 포지션	회전량
2보	왼발 후진하면서 오른발 옆으로 모으고(LF)	없음
3보	오른발 전진(RF)	없음
4보	왼발을 전진하면서 오른발 옆에 모으고(LF)	없음
5보	왼발 옆으로(LF)	없음
6보	오른발 왼발 옆에 모으고(RF)	없음

스텝	풋 포지션	회전량
1보	오른발 전진(RF)	없음
2보	왼발 R/90°턴(LF)	R/90°(1/4턴)
3보	오른발 R/90°턴(RF)	R/90°(1/4턴)
4보	왼발 전진하면서 오른발에 모으고(LF)	없음
5보	오른발 R/90°턴(RF)	R/90°(1/4턴)
6보	왼발 오른발에 모으고(LF)	없음
7보	오른발 R/90°턴(RF)	R/90°(1/4턴)
8보	왼발 전진하면서 오른발에 모으고(LF)	없음
9보	왼발 R/90°턴(LF)	R/90°(1/4턴)
10보	오른발을 왼발 옆에 모으고(RF)	없음

스텝	리드 / 사인 / 텐션
1보	여성 왼발, 오른발이 댄스 라인에 맞춰 전진하도록 여성 오른손을 여성 정면 앞으로
2보	당기면서 2보에 여성 손을 놓아준다.
	6보에 남성은 오른손으로 여성 오른손을 잡는다.

스텝	리드 / 사인 / 텐션
1보	여성이 앞으로 전진할 수 있도록 여성 오른손을 정면 앞으로 당기면서
2보	여성 오른손 손바닥이 하늘 쪽으로 보이도록 손목을 꺾어 주면서 여성 손등이
3보	여성 어깨 쪽으로 유도(리드)해 준다.
4보	
5보	여성이 회전할 수 있도록 손을 여성 정수리 5-10cm 정도 위로 들어주면서
6보	
7보	여성 왼발이 오른쪽으로 720° 턴 할 수 있도록 회전시켜주면서 9보에 여성 왼발이
8보	후진하도록 손을 내리기 시작한다.
9보	
10보	여성 오른발이 왼발에 모으도록 손 텐션 및 리드를 멈춘다.

〈여성〉

스텝	회전량	핸드	스텝 방식	풋 워크	풋 포지션	액션
1보	없음	오른손	놓고	BF	왼발 전진(LF)	Forward Walk
2보	없음	오른손	놓고	BF	오른발 전진(RF)	Forward Walk
3보	R/90°(1/4턴)		놓고	B	왼발 90°턴(LF)	Turn
4보	R/90°(1/4턴) 180°(1/2턴)		놓고	B	오른발 90°턴(RF) 180°턴(RF)	Turn

스텝	회전량	핸드	스텝 방식	풋 워크	풋 포지션	액션
5보	없음		놓고	HF	왼발 후진(LF)	Backward Walk
6보	없음	오른손	놓고	HF	오른발 후진하면서 왼발 옆에 모으고(RF)	Backward Walk

스텝	회전량	핸드	스텝 방식	풋 워크	풋 포지션	액션
1보	없음	오른손	놓고	BF	왼발 전진(LF)	Forward Walk
2보	없음	오른손	놓고	BF	오른발 전진(RF)	Forward Walk
3보	없음	오른손	놓고	BF	왼발 전진(LF)	Turn
4보	없음	오른손	놓고	BF	오른발 후진면서 왼발 옆에 모으고(RF)	Turn, Backward Walk
5보	왼발 R/45°(1/8턴) 오른발 R/135° (3/8턴)	오른손	놓고	B	왼발 45°턴(LF) 오른발 135°턴(RF)	Turn
6보	R/180°(1/2턴)	오른손	놓고	B	오른발 180°턴(RF)	Turn
7보	R/180°(1/2턴)	오른손	놓고	B	왼발 180°턴(LF)	Turn
8보	R/180°(1/2턴)	오른손	놓고	B	오른발 180°턴(RF)	Turn
9보	없음	오른손	놓고	HF	왼발 후진(LF)	Backward Walk
10보	없음	오른손	놓고	HF	오른발 후진면서 왼발 옆에 모으고(RF)	Backward Walk

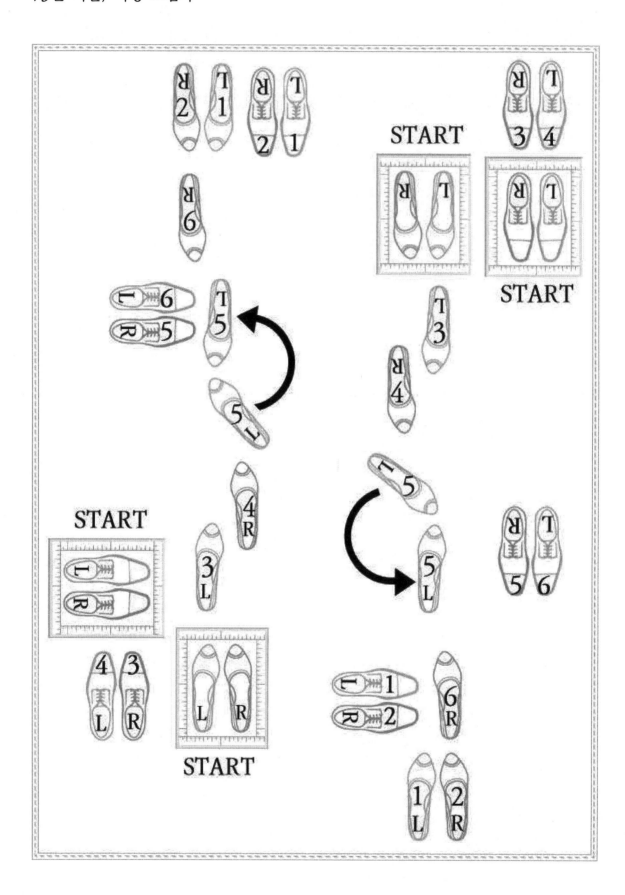

<남성&여성>

스텝	카운트	리듬	읽을 때	음악 타이밍	보수	핸드 포지션	악센트
1보	3	S	슬로우	쿵	1	One Hand Joined	
2보	4	&	엔	짝	1	One Hand Joined	
3보	5	Q	퀵	쿵	1	One Hand Joined	V
4보	6	Q	퀵	짝	1	One Hand Joined	V
5보	1	S	슬로우	쿵	1	One Hand Joined	
6보	2	&	엔	짝	1	One Hand Joined	
1보	3	S	슬로우	쿵	1	One Hand Joined	
2보	4	&	엔	짝	1	One Hand Joined	
3보	5	Q	퀵	쿵	1	One Hand Joined	V
4보	6	Q	퀵	짝	1	One Hand Joined	V
5보	1	S	슬로우	쿵	1	One Hand Joined	
6보	2	&	엔	짝	1	One Hand Joined	

<남성>

스텝	핸드	방향	풋 워크	스텝 방식	액션
1보	왼손	12시	HF	놓고	Backward Walk, Turn
2보	왼손	12시	HF	놓고	Backward Walk
3보	왼손	3시	WF	놓고	Turn
4보	왼손	3시	T/WF	찍고/놓고(선택)	Side Step
5보	왼손	6시	HF	놓고	Side line(Right), Turn
6보	왼손	6시	HF	놓고	Side line(Right)
1보	왼손	6시	HF	놓고	Backward Walk
2보	왼손	6시	HF	놓고	Backward Walk
3보	왼손	6시	BF	놓고	Forward Walk
4보	왼손	6시	T/BF	찍고/놓고(선택)	Forward Walk
5보	왼손	3시	WF	놓고	Side line(Left), Turn
6보	왼손	3시	WF	놓고	Side line(Left)

스텝	풋 포지션	회전량
1보	오른발 L/90°턴(RF)	L/90°(1/4턴)
2보	왼발 후진하면서 오른발 옆으로 모으고(LF)	없음
3보	오른발 R/90°턴(RF)	R/90°(1/4턴)
4보	왼발을 오른발 옆에 모으고(LF)	없음
5보	왼발 R/90°턴(LF)	R/90°(1/4턴)
6보	오른발 왼발 옆에 모으고(RF)	없음
1보	오른발 후진(RF)	없음
2보	왼발 후진하면서 오른발 옆으로 모으고(LF)	없음
3보	오른발 전진(RF)	없음
4보	왼발 전진하면서 오른발 옆에 모으고(LF)	없음
5보	왼발 L/90°턴(LF)	L/90°(1/4턴)
6보	오른발 후진하면서 왼발 옆에 모으고(RF)	없음

스텝	리드 / 사인 / 텐션
1보	남성은 사이드 스텝을 하면서 여성 왼발이 댄스 라인에 맞춰 전진하도록 여성 정면
2보	앞으로 당기면서
3보	여성 왼발이 왼쪽으로 45°, 135° 턴하도록 손을 왼쪽으로 틀어주면서 손을 들어준다.
4보	여성 왼발이 왼쪽으로 45°, 135° 턴하도록 손을 왼쪽으로 틀어주면서 손을 들어준다.
5보	손을 들어준 상태에서 터널을 만들어 터널 속으로 들어간 다음에 터널을 풀어준다.
6보	손을 들어준 상태에서 터널을 만들어 터널 속으로 들어간 다음에 터널을 풀어준다.
1보	남성은 사이드 스텝을 하면서 여성 왼발이 댄스 라인에 맞춰 전진하도록 여성 정면
2보	앞으로 당기면서
3보	여성 왼발이 왼쪽으로 45°, 135° 턴하도록 왼쪽으로 틀어주면서 남성은 여성을
4보	여성 왼발이 왼쪽으로 45°, 135° 턴하도록 왼쪽으로 틀어주면서 남성은 여성을
5보	따라가면서 댄스 라인을 건너간다.
6보	여성 오른발이 왼발에 모으도록 손 텐션 및 리드를 멈춘다.

〈여성〉

스텝	회전량	핸드	스텝 방식	풋 워크	풋 포지션	액션
1보	없음	오른손	놓고	BF	왼발 전진(LF)	Forward Walk
2보	없음	오른손	놓고	BF	오른발 전진(RF)	Forward Walk
3보	L/45°(1/8턴)	오른손	놓고	B	왼발 45°턴(LF)	Turn
4보	L/135° (3/8턴) 오른발-없음	오른손	놓고	B, BF	왼발 135°턴(LF) 오른발 후진(RF)	Turn, Backward Walk
5보	없음	오른손	놓고	HF	왼발 후진(LF)	Backward Walk
6보	없음	오른손	놓고	HF	오른발 후진하면서 왼발 옆에 모으고(RF)	Backward Walk
1보	없음	오른손	놓고	BF	왼발 전진(LF)	Forward Walk
2보	없음	오른손	놓고	BF	오른발 전진(RF)	Forward Walk
3보	L/45°(1/8턴)	오른손	놓고	B	왼발 45°턴(LF)	Turn
4보	L/135° (3/8턴) 오른발-없음	오른손	놓고	B, HF	왼발 135°턴(LF) 오른발 후진(RF)	Turn, Backward Walk
5보	없음	오른손	놓고	HF	왼발 후진(LF)	Backward Walk
6보	없음	오른손	놓고	HF	오른발 후진하면서 왼발 옆에 모으고(RF)	Backward Walk

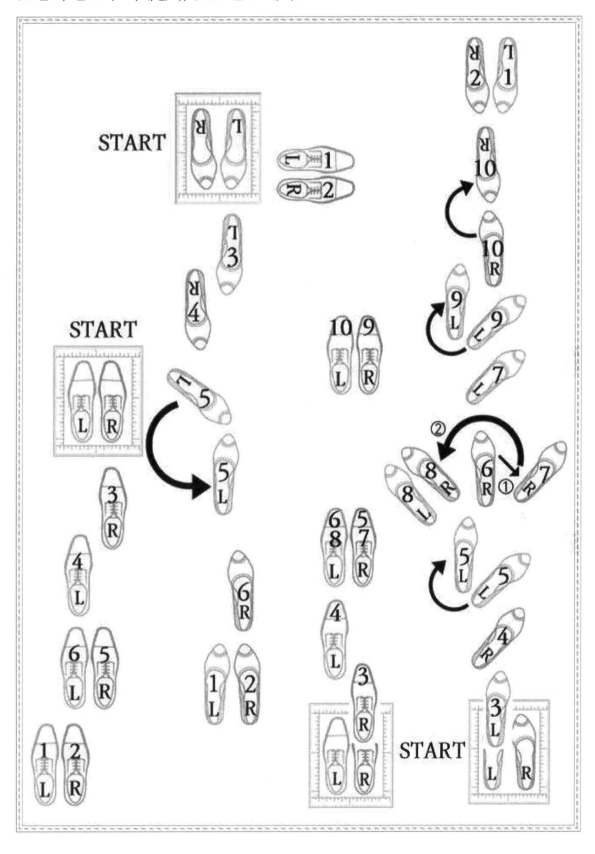

〈남성&여성〉

스텝	카운트	리듬	읽을 때	음악 타이밍	보수	핸드 포지션	악센트
1보	3	S	슬로우	쿵	1	One Hand Joined	
2보	4	&	엔	짝	1	One Hand Joined	
3보	5	Q	퀵	쿵	1	One Hand Joined	V
4보	6	Q	퀵	짝	1	One Hand Joined	V
5보	1	S	슬로우	쿵	1	One Hand Joined	
6보	2	&	엔	짝	1	One Hand Joined	
1보	3	S	슬로우	쿵	1		
2보	4	&	엔	짝	1		
3보	5	Q	퀵	쿵	1		V
4보	6	Q	퀵	짝	1		V
5보	7	Q	퀵	쿵	1		
6보	8	Q	퀵	짝	1		
7보	9	Q	퀵	쿵	1		V
8보	10	Q	퀵	짝	1		V
9보	1	S	슬로우	쿵	1		
10보	2	&	엔	짝	1		

〈남성〉

스텝	핸드	방향	풋 워크	스텝 방식	액션
1보	오른손	12시	HF	놓고	Backward Walk
2보	오른손	12시	HF	놓고	Backward Walk
3보	오른손	12시	HF	놓고	Backward Walk
4보	오른손	12시	HF/T	놓고/찍고(선택)	Backward Walk
5보	오른손	12시	HF	놓고	Diagonally Backward Walk
6보	오른손	12시	HF	놓고	Diagonally Backward Walk
1보		12시	BF	놓고	Forward Walk
2보		12시	BF	놓고	Forward Walk
3보		12시	BF	놓고	Forward Walk
4보		12시	BF	놓고	Forward Walk
5보		12시	WF	놓고	a step in place
6보		12시	WF	놓고	a step in place
7보		12시	BF	놓고	Forward Walk
8보		12시	BF/T	놓고/찍고(선택)	Forward Walk
9보		3시	WF	놓고	Turn, Side Step
10보		3시	WF	놓고	Side Step

스텝	풋 포지션	회전량
1보	오른발 후진(RF)	없음
2보	왼발 후진(LF)	없음
3보	오른발 후진(RF)	없음
4보	왼발을 후진하면서 오른발 옆에 모으고(LF)	없음
5보	왼발 왼쪽 사선으로 후진(LF)	없음
6보	오른발을 왼쪽 사선으로 후진하면서 왼발 옆에 모으고(RF)	없음

1보	오른발 전진(RF)	없음
2보	왼발 전진(LF)	없음
3보	오른발 전진(RF)	없음
4보	왼발 전진(LF)	없음
5보	오른발 제자리 스텝(RF)	없음
6보	왼발 제자리 스텝(LF)	없음
7보	오른발 전진(RF)	없음
8보	왼발을 전진하면서 오른발 옆에 모으고(LF)	없음
9보	왼발 R/90°턴 (LF)	R/90°(1/4턴)
10보	오른발 왼발 옆에 모으고(RF)	없음

스텝	리드 / 사인 / 텐션
1보	여성 왼발, 오른발이 댄스 라인에 맞춰 전진하도록 여성 오른손을 여성 정면 앞으로
2보	당긴다.
3보	여성 왼발이 왼쪽으로 45°, 135° 턴하도록 여성 오른손 손바닥이 하늘 쪽으로
4보	보이도록 손목을 꺾어 주면서 여성 손등이 여성 어깨 쪽으로 유도(리드)해 준다. 4보에 여성의 오른발이 후진하도록 살짝 당겨주고
5보	5보에 여성 왼발이 후진하도록 살짝 당겨주고 6보에 여성 오른발이 왼발에 모으도록
6보	잡아 주고 여성 오른손을 놓아주면서 여성 양쪽 어깨를 잡아준다.
1보	
2보	Shadow Position에서 여성이 전진 및 360° 턴 할 수 있도록 여성 양쪽 어깨를
3보	오른쪽으로 밀어 회전시켜주면서 양쪽 어깨에서 손을 뗀다.
4보	
5보	양손으로 여성 양쪽 어깨를 잡아 주면서 왼쪽, 오른쪽으로 트위스트
6보	
7보	
8보	Shadow Position에서 여성이 540° 턴 할 수 있도록 여성 양쪽 어깨를 오른쪽으로
9보	밀어 회전시켜주면서 양쪽 어깨에서 손을 뗀다.
10보	

〈여성〉

스텝	회전량	핸드	스텝 방식	풋 워크	풋 포지션	액션
1보	없음	오른손	놓고	BF	왼발 전진(LF)	Forward Walk
2보	없음	오른손	놓고	BF	오른발 전진(RF)	Forward Walk
3보	L/45° (1/8턴)	오른손	놓고	B	왼발 45°턴(LF)	Turn
4보	L/135° (3/8턴) 오른발- 없음	오른손	놓고	B, HF	왼발 135°턴(LF) 오른발 후진(RF)	Turn, Backward Walk
5보	없음	오른손	놓고	HF	왼발 후진(LF)	Backward Walk
6보	없음	오른손	놓고	HF	오른발 후진하면서 왼발	Backward Walk

				옆에 모으고(RF)	
1보	없음		놓고	BF	왼발 전진(LF)	Forward Walk
2보	R/45° (1/8턴)	놓고	BF	오른발 45°턴(RF)	Turn
3보	R/45° (1/8턴) 315°(7/8턴)	놓고	B	왼발 360°턴(LF)	Turn
4보	없음	놓고	BF	오른발 전진(RF)	Forward Walk
5보	R/45° (1/8턴)	놓고	B	왼발, 오른발 R/45°턴	Turn
6보	L/45° (1/8턴)	놓고	B	양쪽 발 모으면서 L/45°턴	Turn
7보	R/45° (1/8턴) 315°(7/8턴)	놓고	B	왼발 360°턴(LF)	Turn
8보	R/180° (1/2턴)	놓고	B	오른발 180°턴(RF)	Turn
9보	없음	놓고	BF	왼발 후진(LF)	Backward Walk
10보	없음	놓고	BF	오른발 후진면서 왼발 옆에 모으고(RF)	Backward Walk

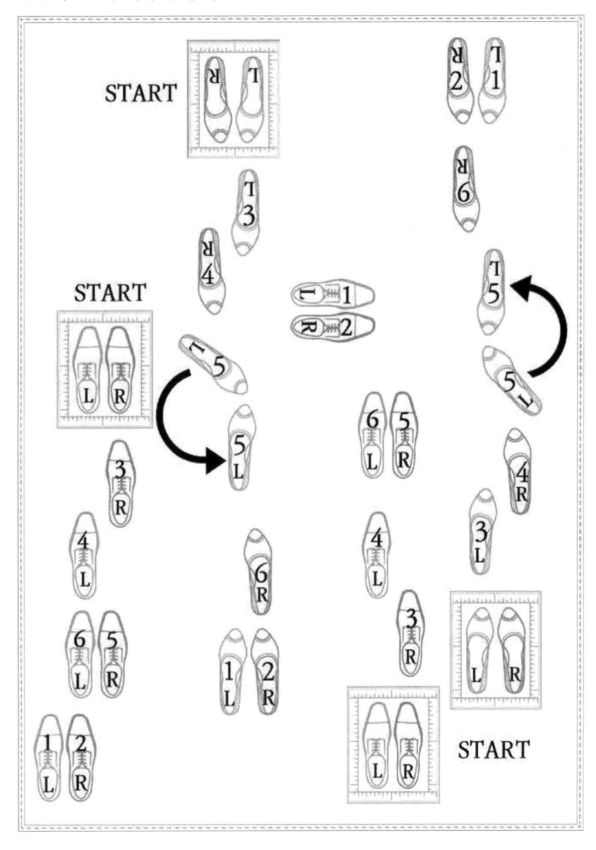

〈남성&여성〉

스텝	카운트	리듬	읽을 때	음악 타이밍	보수	핸드 포지션	악센트
1보	3	S	슬로우	쿵	1	One Hand Joined	
2보	4	&	엔	짝	1	One Hand Joined	
3보	5	Q	퀵	쿵	1	One Hand Joined	V
4보	6	Q	퀵	짝	1	One Hand Joined	V
5보	1	S	슬로우	쿵	1	One Hand Joined	
6보	2	&	엔	짝	1	One Hand Joined	
1보	3	S	슬로우	쿵	1	One Hand Joined	
2보	4	&	엔	짝	1	One Hand Joined	
3보	5	Q	퀵	쿵	1	One Hand Joined	V
4보	6	Q	퀵	짝	1	One Hand Joined	V
5보	1	S	슬로우	쿵	1	One Hand Joined	
6보	2	&	엔	짝	1	One Hand Joined	

〈남성〉

스텝	핸드	방향	풋 워크	스텝 방식	액션
1보	오른손	12시	HF	놓고	Backward Walk
2보	오른손	12시	HF	놓고	Backward Walk
3보	오른손	12시	HF	놓고	Backward Walk
4보	오른손	12시	HF/T	놓고/찍고(선택)	Backward Walk
5보	오른손	12시	HF	놓고	Diagonally Backward Walk
6보	오른손	12시	HF	놓고	Diagonally Backward Walk
1보	왼손	12시	BF	놓고	Forward Walk
2보	왼손	12시	BF	놓고	Forward Walk
3보	왼손	12시	BF	놓고	Forward Walk
4보	왼손	12시	BF/T	놓고/찍고(선택)	Forward Walk
5보	왼손	3시	WF	놓고	Side line(Left),Turn
6보	왼손	3시	WF	놓고	Side line(Left)

스텝	풋 포지션	회전량
1보	오른발 후진(RF)	없음
2보	왼발 후진(LF)	없음
3보	오른발 후진(RF)	없음
4보	왼발을 후진하면서 오른발 옆에 모으고(LF)	없음
5보	왼발 왼쪽 사선으로 후진(LF)	없음
6보	오른발을 왼쪽 사선으로 후진하면서 왼발 옆에 모으고(RF)	없음
1보	오른발 전진(RF)	없음
2보	왼발 전진(LF)	없음
3보	오른발 전진(RF)	없음
4보	왼발을 전진하면서 오른발 옆에 모으고(LF)	없음
5보	왼발 R/90°턴 (LF)	R/90°(1/4턴)
6보	오른발을 왼발에 옆에 모으고(RF)	없음

스텝	리드 / 사인 / 텐션
1보	여성 왼발, 오른발이 댄스 라인에 맞춰 전진하도록 여성 오른손을 여성 정면 앞으로
2보	당긴다.
3보	여성 왼발이 왼쪽으로 45°, 135° 턴하도록 여성 오른팔 팔꿈치를 꺾어 주면서 여성
4보	허리 쪽으로 이동시켜주고 4보에 여성 오른발이 후진하도록 살짝 당겨주고
5보	5보에 여성 왼발이 후진하도록 살짝 당겨주고
6보	6보에 여성 오른발이 왼발에 모으도록 잡아 준다. (허리 걸이)
1보	Shadow Position에서 여성 오른손을 놓아주고, 남성 오른손으로 여성 왼손을
2보	잡아주면서 여성이 전진할 수 있도록 여성 정면 앞으로 당긴다.
3보	여성 왼발이 왼쪽으로 45° 턴하도록 왼쪽으로 틀어준다. (손 허리)
4보	여성 왼발이 왼쪽으로 135° 턴하도록 왼쪽으로 틀어주면서 여성 오른발이 댄스 라인에 위치하도록 밀어준다. (손 허리)
5보	여성 왼발이 후진하도록 그립 상태에서 여성 손에 힘을 주면서 밀어준다.
6보	여성 오른발이 왼발에 모으도록 손 리드 및 텐션을 멈춘다

〈여성〉

스텝	회전량	핸드	스텝 방식	풋 워크	풋 포지션	액션
1보	없음	오른손	놓고	BF	왼발 전진(LF)	Forward Walk
2보	없음	오른손	놓고	BF	오른발 전진(RF)	Forward Walk
3보	L/45°(1/8턴)	오른손	놓고	B	왼발 45°턴(LF)	Turn
4보	L/135° (3/8턴) 오른발-없음	오른손	놓고	B, HF	왼발 135°턴(LF) 오른발 후진(RF)	Turn, Backward Walk
5보	없음	오른손	놓고	HF	왼발 후진(LF)	Backward Walk
6보	없음	오른손	놓고	HF	오른발 후진면서 왼발 옆에 모으고(RF)	Backward Walk
1보	없음	오른손	놓고	BF	왼발 전진(LF)	Forward Walk
2보	없음	오른손	놓고	BF	오른발 전진(RF)	Forward Walk
3보	L/45°(1/8턴)	오른손	놓고	B	왼발 45°턴(LF)	Turn
4보	L/135° (3/8턴) 오른발-없음	오른손	놓고	B, HF	왼발 135°턴(LF) 오른발 후진(RF)	Turn, Backward Walk
5보	없음	오른손	놓고	HF	왼발 후진(LF)	Backward Walk
6보	없음	오른손	놓고	HF	오른발 후진면서 왼발 옆에 모으고(RF)	Backward Walk

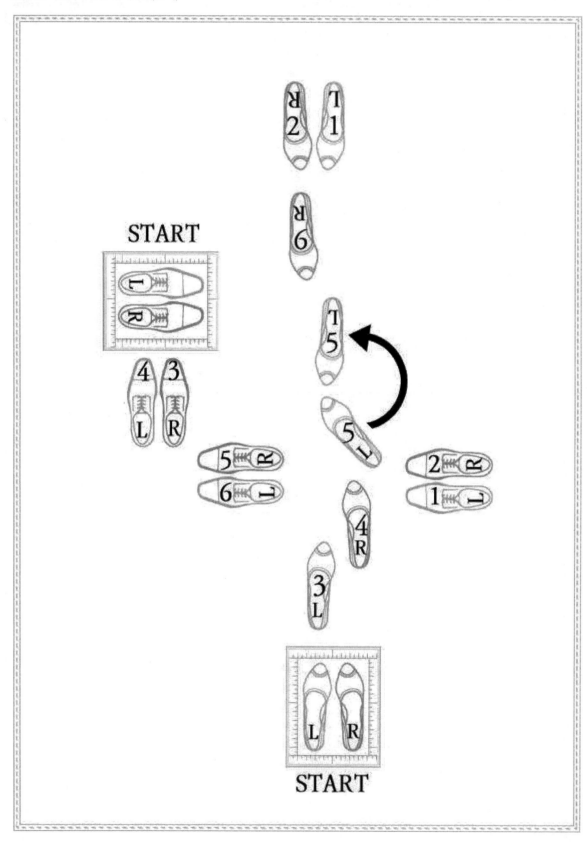

〈남성&여성〉

스텝	카운트	리듬	읽을 때	음악 타이밍	보수	핸드 포지션	악센트
1보	3	S	슬로우	쿵	1	One Hand Joined	
2보	4	&	엔	짝	1	One Hand Joined	
3보	5	Q	퀵	쿵	1	One Hand Joined	V
4보	6	Q	퀵	짝	1	One Hand Joined	V
5보	1	S	슬로우	쿵	1	One Hand Joined	
6보	2	&	엔	짝	1	One Hand Joined	

〈남성〉

스텝	핸드	방향	풋 워크	스텝 방식	액션
1보	오른손	12시	WF	놓고	Turn
2보	오른손	12시	WF	놓고	Backward Walk
3보	오른손	3시	WF	놓고	Turn
4보	오른손	3시	T/WF	찍고/놓고(선택)	Backward Walk
5보	오른손	3시	HF	놓고	Backward Walk
6보	오른손	3시	HF	놓고	Backward Walk

스텝	풋 포지션	회전량
1보	오른발 R/90°턴(RF)	R/90°(1/4턴)
2보	왼발 오른발 옆으로 모으고(LF)	없음
3보	오른발 R/90°턴(RF)	R/90°(1/4턴)
4보	왼발 오른발 옆에 모으고(LF)	없음
5보	왼발 후진(LF)	없음
6보	오른발 후진하면서 왼발 옆에 모으고(RF)	없음

스텝	리드 / 사인 / 텐션
1보	여성 왼발, 오른발이 댄스 라인에 맞춰 전진하도록 여성 오른손을 여성 정면 앞으로
2보	당긴다.
3보	여성 왼발이 왼쪽으로 45° 턴하도록 손을 왼쪽으로 틀어준다(허리)
4보	여성 왼발이 왼쪽으로 135° 턴하도록 왼쪽으로 틀어주면서
5보	여성 왼발이 후진하도록 그립 상태에서 여성 손에 힘을 주면서 밀어준다.
6보	여성 오른발이 왼발에 모으도록 손 텐션 및 리드를 멈춘다.

〈여성〉

스텝	회전량	핸드	스텝 방식	풋 워크	풋 포지션	액션
1보	없음	오른손	놓고	BF	왼발 전진(LF)	Forward Walk
2보	없음	오른손	놓고	BF	오른발 전진(RF)	Forward Walk
3보	L/45° (1/8턴)	오른손	놓고	B	왼발 45°턴(LF)	Turn
4보	L/135° (3/8턴)	오른손	놓고	B, HF	왼발 135°턴(LF) 오른발 후진(RF)	Turn, Backward Walk

	오른발-없음					
5보	없음	오른손	놓고	HF	왼발 후진(LF)	Backward Walk
6보	없음	오른손	놓고	HF	오른발 후진면서 왼발 옆에 모으고(RF)	Backward Walk

77번 남성 허리 걸이, 여성 어깨걸이, 남성 어깨동무, R/540°

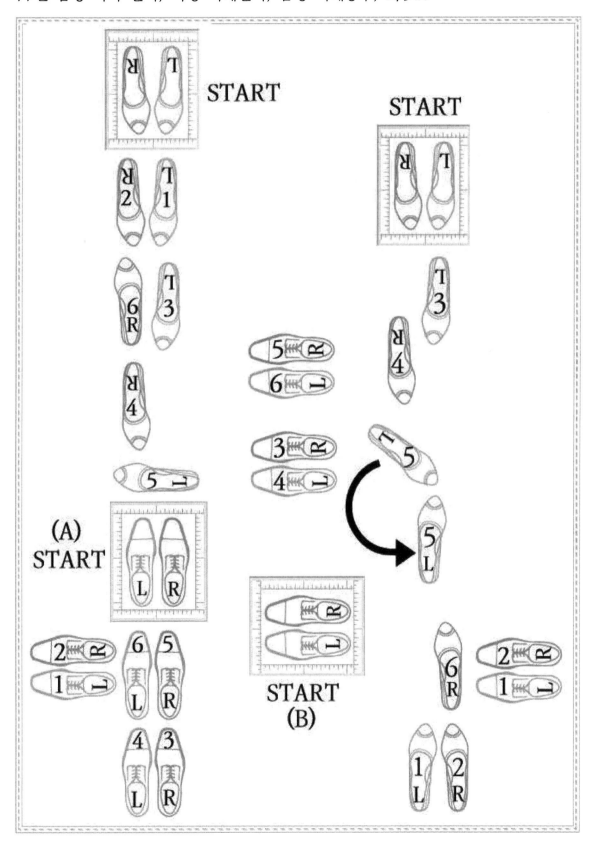

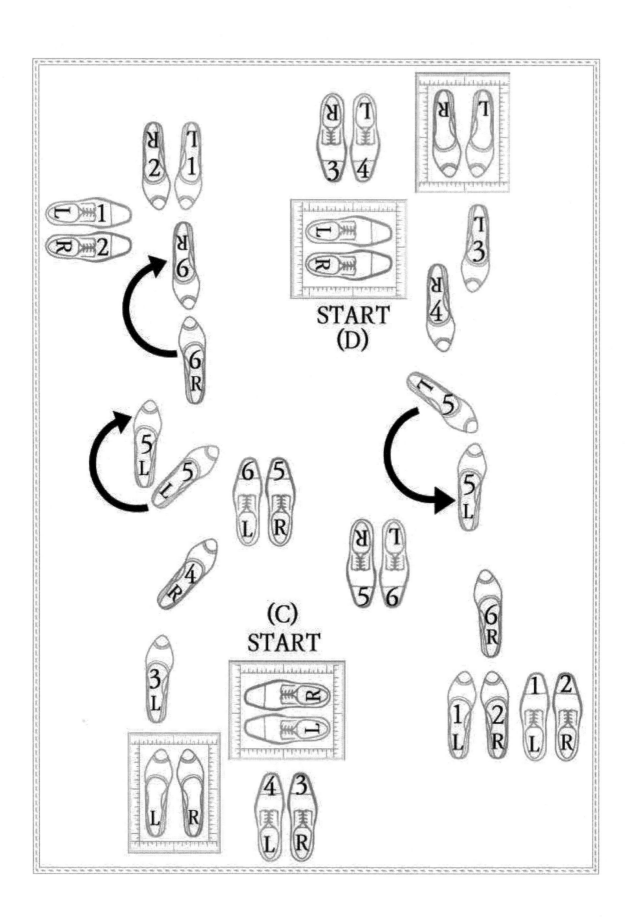

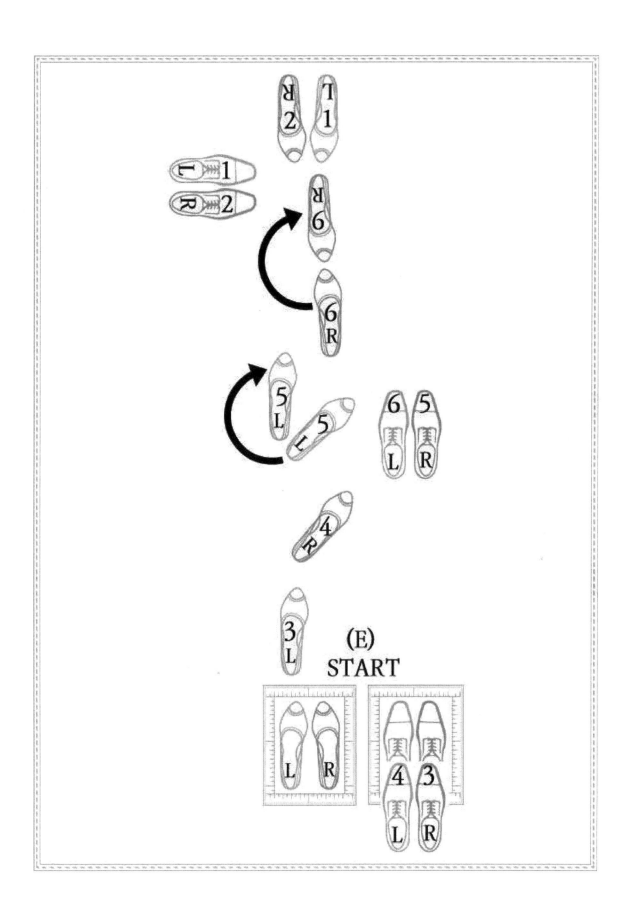

(E)
START

〈남성&여성〉

스텝	카운트	리듬	읽을 때	음악 타이밍	보수	핸드 포지션	악센트
A							
1보	3	S	슬로우	쿵	1	One Hand Joined	
2보	4	&	엔	짝	1	One Hand Joined	
3보	5	Q	퀵	쿵	1		V
4보	6	Q	퀵	짝	1		V
5보	1	S	슬로우	쿵	1		
6보	2	&	엔	짝	1	One Hand Joined	
B							
1보	3	S	슬로우	쿵	1	One Hand Joined	
2보	4	&	엔	짝	1	One Hand Joined	
3보	5	Q	퀵	쿵	1	One Hand Joined	V
4보	6	Q	퀵	짝	1	One Hand Joined	V
5보	1	S	슬로우	쿵	1	One Hand Joined	
6보	2	&	엔	짝	1	One Hand Joined	
C							
1보	3	S	슬로우	쿵	1	Two Hand Joined	
2보	4	&	엔	짝	1	One Hand Joined	
3보	5	Q	퀵	쿵	1	One Hand Joined	V
4보	6	Q	퀵	짝	1	One Hand Joined	V
5보	1	S	슬로우	쿵	1	One Hand Joined	
6보	2	&	엔	짝	1	Two Hand Joined	
D							
1보	3	S	슬로우	쿵	1	Two Hand Joined	
2보	4	&	엔	짝	1	Two Hand Joined	
3보	5	Q	퀵	쿵	1	Two Hand Joined	V
4보	6	Q	퀵	짝	1	Two Hand Joined	V
5보	1	S	슬로우	쿵	1	Two Hand Joined	
6보	2	&	엔	짝	1	Two Hand Joined	
E							
1보	3	S	슬로우	쿵	1	Two Hand Joined	
2보	4	&	엔	짝	1	Two Hand Joined	
3보	5	Q	퀵	쿵	1	Two Hand Joined	V
4보	6	Q	퀵	짝	1	One Hand Joined	V
5보	1	S	슬로우	쿵	1	One Hand Joined	
6보	2	&	엔	짝	1	One Hand Joined	

〈남성〉

스텝	핸드	방향	풋 워크	스텝 방식	액션
A					
1보	왼손	12시	HF	놓고	Backward Walk
2보	왼손	12시	HF	놓고	Backward Walk
3보		12시	BF	놓고	Forward Walk
4보		12시	T/BF	찍고/놓고(선택)	Forward Walk
5보		9시	WF	놓고	Side line(Left),Turn
6보	오른손	9시	WF	놓고	Side line(Left)
B					

1보	오른손	3시	WF	놓고	Side Step
2보	오른손	3시	WF	놓고	Side Step
3보	오른손	3시	WF	놓고	Side Step
4보	오른손	3시	T/WF	찍고/놓고(선택)	Side Step
5보	양손	3시	HF	놓고	Backward Walk Side line(Right)
6보	양손	3시	HF	놓고	Backward Walk Side line(Right)
C					
1보	왼손	12시	HF	놓고	Backward Walk,Turn
2보	왼손	12시	HF	놓고	Backward Walk
3보	왼손	12시	BF	놓고	Forward Walk
4보	왼손	12시	T/BF	찍고/놓고(선택)	Forward Walk
5보	왼손	3시	WF	놓고	Side line(Left),Turn
6보	양손	3시	WF	놓고	Side line(Left)
D					
1보	양손	6시	HF	놓고	Backward Walk
2보	양손	6시	HF	놓고	Backward Walk
3보	양손	6시	BF	놓고	Forward Walk
4보	양손	6시	T/BF	찍고/놓고(선택)	Forward Walk
5보	양손	12시	WF	놓고	Side line(Right), Turn
6보	양손	12시	WF	놓고	Side line(Right)
E					
1보	양손	12시	HF	놓고	Backward Walk
2보	양손	12시	HF	놓고	Backward Walk
3보	양손	12시	BF	놓고	Forward Walk
4보	오른손	12시	T/BF	찍고/놓고(선택)	Forward Walk
5보	오른손	3시	WF	놓고	Side line(Left),Turn
6보	오른손	3시	WF	놓고	Side line(Left)

스텝	풋 포지션	회전량
A		
1보	오른발 후진(RF)	없음
2보	왼발 후진하면서 오른발 옆에 모으고(LF)	없음
3보	오른발 전진(RF)	없음
4보	왼발 전진하면서 오른발 옆에 모으고(LF)	없음
5보	왼발 R/90°턴(LF)	R/90°(1/4턴)
6보	오른발 왼발 옆에 모으고(RF)	없음
B		
1보	오른발 옆으로(RF)	없음
2보	왼발 오른발 옆으로 모으고(LF)	없음
3보	오른발 옆으로(RF)	없음
4보	왼발 오른발 옆에 모으고(LF)	없음
5보	왼발 후진(LF)	없음
6보	오른발 후진하면서 왼발 옆에 모으고(RF)	없음
C		
1보	오른발 R/90°턴(RF)	R/90°(1/4턴)
2보	왼발 후진하면서 오른발 옆으로 모으고(LF)	없음
3보	오른발 전진(RF)	없음
4보	왼발을 전진하면서 오른발 옆에 모으고(LF)	없음

5보	왼발 R/90°턴(LF)	R/90°(1/4턴)
6보	오른발을 왼발 옆에 모으고(RF)	없음
D		
1보	오른발 R/90°턴(RF)	R/90°(1/4턴)
2보	왼발 후진하면서 오른발 옆으로 모으고(LF)	없음
3보	오른발 전진(RF)	없음
4보	왼발을 전진하면서 오른발 옆에 모으고(LF)	없음
5보	왼발 R/180°턴(LF)	R/180°(1/2턴)
6보	오른발을 왼발 옆에 모으고(RF)	없음
E		
1보	오른발 후진(RF)	없음
2보	왼발 후진하면서 오른발에 모으고(LF)	없음
3보	오른발 전진(RF)	없음
4보	왼발 전진하면서 오른발에 모으고(LF)	없음
5보	왼발 R/90°턴(LF)	R/90°(1/4턴)
6보	오른발 왼발 옆으로 모으고(RF)	없음

스텝	리드 / 사인 / 텐션
A	
1보 2보	전진하도록 여성 오른손을 여성의 정면 앞으로 당기면서 손을 놓아준다.
B	
1보 2보 3보 4보	남성은 사이드 스텝을 하면서 여성 오른손을 등 뒤로 이동하면서 여성 왼발이 댄스 라인에 맞춰 전진하도록 여성 정면 앞으로 당기면서 여성 왼발이 왼쪽으로 45°, 135° 턴하도록 손을 틀어준다.
5보 6보	5보에 남성 왼손으로 여성 왼손을 잡는다. (남성 허리 걸이)
C	
1보 2보	여성 왼발이 댄스 라인에 맞춰 전진하도록 여성 왼손을 정면 앞으로 당기면서
3보 4보	여성 왼손을 오른쪽으로 540° 턴 할 수 있도록 손을 들어주면서 회전시켜준다.
5보 6보	남성 오른손으로 여성 오른손을 잡아주면서 남성 왼손으로 잡은 여성 왼손은 여성 목덜미 걸이
D	
1보 2보	여성 목덜미 걸이 상태에서 여성 왼발, 오른발이 댄스 라인에 맞춰 전진하도록 여성 오른손을 앞으로 당겨주고 남성 왼손으로 여성 목덜미를 앞으로 밀어준다.
3보 4보	여성 오른손을 들어주면서 왼발이 왼쪽으로 45°, 135° 턴하도록 회전시켜준다.
5보 6보	댄스 라인을 건너면서 남성 어깨동무
E	
1보 2보 3보 4보 5보 6보	1보에 남성 어깨동무를 풀면서 여성이 540° 턴 하도록 오른쪽으로 회전시켜주고 3보에 여성 왼손을 놓아준다.

〈여성〉

스텝	회전량	핸드	스텝 방식	풋 워크	풋 포지션	액션
A						
1보	없음	오른손	놓고	BF	왼발 전진(LF)	Forward Walk
2보	없음	오른손	놓고	BF	오른발 전진(RF)	Forward Walk
3보	R/90°(1/4턴)		놓고	B	왼발 90°턴(LF)	Turn
4보	R/90°(1/4턴) 180°(1/2턴)		놓고	B	오른발 R/270°턴(RF)	Turn
5보	없음		놓고	HF	왼발 후진(LF)	Backward Walk
6보	없음	오른손	놓고	HF	오른발 후진하면서 왼발 옆에 모으고(RF)	Backward Walk
B						
1보	없음	오른손	놓고	BF	왼발 전진(LF)	Forward Walk
2보	없음	오른손	놓고	BF	오른발 전진(RF)	Forward Walk
3보	L/45°(1/8턴)	오른손	놓고	B	왼발 45°턴(LF)	Turn
4보	L/135° (3/8턴) 오른발-없음	오른손	놓고	B, HF	왼발 135°턴(LF) 오른발 후진(RF)	Turn, Backward Walk
5보	없음	양손	놓고	HF	왼발 후진(LF)	Backward Walk
6보	없음	양손	놓고	HF	오른발 후진하면서 왼발 옆에 모으고(RF)	Backward Walk
C						
1보	없음	양손	놓고	BF	왼발 전진(LF)	Forward Walk
2보	R/45°(1/8턴)	왼손	놓고	BF	오른발 45°턴(RF)	Turn
3보	R/45°(1/8턴)	왼손	놓고	B	왼발 45°턴(LF)	Turn
4보	R/315° (7/8턴) 오른발-없음	왼손	놓고	B, BF	왼발 315°턴(LF) 오른발 전진(RF)	Turn, Forward Walk
5보	R/180° (1/2턴) 왼발-없음	왼손	놓고	B, HF	오른발 180°턴(RF) 왼발 후진(LF)	Turn, Backward Walk
6보	없음	양손	놓고	HF	오른발 후진하면서 왼발 옆에 모으고(RF)	Backward Walk
D						
1보	없음	양손	놓고	BF	왼발 전진(LF)	Forward Walk
2보	없음	양손	놓고	BF	오른발 전진(RF)	Forward Walk
3보	L/45°(1/8턴)	양손	놓고	B	왼발 45°턴(LF)	Turn
4보	L/135° (3/8턴) 오른발-없음	양손	놓고	B, HF	왼발 135°턴(LF) 오른발 후진(RF)	Turn, Backward Walk
5보	없음	양손	놓고	HF	왼발 후진(LF)	Backward Walk

6보	없음	양손	놓고	HF	오른발 후진면서 왼발 옆에 모으고(RF)	Backward Walk
				E		
1보	없음	양손	놓고	BF	왼발 전진(LF)	Forward Walk
2보	R/45°(1/8턴)	양손	놓고	B	오른발 45°턴(RF)	Turn
3보	R/45° (1/8턴)	양손	놓고	B	왼발 45°턴(LF)	Turn
4보	R/315° (7/8턴) 오른발-없음	오른손	놓고	B, BF	왼발 315°턴(LF) 오른발 전진(RF)	Turn, Forward Walk
5보	R/180° (1/2턴) 왼발-없음	오른손	놓고	B, HF	오른발 180°턴(RF) 왼발 후진(LF)	Turn, Backward Walk
6보	없음	오른손	놓고	HF	오른발 후진하면서 왼발 옆에 모으고(RF)	Backward Walk

78번 목걸이, 허리 걸이, 여성 어깨걸이 빽 턴

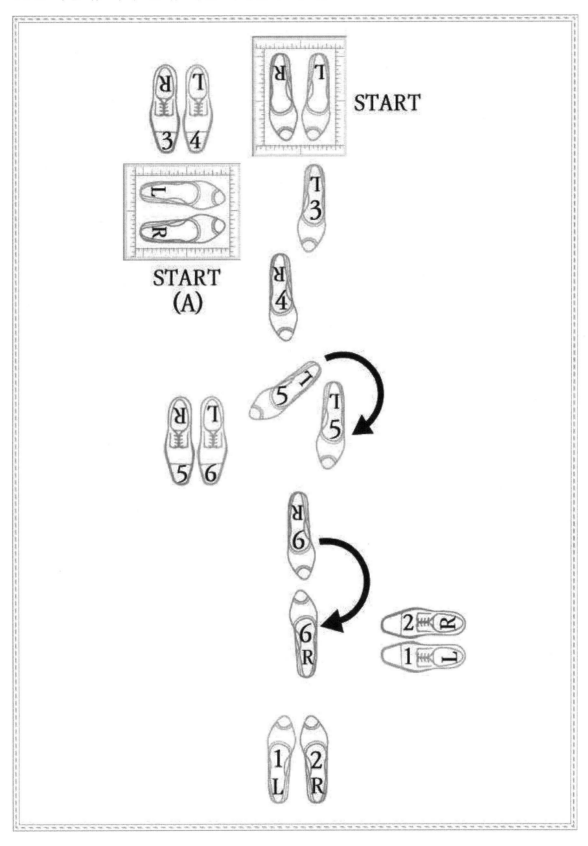

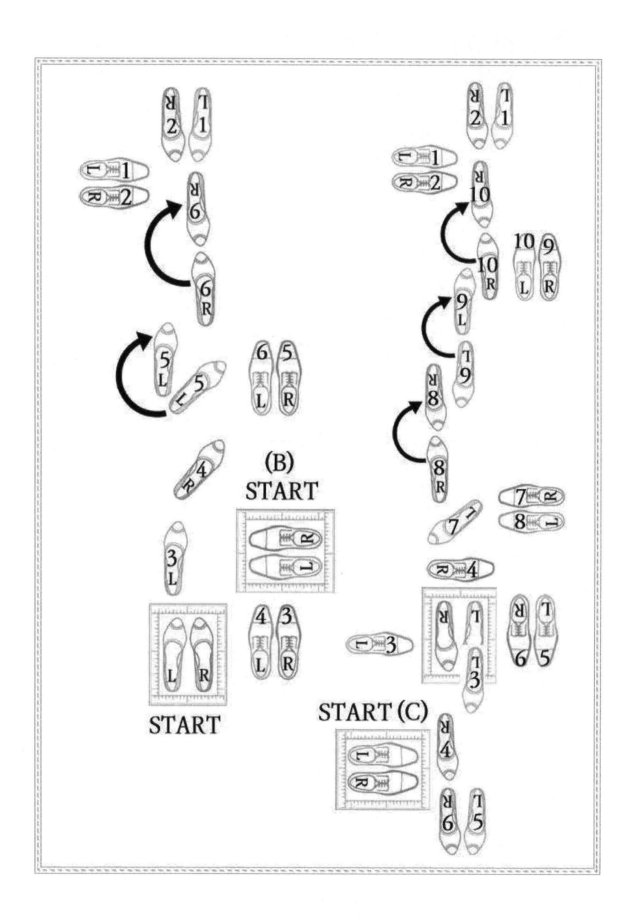

〈남성&여성〉

스텝	카운트	리듬	읽을 때	음악 타이밍	보수	핸드 포지션	악센트
A							
1보	3	S	슬로우	쿵	1	One Hand Joined	
2보	4	&	엔	짝	1	One Hand Joined	
3보	5	Q	퀵	쿵	1	One Hand Joined	V
4보	6	Q	퀵	짝	1	One Hand Joined	V
5보	1	S	슬로우	쿵	1	One Hand Joined	
6보	2	&	엔	짝	1	Two Hand Joined	
B							
1보	3	S	슬로우	쿵	1	One Hand Joined	
2보	4	&	엔	짝	1	One Hand Joined	
3보	5	Q	퀵	쿵	1	One Hand Joined	V
4보	6	Q	퀵	짝	1	One Hand Joined	V
5보	1	S	슬로우	쿵	1	One Hand Joined	
6보	2	&	엔	짝	1	Two Hand Joined	
C							
1보	3	S	슬로우	쿵	1	Two Hand Joined	
2보	4	&	엔	짝	1	Two Hand Joined	
3보	5	Q	퀵	쿵	1	Two Hand Joined	V
4보	6	Q	퀵	짝	1	Two Hand Joined	V
5보	7	S	슬로우	쿵	1	Two Hand Joined	
6보	8	&	엔	짝	1	One Hand Joined	
7보	9	Q	퀵	쿵	1	One Hand Joined	V
8보	10	Q	퀵	짝	1	One Hand Joined	V
9보	1	S	슬로우	쿵	1	One Hand Joined	
10보	2	&	엔	짝	1	One Hand Joined	

〈남성〉

스텝	핸드	방향	풋 워크	스텝 방식	액션
A					
1보	왼손	6시	HF	놓고	Backward Walk, Turn
2보	왼손	6시	HF	놓고	Backward Walk
3보	왼손	6시	BF	놓고	Forward Walk
4보	왼손	6시	T/BF	찍고/놓고(선택)	Forward Walk
5보	왼손	3시	WF	놓고	Side line(Right), Turn
6보	양손	3시	WF	놓고	Side line(Right)
B					
1보	오른손	12시	HF	놓고	Backward Walk, Turn
2보	오른손	12시	HF	놓고	Backward Walk
3보	오른손	12시	BF	놓고	Forward Walk, Turn
4보	왼손	12시	T/BF	찍고/놓고(선택)	Forward Walk
5보	왼손	3시	WF	놓고	Side line(Left), Turn
6보	양손	3시	WF	놓고	Side line(Left)
C					
1보	양손	3시	WF	놓고	Side Step
2보	양손	3시	BF	놓고	Forward Walk
3보	양손	6시	BF	놓고	Turn

4보	양손	6시	BF	놓고	Forward Walk
5보	양손	9시	HF	놓고	Turn
6보	오른손	9시	BF	놓고	Side Step
7보	오른손	12시	BF	놓고	Forward Walk
8보	오른손	12시	T/BF	찍고/놓고(선택)	Forward Walk
9보	오른손	3시	WF	놓고	Side line(Left),Turn
10보	오른손	3시	WF	놓고	Side line(Left)

스텝	풋 포지션	회전량
	A	
1보	오른발 후진(RF)	R/90°(1/4턴)
2보	왼발 후진하면서 오른발 옆으로 모으고(LF)	없음
3보	오른발 전진(RF)	없음
4보	왼발을 전진하면서 오른발 옆에 모으고(LF)	없음
5보	왼발 R/90°턴(LF)	R/90°(1/4턴)
6보	오른발을 왼발 옆에 모으고(RF)	없음
	B	
1보	오른발 후진(RF)	없음
2보	왼발 후진하면서 오른발 옆으로 모으고(LF)	없음
3보	오른발 전진(RF)	없음
4보	왼발을 전진하면서 오른발 옆에 모으고(LF)	없음
5보	왼발 R/90°턴(LF)	R/90°(1/4턴)
6보	오른발을 왼발 옆에 모으고(RF)	없음
	C	
1보	오른발 옆으로(RF)	없음
2보	왼발 앞으로(LF)	없음
3보	오른발 R/90°턴(RF)	R/90°(1/4턴)
4보	왼발 전진하면서 오른발에 모으고(LF)	없음
5보	오른발 R/90°턴(RF)	R/90°(1/4턴)
6보	왼발 오른발에 모으고(LF)	없음
7보	오른발 R/90°턴(RF)	R/90°(1/4턴)
8보	왼발 전진하면서 오른발에 모으고(LF)	없음
9보	왼발 R/90°턴(LF)	R/90°(1/4턴)
10보	오른발을 왼발 옆에 모으고(RF)	없음

스텝	리드 / 사인 / 텐션
	A
1보	여성의 왼발이 댄스 라인에 맞춰 전진하도록 여성의 정면 앞으로 당기면서
2보	계속 정면 앞으로 당기면서 오른쪽으로 180° 턴 할 수 있도록 텐션을 주면서
3보	
4보	여성 목을 감아 준다.
5보	여성이 오른쪽으로 360° 턴 하도록 계속 텐션주면서 목을 감아 준다.
6보	남성 오른손으로 여성 왼손을 잡아주면서 여성의 오른발이 왼발에 모으도록 손 텐션 및 리드를 멈춘다.
	B
1보	여성의 오른손을 놓아주면서 목걸이를 풀어주고, 여성이 오른쪽으로 540° 턴 할
2보	수 있도록 여성의 왼손을 오른쪽으로 틀어주고, 여성 왼손을 허리 쪽으로
3보	

4보	이동시켜주면서 남성 오른손에서 왼손으로 여성 왼손을 잡아준다. (핸드 체인지)
5보	여성 허리 걸이 하면서 남성 오른손으로 여성 오른손을 잡아준다.
6보	
C	
1보	여성의 댄스 라인에 맞춰 전진하도록 여성의 오른손을 여성의 정면 앞으로
2보	당기면서 남성은 여성의 등 뒤로 이동하면서 여성 오른손 손목을 꺾어 주면서
3보	여성 어깨에 위치하도록 유도(리드)해 준다. (어깨걸이)
4보	
5보	여성이 회전 할 수 있도록 손을 여성 정수리 5-10cm 정도 위로 들어주면서
6보	여성의 왼발이 오른쪽으로 720° 턴 할 수 있도록 텐션을 주면서 9보에 여성
7보	왼발이 위치하도록 손을 내리기 시작한다.
8보	
9보	
10보	여성의 오른발이 왼발에 모으도록 손 텐션 및 리드를 멈춘다.

〈여성〉

스텝	회전량	핸드	스텝 방식	풋 워크	풋 포지션	액션
A						
1보	없음	오른손	놓고	BF	왼발 전진(LF)	Forward Walk
2보	R/45° (1/8턴)	오른손	놓고	BF	오른발 45°턴(RF)	Turn
3보	R/45° (1/8턴)	오른손	놓고	B	왼발 45°턴(LF)	Turn
4보	R/315° (7/8턴) 오른발-없음	오른손	놓고	B, BF	왼발 315°턴(LF) 오른발 전진(RF)	Turn, Forward Walk
5보	R/180° (1/2턴) 왼발-없음	오른손	놓고	B, HF	오른발 180°턴(RF) 왼발 후진(LF)	Turn, Backward Walk
6보	없음	오른손	놓고	HF	오른발 후진하면서 왼발 옆에 모으고(RF)	Backward Walk
B						
1보	없음	오른손	놓고	BF	왼발 전진(LF)	Forward Walk
2보	R/45°(1/8턴)	오른손	놓고	BF	오른발 45°턴(RF)	Turn
3보	R/45°(1/8턴)	오른손	놓고	B	왼발 45°턴(LF)	Turn
4보	R/315° (7/8턴) 오른발-없음	오른손	놓고	B	왼발 315°턴(LF) 오른발 전진(RF)	Turn, Forward Walk
5보	R/180° (1/2턴) 왼발-없음	오른손	놓고	B, HF	오른발 180°턴(RF) 왼발 후진(LF)	Turn, Backward Walk
6보	없음	오른손	놓고	HF	오른발 후진하면서 왼발 옆에 모으고(RF)	Backward Walk

					C	
1보	없음	양손	놓고	BF	왼발 전진(LF)	Forward Walk
2보	없음	양손	놓고	BF	오른발 전진(RF)	Forward Walk
3보	없음	양손	놓고	BF	왼발 전진(LF)	Forward Walk
4보	없음	양손	놓고	BF	오른발 전진하면서 왼발 옆에 모으고(RF)	Forward Walk
5보	왼발 R/45°(1/8턴) 오른발 R/135° (3/8턴)	양손	놓고	B	왼발 45°턴(LF) 오른발 135°턴(RF)	Turn
6보	R/180° (1/2턴)	오른손	놓고	B	오른발 180°턴(RF)	Turn
7보	R/180° (1/2턴)	오른손	놓고	B	왼발 180°턴(LF)	Turn
8보	R/180° (1/2턴)	오른손	놓고	B	오른발 180°턴(RF)	Turn
9보	없음	오른손	놓고	HF	왼발 후진(LF)	Backward Walk
10보	없음	오른손	놓고	HF	오른발 후진하면서 왼발 옆에 모으고(RF)	Backward Walk

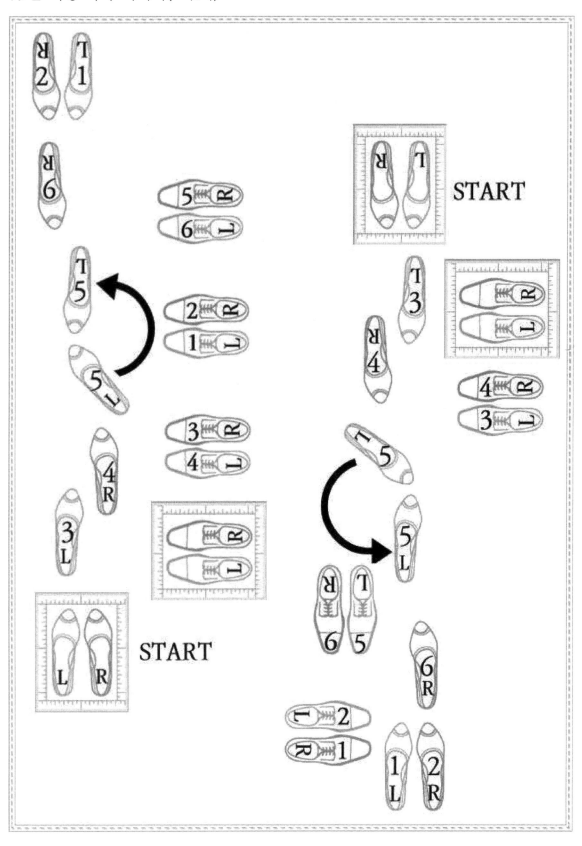

〈남성&여성〉

스텝	카운트	리듬	읽을 때	음악 타이밍	보수	핸드 포지션	악센트
1보	3	S	슬로우	쿵	1	One Hand Joined	
2보	4	&	엔	짝	1	One Hand Joined	
3보	5	Q	퀵	쿵	1	One Hand Joined	V
4보	6	Q	퀵	짝	1	One Hand Joined	V
5보	1	S	슬로우	쿵	1	One Hand Joined	
6보	2	&	엔	짝	1	One Hand Joined	
1보	3	S	슬로우	쿵	1	One Hand Joined	
2보	4	&	엔	짝	1	One Hand Joined	
3보	5	Q	퀵	쿵	1	One Hand Joined	V
4보	6	Q	퀵	짝	1	One Hand Joined	V
5보	1	S	슬로우	쿵	1	One Hand Joined	
6보	2	&	엔	짝	1	One Hand Joined	

〈남성〉

스텝	핸드	방향	풋 워크	스텝 방식	액션
1보	왼손	3시	WF	놓고	Side Step
2보	왼손	3시	WF	놓고	Side Step
3보	왼손	3시	WF	놓고	Side Step
4보	왼손	3시	WF	놓고	Side Step
5보	왼손	3시	WF	놓고	Side Step
6보	왼손	3시	WF	놓고	Side Step
1보	왼손	9시	WF	놓고	Side Step
2보	왼손	9시	WF	놓고	Side Step
3보	왼손	6시	BF	놓고	Turn
4보	왼손	6시	T/BF	찍고/놓고(선택)	Forward Walk
5보	왼손	3시	WF	놓고	Side line(Left), Turn
6보	왼손	3시	WF	놓고	Side line(Left)

스텝	풋 포지션	회전량
1보	오른발 옆으로(RF)	없음
2보	왼발 오른발 옆으로 모으고(LF)	없음
3보	오른발 옆으로(RF)	없음
4보	왼발을 오른발 옆에 모으고(LF)	없음
5보	왼발 옆으로(LF)	없음
6보	오른발 왼발 옆에 모으고(RF)	없음
1보	왼발 옆으로(RF)	없음
2보	오른발 왼발 옆에 모으고(LF)	없음
3보	왼발 L/90°턴(LF)	L/90°(1/4턴)
4보	오른발 옆에 모으고(RF)	없음
5보	오른발 L/90°턴(RF)	L/90°(1/4턴)
6보	왼발 오른발 옆에 모으고(LF)	없음

스텝	리드 / 사인 / 텐션
1보	남성은 사이드 스텝을 하면서 여성 왼발이 댄스 라인에 맞춰 전진하도록 여성 정면
2보	앞으로 당기면서
3보	여성 왼발이 왼쪽으로 45°, 135° 턴하도록 손을 들어주면서 왼쪽으로 틀어주고
4보	
5보	여성 왼발이 후진하도록 살짝 밀어주고
6보	손을 내려주면서 여성 오른발이 왼발에 모으도록 손 텐션 및 리드를 멈춘다. 남성 오른손으로 여성 왼쪽 견갑골에 터치
1보	남성 왼손으로 여성 오른손을 앞으로 당기면서 남성 오른손으로 여성 견갑골을 밀어준다.
2보	
3보	
4보	남성 오른손으로 여성 왼쪽 견갑골에 터치한 상태를 유지하면서
5보	여성 왼발이 왼쪽으로 45°, 135° 턴하도록 왼쪽으로 틀어준다.
6보	

〈여성〉

스텝	회전량	핸드	스텝 방식	풋 워크	풋 포지션	액션
1보	없음	오른손	놓고	BF	왼발 전진(LF)	Forward Walk
2보	없음	오른손	놓고	BF	오른발 전진(RF)	Forward Walk
3보	L/45° (1/8턴)	오른손	놓고	B	왼발 45°턴(LF)	Turn
4보	L/135° (3/8턴) 오른발-없음	오른손	놓고	B, BF	왼발 135°턴(LF) 오른발 후진(RF)	Turn, Backward Walk
5보	없음	오른손	놓고	HF	왼발 후진(LF)	Backward Walk
6보	없음	오른손	놓고	HF	오른발 후진하면서 왼발 옆에 모으고(RF)	Backward Walk
1보	없음	오른손	놓고	BF	왼발 전진(LF)	Forward Walk
2보	없음	오른손	놓고	BF	오른발 전진(RF)	Forward Walk
3보	L/45° (1/8턴)	오른손	놓고	B	왼발 45°턴(LF)	Turn
4보	L/135° (3/8턴) 오른발-없음	오른손	놓고	B, HF	왼발 135°턴(LF) 오른발 후진(RF)	Turn, Backward Walk
5보	없음	오른손	놓고	HF	왼발 후진(LF)	Backward Walk
6보	없음	오른손	놓고	HF	오른발 후진하면서 왼발 옆에 모으고(RF)	Backward Walk

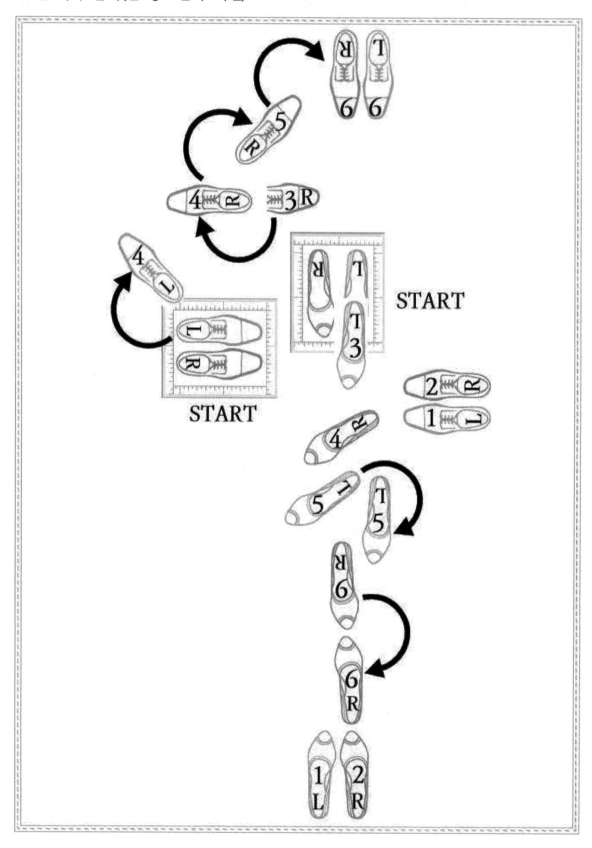

〈남성&여성〉

스텝	카운트	리듬	읽을 때	음악 타이밍	보수	핸드 포지션	악센트
1보	3	S	슬로우	쿵	1	One Hand Joined	
2보	4	&	엔	짝	1		
3보	5	Q	퀵	쿵	1		V
4보	6	Q	퀵	짝	1		V
5보	1	S	슬로우	쿵	1		
6보	2	&	엔	짝	1		

〈남성〉

스텝	핸드	방향	풋 워크	스텝 방식	액션
1보	오른손	6시	T	놓고	Checked
2보	오른손	12시(R), 1시(L)	B	놓고	Turn
3보		4시	B	놓고	Turn
4보		6시	WF	놓고	Turn
5보		9시	WF	놓고	Side line(Right), Turn
6보		9시	WF	놓고	Side line(Right)

스텝	풋 포지션	회전량
1보	오른발 왼발 뒤에 교차(RF)	없음
2보	왼발 L/225°(LF)	왼발 R/225°(5/8턴)
	오른발 R/180°터(RF)	오른발 R/180°(1/2턴)
3보	오른발 R/135°턴(RF)	R/135°(3/8턴)
4보	왼발 R/135°턴(LF)	R/135°(3/8턴)
5보	왼발 R/90°턴(LF)	R/90°(1/4턴)
6보	오른발을 왼발 옆에 모으고(RF)	없음

스텝	리드 / 사인 / 텐션
1보	남성 어깨동무 상태에서 남성 왼손으로 여성 왼손을 여성 왼발이 댄스 라인에 맞춰 전진하도록 여성의 정면 앞으로 당겨준다.
2보	남성은 외곽으로 턴하면서 여성 오른손을 놓아준다.

〈여성〉

스텝	회전량	핸드	스텝 방식	풋 워크	풋 포지션	액션
1보	없음	오른손	놓고	BF	왼발 전진(LF)	Forward Walk
2보	R/45° (1/8턴)	오른손	놓고	BF	오른발 45°턴(RF)	Turn
3보	R/45°(1/8턴)		놓고	B	왼발 45°턴(LF)	Turn
4보	R/315°(7/8턴) 오른발-없음		놓고	B	왼발 315°턴(LF) 오른발 전진(RF)	Turn, Forward Walk
5보	R/180° (1/2턴)		놓고	B, HF	오른발 180°턴(RF) 왼발 후진(LF)	Turn, Backward Walk

| 6보 | 왼발-없음
없음 | | 놓고 | HF | 오른발 후진하면서
왼발 옆에
모으고(RF) | Backward Walk |

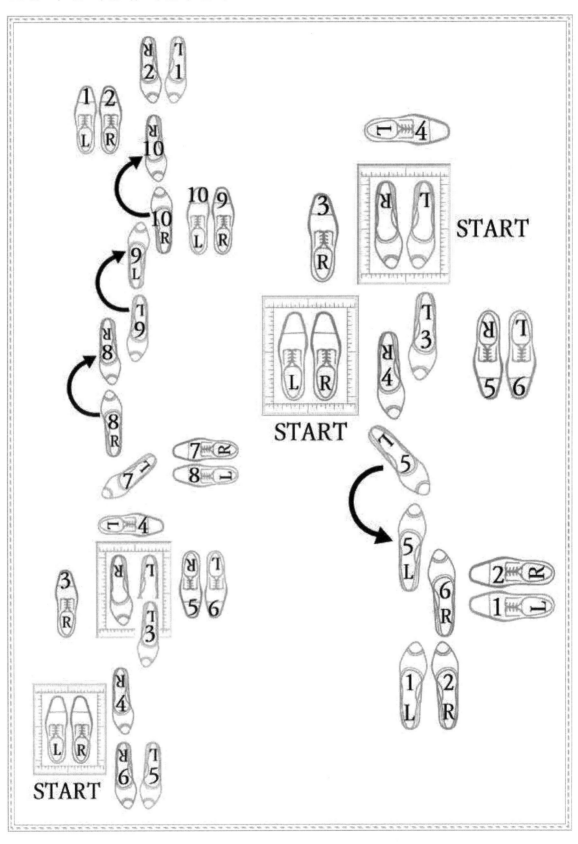

〈남성&여성〉

스텝	카운트	리듬	읽을 때	음악 타이밍	보수	핸드 포지션	악센트
1보	3	S	슬로우	쿵	1	One Hand Joined	
2보	4	&	엔	짝	1	One Hand Joined	
3보	5	Q	퀵	쿵	1	One Hand Joined	V
4보	6	Q	퀵	짝	1	One Hand Joined	V
5보	7	Q	슬로우	쿵	1	One Hand Joined	
6보	8	Q	엔	짝	1	One Hand Joined	
7보	9	Q	퀵	쿵	1	One Hand Joined	V
8보	10	Q	퀵	짝	1	One Hand Joined	V
9보	1	S	슬로우	쿵	1	One Hand Joined	
10보	2	&	엔	짝	1	One Hand Joined	
1보	3	S	슬로우	쿵	1	One Hand Joined	
2보	4	&	엔	짝	1	One Hand Joined	
3보	5	Q	퀵	쿵	1	One Hand Joined	V
4보	6	Q	퀵	짝	1	One Hand Joined	V
5보	1	S	슬로우	쿵	1	One Hand Joined	
6보	2	&	엔	짝	1	One Hand Joined	

〈남성〉

스텝	핸드	방향	풋 워크	스텝 방식	액션
1보	오른손	12시	BF	놓고	Forward Walk
2보	오른손	3시	BF	놓고	Turn
3보	오른손	6시	BF	놓고	Turn
4보	오른손	6시	BF	놓고	Forward Walk
5보	오른손	9시	HF	놓고	Turn
6보	오른손	9시	BF	놓고	Side Step
7보	오른손	12시	BF	놓고	Forward Walk, Turn
8보	오른손	12시	T/BF	찍고/놓고(선택)	Forward Walk
9보	오른손	12시	WF	놓고	Side line(Left),Turn
10보	오른손	12시	WF	놓고	Side line(Left)
1보	오른손	12시	BF	놓고	Forward Walk
2보	오른손	3시	BF	놓고	Turn
3보	오른손	6시	BF	놓고	Turn
4보	오른손	6시	T/BF	찍고/놓고(선택)	Forward Walk
5보	오른손	9시	WF	놓고	Turn
6보	오른손	9시	WF	놓고	Side Step

스텝	풋 포지션	회전량
1보	오른발 전진(RF)	없음
2보	왼발 R/90°턴(LF)	R/90°(1/4턴)
3보	오른발 R/90°턴(RF)	R/90°(1/4턴)
4보	왼발 전진하면서 오른발에 모으고(LF)	없음
5보	오른발 R/90°턴(RF)	R/90°(1/4턴)

6보	왼발 오른발에 모으고(LF)	없음
7보	오른발 R/90°턴(RF)	R/90°(1/4턴)
8보	왼발 전진하면서 오른발에 모으고(LF)	없음
9보	왼발 R/90°턴(LF)	R/90°(1/4턴)
10보	오른발을 왼발 옆에 모으고(RF)	없음
1보	오른발 전진(RF)	없음
2보	왼발 R/90°턴(LF)	R/90°(1/4턴)
3보	오른발 R/90°턴(RF)	R/90°(1/4턴)
4보	왼발 전진하면서 오른발 옆에 모으고(LF)	없음
5보	왼발 R/90°턴(LF)	R/90°(1/4턴)
6보	오른발 왼발 옆에 모으고(RF)	없음

스텝	리드 / 사인 / 텐션
1보	여성이 전진 할 수 있도록 여성 오른손을 정면 앞으로 당기면서
2보	여성 오른손 손바닥이 하늘 쪽으로 보이도록 손목을 꺾어 주면서 여성 손등이
3보	여성 어깨 쪽으로 유도(리드)해 준다.
4보	
5보	
6보	
7보	여성의 어깨를 뒤로 회전시켜주면서 목을 감아준다.
8보	(여성 오른쪽으로 720° 턴)
9보	
10보	
1보	목걸이 상태에서 남성 오른손 손등으로 여성 목덜미를 여성이 전진할 수 있도록
2보	밀어준다.
3보	
4보	여성의 왼발이 왼쪽으로 180° 턴하도록 왼쪽으로 틀어주면서 목걸이를 풀어준다.
5보	
6보	

〈여성〉

스텝	회전량	핸드	스텝 방식	풋 워크	풋 포지션	액션
1보	없음	오른손	놓고	BF	왼발 전진(LF)	Forward Walk
2보	없음	오른손	놓고	BF	오른발 전진(RF)	Forward Walk
3보	없음	오른손	놓고	BF	왼발 전진(LF)	Turn
4보	없음	오른손	놓고	BF	오른발 전진하면서 왼발 옆에 모으고(RF)	Forward Walk
5보	왼발 R/45°(1/8턴) 오른발 R/135°	오른손	놓고	B	왼발 45°턴(LF) 오른발 135°턴(RF)	Turn

	(3/8턴)					
6보	R/180°(1/2턴)	오른손	놓고	B	오른발 180°턴(RF)	Turn
7보	R/180°(1/2턴)	오른손	놓고	B	왼발 180°턴(LF)	Turn
8보	R/180°(1/2턴)	오른손	놓고	B	오른발 180°턴(RF)	Turn
9보	없음	오른손	놓고	HF	왼발 후진(LF)	Backward Walk
10보	없음	오른손	놓고	HF	오른발 후진하면서 왼발 옆에 모으고(RF)	Backward Walk
1보	없음	오른손	놓고	BF	왼발 전진(LF)	Forward Walk
2보	없음	오른손	놓고	BF	오른발 전진(RF)	Forward Walk
3보	L/45°(1/8턴)	오른손	놓고	B	왼발 45°턴(LF)	Turn
4보	L/135° (3/8턴) 오른발-없음	오른손	놓고	B, HF	왼발 135°턴(LF) 오른발 후진(RF)	Turn, Backward Walk
5보	없음	오른손	놓고	HF	왼발 후진(LF)	Backward Walk
6보	없음	오른손	놓고	HF	오른발 후진하면서 왼발 옆에 모으고(RF)	Backward Walk

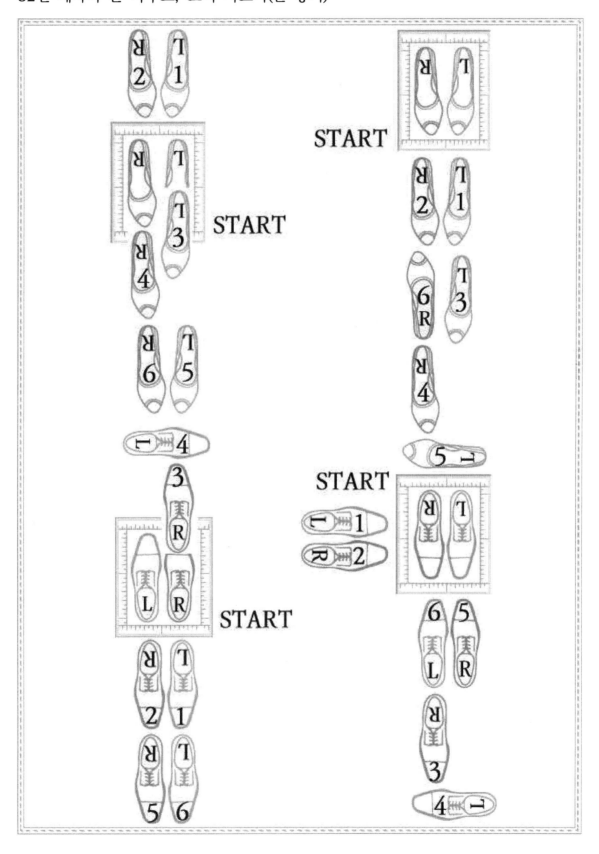

〈남성&여성〉

스텝	카운트	리듬	읽을 때	음악 타이밍	보수	핸드 포지션	악센트
1보	3	S	슬로우	쿵	1	One Hand Joined	
2보	4	&	엔	짝	1	One Hand Joined	
3보	5	Q	퀵	쿵	1	One Hand Joined	V
4보	6	Q	퀵	짝	1	One Hand Joined	V
5보	1	S	슬로우	쿵	1	One Hand Joined	
6보	2	&	엔	짝	1	One Hand Joined	
1보	3	S	슬로우	쿵	1	One Hand Joined	
2보	4	&	엔	짝	1	One Hand Joined	
3보	5	Q	퀵	쿵	1		V
4보	6	Q	퀵	짝	1		V
5보	1	S	슬로우	쿵	1		
6보	2	&	엔	짝	1	One Hand Joined	

〈남성〉

스텝	핸드	방향	풋 워크	스텝 방식	액션
1보	오른손	12시	BF	놓고	Forward Walk
2보	오른손	3시	WF	놓고	Turn
3보	왼손	6시	WF	놓고	Turn
4보	왼손	6시	T/BF	찍고/놓고(선택)	Forward Walk
5보	왼손	6시	HF	놓고	Backward Walk, Tandem
6보	왼손	6시	HF	놓고	Backward Walk, Tandem
1보	왼손	6시	BF	놓고	Forward Walk
2보	왼손	9시	WF	놓고	Turn
3보		12시	WF	놓고	Turn
4보		12시	T/WF	찍고/놓고(선택)	Forward Walk
5보		3시	WF	놓고	Side line(Left),Turn
6보	오른손	3시	WF	놓고	Side line(Left)

스텝	풋 포지션	회전량
1보	오른발 전진(RF)	없음
2보	왼발 R/90°턴(LF)	R/90°(1/4턴)
3보	오른발 R/90°턴(RF)	R/90°(1/4턴)
4보	왼발을 전진하면서 오른발 옆에 모으고(LF)	없음
5보	왼발 후진(LF)	없음
6보	오른발 후진하면서 왼발 옆에 모으고(RF)	없음
1보	오른발 전진(RF)	없음
2보	왼발 R/90°턴(LF)	R/90°(1/4턴)
3보	오른발 R/90°턴 (RF)	R/90°(1/4턴)
4보	왼발을 오른발 옆에 모으고(LF)	없음
5보	왼발 R/90°턴(LF)	R/90°(1/4턴)
6보	오른발을 왼발 옆에 모으고(RF)	없음

스텝	리드 / 사인 / 텐션
1보	여성 왼발, 오른발이 댄스 라인에 맞춰 전진하도록 여성 오른손을 여성 정면 앞으로
2보	당기면서
3보	3보에 여성 정면 앞 등지면서 남성 오른손에서 왼손으로 여성 오른손을 잡는다.
4보	(Tandem position)
5보	여성 오른손을 뒤로 밀면서 여성을 후진시킨다. (남성도 후진)
6보	
1보	여성 왼발, 오른발이 댄스 라인에 맞춰 전진하도록 여성 오른손을 여성 정면 앞으로
2보	당기면서 2보에 여성 손을 놓아준다. (Tandem position)
	6보에 남성은 오른손으로 여성 오른손을 잡는다.

〈여성〉

스텝	회전량	핸드	스텝 방식	풋 워크	풋 포지션	액션
1보	없음	오른손	놓고	BF	왼발 전진(LF)	Forward Walk
2보	없음	오른손	놓고	BF	오른발 전진(RF)	Forward Walk
3보	없음	오른손	놓고	BF	왼발 전진(LF)	Forward Walk
4보	없음	오른손	놓고	BF	오른발 전진하면서 왼발 옆에 모으고(RF)	Forward Walk
5보	없음	오른손	놓고	HF	왼발 후진(LF)	Backward Walk
6보	없음	오른손	놓고	HF	오른발 후진하면서 왼발 옆에 모으고(RF)	Backward Walk
1보	없음	오른손	놓고	BF	왼발 전진(LF)	Forward Walk
2보	없음	오른손	놓고	BF	오른발 전진(RF)	Forward Walk
3보	R/90° (1/4턴)		놓고	B	왼발 90°턴(LF)	Turn
4보	R/90° (1/4턴), 180°(1/2턴)		놓고	B	오른발 270°턴(RF)	Turn
5보	없음		놓고	HF	왼발 후진(LF)	Backward Walk
6보	없음	오른손	놓고	HF	오른발 후진하면서 왼발 옆에 모으고(RF)	Backward Walk

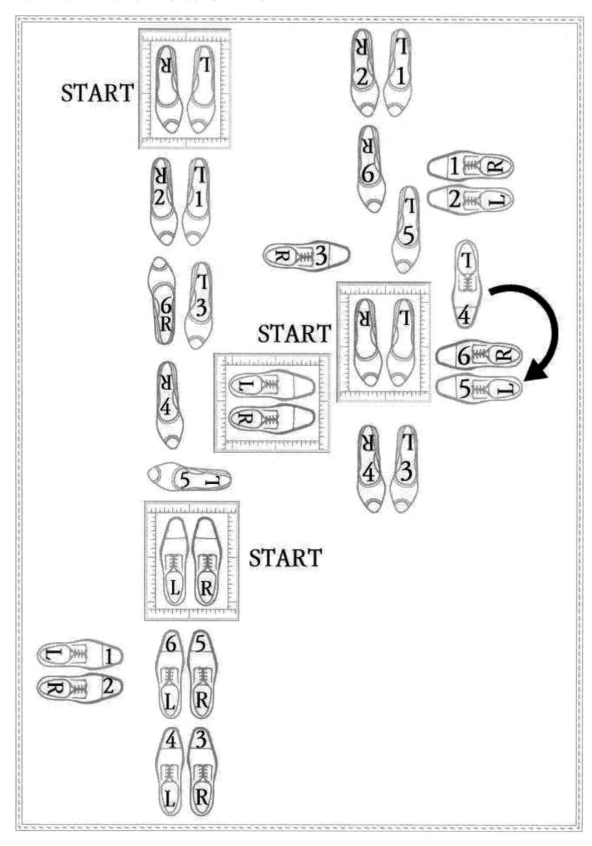

〈남성&여성〉

스텝	카운트	리듬	읽을 때	음악 타이밍	보수	핸드 포지션	악센트
1보	3	S	슬로우	쿵	1	One Hand Joined	
2보	4	&	엔	짝	1	One Hand Joined	
3보	5	Q	퀵	쿵	1		V
4보	6	Q	퀵	짝	1		V
5보	1	S	슬로우	쿵	1		
6보	2	&	엔	짝	1		
1보	3	S	슬로우	쿵	1		
2보	4	&	엔	짝	1		
3보	5	Q	퀵	쿵	1		V
4보	6	Q	퀵	짝	1		V
5보	1	S	슬로우	쿵	1		
6보	2	&	엔	짝	1	One Hand Joined	

〈남성〉

스텝	핸드	방향	풋 워크	스텝 방식	액션
1보	왼손	12시	HF	놓고	Backward Walk
2보	왼손	12시	HF	놓고	Backward Walk
3보		12시	BF	놓고	Forward Walk
4보		12시	T/BF	찍고/놓고(선택)	Forward Walk
5보		3시	WF	놓고	Side line(Left), Turn
6보		3시	WF	놓고	Side line(Left)
1보		3시	WF	놓고	Side Step
2보		6시	WF	놓고	Turn
3보		9시	B	놓고	Turn
4보		9시	WF	놓고	Side Step
5보		9시	WF	놓고	Side Step
6보	왼손	9시	WF	놓고	Side Step

스텝	풋 포지션	회전량
1보	오른발 후진(RF)	없음
2보	왼발 후진하면서 오른발 옆에 모으고(LF)	없음
3보	오른발 전진(RF)	없음
4보	왼발을 전진하면서 오른발 옆에 모으고(LF)	없음
5보	왼발 R/90°턴(LF)	R/90°(1/4턴)
6보	오른발 후진하면서 왼발 옆에 모으고(RF)	없음
1보	오른발 옆으로(RF)	없음
2보	왼발 R/90°턴(LF)	R/90°(1/4턴)
3보	왼발 R/90°턴 (LF)	R/90°(1/4턴)
4보	오른발을 왼발 옆에 모으고(RF)	
5보	오른발 옆으로(RF)	없음
6보	왼발 오른발 옆에 모으고(LF)	없음

스텝	리드 / 사인 / 텐션
1보	여성 왼발, 오른발이 댄스 라인에 맞춰 전진하도록 여성 오른손을 여성 정면 앞으로
2보	당기면서 손을 놓아 준다.
	3보~5보 리드/사인/텐션 없음
6보	남성 오른손으로 여성 오른쪽 견갑골 터치
1보	남성 오른손으로 여성이 전진할 수 있도록 견갑골을 밀어주고
2보	
3보	
4보	남성 오른손으로 여성이 후진할 수 있도록 오른쪽 어깨를 당겨준다.
5보	
6보	

〈여성〉

스텝	회전량	핸드	스텝 방식	풋 워크	풋 포지션	액션
1보	없음	오른손	놓고	BF	왼발 전진(LF)	Forward Walk
2보	없음	오른손	놓고	BF	오른발 전진(RF)	Forward Walk
3보	R/90° (1/4턴)		놓고	B	왼발 90°턴(LF)	Turn
4보	R/90° (1/4턴), R/180° (1/2턴)		놓고	B	오른발 90°턴(RF) 180°턴(RF)	Turn
5보	없음		놓고	HF	왼발 후진(LF)	Backward Walk
6보	없음	오른손	놓고	HF	오른발 후진하면서 왼발 옆에 모으고(RF)	Backward Walk
1보	없음		놓고	BF	왼발 전진(LF)	Forward Walk
2보	없음		놓고	BF	오른발 전진하면서 왼발 옆에 모으고(RF)	Forward Walk
3보	없음		놓고	HF	왼발 후진(LF)	Backward Walk
4보	없음		놓고	HF	오른발 후진(RF)	Backward Walk
5보	없음		놓고	HF	왼발 후진(LF)	Backward Walk
6보	없음	왼손	놓고	HF	오른발 후진하면서 왼발 옆에 모으고(RF)	Backward Walk

84번 8박 홀드

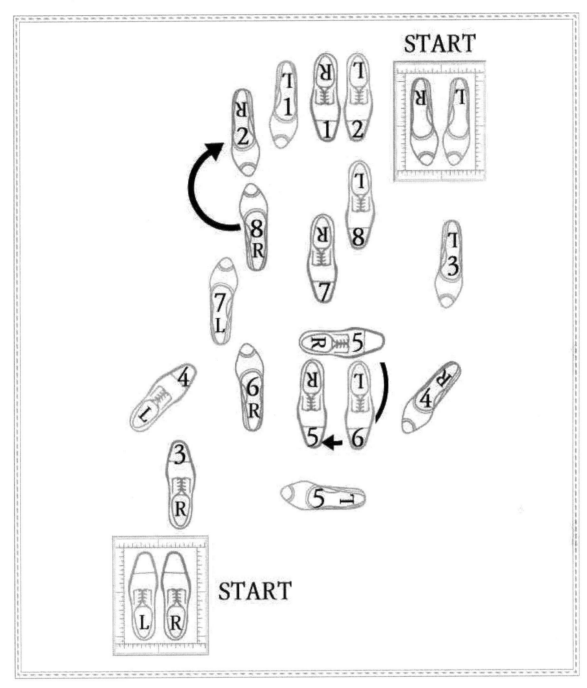

〈남성&여성〉

스텝	카운트	리듬	읽을 때	음악 타이밍	보수	핸드 포지션	악센트
1보	3	S	슬로우	쿵	1	One Hand Joined	
2보	4	&	엔	짝	1	정상 홀드 (正常hold)	
3보	5	Q	퀵	쿵	1	정상 홀드 (正常hold)	V
4보	6	Q	퀵	짝	1	정상 홀드 (正常hold)	V
5보	7	Q	퀵	쿵	1	정상 홀드 (正常hold)	V
6보	8	Q	퀵	짝	1	정상 홀드 (正常hold)	V
7보	1	S	슬로우	쿵	1	정상 홀드 (正常hold)	
8보	2	&	엔	짝	1	One Hand Joined	

〈남성〉

스텝	핸드	방향	풋 워크	스텝 방식	액션
1보	왼손	12시	BF	놓고	Forward Walk
2보	왼손	1시	BF	놓고	Diagonally Forward Walk, Turn
3보	왼손	3시	BF	놓고	Turn
4보	왼손	6시	WF	놓고	Side Step
5보	왼손	6시	HF	놓고	Backward Walk
6보	왼손	6시	HF	놓고	Backward Walk
7보	왼손	6시	HF	놓고	Backward Walk
8보	왼손	6시	HF	놓고	Backward Walk

스텝	풋 포지션	회전량
1보	오른발 전진(RF)	없음
2보	왼발 R/45°턴LF)	R/45°(1/8턴)
3보	오른발 R/45°턴(RF)	R/45°(1/8턴)
4보	왼발 R/90°턴(LF)	R/90°(1/4턴)
5보	오른발 후진(RF)	없음
6보	왼바 후진(LF)	없음
7보	오른발 후진(RF)	없음
8보	왼발 오른발 옆으로 모으고(LF)	없음

스텝	리드 / 사인 / 텐션
1보	남성 오른손을 여성 왼쪽 견갑골 위에 놓고 여성 오른손을 남성 왼손 위에 두며,
2보	여성이 왼손으로 남자의 오른손을 잡은 홀드 상태에서 여성이 턴 할 수 있도록
3보	
4보	같이 오른쪽으로 회전하고
5보	여성이 전진할 수 있도록 홀드 상태에서 앞을 당기고
6보	
7보	여성이 오른쪽으로 180° 턴 할 수 있게 왼손으로 여성 오른손을 밀어주고 남성
8보	오른손으로 여성 왼쪽 견갑골을 오른쪽으로 밀어준다.

〈여성〉

스텝	회전량	핸드	스텝 방식	풋 워크	풋 포지션	액션
1보	없음	오른손	놓고	BF	왼발 전진(LF)	Forward Walk
2보	R/45° (1/8턴)	오른손	놓고	B	오른발 45°턴(RF)	Diagonally Forward Walk, Turn
3보	R/45° (1/8턴)	오른손	놓고	B	왼발 45°턴(LF)	Turn
4보	R/90° (1/4턴)	오른손	놓고	B	오른발 90°턴(RF)	Turn
5보	없음	오른손	놓고	BF	왼발 전진(LF)	Forward Walk
6보	R/180° (1/2턴)	오른손	놓고	B	오른발 180°턴(RF)	Forward Walk, Turn, Backward Walk
7보	오른발- 없음	오른손	놓고	HF	오른발 후진(RF)	
8보	없음	오른손	놓고	HF	왼발 후진(LF)	Backward Walk

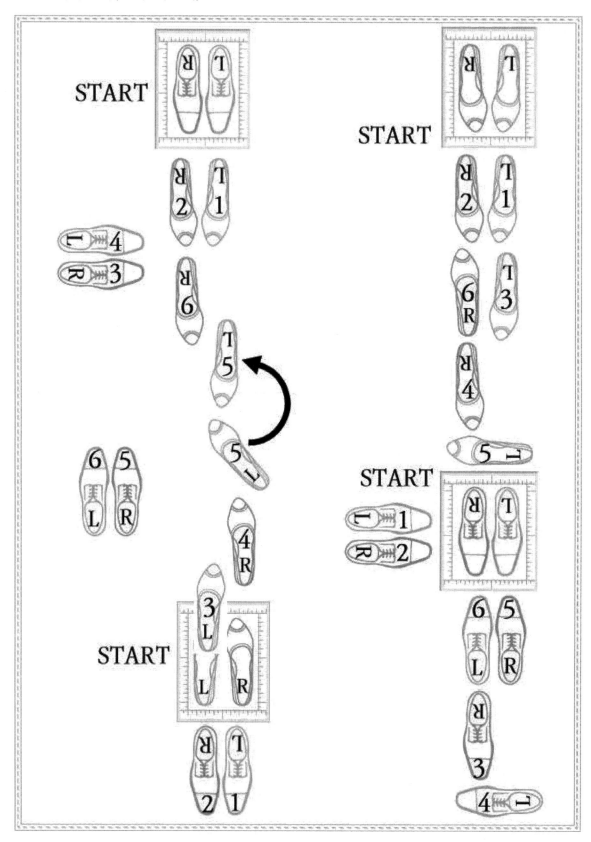

〈남성&여성〉

스텝	카운트	리듬	읽을 때	음악 타이밍	보수	핸드 포지션	악센트
1보	3	S	슬로우	쿵	1	One Hand Joined	
2보	4	&	엔	짝	1	One Hand Joined	
3보	5	Q	퀵	쿵	1	One Hand Joined	V
4보	6	Q	퀵	짝	1	One Hand Joined	V
5보	1	S	슬로우	쿵	1	One Hand Joined	
6보	2	&	엔	짝	1	One Hand Joined	
1보	3	S	슬로우	쿵	1	One Hand Joined	
2보	4	&	엔	짝	1	One Hand Joined	
3보	5	Q	퀵	쿵	1		V
4보	6	Q	퀵	짝	1		V
5보	1	S	슬로우	쿵	1		
6보	2	&	엔	짝	1	One Hand Joined	

〈남성〉

스텝	핸드	방향	풋 워크	스텝 방식	액션
1보	오른손	3시	WF	놓고	Turn
2보	오른손	3시	WF	놓고	Side Step
3보	오른손	12시	WF	놓고	Turn
4보	오른손	12시	T/WF	찍고/놓고(선택)	Side Step
5보	오른손	6시	WF	놓고	Turn, Tandem
6보	오른손	6시	WF	놓고	Tandem
1보	오른손	6시	BF	놓고	Forward Walk
2보	오른손	9시	WF	놓고	Turn
3보		12시	WF	놓고	Turn
4보		12시	T/BF	찍고/놓고(선택)	Forward Walk
5보		3시	WF	놓고	Side line(Left),Turn
6보	오른손	3시	WF	놓고	Side line(Left)

스텝	풋 포지션	회전량
1보	오른발 L/90°턴(RF)	L/90°(1/4턴)
2보	왼발 오른발 옆으로 모으고(LF)	없음
3보	오른발 L/90°턴 (RF)	L/90°(1/4턴)
4보	왼발 오른발 옆에 모으고(LF)	없음
5보	왼발 L/180°(LF)	L/180°(1/2턴)
6보	오른발 왼발 옆에 모으고(RF)	없음
1보	오른발 전진(RF)	없음
2보	왼발 R/90°턴(LF)	R/90°(1/4턴)
3보	오른발 R/90°턴 (RF)	R/90°(1/4턴)
4보	왼발을 오른발 옆에 모으고(LF)	없음
5보	왼발 R/90°턴(LF	R/90°(1/4턴)
6보	오른발을 왼발 옆에 모으고(RF)	없음

스텝	리드 / 사인 / 텐션
1보	남성은 왼쪽으로 회전하면서 여성 왼발, 오른발이 댄스 라인에 맞춰 전진하도록
2보	여성 오른손을 여성 정면 앞으로 당기면서
3보	남성은 왼쪽으로 회전하면서 여성 왼발이 왼쪽으로 180° 턴하도록 왼쪽으로
4보	틀어준다.
5보	남성은 왼쪽으로 회전하면서 여성 정면 앞 등지면서 이동한다. (Tandem position)
6보	여성 오른발이 왼발에 모으도록 손 텐션 및 리드를 멈춘다.
1보	여성 왼발, 오른발이 댄스 라인에 맞춰 전진하도록 여성 오른손을 여성 정면 앞으로
2보	당기면서 2보에 여성 손을 놓아준다. (Tandem position)
	6보에 남성은 오른손으로 여성 오른손을 잡는다.

〈여성〉

스텝	회전량	핸드	스텝 방식	풋 워크	풋 포지션	액션
1보	없음	오른손	놓고	BF	왼발 전진(LF)	Forward Walk
2보	없음	오른손	놓고	BF	오른발 전진(RF)	Forward Walk
3보	L/45° (1/8턴)	오른손	놓고	B	왼발 45°턴(LF)	Turn
4보	L/135° (3/8턴) 오른발-없음	오른손	놓고	B, HF	왼발 135°턴(LF) 오른발 후진(RF)	Turn, Backward Walk
5보	없음	오른손	놓고	HF	왼발 후진(LF)	Backward Walk
6보	없음	오른손	놓고	HF	오른발 후진하면서 왼발 옆에 모으고(RF)	Backward Walk
1보	없음	오른손	놓고	BF	왼발 전진(LF)	Forward Walk
2보	없음	오른손	놓고	BF	오른발 전진(RF)	Forward Walk
3보	R/90° (1/4턴)		놓고	B	왼발 90°턴(LF)	Turn
4보	R/90° (1/4턴), R/180° (1/2턴)		놓고	B	오른발 90°턴 180°턴(RF)	Turn
5보	없음		놓고	HF	왼발 후진(LF)	Backward Walk
6보	없음	오른손	놓고	HF	오른발 후진하면서 왼발 옆에 모으고(RF)	Backward Walk

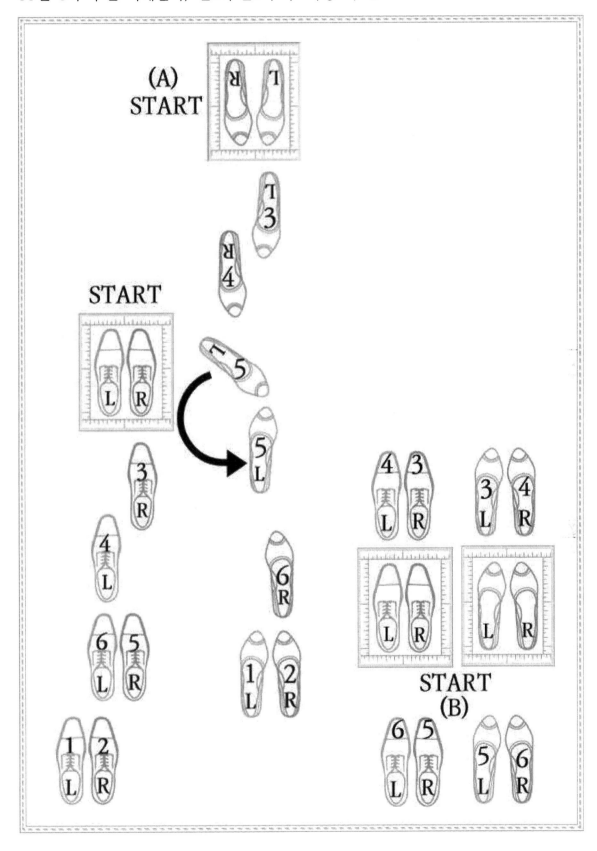

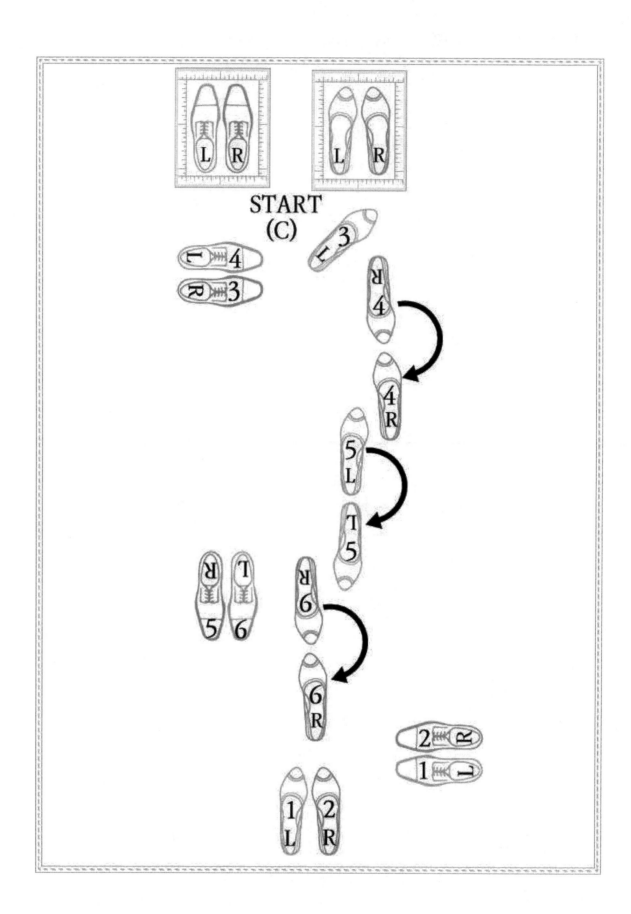

START
(C)

〈남성&여성〉

스텝	카운트	리듬	읽을 때	음악 타이밍	보수	핸드 포지션	악센트
A							
1보	3	S	슬로우	쿵	1	One Hand Joined	
2보	4	&	엔	짝	1	One Hand Joined	
3보	5	Q	퀵	쿵	1	One Hand Joined	V
4보	6	Q	퀵	짝	1	One Hand Joined	V
5보	1	S	슬로우	쿵	1	One Hand Joined	
6보	2	&	엔	짝	1	One Hand Joined	
B							
1보	3	S	슬로우	쿵	1	One Hand Joined	
2보	4	&	엔	짝	1	One Hand Joined	
3보	5	Q	퀵	쿵	1	One Hand Joined	V
4보	6	Q	퀵	짝	1	One Hand Joined	V
C							
1보	3	S	슬로우	쿵	1	One Hand Joined	
2보	4	&	엔	짝	1	One Hand Joined	
3보	5	Q	퀵	쿵	1	One Hand Joined	V
4보	6	Q	퀵	짝	1	One Hand Joined	V
5보	1	S	슬로우	쿵	1	One Hand Joined	
6보	2	&	엔	짝	1	One Hand Joined	

〈남성〉

스텝	핸드	방향	풋 워크	스텝 방식	액션
A					
1보	오른손	12시	HF	놓고	Backward Walk
2보	오른손	12시	HF	놓고	Backward Walk
3보	오른손	12시	HF	놓고	Backward Walk
4보	오른손	12시	HF/T	놓고/찍고(선택)	Backward Walk
5보	오른손	12시	HF	놓고	Diagonally Backward Walk
6보	오른손	12시	HF	놓고	Diagonally Backward Walk
B					
1보	오른손	12시	BF	놓고	Forward Walk
2보	오른손	12시	BF	놓고	Forward Walk
3보	오른손	12시	HF	놓고	Backward Walk
4보	오른손	12시	HF	놓고	Backward Walk
C					
1보	오른손	3시	WH	놓고	Turn
2보	오른손	3시	WH	놓고	Side Step
3보	오른손	6시	BH	놓고	Turn
4보	오른손	6시	T/BH	찍고/놓고(선택)	Forward Walk
5보	오른손	9시	WH	놓고	Side line(Right), Turn
6보	오른손	9시	WH	놓고	Side line(Right)

스텝	풋 포지션	회전량
A		
1보	오른발 후진(RF)	없음

스텝		
2보	왼발 후진(LF)	없음
3보	오른발 후진(RF)	없음
4보	왼발을 후진하면서 오른발 옆에 모으고(LF)	없음
5보	왼발 왼쪽 사선으로 후진(LF)	없음
6보	오른발을 왼쪽 사선으로 후진하면서 왼발 옆에 모으고(RF)	없음
B		
1보	오른발 전진(RF)	없음
2보	왼발 전진하면서 오른발 옆에 모으고(LF)	없음
3보	오른발 후진(RF)	없음
4보	왼발 후진하면서 오른발 옆에 모으고(LF)	없음
C		
1보	오른발 R/90°턴(RF)	R/90°(1/4턴)
2보	왼발 오른발 옆에 모으고(LF)	없음
3보	오른발 R/90°턴(RF)	R/90°(1/4턴)
4보	왼발 전진하면서 오른발 옆에 모으고(LF)	없음
5보	왼발 R/90°턴(LF)	R/90°(1/4턴)
6보	오른발을 왼발 옆에 모으고(RF)	없음

스텝	리드 / 사인 / 텐션
	A
1보	여성 왼발, 오른발이 댄스 라인에 맞춰 전진하도록 여성 오른손을 여성 정면 앞으로
2보	당긴다.
3보	여성 왼발이 왼쪽으로 45°, 135° 턴하도록 여성 오른손 손바닥이 하늘 쪽으로
4보	보이도록 손목을 꺾어 주면서 여성 손등이 여성 어깨 쪽으로 유도(리드)해 준다. 4보에 여성 오른발이 후진하도록 살짝 당겨주고
5보	5보에 여성 왼발이 후진하도록 살짝 당겨주고
6보	6보에 여성 오른발이 왼발에 모으도록 잡아준다. (어깨걸이)
	B
1보	Shadow Position에서 여성이 전진할 수 있도록 왼손으로 여성 왼쪽 등을 살짝
2보	밀어주면서 여성 오른손도 밀어준다.
3보	Shadow Position에서 여성이 후진할 수 있도록 왼손으로 여성 왼쪽 등을 살짝
4보	당겨주면서 여성 오른손도 당겨준다.
	C
1보	여성이 회전 할 수 있도록 손을 여성 정수리 5-10cm 정도 위로 들어주면서
2보	
3보	여성의 왼발이 오른쪽으로 720°턴 할 수 있도록 서 9보에 회전시켜주면서 여성 왼발이
4보	위치하도록 손을 내리기 시작한다.
5보	
6보	여성의 오른발이 왼발에 모으도록 손 텐션 및 리드를 멈춘다.

〈여성〉

스텝	회전량	핸드	스텝 방식	풋 워크	풋 포지션	액션
			A			
1보	없음	오른손	놓고	BF	왼발 전진(LF)	Forward Walk
2보	없음	오른손	놓고	BF	오른발 전진(RF)	Forward Walk

3보	L/45°(1/8턴)	오른손	놓고	B	왼발 45°턴(LF)	Turn
4보	L/135° (3/8턴) 오른발-없음	오른손	놓고	B, HF	왼발 135°턴(LF) 오른발 후진(RF)	Turn, Backward Walk
5보	없음	오른손	놓고	HF	왼발 후진(LF)	Backward Walk
6보	없음	오른손	놓고	HF	오른발 후진하면서 왼발 옆에 모으고(RF)	Backward Walk
B						
1보	없음	오른손	놓고	BF	왼발 전진(LF)	Forward Walk
2보	없음	오른손	놓고	BF	오른발 전진하면서 왼발 옆에 모으고(RF)	Forward Walk
3보	없음	오른손	놓고	HF	왼발 후진(LF)	Backward Walk
4보	없음	오른손	놓고	HF	오른발 후진하면서 왼발 옆에 모으고(RF)	Backward Walk
1보	왼발 R/45°(1/8턴) 오른발 R/135° (3/8턴)	오른손	놓고	B	왼발 45°턴(LF) 오른발 135°턴(RF)	Turn
2보	R/180° (1/2턴)	오른손	놓고	B	오른발 180°턴(RF)	Turn
3보	R/180° (1/2턴)	오른손	놓고	B	왼발 180°턴(LF)	Turn
4보	R/180° (1/2턴)	오른손	놓고	B	오른발 180°턴(RF)	Turn
5보	없음	오른손	놓고	B	왼발 후진(LF)	Backward Walk
6보	없음	오른손	놓고	HF	오른발 후진하면서 왼발 옆에 모으고(RF)	Backward Walk

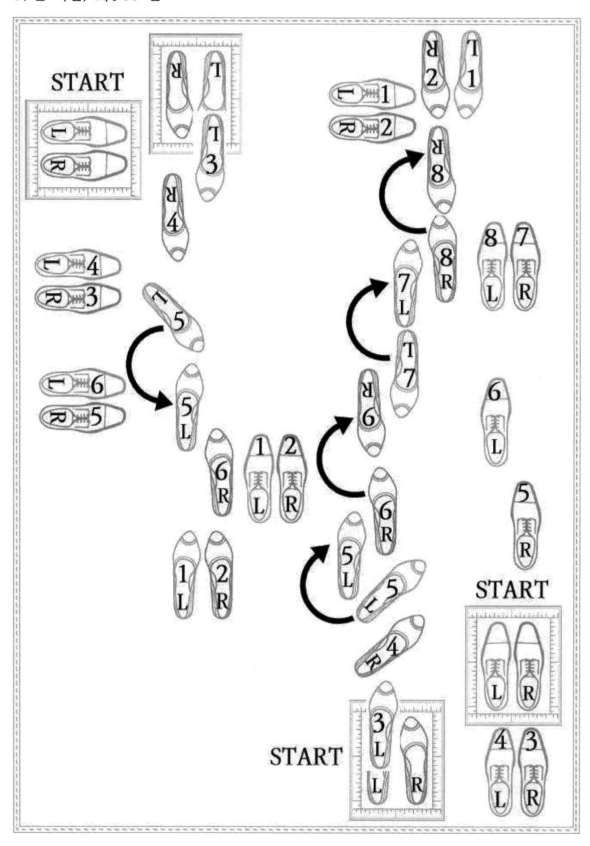

<남성&여성>

스텝	카운트	리듬	읽을 때	음악 타이밍	보수	핸드 포지션	악센트
1보	3	S	슬로우	쿵	1	One Hand Joined	
2보	4	&	엔	짝	1	One Hand Joined	
3보	5	Q	퀵	쿵	1	One Hand Joined	V
4보	6	Q	퀵	짝	1	One Hand Joined	V
5보	1	S	슬로우	쿵	1	One Hand Joined	
6보	2	&	엔	짝	1	One Hand Joined	
1보	3	S	슬로우	쿵	1	One Hand Joined	
2보	4	&	엔	짝	1	One Hand Joined	
3보	5	Q	퀵	쿵	1	One Hand Joined	V
4보	6	Q	퀵	짝	1	One Hand Joined	V
5보	7	Q	퀵	쿵	1	One Hand Joined	V
6보	8	Q	퀵	짝	1	One Hand Joined	V
7보	1	S	슬로우	쿵	1	One Hand Joined	
8보	2	&	엔	짝	1	One Hand Joined	

<남성>

스텝	핸드	방향	풋 워크	스텝 방식	액션
1보	왼손	3시	WF	놓고	Side Step
2보	왼손	3시	WF	놓고	Side Step
3보	왼손	3시	WF	놓고	Side Step
4보	왼손	3시	T/WF	찍고/놓고(선택)	Side Step
5보	왼손	12시	WF	놓고	Side line(Right), Turn
6보	왼손	12시	WF	놓고	Side line(Right)
1보	왼손	12시	HF	놓고	Backward Walk
2ㅂ	왼손	12시	HF	놓고	Backward Walk
3보	왼손	12시	BF	놓고	Forward Walk
4보	왼손	12시	BF	놓고	Forward Walk
5보	왼손	12시	T/BF	찍고/놓고(선택)	Forward Walk
6보	왼손	12시	BF	놓고	Forward Walk
7보	왼손	3시	WH	놓고	Side line(Left),Turn
8보	왼손	3시	WH	놓고	Side line(Left)

스텝	풋 포지션	회전량
1보	오른발 옆으로(RF)	없음
2보	왼발 오른발 옆에 모으고(LF)	없음
3보	오른발 옆으로(RF)	없음
4보	왼발을 오른발 옆에 모으고(LF)	없음
5보	왼발 L/90°턴(LF)	L/90°(1/4턴)
6보	오른발을 왼발 옆에 모으고(RF)	없음
1보	오른발 후진(RF)	없음
2보	왼발을 후진하면서 오른발 옆으로 모으고(LF)	없음

3보	오른발 전진(RF)	없음
4보	왼발 전진(LF)	없음
5보	오른발 후진(RF)	없음
6보	왼발을 전진하면서 오른발 옆으로 모으고(LF)	없음
7보	왼발 R/90°턴(LF)	R/90°(1/4턴)
8보	오른발을 왼발 옆에 모으고(RF)	없음

스텝	리드 / 사인 / 텐션
1보	남성은 사이드 스텝을 하면서 여성 왼발이 댄스 라인에 맞춰 전진하도록 여성
2보	정면 앞으로 당기면서
3보	여성 왼발이 왼쪽으로 45°, 135° 턴하도록 손을 들어주면서 왼쪽으로 틀어주면서
4보	여성 오른발이 댄스 라인에 위치하도록 손을 내리기 시작한다.
5보	손을 들어준 상태에서 남성은 팔 아래로 들어가 L/Under arm turn
6보	손을 내려주면서 여성 오른발이 왼발에 모으도록 손 텐션 및 리드를 멈춘다

스텝	리드 / 사인 / 텐션
1보	여성이 전진할 수 있도록 여성이 정면 앞으로 밀어주면서 여성이 회전 할 수
2보	있도록 오른손을 여성 정수리 5-10cm 정도 위로 들어준다.
3보~6보	여성이 오른쪽으로 900° 턴 하도록 회전시켜준다.
7보	7보부터 손을 내리기 시작한다.
8보	

〈여성〉

스텝	회전량	핸드	스텝 방식	풋 워크	풋 포지션	액션
1보	없음	오른손	놓고	BF	왼발 전진(LF)	Forward Walk
2보	없음	오른손	놓고	BF	오른발 전진(RF)	Forward Walk
3보	L/45°(1/8턴)	오른손	놓고	B	왼발 45°턴(LF)	Turn
4보	L/135°(3/8턴) 오른발-없음	오른손	놓고	B, HF	왼발 135°턴(LF) 오른발 후진(RF)	Turn, Backward Walk
5보	없음	오른손	놓고	HF	왼발 후진(LF)	Backward Walk
6보	없음	오른손	놓고	HF	오른발 후진하면서 왼발 옆에 모으고(RF)	Backward Walk
1보	없음	오른손	놓고	BF	왼발 전진(LF)	Forward Walk
2보	R/45°(1/8턴)	오른손	놓고	BF	오른발 45°턴(RF)	Turn
3보	R/45°(1/8턴) 315°(7/8턴)	오른손	놓고	B	왼발 360°턴(LF)	Turn
4보	R/180°(1/2턴)	오른손	놓고	B	오른발 180°턴(RF)	Turn
5보	R/180°(1/2턴)	오른손	놓고	B	왼발 180°턴(LF)	Turn
6보	R/180°(1/2턴)	오른손	놓고	B	오른발 180°턴(RF)	Turn
7보	없음	오른손	놓고	HF	왼발 후진(LF)	Backward Walk
8보	없음	오른손	놓고	HF	오른발 후진하면서 왼발 옆에 모으고(RF)	Backward Walk

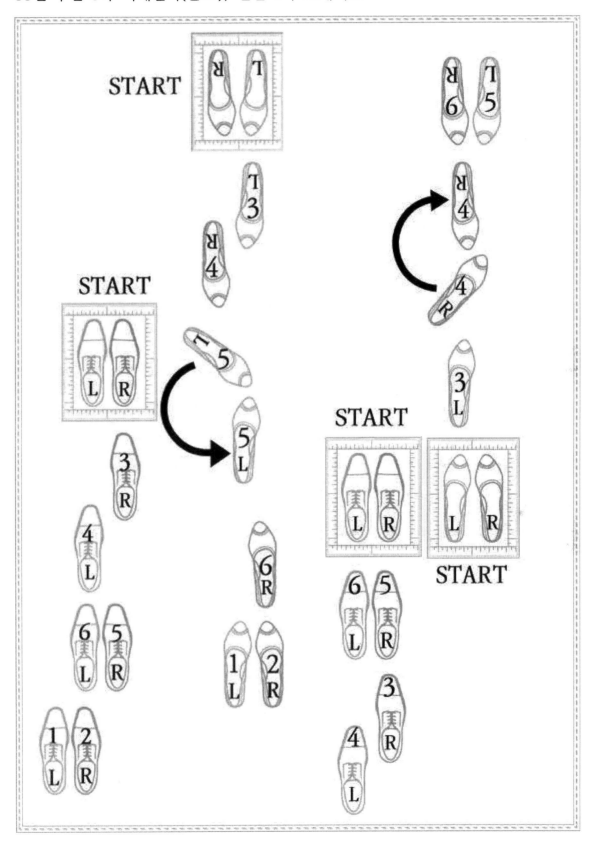

〈남성&여성〉

스텝	카운트	리듬	읽을 때	음악 타이밍	보수	핸드 포지션	악센트
1보	3	S	슬로우	쿵	1	One Hand Joined	
2보	4	&	엔	짝	1	One Hand Joined	
3보	5	Q	퀵	쿵	1	One Hand Joined	V
4보	6	Q	퀵	짝	1	One Hand Joined	V
5보	1	S	슬로우	쿵	1	One Hand Joined	
6보	2	&	엔	짝	1	One Hand Joined	
1보	3	S	슬로우	쿵	1	One Hand Joined	
2보	4	&	엔	짝	1	One Hand Joined	
3보	5	Q	퀵	쿵	1	One Hand Joined	V
4보	6	Q	퀵	짝	1	One Hand Joined	V

〈남성〉

스텝	핸드	방향	풋 워크	스텝 방식	액션
1보	왼손	12시	HF	놓고	Backward Walk
2보	왼손	12시	HF	놓고	Backward Walk
3보	왼손	12시	HF	놓고	Backward Walk
4보	왼손	12시	HF/T	놓고/찍고(선택)	Backward Walk
5보	왼손	12시	HF	놓고	Diagonally Backward Walk
6보	왼손	12시	HF	놓고	Diagonally Backward Walk
1보	왼손	12시	HF	놓고	Backward Walk
2보	왼손	12시	HF	놓고	Backward Walk
3보	왼손	12시	BF	놓고	Forward Walk
4보	왼손	12시	BF	놓고	Forward Walk

스텝	풋 포지션	회전량
1보	오른발 후진(RF)	없음
2보	왼발 후진(LF)	없음
3보	오른발 후진(RF)	없음
4보	왼발을 후진하면서 오른발 옆에 모으고(LF)	없음
5보	왼발 왼쪽 사선으로 후진(LF)	없음
6보	오른발을 왼쪽 사선으로 후진하면서 왼발 옆에 모으고(RF)	없음
1보	오른발 후진(RF)	없음
2보	왼발 후진(LF)	없음
3보	오른발 전진(RF)	없음
4보	왼발을 전진하면서 오른발 옆에 모으고(LF)	없음

스텝	리드 / 사인 / 텐션
1보	여성 왼발, 오른발이 댄스 라인에 맞춰 전진하도록 왼손으로 여성 오른손을 여성 정면
2보	앞으로 당긴다.
3보	여성 왼발이 왼쪽으로 45°, 135° 턴하도록 여성 오른손 손바닥이 하늘 쪽으로 보이도록

		손목을 꺾어 주면서 여성 손등이 여성 목덜미 쪽으로 유도(리드)해 준다.				
4보		여성 오른발이 후진하도록 살짝 당겨주고				
5보		5보에 여성의 왼발이 후진하도록 살짝 당겨주고				
6보		6보에 여성 오른발이 왼발에 모으도록 잡아준다. (목덜미 걸이)				
1보		목덜미 걸이 상태에서 여성 왼발이 댄스 라인에 맞춰 전진 및 오른쪽으로 180° 턴 할				
2보		수 있게 여성 목덜미 및 등을 밀어준다.				
3보		여성 왼발이 후진하도록 그립 상태에서 여성 손에 힘을 주면서 밀어준다.				
4보		여성 오른발이 왼발에 모으도록 손 텐션 및 리드를 멈춘다.				

〈여성〉

스텝	회전량	핸드	스텝 방식	풋 워크	풋 포지션	액션
1보	없음	오른손	놓고	BF	왼발 전진(LF)	Forward Walk
2보	없음	오른손	놓고	BF	오른발 전진(RF)	Forward Walk
3보	L/45°(1/8턴)	오른손	놓고	B	왼발 45°턴(LF)	Turn
4보	L/135° (3/8턴) 오른발-없음	오른손	놓고	B, HF	왼발 135°턴(LF) 오른발 후진(RF)	Turn, Backward Walk
5보	없음	오른손	놓고	HF	왼발 후진(LF)	Backward Walk
6보	없음	오른손	놓고	HF	오른발 후진하면서 왼발 옆에 모으고(RF)	Backward Walk
1보	없음	오른손	놓고	BF	왼발 전진(LF)	Forward Walk
2보	R/45°(1/8턴) 135°(3/8턴)	오른손	놓고	B	오른발 180°턴(RF)	Turn
3보	없음	오른손	놓고	HF	왼발 후진(LF)	Backward Walk
4보	없음	오른손	놓고	HF	오른발 후진하면서 왼발 옆에 모으고(RF)	Backward Walk

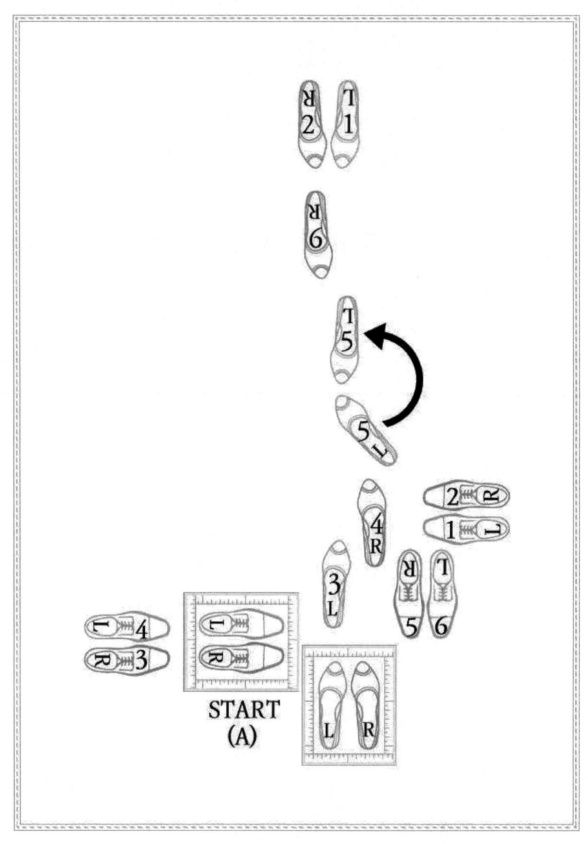

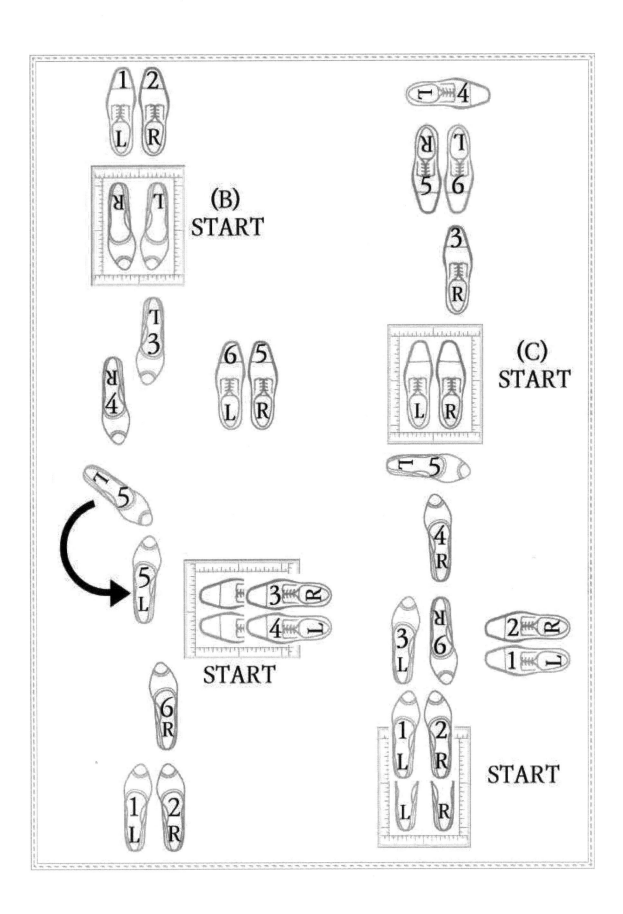

〈남성&여성〉

스텝	카운트	리듬	읽을 때	음악 타이밍	보수	핸드 포지션	악센트
A							
1보	3	S	슬로우	쿵	1	One Hand Joined	
2보	4	&	엔	짝	1	One Hand Joined	
3보	5	Q	퀵	쿵	1	One Hand Joined	V
4보	6	Q	퀵	짝	1	One Hand Joined	V
5보	1	S	슬로우	쿵	1	One Hand Joined	
6보	2	&	엔	짝	1	One Hand Joined	
B							
1보	3	S	슬로우	쿵	1	One Hand Joined	
2보	4	&	엔	짝	1	One Hand Joined	
3보	5	Q	퀵	쿵	1	One Hand Joined	V
4보	6	Q	퀵	짝	1	One Hand Joined	V
5보	1	S	슬로우	쿵	1	One Hand Joined	
6보	2	&	엔	짝	1	One Hand Joined	
C							
1보	3	S	슬로우	쿵	1	One Hand Joined	
2보	4	&	엔	짝	1	One Hand Joined	
3보	5	Q	퀵	쿵	1	One Hand Joined	V
4보	6	Q	퀵	짝	1	One Hand Joined	V
5보	1	S	엔	쿵	1	One Hand Joined	
6보	2	&	슬로우	짝	1	One Hand Joined	

〈남성〉

스텝	핸드	방향	풋 워크	스텝 방식	액션
A					
1보	왼손	3시	HF	놓고	Backward Walk
2보	왼손	3시	HF	놓고	Backward Walk
3보	왼손	6시	WF	놓고	Turn
4보	왼손	6시	WF	놓고	Side Step
5보	왼손	9시	WF	놓고	Side line(Right), Turn
6보	왼손	9시	WF	놓고	Side line(Right)
B					
1보	왼손	9시	HF	놓고	Backward Walk
2보	왼손	9시	HF	놓고	Backward Walk
3보	왼손	12시	BF	놓고	Turn
4보	왼손	12시	T/BF	찍고/놓고(선택)	Forward Walk
5보	왼손	12시	BF	놓고	Forward Walk
6보	왼손	12시	BF	놓고	Forward Walk
C					
1보	왼손	12시	BF	놓고	Forward Walk
2보	왼손	3시	WF	놓고	Turn
3보		6시	WF	놓고	Turn
4보		6시	T/WF	찍고/놓고(선택)	Forward Walk
5보		9시	WF	놓고	Side line(Right), Turn
6보	오른손	9시	WF	놓고	Side line(Right)

스텝	풋 포지션	회전량
	A	
1보	오른발 후진(RF)	없음
2보	왼발을 후진하면서 오른발 옆으로 모으고(LF)	없음
3보	오른발 R/90°턴(RF)	R/90°(1/4턴)
4보	왼발을 오른발 옆에 모으고(LF)	없음
5보	왼발 R/90°턴(LF)	R/90°(1/4턴)
6보	오른발을 왼발 옆에 모으고(RF)	없음
	B	
1보	오른발 후진(RF)	없음
2보	왼발을 후진하면서 오른발 옆으로 모으고(LF)	없음
3보	오른발 R/90°(RF)	R/90°(1/4턴)
4보	왼발을 전진하면서 오른발 옆에 모으고(LF)	없음
5보	왼발 전진(LF)	없음
6보	오른발을 왼발 옆에 모으고(RF)	없음
	C	
1보	오른발 전진(RF)	없음
2보	왼발 R/90°턴(LF)	R/90°(1/4턴)
3보	오른발 R/90°턴(RF)	R/90°(1/4턴)
4보	왼발을 오른발 옆에 모으고(LF)	없음
5보	왼발 R/90°턴(LF)	R/90°(1/4턴)
6보	오른발을 왼발 옆에 모으고(RF)	없음

스텝	리드 / 사인 / 텐션
	A
1보 2보	여성 왼발, 오른발이 댄스 라인에 맞춰 전진하도록 여성 정면 앞으로 당기면서 남성 왼손으로 잡은 여성 오른손을 올리기 시작한다.
3보 4보	여성 왼발이 왼쪽으로 45°, 135° 턴하도록 손을 들어주고, 왼쪽으로 틀어주면서 터널을 만들어 터널 안에 들어간다.
5보 6보	터널에서 나오면서 손을 내려준다.
	B
1보 2보	여성 왼발이 댄스 라인에 맞춰 전진하도록 여성 정면 앞으로 당기면서
3보 4보 5보 6보	여성 왼발이 왼쪽으로 45°, 135° 턴하도록 왼쪽으로 틀어주면서 여성 정면 앞 등진다. (Tandem position)
	C
1보 2보	여성 왼발, 오른발이 댄스 라인에 맞춰 전진하도록 여성 오른손을 여성 정면 앞으로 당기면서 2보에 여성 손을 놓아 준다.
	6보에 남성은 오른손으로 여성 오른손을 잡는다.

〈여성〉

스텝	회전량	핸드	스텝 방식	풋 워크	풋 포지션	L액션
			A			

1보	없음	오른손	놓고	BF	왼발 전진(LF)	Forward Walk
2보	없음	오른손	놓고	BF	오른발 전진(RF)	Forward Walk
3보	L/45° (1/8턴)	오른손	놓고	B	왼발 45°턴(LF)	Turn
4보	L/135° (3/8턴) 오른발-없음	오른손	놓고	B, HF	왼발 135°턴(LF) 오른발 후진(RF)	Turn, Backward Walk
5보	없음	오른손	놓고	HF	왼발 후진(LF)	Backward Walk
6보	없음	오른손	놓고	HF	오른발을 왼발에 모으고(RF)	Backward Walk
B						
1보	없음	오른손	놓고	BF	왼발 전진(LF)	Forward Walk
2보	없음	오른손	놓고	BF	오른발 전진(RF)	Forward Walk
3보	R/45° (1/8턴)	오른손	놓고	B	왼발 R/45°턴(LF)	Turn
4보	L/135° (3/8턴) 오른발-없음	오른손	놓고	B, HF	왼발 135°턴(LF) 오른발 후진(RF)	Turn, Backward Walk
5보	없음	오른손	놓고	HF	왼발 후진(LF)	Backward Walk
6보	없음	오른손	놓고	HF	오른발 후진하면서 왼발 옆에 모으고(RF)	Backward Walk
C						
1보	없음	오른손	놓고	BF	왼발 전진(LF)	Forward Walk
2보	없음	오른손	놓고	BF	오른발 전진(RF)	Forward Walk
3보	R/90° (1/4턴)		놓고	B	왼발 90°턴(LF)	Turn
4보	R/90° (1/4턴) 180°(1/2턴)		놓고	B	오른발 270°턴(RF)	Turn
5보	없음		놓고	HF	왼발 후진(LF)	Backward Walk
6보	없음	오른손	놓고	HF	오른발을 후진하면서 왼발 옆에 모으고(RF)	Backward Walk

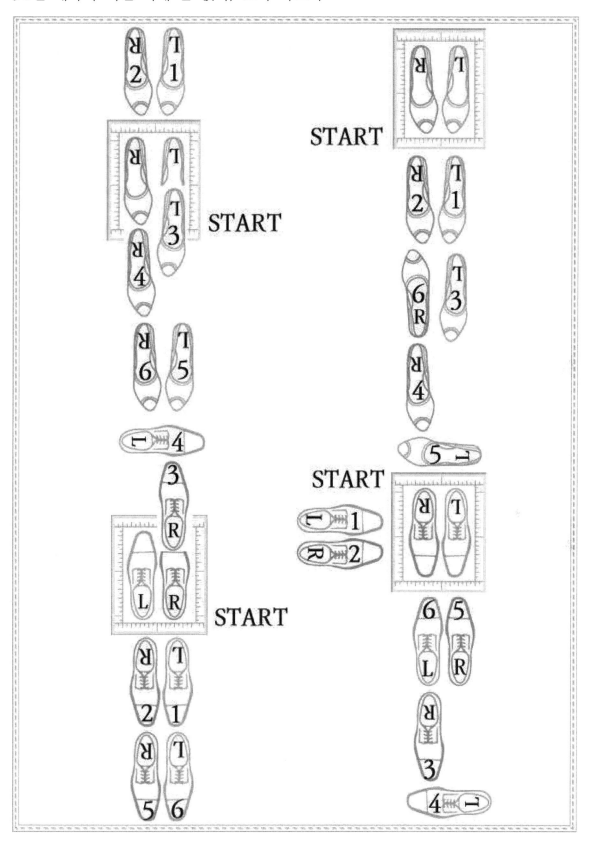

〈남성&여성〉

스텝	카운트	리듬	읽을 때	음악 타이밍	보수	핸드 포지션	악센트
1보	3	S	슬로우	쿵	1	One Hand Joined	
2보	4	&	엔	짝	1	One Hand Joined	
3보	5	Q	퀵	쿵	1	One Hand Joined	V
4보	6	Q	퀵	짝	1	One Hand Joined	V
5보	1	S	슬로우	쿵	1	One Hand Joined	
6보	2	&	엔	짝	1	One Hand Joined	
1보	3	S	슬로우	쿵	1	One Hand Joined	
2보	4	&	엔	짝	1		
3보	5	Q	퀵	쿵	1		V
4보	6	Q	퀵	짝	1		V
5보	1	S	슬로우	쿵	1		
6보	2	&	엔	짝	1	One Hand Joined	

〈남성〉

스텝	핸드	방향	풋 워크	스텝 방식	액션
1보	오른손	12시	BF	놓고	Forward Walk
2보	오른손	3시	WF	놓고	Turn
3보	오른손	6시	WF	놓고	Turn
4보	오른손	6시	T/BF	찍고/놓고(선택)	Forward Walk
5보	오른손	6시	HF	놓고	Backward Walk, Tandem
6보	오른손	6시	HF	놓고	Backward Walk, Tandem
1보	오른손	6시	BF	놓고	Forward Walk
2보		9시	WF	놓고	Turn
3보		12시	WF	놓고	Turn
4보		12시	T/WF	찍고/놓고(선택)	Forward Walk
5보		3시	WF	놓고	Side line(Left),Turn
6보	오른손	3시	WF	놓고	Side line(Left)

스텝	풋 포지션	회전량
1보	오른발 전진(RF)	없음
2보	왼발 R/90°턴(LF)	R/90°(1/4턴)
3보	오른발 R/90°턴(RF)	R/90°(1/4턴)
4보	왼발을 전진하면서 오른발 옆에 모으고(LF)	없음
5보	왼발 후진(LF)	없음
6보	오른발 후진하면서 왼발 옆에 모으고(RF)	없음
1보	오른발 전진(RF)	없음
2보	왼발 R/90°턴(LF)	R/90°(1/4턴)
3보	오른발 R/90°턴 (RF)	R/90°(1/4턴)
4보	왼발을 오른발 옆에 모으고(LF)	없음
5보	왼발 R/90°턴(LF	R/90°(1/4턴)
6보	오른발을 왼발 옆에 모으고(RF)	없음

스텝	리드 / 사인 / 텐션
1보	여성 왼발, 오른발이 댄스 라인에 맞춰 전진하도록 여성 오른손을 여성 정면 앞으로
2보	당기면서 여성 오른손을 남성 머리 위로 들어 준다.
3보	3보에 팔을 들어준 상태에서 남성은 오른쪽으로 회전하면서 여성 정면 앞 등진다.
4보	여성 정면 앞 등지면서 여성 오른손을 남성 오른쪽 어깨에 얹는다.
5보	
6보	(Tandem position)
1보	여성 왼발이 댄스 라인에 맞춰 전진하도록 여성 오른손을 여성 정면 앞으로
2보	당기면서 2보에 여성 손을 놓아준다. (Tandem position)
	6보에 남성은 오른손으로 여성 오른손을 잡는다.

〈여성〉

스텝	회전량	핸드	스텝 방식	풋 워크	풋 포지션	액션
1보	없음	오른손	놓고	BF	왼발 전진(LF)	Forward Walk
2보	없음	오른손	놓고	BF	오른발 전진(RF)	Forward Walk
3보	없음	오른손	놓고	BF	왼발 전진(LF)	Forward Walk
4보	없음	오른손	놓고	HF	오른발 전진하면서 왼발 옆에 모으고(RF)	Backward Walk
5보	없음	오른손	놓고	HF	왼발 후진(LF)	Backward Walk
6보	없음	오른손	놓고	HF	오른발 후진하면서 왼발 옆에 모으고(RF)	Backward Walk
1보	없음	오른손	놓고	BF	L(왼발)전진	Forward Walk
2보	없음	오른손	놓고	BF	R(오른발)전진	Forward Walk
3보	R/90˚ (1/4턴)		놓고	B	왼발 90˚턴(LF)	Turn
4보	R/90˚ (1/4턴), 180˚(1/2턴)		놓고	B	오른발 270˚턴(RF)	Turn
5보	없음		놓고	HF	왼발 후진(LF)	Backward Walk
6보	없음	오른손	놓고	HF	오른발 후진하면서 왼발 옆에 모으고(RF)	Backward Walk

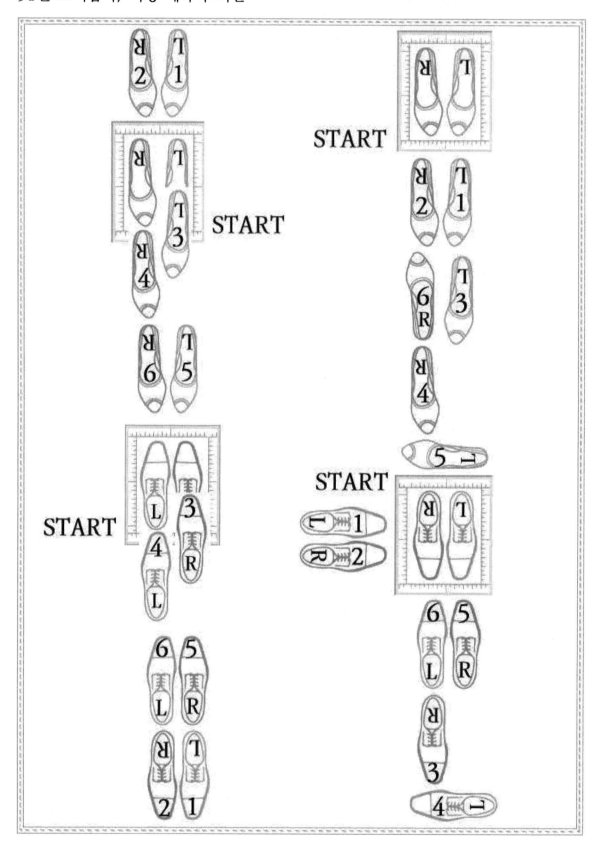

〈남성&여성〉

스텝	카운트	리듬	읽을 때	음악 타이밍	보수	핸드 포지션	악센트
1보	3	S	슬로우	쿵	1	One Hand Joined	
2보	4	&	엔	짝	1	One Hand Joined	
3보	5	Q	퀵	쿵	1	One Hand Joined	V
4보	6	Q	퀵	짝	1	One Hand Joined	V
5보	1	S	슬로우	쿵	1	One Hand Joined	
6보	2	&	엔	짝	1	One Hand Joined	
1보	3	S	슬로우	쿵	1	One Hand Joined	
2보	4	&	엔	짝	1	One Hand Joined	
3보	5	Q	퀵	쿵	1	One Hand Joined	V
4보	6	Q	퀵	짝	1	One Hand Joined	V
5보	1	S	슬로우	쿵	1	One Hand Joined	
6보	2	&	엔	짝	1	One Hand Joined	

〈남성〉

스텝	핸드	방향	풋 워크	스텝 방식	액션
1보	오른손	12시	HF	놓고	Backward Walk
2보	오른손	12시	HF	놓고	Backward Walk
3보	오른손	12시	HF	놓고	Backward Walk
4보	오른손	12시	HF/T	놓고/찍고(선택)	Backward Walk
5보	오른손	6시	WF	놓고	Tandem, Turn
6보	오른손	6시	WF	놓고	Tandem
1보	오른손	6시	BF	놓고	Forward Walk
2보	오른손	9시	WF	놓고	Turn
3보	오른손	12시	WF	놓고	Turn
4보	오른손	12시	T/WF	찍고/놓고(선택)	Forward Walk
5보	오른손	3시	WF	놓고	Side line(Left),Turn
6보	오른손	3시	WF	놓고	Side line(Left)

스텝	풋 포지션	회전량
1보	오른발 후진(RF)	없음
2보	왼발 후진(LF)	없음
3보	오른발 후진(RF)	없음
4보	왼발을 후진하면서 오른발 옆에 모으고(LF)	없음
5보	왼발 L/180°턴(LF)	L/180°(1/2턴)
6보	오른발 후진하면서 왼발 옆에 모으고(RF)	없음
1보	오른발 전진(RF)	없음
2보	왼발 R/90°턴(LF)	R/90°(1/4턴)
3보	오른발 R/90°턴 (RF)	R/90°(1/4턴)
4보	왼발을 오른발 옆에 모으고(LF)	없음
5보	왼발 R/90°턴(LF	R/90°(1/4턴)
6보	오른발을 왼발 옆에 모으고(RF)	없음

스텝	리드 / 사인 / 텐션
1보	
2보	남성은 후진하면서
3보	여성이 댄스 라인에 맞춰 전진하도록 여성 오른손을 여성 정면 앞으로 당긴다.
4보	
5보	남성은 왼쪽으로 회전하면서 여성 정면 앞 등진다.
6보	여성 정면 앞 등지면서 여성 오른손을 남성 허리 쪽으로 이동 (Tandem position)

스텝	리드 / 사인 / 텐션
1보	여성 왼발, 오른발이 댄스 라인에 맞춰 전진하도록 여성 오른손을 여성 정면 앞으로
2보	당기면서 여성 손을 서서히 들어준다.
3보	
4보	남성은 오른쪽으로 턴하면서 여성이 360° 턴 할 수 있게 오른손을 들어주면서
5보	여성을 회전시켜준다.
6보	

〈여성〉

스텝	회전량	핸드	스텝 방식	풋 워크	풋 포지션	액션
1보	없음	오른손	놓고	BF	왼발 전진(LF)	Forward Walk
2보	없음	오른손	놓고	BF	오른발 전진(RF)	Forward Walk
3보	없음	오른손	놓고	BF	왼발 전진(LF)	Forward Walk
4보	없음	오른손	놓고	BF	오른발 전진하면서 왼발 옆에 모으고(RF)	Forward Walk
5보	없음	오른손	놓고	HF	왼발 후진(LF)	Backward Walk
6보	없음	오른손	놓고	HF	오른발 후진하면서 왼발 옆에 모으고(RF)	Backward Walk

스텝	회전량	핸드	스텝 방식	풋 워크	풋 포지션	액션
1보	없음	오른손	놓고	BF	L(왼발)전진	Forward Walk
2보	없음	오른손	놓고	BF	R(오른발)전진	Forward Walk
3보	R/90° (1/4턴)		놓고	B	왼발 90°턴(LF)	Turn
4보	R/90° (1/4턴), 180°(1/2턴)		놓고	B	오른발 270°턴(RF)	Turn
5보	없음		놓고	HF	왼발 후진(LF)	Backward Walk
6보	없음	오른손	놓고	HF	오른발 후진하면서 왼발 옆에 모으고(RF)	Backward Walk

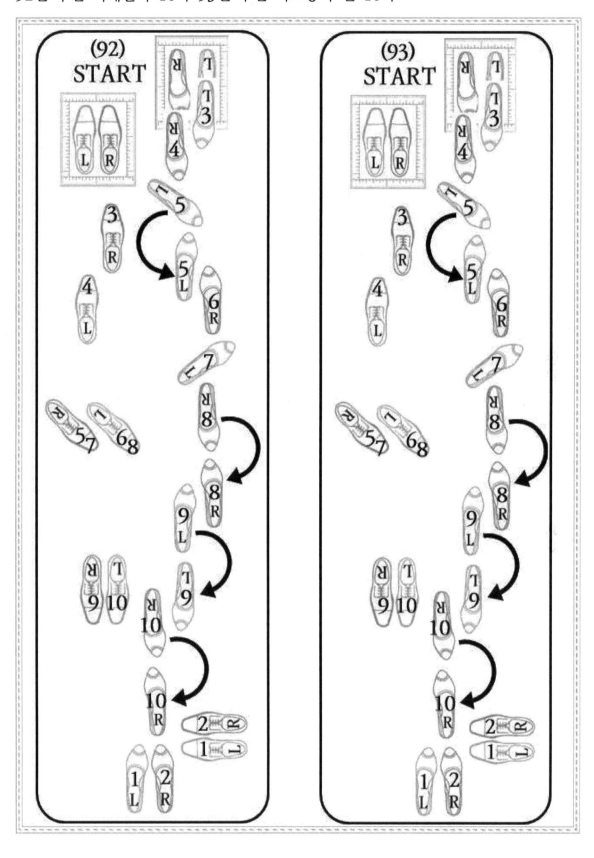

92번 후진 어깨걸이 10박

〈남성&여성〉

스텝	카운트	리듬	읽을 때	음악 타이밍	보수	핸드 포지션	악센트
1보	3	S	슬로우	쿵	1	One Hand Joined	
2보	4	&	엔	짝	1	One Hand Joined	
3보	5	Q	퀵	쿵	1	One Hand Joined	V
4보	6	Q	퀵	짝	1	One Hand Joined	V
5보	7	Q	퀵	쿵	1	One Hand Joined	
6보	8	Q	퀵	짝	1	One Hand Joined	
7보	9	Q	퀵	쿵	1	One Hand Joined	V
8보	10	Q	퀵	짝	1	One Hand Joined	V
9보	1	S	슬로우	쿵	1	One Hand Joined	
10보	2	&	엔	짝	1	One Hand Joined	

〈남성〉

스텝	핸드	방향	풋 워크	스텝 방식	액션
1보	오른손	12시	HF	놓고	Backward Walk
2보	오른손	12시	HF	놓고	Backward Walk
3보	오른손	4시 30분	HF	놓고	Diagonally Backward Walk
4보	오른손	4시 30분	HF	놓고	Diagonally Backward Walk
5보	오른손	4시 30분	WF	놓고	a Step in Place
6보	오른손	4시 30분	WF	놓고	a Step in Place
7보	오른손	6시	BF	놓고	Forward Walk
8보	오른손	6시	T/BF	찍고/놓고(선택)	Forward Walk
9보	오른손	9시	WF	놓고	Side line(Right), Turn
10보	오른손	9시	WF	놓고	Side line(Right)

스텝	풋 포지션	회전량
1보	오른발 후진(RF)	없음
2보	왼발 후진(LF)	없음
3보	오른발 사선으로 R/135° 후진 턴(RF)	R/135°(3/8턴)
4보	왼발 사선으로 R/135° 후진 턴(LF)	R/135°(3/8턴)
5보	오른발 약간 후진(RF)/멈춤(선택)	없음
6보	왼발 약간 후진(LF)/멈춤(선택)	없음
7보	오른손 R/45°턴(RF)	R/45°(1/8턴)
8보	왼발 전진(LF)	없음
9보	왼발 R/90°턴(LF)	R/90°(1/4턴)
10보	오른발 왼발 옆에 모으고(RF)	없음

스텝	리드 / 사인 / 텐션
1보	여성 왼발, 오른발이 댄스 라인에 맞춰 전진하도록 여성 오른손을 여성 정면 앞으로
2보	당긴다.
3보	여성 왼발이 왼쪽으로 45°, 135° 턴하도록 여성 오른손 손바닥이 하늘 쪽으로
4보	보이도록 손목을 꺾어 주면서 여성 손등이 여성 어깨 쪽으로 유도(리드)해 준다.

5보	4보에 여성의 오른발이 후진하도록 살짝 당겨주고 남성 왼손으로 여성 견갑골 터치
6보	
7보	여성 오른손을 들어주면서 여성이 오른쪽으로 540°턴 할 수 있게 왼손으로 여성
8보	견갑골을 밀어주면서 회전시켜준다.
9보	
10보	

〈여성〉

스텝	회전량	핸드	스텝 방식	풋 워크	풋 포지션	액션
1보	없음	오른손	놓고	BF	왼발 전진(LF)	Forward Walk
2보	없음	오른손	놓고	BF	오른발 전진(RF)	Forward Walk
3보	L/45°(1/8턴) 135°(3/8턴)	오른손	놓고	B	왼발 180°턴(LF)	Turn
4보	없음	오른손	놓고	HF	오른발 후진(RF)	Backward Walk
5보	R/45°(1/8턴)	오른손	놓고	BF	왼발 45°턴(LF)	Turn
6보	R/180° (1/2턴)	오른손	놓고	B	오른발 180°턴(RF)	Turn
7보	R/180° (1/2턴)	오른손	놓고	B	왼발 180°턴(LF)	Turn
8보	R/180° (1/2턴)	오른손	놓고	B	오른발 180°턴(RF)	Turn
9보	없음	오른손	놓고	HF	왼발 후진(LF)	Backward Walk
10보	없음	오른손	놓고	HF	오른발 후진하면서 왼발 옆에 모으고(RF)	Backward Walk

93번 후진 겨드랑이 턴 10박

〈남성&여성〉

스텝	카운트	리듬	읽을 때	음악 타이밍	보수	핸드 포지션	악센트
1보	3	S	슬로우	쿵	1	One Hand Joined	
2보	4	&	엔	짝	1	One Hand Joined	
3보	5	Q	퀵	쿵	1	One Hand Joined	V
4보	6	Q	퀵	짝	1	One Hand Joined	V
5보	7	Q	퀵	쿵	1	One Hand Joined	
6보	8	Q	퀵	짝	1	One Hand Joined	
7보	9	Q	퀵	쿵	1	One Hand Joined	V
8보	10	Q	퀵	짝	1	One Hand Joined	V
9보	1	S	슬로우	쿵	1	One Hand Joined	
10보	2	&	엔	짝	1	One Hand Joined	

〈남성〉

스텝	핸드	방향	풋 워크	스텝 방식	액션

1보	오른손	12시	HF	놓고	Backward Walk
2보	오른손	12시	HF	놓고	Backward Walk
3보	오른손	4시 30분	HF	놓고	Diagonally Backward Walk
4보	오른손	4시 30분	HF	놓고	Diagonally Backward Walk
5보	오른손	4시 30분	WF	놓고	a Step in Place
6보	오른손	4시 30분	WF	놓고	a Step in Place
7보	오른손	6시	BF	놓고	Forward Walk
8보	오른손	6시	T/BF	찍고/놓고(선택)	Forward Walk
9보	오른손	9시	WF	놓고	Side line(Right), Turn
10보	오른손	9시	WF	놓고	Side line(Right)

스텝	풋 포지션	회전량
1보	오른발 후진(RF)	없음
2보	왼발 후진(LF)	없음
3보	오른발 사선으로 R/135° 후진 턴(RF)	R/135°(3/8턴)
4보	왼발 사선으로 R/135° 후진 턴(LF)	R/135°(3/8턴)
5보	오른발 약간 후진(RF)/멈춤(선택)	없음
6보	왼발 약간 후진(LF)/멈춤(선택)	없음
7보	오른손 R/45°턴(RF)	R/45°(1/8턴)
8보	왼발 전진(LF)	없음
9보	왼발 R/90°턴(LF)	R/90°(1/4턴)
10보	오른발 왼발 옆에 모으고(RF)	없음

스텝	리드 / 사인 / 텐션
1보	여성 왼발, 오른발이 댄스 라인에 맞춰 전진하도록 여성 오른손을 여성 정면 앞으로
2보	당긴다.
3보	여성 왼발이 왼쪽으로 45°, 135° 턴하도록 여성 오른손 손목을 꺾어 주면서
4보	여성 겨드랑이 쪽으로 이동
5보	4보에 여성 오른발이 후진하도록 살짝 당겨주고 남성 왼손으로 여성 견갑골 터치
6보	
7보	여성 오른손을 들어주면서 여성이 오른쪽으로 540° 턴 할 수 있게 왼손으로 여성
8보	견갑골을 밀어주면서 회전시켜준다.
9보	
10보	

〈여성〉

스텝	회전량	핸드	스텝 방식	풋 워크	풋 포지션	액션
1보	없음	오른손	놓고	BF	왼발 전진(LF)	Forward Walk
2보	없음	오른손	놓고	BF	오른발 전진(RF)	Forward Walk
3보	L/45°(1/8턴) 135°(3/8턴)	오른손	놓고	B	왼발 180°턴(LF)	Turn
4보	없음	오른손	놓고	HF	오른발 후진(RF)	Backward Walk
5보	R/45°(1/8턴)	오른손	놓고	BF	왼발 45°턴(LF)	Turn
6보	R/180°	오른손	놓고	B	오른발	Turn

	(1/2턴)				180°턴(RF)	
7보	R/180° (1/2턴)	오른손	놓고	B	왼발 180°턴(LF)	Turn
8보	R/180° (1/2턴)	오른손	놓고	B	오른발 180°턴(RF)	Turn
9보	없음	오른손	놓고	HF	왼발 후진(LF)	Backward Walk
10보	없음	오른손	놓고	HF	오른발 후진하면서 왼발 옆에 모으고(RF)	Backward Walk

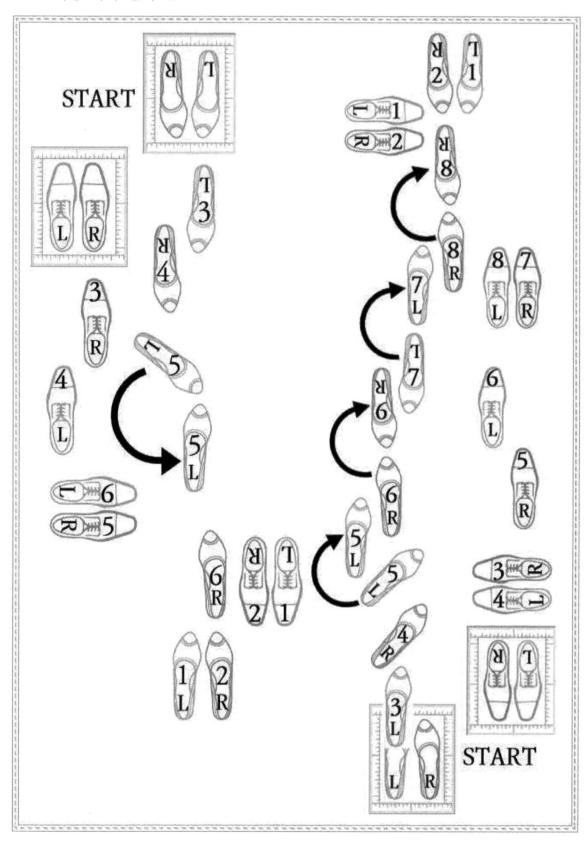

〈남성&여성〉

스텝	카운트	리듬	읽을 때	음악 타이밍	보수	핸드 포지션	악센트
1보	3	S	슬로우	쿵	1	One Hand Joined	
2보	4	&	엔	짝	1	One Hand Joined	
3보	5	Q	퀵	쿵	1	One Hand Joined	V
4보	6	Q	퀵	짝	1	One Hand Joined	V
5보	1	S	슬로우	쿵	1	One Hand Joined	
6보	2	&	엔	짝	1	One Hand Joined	
1보	3	S	슬로우	쿵	1	One Hand Joined	
2보	4	&	엔	짝	1	One Hand Joined	
3보	5	Q	퀵	쿵	1	One Hand Joined	V
4보	6	Q	퀵	짝	1	One Hand Joined	V
5보	7	Q	퀵	쿵	1	One Hand Joined	V
6보	8	Q	퀵	짝	1	One Hand Joined	V
7보	1	S	슬로우	쿵	1	One Hand Joined	
8보	2	&	엔	짝	1	One Hand Joined	

〈남성〉

스텝	핸드	방향	풋 워크	스텝 방식	액션
1보	오른손	12시	HF	놓고	Backward Walk
2보	오른손	12시	HF	놓고	Backward Walk
3보	오른손	3시	WF	놓고	Turn
4보	오른손	3시	T/WF	찍고/놓고(선택)	Side Step
5보	오른손	6시	WF	놓고	Side line(Right), Turn
6보	오른손	6시	WF	놓고	Side line(Right)
1보	오른손	9시	WF	놓고	Turn
2보	오른손	9시	WF	놓고	Side Step
3보	오른손	12시	BF	놓고	Forward Walk
4보	오른손	12시	BF	놓고	Forward Walk
5보	오른손	12시	BF	놓고	Forward Walk
6보	오른손	12시	T/BF	찍고/놓고(선택)	Forward Walk
7보	오른손	3시	WH	놓고	Side line(Left),Turn
8보	오른손	3시	WH	놓고	Side line(Left)

스텝	풋 포지션	회전량
1보	오른발 후진(RF)	없음
2보	왼발 후진(LF)	없음
3보	오른발 R/90°턴(RF)	R/90°(1/4턴)
4보	왼발 오른발 옆에 모으고(LF)	없음
5보	왼발 R/90°턴(LF)	R/90°(1/4턴)
6보	오른발을 왼발 옆에 모으고(RF)	없음
1보	오른발 옆으로(RF)	R/90°(1/4턴)
2보	왼발 오른발 옆으로 모으고(LF)	없음

스텝		
3보	오른발 R/90°턴(RF)	R/90°(1/4턴)
4보	왼발 전진(LF)	없음
5보	오른발 전진(RF)	없음
6보	왼발 전진하면서 오른발 옆으로 모으고(LF)	없음
7보	왼발 R/90°턴(LF)	R/90°(1/4턴)
8보	오른발을 왼발 옆에 모으고(RF)	없음

스텝	리드 / 사인 / 텐션
1보 2보	여성 왼발이 댄스 라인에 맞춰 전진하도록 여성 정면 앞으로 당기면서
3보 4보 5보 6보	여성 왼발이 왼쪽으로 45°, 135° 턴하도록 여성 오른팔을 여성 허리 쪽으로 이동시켜준다. (허리 걸이)
1보 2보	여성 허리 걸이 상태에서 여성이 전진할 수 있도록 여성이 정면 앞으로 당겨주면서 여성이 회전 할 수 있도록 오른손을 여성 정수리 5-10cm 정도 위로 들어준다.
3보~6보	여성이 오른쪽으로 900°턴 하도록 회전시켜준다.
7보 8보	7보부터 손을 내리기 시작한다.

〈여성〉

스텝	회전량	핸드	스텝 방식	풋 워크	풋 포지션	액션
1보	없음	오른손	놓고	BF	왼발 전진(LF)	Forward Walk
2보	없음	오른손	놓고	BF	오른발 전진(RF)	Forward Walk
3보	L/45°(1/8턴)	오른손	놓고	B	왼발 45°턴(LF)	Turn
4보	L/135°(3/8턴) 오른발-없음	오른손	놓고	B, HF	왼발 135°턴(LF) 오른발 후진(RF)	Turn, Backward Walk
5보	없음	오른손	놓고	HF	왼발 후진(LF)	Backward Walk
6보	없음	오른손	놓고	HF	오른발 왼발 옆에 모으고(RF)	Backward Walk
1보	없음	오른손	놓고	BF	왼발 전진(LF)	Forward Walk
2보	R/45°(1/8턴)	오른손	놓고	BF	오른발 45°턴(RF)	Turn
3보	R/45°(1/8턴) 315°(7/8턴)	오른손	놓고	B	왼발 360°턴(LF)	Turn
4보	R/180°(1/2턴)	오른손	놓고	B	오른발 180°턴(RF)	Turn
5보	R/180°(1/2턴)	오른손	놓고	B	왼발 180°턴(LF)	Turn
6보	R/180°(1/2턴)	오른손	놓고	B	오른발 180°턴(RF)	Turn
7보	없음	오른손	놓고	HF	왼발 후진(LF)	Backward Walk
8보	없음	오른손	놓고	HF	오른발 왼발 옆에 모으고(RF)	Backward Walk

95번 제자리 어깨걸이 브레이크(정면)

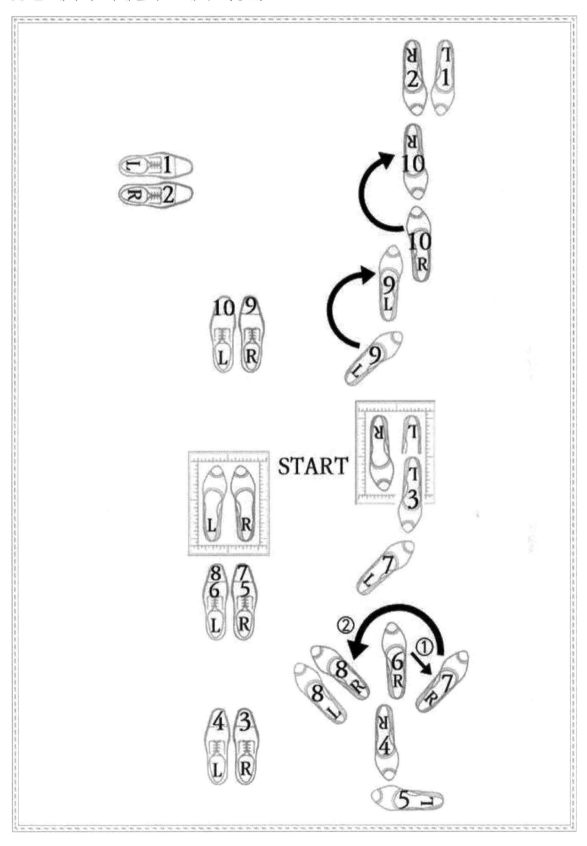

〈남성&여성〉

스텝	카운트	리듬	읽을 때	음악 타이밍	보수	핸드 포지션	악센트
1보	3	S	슬로우	쿵	1	One Hand Joined	
2보	4	&	엔	짝	1	One Hand Joined	
3보	5	Q	퀵	쿵	1	One Hand Joined	V
4보	6	Q	퀵	짝	1	One Hand Joined	V
5보	7	Q	퀵	쿵	1	One Hand Joined	
6보	8	Q	퀵	짝	1	One Hand Joined	
7보	9	Q	퀵	쿵	1	One Hand Joined	V
8보	10	Q	퀵	짝	1	One Hand Joined	V
9보	1	S	슬로우	쿵	1	One Hand Joined	
10보	2	&	엔	짝	1	One Hand Joined	

〈남성〉

스텝	핸드	방향	풋 워크	스텝 방식	액션
1보	오른손	12시	HF	놓고	Backward Walk
2보	오른손	12시	HF	놓고	Backward Walk
3보	오른손	12시	BF	놓고	Forward Walk
4보	오른손	12시	BF	놓고	Forward Walk
5보	오른손	12시	WF	놓고	a step in place
6보	오른손	12시	WF	놓고	a step in place
7보	오른손	12시	BF	놓고	Forward Walk
8보	오른손	12시	BF/T	놓고/찍고(선택)	Forward Walk
9보	오른손	3시	WF	놓고	Side line(Left),Turn
10보	오른손	3시	WF	놓고	Side line(Left)

스텝	풋 포지션	회전량
1보	오른발 후진(RF)	없음
2보	왼발 후진하면서 오른발 옆에 모으고(LF)	없음
3보	오른발 전진(RF)	없음
4보	왼발 전진(LF)	없음
5보	오른발 제자리 스텝(RF)	없음
6보	왼발 제자리 스텝(LF)	없음
7보	오른발 전진(RF)	없음
8보	왼발을 전진하면서 오른발 옆에 모으고(LF)	없음
9보	왼발 R/90°턴 (LF)	R/90°(1/4턴)
10보	오른발 왼발 옆에 모으고(RF)	없음

스텝	리드 / 사인 / 텐션
1보	
2보	여성이 전진 및 R/180°턴 할 수 있도록 여성 오른손을 앞으로 당기면서 여성 머리
3보	위로 들어주면서 밀어준다. 여성 왼손으로 여성 왼쪽 어깨 터치
4보	
5보	왼손으로 여성 왼쪽 어깨를 잡아주면서(브레이크) 왼쪽, 오른쪽으로 트위스트
6보	

7보	
8보	Shadow Position에서 여성이 540° 턴 할 수 있도록 여성 왼쪽 어깨를 오른쪽으로
9보	밀어주면서 여성 오른손을 들어 여성을 회전시켜 준다.
10보	

〈여성〉

스텝	회전량	핸드	스텝 방식	풋 워크	풋 포지션	액션
1보	없음	오른손	놓고	BF	왼발 전진(LF)	Forward Walk
2보	없음	오른손	놓고	BF	오른발 전진(RF)	Forward Walk
3보	R/90°(1/8턴)	오른손	놓고	B	왼발 90°턴(LF)	Turn
4보	R/90°(1/8턴)	오른손	놓고	B	오른발 90°턴(RF)	Turn
5보	R/45°(1/8턴)	오른손	놓고	B	왼발, 오른발 R/45°턴	Turn
6보	L/45°(1/8턴)	오른손	놓고	B	양쪽발 모으면서 L/45°턴	Turn
7보	R/45°(1/8턴) 315°(7/8턴)	오른손	놓고	B	왼발 360°턴(LF)	Turn
8보	R/180° (1/2턴)	오른손	놓고	B	오른발 180°턴(RF)	Turn
9보	없음	오른손	놓고	BF	왼발 후진(LF)	Backward Walk
10보	없음	오른손	놓고	BF	오른발 후진하면서 왼발 옆에 모으고(RF)	Backward Walk

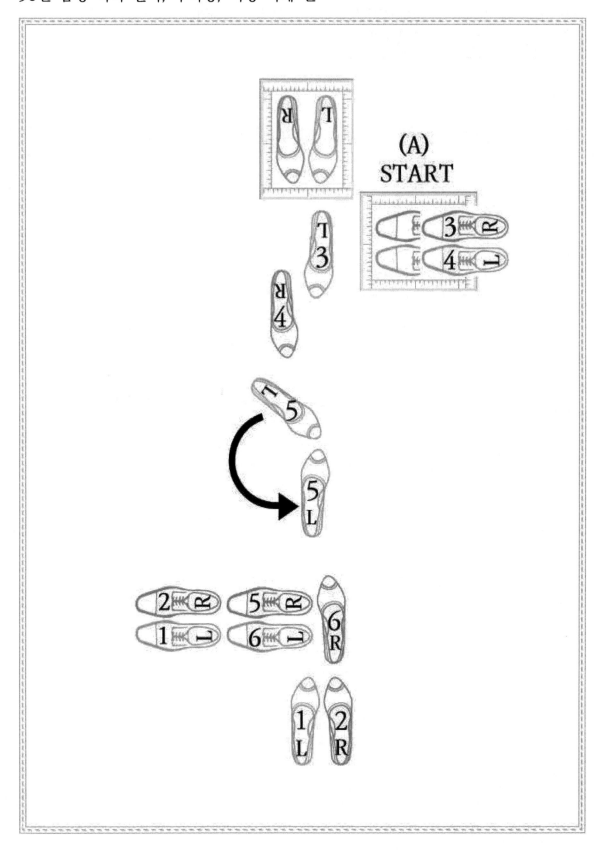

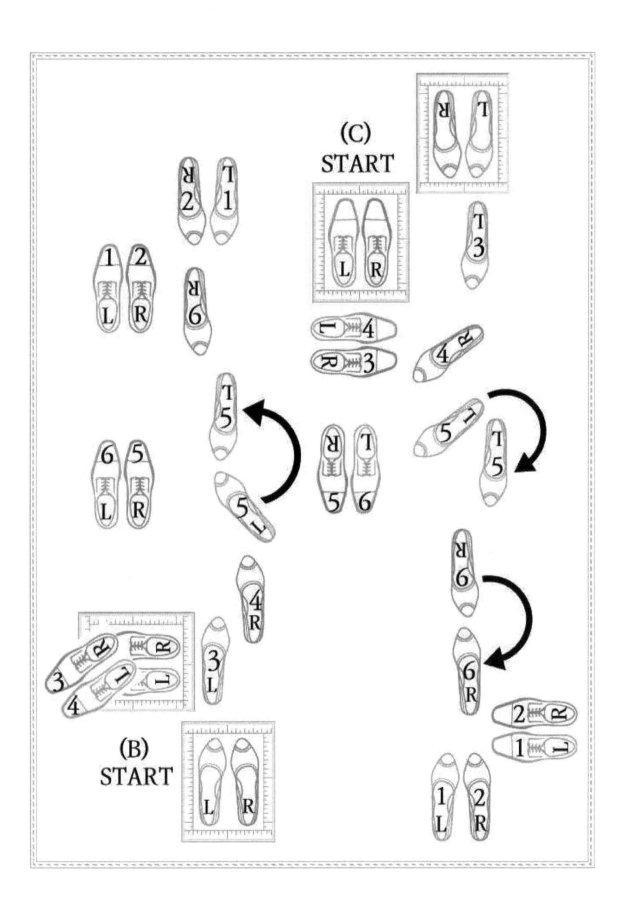

〈남성&여성〉

스텝	카운트	리듬	읽을 때	음악 타이밍	보수	핸드 포지션	악센트
A							
1보	3	S	슬로우	쿵	1	One Hand Joined	
2보	4	&	엔	짝	1	One Hand Joined	
3보	5	Q	퀵	쿵	1	One Hand Joined	V
4보	6	Q	퀵	짝	1	One Hand Joined	V
5보	1	S	슬로우	쿵	1	One Hand Joined	
6보	2	&	엔	짝	1	One Hand Joined	
B							
1보	3	S	슬로우	쿵	1	One Hand Joined	
2보	4	&	엔	짝	1	One Hand Joined	
3보	5	Q	퀵	쿵	1	One Hand Joined	V
4보	6	Q	퀵	짝	1	One Hand Joined	V
5보	1	S	슬로우	쿵	1	One Hand Joined	
6보	2	&	엔	짝	1	One Hand Joined	
C							
1보	3	S	슬로우	쿵	1	One Hand Joined	
2보	4	&	엔	짝	1	One Hand Joined	
3보	5	Q	퀵	쿵	1	One Hand Joined	V
4보	6	Q	퀵	짝	1	One Hand Joined	V
5보	1	S	슬로우	쿵	1	One Hand Joined	
6보	2	&	엔	짝	1	One Hand Joined	

〈남성〉

스텝	핸드	방향	풋 워크	스텝 방식	액션
A					
1보	오른손	9시	HF	놓고	Backward Walk
2보	오른손	9시	HF	놓고	Backward Walk
3보	왼손	9시	BF	놓고	Forward Walk
4보	왼손	9시	T/BF	찍고/놓고(선택)	Forward Walk
5보	왼손	9시	BF	놓고	Forward Walk
6보	왼손	9시	BF	놓고	Forward Walk
B					
1보	왼손	7시 30분	WF	놓고	Turn
2보	왼손	7시 30분	WF	놓고	Turn
3보	왼손	12시	BF	놓고	Turn
4보	왼손	12시	T/BF	찍고/놓고(선택)	Forward Walk
5보	왼손	12시	BF	놓고	Forward Walk
6보	왼손	12시	BF	놓고	Forward Walk
C					
1보	왼손	3시	WF	놓고	Turn
2보	왼손	3시	WF	놓고	Side Step
3보		6시	BF	놓고	Forward Walk
4보		6시	T/BF	찍고/놓고(선택)	Forward Walk
5보		9시	WF	놓고	Side line(Right), Turn
6보	오른손	9시	WF	놓고	Side line(Right)

스텝	풋 포지션	회전량
	A	
1보	오른발 후진(RF)	없음
2보	왼발 후진하면서 오른발 옆으로 모으고(LF)	없음
3보	오른발 전진(RF)	없음
4보	왼발 전진하면서 오른발 옆에 모으고(LF)	없음
5보	왼발 전진(LF)	없음
6보	오른발 전진하면서 왼발 옆에 모으고(RF)	없음
	B	
1보	오른발 L/45°턴(RF)	L/45°(1/8턴)
2보	왼발 L/45°턴(LF)	L/45°(1/8턴)
3보	오른발 L/135°턴(RF)	L/135°(3/8턴)
4보	왼발 전진하면서 오른발 옆에 모으고(LF)	없음
5보	왼발 전진(LF)	없음
6보	오른발 전진하면서 왼발 옆에 모으고(RF)	없음
	C	
1보	오른발 R/90°턴(RF)	R/90°(1/4턴)
2보	왼발 오른발 옆으로 모으고(LF)	없음
3보	오른발 R/90°턴(RF)	R/90°(1/4턴)
4보	왼발 오른발에 모으고(LF)	없음
5보	왼발 R/90°턴(LF)	R/90°(1/4턴)
6보	오른발을 왼발 옆에 모으고(RF)	없음

스텝	리드 / 사인 / 텐션
	A
1보 2보	여성 왼발이 댄스 라인에 맞춰 전진하도록 여성 정면 앞으로 당기면서
3보 4보 5보 6보	여성 왼발이 왼쪽으로 45°, 135° 턴하도록 오른손을 왼쪽으로 틀어주면서 남성은 오른손에서 왼손으로 여성 오른손을 잡는다. (핸드 체인지)
	B
1보 2보	여성 오른손을 잡은 남성 오른손을 남성 허리 뒤로 이동시킨 상태에서 여성을 앞으로 당겨주면서
3보 4보	등 뒤에서 여성 왼발이 오른쪽으로 45°, 135° 턴하도록 오른쪽으로 틀어주면서
5보 6보	여성 오른발이 왼발에 모으도록 손 텐션 및 리드를 멈추면서 남성 오른손으로 여성 오른쪽 어깨 터치 (남성 허리걸이)
	C
1보	남성 허리 걸이 상태에서 왼손으로 여성 오른손을 앞으로 당겨주면서
2보	오른손으로 여성의 오른쪽 어깨를 밀어주면서 오른쪽으로 회전하도록 오른손 놓아 준다.
	3보~6보 리드/사인/텐션 없음

〈여성〉

스텝	회전량	핸드	스텝 방식	풋 워크	풋 포지션	액션
				A		

1보	없음	오른손	놓고	BF	왼발 전진(LF)	Forward Walk
2보	없음	오른손	놓고	BF	오른발 전진(RF)	Forward Walk
3보	L/45° (1/8턴)	오른손	놓고	B	왼발 45°턴(LF)	Turn
4보	L/135° (3/8턴) 오른발-없음	오른손	놓고	B, BF	왼발 135°턴(LF) 오른발 후진(RF)	Turn, Backward Walk
5보	없음	오른손	놓고	HF	왼발 후진(LF)	Backward Walk
6보	없음	오른손	놓고	HF	오른발 후진하면서 왼발 옆에 모으고(RF)	Backward Walk
B						
1보	없음	오른손	놓고	BF	왼발 전진(LF)	Forward Walk
2보	없음	오른손	놓고	BF	오른발 전진(RF)	Forward Walk
3보	L/45° (1/8턴)	오른손	놓고	B	왼발 45°턴(LF)	Turn
4보	L/135° (3/8턴) 오른발-없음	오른손	놓고	B, HF	왼발 135°턴(LF) 오른발 후진(RF)	Turn, Backward Walk
5보	없음	오른손	놓고	HF	왼발 후진(LF)	Backward Walk
6보	없음	오른손	놓고	HF	오른발 후진하면서 왼발 옆에 모으고(RF)	Backward Walk
C						
1보	없음	오른손	놓고	BF	왼발 전진(LF)	Forward Walk
2보	R/45° (1/8턴)	오른손	놓고	BF	오른발 45°턴(RF)	Turn
3보	R/45° (1/8턴)		놓고	B	왼발 45°턴(LF)	Turn
4보	R/315° (7/8턴) 오른발-없음		놓고	B, BF	왼발 315°턴(LF) 오른발 전진(RF)	Turn, Forward Walk
5보	R/180° (1/2턴) 왼발-없음		놓고	B, HF	오른발 180°턴(RF) 왼발 후진(LF)	Turn, Backward Walk
6보	없음	오른손	놓고	HF	오른발 후진하면서 왼발 옆에 모으고(RF)	Backward Walk

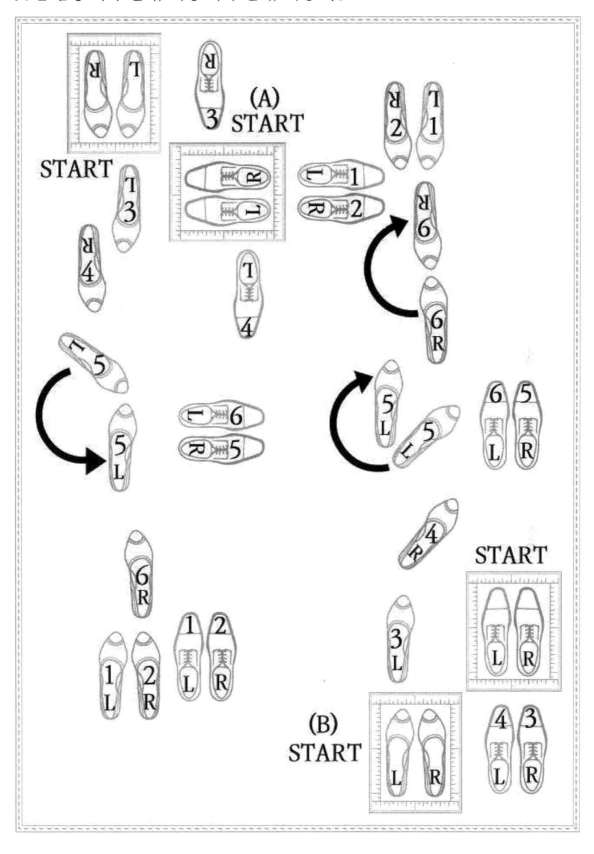

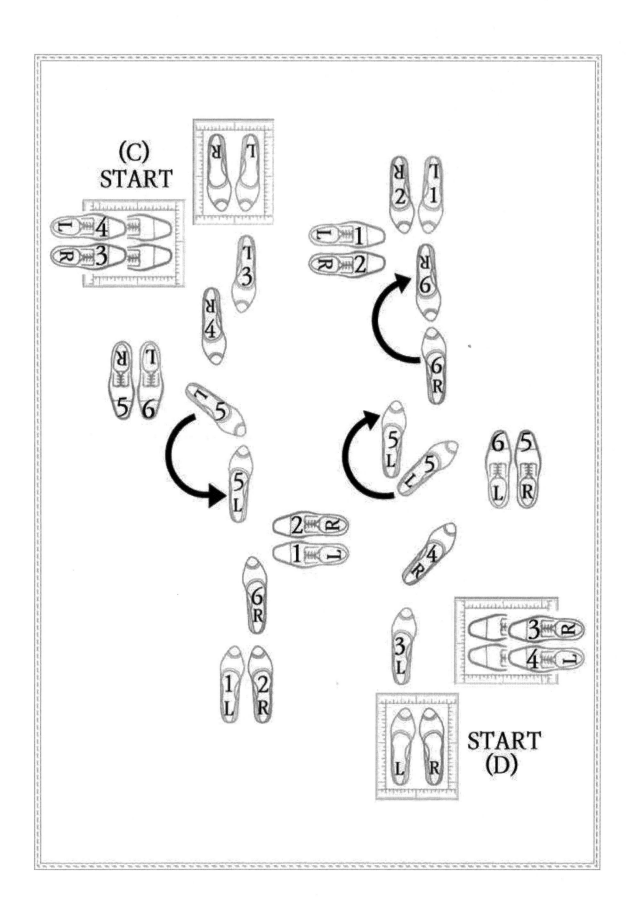

〈남성&여성〉

스텝	카운트	리듬	읽을 때	음악 타이밍	보수	핸드 포지션	악센트
A							
1보	3	S	슬로우	쿵	1	One Hand Joined	
2보	4	&	엔	짝	1	One Hand Joined	
3보	5	Q	퀵	쿵	1	One Hand Joined	V
4보	6	Q	퀵	짝	1	One Hand Joined	V
5보	1	S	슬로우	쿵	1	One Hand Joined	
6보	2	&	엔	짝	1	Two Hand Joined	
B							
1보	3	S	슬로우	쿵	1	Two Hand Joined	
2보	4	&	엔	짝	1	One Hand Joined	
3보	5	Q	퀵	쿵	1	One Hand Joined	V
4보	6	Q	퀵	짝	1	One Hand Joined	V
5보	1	S	슬로우	쿵	1	One Hand Joined	
6보	2	&	엔	짝	1	Two Hand Joined	
C							
1보	3	S	슬로우	쿵	1	Two Hand Joined	
2보	4	&	엔	짝	1	One Hand Joined	
3보	5	Q	퀵	쿵	1	One Hand Joined	V
4보	6	Q	퀵	짝	1	One Hand Joined	V
5보	1	S	슬로우	쿵	1	One Hand Joined	
6보	2	&	엔	짝	1	One Hand Joined	
D							
1보	3	S	슬로우	쿵	1	One Hand Joined	
2보	4	&	엔	짝	1	One Hand Joined	
3보	5	Q	퀵	쿵	1	One Hand Joined	V
4보	6	Q	퀵	짝	1	One Hand Joined	V
5보	1	S	슬로우	쿵	1	One Hand Joined	
6보	2	&	엔	짝	1	One Hand Joined	

〈남성〉

스텝	핸드	방향	풋 워크	스텝 방식	액션
A					
1보	오른손	6시	HF	놓고	Backward Walk
2보	오른손	6시	BF	놓고	Forward Walk
3보	오른손	3시	WF	놓고	Turn
4보	오른손	3시	T/WF	찍고/놓고(선택)	Side Step
5보	오른손	12시	WF	놓고	Turn, Backward Walk
6보	양손	12시	WF	놓고	Backward Walk
B					
1보	양손	12시	HF	놓고	Backward Walk
2보	왼손	12시	HF	놓고	Backward Walk
3보	왼손	12시	BF	놓고	Forward Walk
4보	왼손	12시	T/BF	찍고/놓고(선택)	Forward Walk
5보	왼손	3시	WF	놓고	Side line(Left),Turn
6보	양손	3시	WF	놓고	Side line(Left)
C					

1보	양손	3시	HF	놓고	Backward Walk
2보	오른손	3시	HF	놓고	Backward Walk
3보	오른손	6시	BF	놓고	Turn
4보	오른손	6시	T/BF	찍고/놓고(선택)	Forward Walk
5보	오른손	9시	WF	놓고	Side line(Right), Turn
6보	오른손	9시	WF	놓고	Side line(Right)
D					
1보	오른손	9시	HF	놓고	Backward Walk
2보	오른손	9시	HF	놓고	Backward Walk
3보	오른손	12시	BF	놓고	Turn
4보	오른손	12시	T/BF	찍고/놓고(선택)	Forward Walk
5보	오른손	3시	WF	놓고	Side line(Left),Turn
6보	오른손	3시	WF	놓고	Side line(Left)

스텝	풋 포지션	회전량
A		
1보	오른발 L/90°턴(RF)	L/90°(1/4턴)
2보	왼발 전진(LF)	없음
3보	오른발 L/90°턴(RF)	L/90°(1/4턴)
4보	왼발 오른발 옆에 모으고(LF)	없음
5보	왼발 L/90°(LF)	L/90°(1/4턴)
6보	오른발 왼발 옆에 모으고(RF)	없음
B		
1보	오른발 후진(RF)	없음
2보	왼발 후진하면서 오른발 옆으로 모으고(LF)	없음
3보	오른발 전진(RF)	없음
4보	왼발을 전진하면서 오른발 옆에 모으고(LF)	없음
5보	왼발 R/90°턴(LF)	R/90°(1/4턴)
6보	오른발을 왼발 옆에 모으고(RF)	없음
C		
1보	오른발 후진(RF)	없음
2보	왼발 후진하면서 오른발 옆으로 모으고(LF)	없음
3보	오른발 R/90°턴(RF)	R/90°(1/4턴)
4보	왼발을 전진하면서 오른발 옆에 모으고(LF)	없음
5보	왼발 R/90°턴(LF)	R/90°(1/4턴)
6보	오른발을 왼발 옆에 모으고(RF)	없음
D		
1보	오른발 후진(RF)	없음
2보	왼발 후진하면서 오른발에 모으고(LF)	없음
3보	오른발 R/90°턴(RF)	R/90°(1/4턴)
4보	왼발 전진하면서 오른발에 모으고(LF)	없음
5보	왼발 R/90°턴(LF)	R/90°(1/4턴)
6보	오른발 왼발 옆으로 모으고(RF)	없음

스텝	리드 / 사인 / 텐션
A	
1보 2보	전진 및 왼쪽으로 180° 턴하도록 여성의 오른손을 여성 정면 앞으로 당기면서 남성은

3보		
4보	왼쪽으로 턴하면서 남성 오른손으로 잡은 여성 오른손을 남성 허리 쪽으로 이동	
5보	(남성 허리 걸이)	
6보		
	B	
1보	여성 왼발이 댄스 라인에 맞춰 전진하도록 여성 왼손을 정면 앞으로 당기면서	
2보		
3보	여성 왼손을 오른쪽으로 540° 턴 할 수 있도록 회전시켜주면서 남성 왼손으로 잡은 여성	
4보	왼손을 여성 허리 쪽으로 이동시켜준다. 남성 오른손으로 여성 오른손을 잡아준다.	
5보	(여성 허리 걸이)	
6보		
	C	
1보	여성 왼발이 댄스 라인에 맞춰 전진하도록 여성 오른손을 정면 앞으로 당기면서 여성	
2보	왼손을 놓아준다.	
3보		
4보	여성 오른손을 들어주면서 왼발이 왼쪽으로 45°, 135° 턴하도록 회전시켜준다.	
5보		
6보		
	D	
1보	여성 왼발이 댄스 라인에 맞춰 전진하도록 여성 오른손을 정면 앞으로 당기면서	
2보		
3보		
4보	여성 오른손을 들어주면서 오른쪽으로 540° 턴 할 수 있도록 회전시켜준다.	
5보		
6보		

〈여성〉

스텝	회전량	핸드	스텝 방식	풋 워크	풋 포지션	액션
			A			
1보	없음	오른손	놓고	BF	왼발 전진(LF)	Forward Walk
2보	없음	오른손	놓고	BF	오른발 전진(RF)	Forward Walk
3보	L/45°(1/8턴)	오른손	놓고	B	왼발 45°턴(LF)	Turn
4보	L/135° (3/8턴) 오른발-없음	오른손	놓고	B, HF	왼발 135°턴(LF) 오른발 후진(RF)	Turn, Backward Walk
5보	없음	양손	놓고	HF	왼발 후진(LF)	Backward Walk
6보	없음	양손	놓고	HF	오른발 후진면서 왼발 옆에 모으고(RF)	Backward Walk
			B			
1보	없음	양손	놓고	BF	왼발 전진(LF)	Forward Walk
2보	R/45°(1/8턴)	왼손	놓고	BF	오른발 45°턴(RF)	Turn
3보	R/45°(1/8턴)	왼손	놓고	B	왼발 45°턴(LF)	Turn
4보	R/315° (7/8턴)	왼손	놓고	B, BF	왼발 315°턴(LF) 오른발 전진(RF)	Turn, Forward Walk

5보	오른발-없음 R/180° (1/2턴) 왼발-없음	왼손	놓고	B, HF	오른발 180°턴(RF) 왼발 후진(LF)	Turn, Backward Walk
6보	없음	양손	놓고	HF	오른발 후진하면서 왼발 옆에 모으고(RF)	Backward Walk
C						
1보	없음	양손	놓고	BF	왼발 전진(LF)	Forward Walk
2보	없음	양손	놓고	BF	오른발 전진(RF)	Forward Walk
3보	L/45°(1/8턴)	양손	놓고	B	왼발 45°턴(LF)	Turn
4보	L/135° (3/8턴) 오른발-없음	양손	놓고	B, HF	왼발 135°턴(LF) 오른발 후진(RF)	Turn, Backward Walk
5보	없음	양손	놓고	HF	왼발 후진(LF)	Backward Walk
6보	없음	양손	놓고	HF	오른발 후진하면서 왼발 옆에 모으고(RF)	Backward Walk
D						
1보	없음	양손	놓고	BF	왼발 전진(LF)	Forward Walk
2보	R/45°(1/8턴)	양손	놓고	B	오른발 45°턴(RF)	Turn
3보	R/45° (1/8턴)	양손	놓고	B	왼발 45°턴(LF)	Turn
4보	R/315° (7/8턴) 오른발-없음	오른손	놓고	B, BF	왼발 315°턴(LF) 오른발 전진(RF)	Turn, Forward Walk
5보	R/180° (1/2턴) 왼발-없음	오른손	놓고	B, HF	오른발 180°턴(RF) 왼발 후진(LF)	Turn, Backward Walk
6보	없음	오른손	놓고	HF	오른발 후진하면서 왼발 옆에 모으고(RF)	Backward Walk

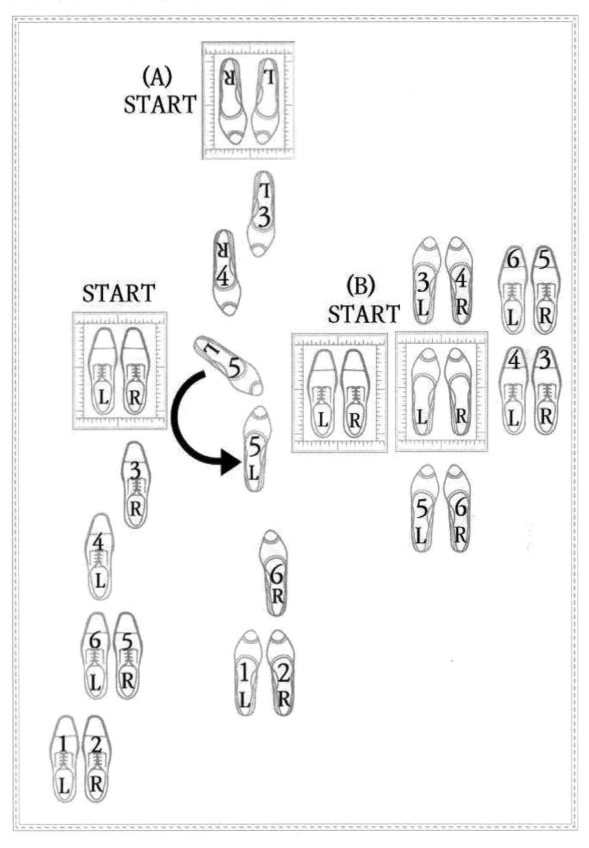

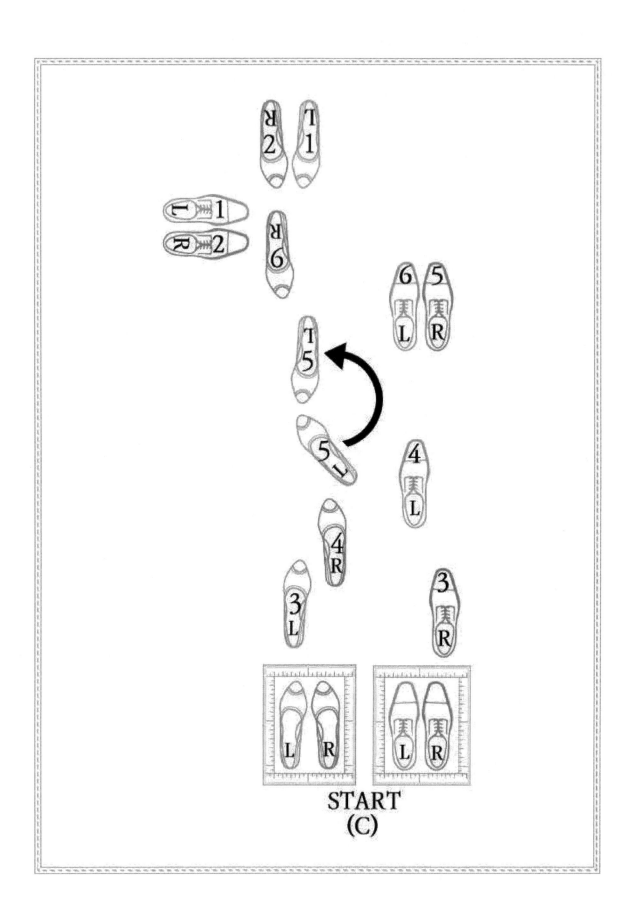

START
(C)

〈남성&여성〉

스텝	카운트	리듬	읽을 때	음악 타이밍	보수	핸드 포지션	악센트
A							
1보	3	S	슬로우	쿵	1	One Hand Joined	
2보	4	&	엔	짝	1	One Hand Joined	
3보	5	Q	퀵	쿵	1	One Hand Joined	V
4보	6	Q	퀵	짝	1	One Hand Joined	V
5보	1	S	슬로우	쿵	1	One Hand Joined	
6보	2	&	엔	짝	1	One Hand Joined	
B							
1보	3	S	슬로우	쿵	1	One Hand Joined	
2보	4	&	엔	짝	1	One Hand Joined	
3보	5	Q	퀵	쿵	1	One Hand Joined	V
4보	6	Q	퀵	짝	1	One Hand Joined	V
C							
1보	3	S	슬로우	쿵	1	One Hand Joined	
2보	4	&	엔	짝	1	One Hand Joined	
3보	5	Q	퀵	쿵	1	One Hand Joined	V
4보	6	Q	퀵	짝	1	One Hand Joined	V
5보	1	S	슬로우	쿵	1	One Hand Joined	
6보	2	&	엔	짝	1	One Hand Joined	

〈남성〉

스텝	핸드	방향	풋 워크	스텝 방식	액션
A					
1보	오른손	12시	HF	놓고	Backward Walk
2보	오른손	12시	HF	놓고	Backward Walk
3보	오른손	12시	HF	놓고	Backward Walk
4보	오른손	12시	HF/T	놓고/찍고(선택)	Backward Walk
5보	오른손	12시	HF	놓고	Diagonally Backward Walk
6보	오른손	12시	HF	놓고	Diagonally Backward Walk
B					
1보	오른손	12시	WF	놓고	Side Step
2보	오른손	12시	WF	놓고	Side Step
3보	오른손	12시	BF	놓고	Forward Walk
4보	오른손	12시	BF	놓고	Forward Walk
C					
1보	오른손	12시	BF	놓고	Forward Walk
2보	오른손	12시	BF	놓고	Forward Walk
3보	오른손	12시	BF	놓고	Forward Walk
4보	오른손	12시	BF/T	놓고/찍고(선택)	Forward Walk
5보	오른손	3시	WF	놓고	Side line(Left),Turn
6보	오른손	3시	WF	놓고	Side line(Left)

스텝	풋 포지션	회전량
A		
1보	오른발 후진(RF)	없음

스텝		
2보	왼발 후진(LF)	없음
3보	오른발 후진(RF)	없음
4보	왼발을 후진하면서 오른발 옆에 모으고(LF)	없음
5보	왼발 왼쪽 사선으로 후진(LF)	없음
6보	오른발을 왼쪽 사선으로 후진하면서 왼발 옆에 모으고(RF)	없음
B		
1보	오른발 옆으로(RF)	없음
2보	왼발 오른발 옆에 모으고(LF)	없음
3보	오른발 전진(RF)	없음
4보	왼발 전진하면서 오른발 옆에 모으고(LF)	없음
C		
1보	오른발 전진(RF)	없음
2보	왼발 전진(LF)	없음
3보	오른발 전진(RF)	없음
4보	왼발을 전진하면서 오른발 옆에 모으고(LF)	없음
5보	왼발 R/90°턴 (LF)	R/90°(1/4턴)
6보	오른발을 왼발에 옆에 모으고(RF)	없음

스텝	리드 / 사인 / 텐션
A	
1보	여성 왼발, 오른발이 댄스 라인에 맞춰 전진하도록 여성 왼손을 여성의 정면 앞으로
2보	당긴다.
3보	여성 왼발이 왼쪽으로 180° 턴하도록 왼손을 당겨주면서 여성 목으로 이동
4보	
5보	여성 왼발이 후진하도록 살짝 당겨주면서 남성 왼손으로 여성 왼쪽 어깨 터치(목걸이)
6보	
B	
1보	여성 목걸이 상태에서 남성 왼손으로 여성 어깨를 앞으로 밀어주면서 여성 오른쪽으로
2보	이동
3보	여성 목걸이 상태에서 남성 왼손으로 여성 어깨를 뒤로 당겨주고
4보	
C	
1보	
2보	
3보	Shadow Position에서 전진 및 왼쪽으로 180° 턴 할 수 있도록 여성의 왼손을
4보	들어주면서 여성 등을 살짝 밀어준다.
5보	
6보	

〈여성〉

스텝	회전량	핸드	스텝 방식	풋 워크	풋 포지션	액션
A						
1보	없음	왼손	놓고	BF	왼발 전진(LF)	Forward Walk
2보	없음	왼손	놓고	BF	오른발 전진(RF)	Forward Walk
3보	L/45°(1/8턴)	왼손	놓고	B	왼발 45°턴(LF)	Turn
4보	L/135°	왼손	놓고	B, HF	왼발 135°턴(LF)	Turn,

	(3/8턴) 오른발-없음				오른발 후진(RF)	Backward Walk
5보	없음	왼손	놓고	HF	왼발 후진(LF)	Backward Walk
6보	없음	왼손	놓고	HF	오른발 후진하면서 왼발 옆에 모으고(RF)	Backward Walk
B						
1보	없음	왼손	놓고	BF	왼발 전진(LF)	Forward Walk
2보	없음	왼손	놓고	BF	오른발 전진하면서 왼발 옆에 모으고(RF)	Forward Walk
3보	없음	왼손	놓고	HF	왼발 후진(LF)	Backward Walk
4보	없음	왼손	놓고	HF	오른발 후진하면서 왼발 옆에 모으고(RF)	Backward Walk
C						
1보	없음	왼손	놓고	BF	왼발 전진(LF)	Forward Walk
2보	없음	왼손	놓고	BF	오른발 전진(RF)	Forward Walk
3보	L/45° (1/8턴)	왼손	놓고	B	왼발 45°턴(LF)	Turn
4보	L/135° (3/8턴) 오른발-없음	왼손	놓고	B, HF	왼발 135°턴(LF) 오른발 후진(RF)	Turn, Backward Walk
5보	없음	왼손	놓고	HF	왼발 후진(LF)	Backward Walk
6보	없음	왼손	놓고	HF	오른발 후진하면서 왼발 옆에 모으고(RF)	Backward Walk

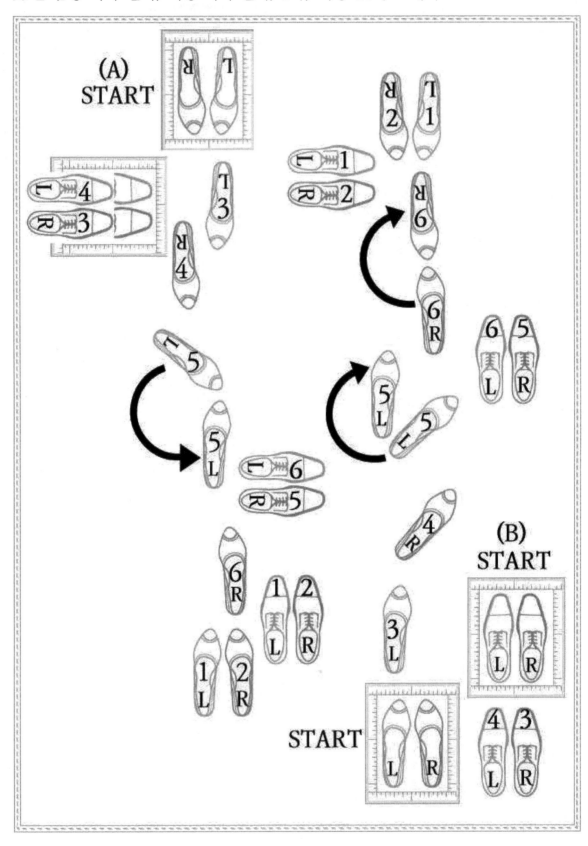

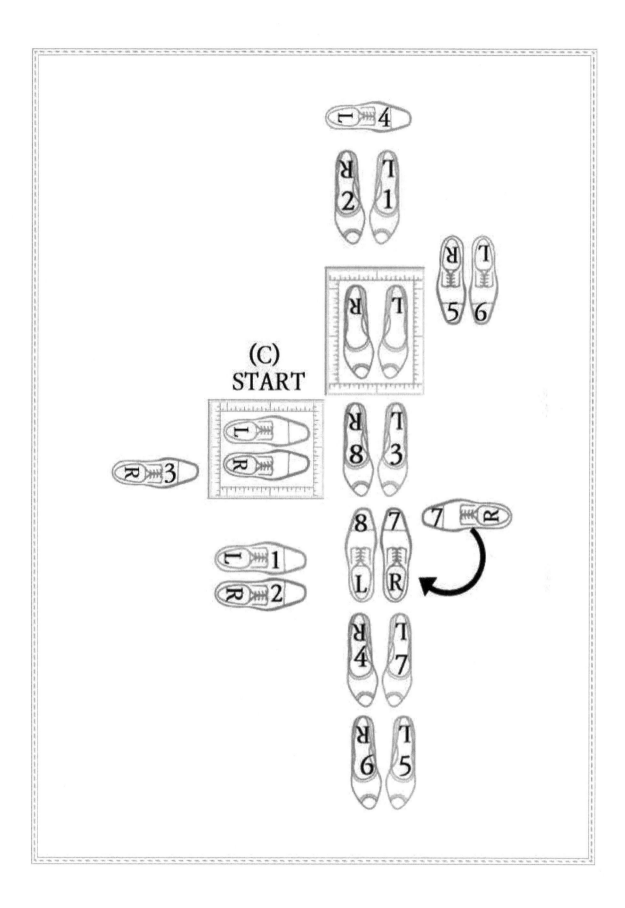

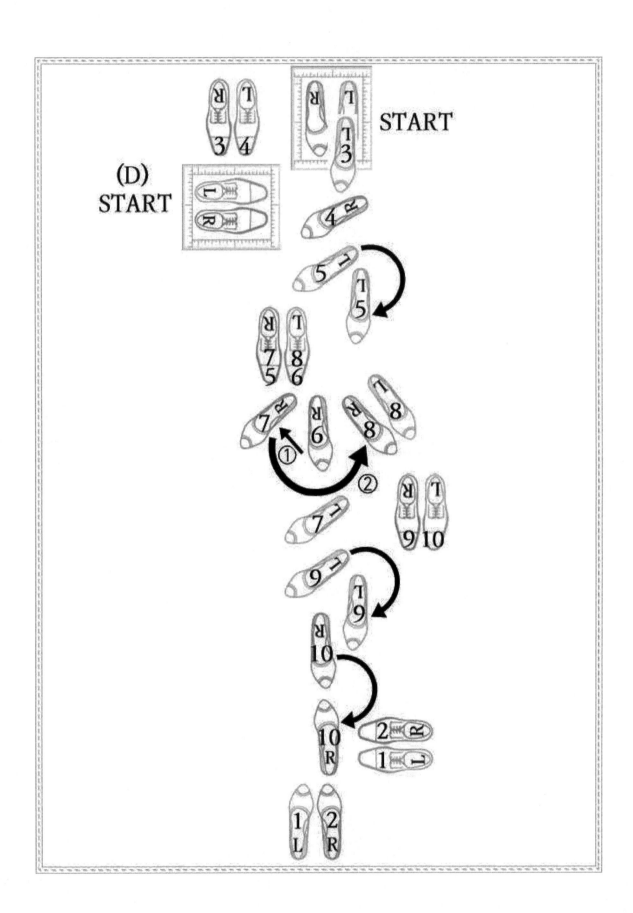

〈남성&여성〉

스텝	카운트	리듬	읽을 때	음악 타이밍	보수	핸드 포지션	악센트
A							
1보	3	S	슬로우	쿵	1	One Hand Joined	
2보	4	&	엔	짝	1	One Hand Joined	
3보	5	Q	퀵	쿵	1	One Hand Joined	V
4보	6	Q	퀵	짝	1	One Hand Joined	V
5보	1	S	슬로우	쿵	1	One Hand Joined	
6보	2	&	엔	짝	1	One Hand Joined	
B							
1보	3	S	슬로우	쿵	1	One Hand Joined	
2보	4	&	엔	짝	1	One Hand Joined	
3보	5	Q	퀵	쿵	1	One Hand Joined	V
4보	6	Q	퀵	짝	1	One Hand Joined	V
5보	1	S	슬로우	쿵	1	One Hand Joined	
6보	2	&	엔	짝	1	One Hand Joined	
C							
1보	3	S	슬로우	쿵	1	Two Hand Joined	
2보	4	&	엔	짝	1	Two Hand Joined	
3보	5	Q	퀵	쿵	1	Two Hand Joined	V
4보	6	Q	퀵	짝	1	Two Hand Joined	V
5보	7	Q	퀵	쿵	1	Two Hand Joined	V
6보	8	Q	퀵	짝	1	Two Hand Joined	V
7보	1	S	엔	쿵	1	Two Hand Joined	
8보	2	&	슬로우	짝	1	Two Hand Joined	
D							
1보	3	S	슬로우	쿵	1	Two Hand Joined	
2보	4	&	엔	짝	1	Two Hand Joined	
3보	5	Q	퀵	쿵	1	Two Hand Joined	V
4보	6	Q	퀵	짝	1	Two Hand Joined	V
5보	7	Q	퀵	쿵	1	Two Hand Joined	
6보	8	Q	퀵	짝	1	Two Hand Joined	
7보	9	Q	퀵	쿵	1	One Hand Joined	V
8보	10	Q	퀵	짝	1	One Hand Joined	V
9보	1	S	슬로우	쿵	1	One Hand Joined	
10보	2	&	엔	짝	1	One Hand Joined	

〈남성〉

스텝	핸드	방향	풋 워크	스텝 방식	액션
A					
1보	오른손	3시	HF	놓고	Backward Walk
2보	오른손	3시	HF	놓고	Backward Walk
3보	오른손	3시	BF	놓고	Forward Walk
4보	오른손	3시	T/BF	찍고/놓고(선택)	Forward Walk
5보	오른손	12시	WF	놓고	Side line(Right),Turn
6보	오른손	12시	WF	놓고	Side line(Right)
B					
1보	왼손	12시	HF	놓고	Backward Walk

2보	왼손	12시	HF	놓고	Backward Walk
3보	왼손	12시	BF	놓고	Forward Walk
4보	왼손	12시	T/BF	찍고/놓고(선택)	Forward Walk
5보	왼손	3시	WF	놓고	Side line(Left),Turn
6보	왼손	3시	WF	놓고	Side line(Left)
C					
1보	양손	3시	HF	놓고	Backward Walk
2보	양손	3시	BF	놓고	Forward Walk
3보	양손	6시	WF	놓고	Turn
4보	양손	6시	WF	놓고	Forward Walk
5보	양손	12시	B	놓고	Turn
6보	양손	12시	T/WF	찍고/놓고(선택)	정면(正面)
7보	양손	3시	WF	놓고	Side line(Left), Turn
8보	양손	3시	WF	놓고	Side line(Left)
D					
1보	양손	6시	HF	놓고	Backward Walk
2보	양손	6시	HF	놓고	Backward Walk
3보	양손	6시	BF	놓고	Forward Walk
4보	양손	6시	BF	놓고	Forward Walk
5보	양손	6시	WF	놓고	a step in place
6보	양손	6시	WF	놓고	a step in place
7보	오른손	6시	BF	놓고	Forward Walk
8보	오른손	6시	BF/T	놓고/찍고(선택)	Forward Walk
9보	오른손	9시	WF	놓고	Side line(Right),Turn
10보	오른손	9시	WF	놓고	Side line(Right)

스텝	풋 포지션	회전량
A		
1보	오른발 후진(RF)	없음
2보	왼발 후진하면서 오른발 옆에 모으고(LF)	없음
3보	오른발 전진(RF)	없음
4보	왼발 전진하면서 오른발 옆에 모으고(LF)	없음
5보	왼발 L/90°턴(LF)	L/90°(1/4턴)
6보	오른발을 왼발 옆에 모으고(RF)	없음
B		
1보	오른발 후진(RF)	없음
2보	왼발 후진하면서 오른발 옆으로 모으고(LF)	없음
3보	오른발 전진(RF)	없음
4보	왼발을 전진하면서 오른발 옆에 모으고(LF)	없음
5보	왼발 R/90°턴(LF)	R/90°(1/4턴)
6보	오른발을 왼발 옆에 모으고(RF)	없음
C		
1보	오른발 후진(RF)	없음
2보	왼발 전진(LF)	없음
3보	오른발 R/90°턴(RF)	R/90°(1/4턴)
4보	왼발 오른발 옆에 모으고(LF)	없음
5보	오른발 R/180°턴(RF)	R/180°(1/2턴)
6보	왼발 오른발 옆에 모으고(LF)	없음
7보	왼발 R/90°턴(LF)	R/90°(1/4턴)
8보	오른발을 왼발 옆에 모으고(RF)	없음

	D	
1보	오른발 후진(RF)	없음
2보	왼발 후진하면서 오른발 옆에 모으고(LF)	없음
3보	오른발 전진(RF)	없음
4보	왼발 전진하면서 오른발 옆에 모으고(LF)	없음
5보	오른발 제자리 스텝(RF)	없음
6보	왼발 제자리 스텝(LF)	없음
7보	오른발 전진(RF)	없음
8보	왼발을 전진하면서 오른발 옆에 모으고(LF)	없음
9보	왼발 R/90°턴 (LF)	R/90°(1/4턴)
10보	오른발 왼발 옆에 모으고(RF)	없음

스텝	리드 / 사인 / 텐션
	A
1보 2보	여성 왼발이 댄스 라인에 맞춰 전진하도록 여성 정면 앞으로 당기면서
3보 4보 5보 6보	여성 왼발이 왼쪽으로 45°, 135° 턴하도록 손을 들어주고 왼쪽으로 틀어주면서 남성 오른손으로 잡은 여성 오른손을 남성 허리 뒤로 이동시킨다.
	B
1보 2보 3보 4보	남성 왼손으로 여성 왼손을 잡으면서 여성이 오른쪽으로 540° 턴 할 수 있도록 회전시켜준다.
5보 6보	남성 왼손으로 잡은 여성 왼손을 여성 허리 뒤쪽으로 이동시켜주고 남성 오른손으로 여성 오른손을 잡는다. (여성 허리 걸이)
	C
1보 2보 3보 4보	여성 허리 걸이 상태에서 여성의 댄스 라인에 맞춰 전진하도록 여성의 오른손을 여성의 정면 앞으로 당기고, 여성의 허리를 밀어주면서 여성의 등 뒤로 이동한다. 남성은 여성 오른손 손바닥이 하늘 쪽으로 보이도록 손목을 꺾어 주면서 여성 손등이 여성 어깨 쪽으로 유도(리드)해 준다. (어깨걸이)
5보 6보 7보 8보	여성이 후진할 수 있도록 여성 어깨를 살짝 뒤로 밀어주고, 오른손은 여성 머리 위로 올려주면서 손을 내려 준다. (손 교차)
	D
1보 2보 3보 4보	손이 교차 상태에서 여성 오른손을 여성 머리 위로 올려주면서 여성이 전진 및 360°턴 할 수 있도록 회전시켜준다.
5보 6보	여성이 더 이상 회전할 수 없게 양손을 브레이크, 왼쪽, 오른쪽으로 트위스트
7보 8보 9보 10보	Shadow Position에서 여성 왼손을 놓아주면서 여성 오른손을 여성 머리 위로 들어 여성이 540°턴 할 수 있도록 회전시켜준다.

〈여성〉

스텝	회전량	핸드	스텝 방식	풋 워크	풋 포지션	액션
A						
1보	없음	오른손	놓고	BF	왼발 전진(LF)	Forward Walk
2보	없음	오른손	놓고	BF	오른발 전진(RF)	Forward Walk
3보	L/45˚ (1/8턴)	오른손	놓고	B	왼발 45˚턴(LF)	Turn
4보	L/135˚ (3/8턴) 오른발-없음	오른손	놓고	B, BF	왼발 135˚턴(LF) 오른발 후진(RF)	Turn, Backward Walk
5보	없음	오른손	놓고	HF	왼발 후진(LF)	Backward Walk
6보	없음	오른손	놓고	HF	오른발 후진하면서 왼발 옆에 모으고(RF)	Backward Walk
B						
1보	없음	왼손	놓고	BF	왼발 전진(LF)	Forward Walk
2보	R/45˚(1/8턴)	왼손	놓고	BF	오른발 45˚턴(RF)	Turn
3보	R/45˚(1/8턴)	왼손	놓고	B	왼발 45˚턴(LF)	Turn
4보	R/315˚ (7/8턴) 오른발-없음	왼손	놓고	B, BF	왼발 315˚턴(LF) 오른발 전진(RF)	Turn, Forward Walk
5보	R/180˚ (1/2턴) 왼발-없음	왼손	놓고	B, HF	오른발 180˚턴(RF) 왼발 후진(LF)	Turn, Backward Walk
6보	없음	왼손	놓고	HF	오른발 후진하면서 왼발 옆에 모으고(RF)	Backward Walk
C						
1보	없음	양손	놓고	BF	왼발 전진(LF)	Forward Walk
2보	없음	양손	놓고	BF	오른발 전진(RF)	Forward Walk
3보	없음	양손	놓고	BF	왼발 전진(LF)	Forward Walk
4보	없음	양손	놓고	BF	오른발 전진하면서 왼발 옆에 모으고(RF)	Forward Walk
5보	없음	양손	놓고	HF	왼발 후진(LF)	Backward Walk
6보	없음	양손	놓고	HF	오른발 후진(RF)	Backward Walk
7보	없음	양손	놓고	HF	왼발 후진(LF)	Backward Walk
8보	없음	양손	놓고	HF	오른발 후진하면서 왼발 옆에 모으고(RF))	Backward Walk
D						
1보	없음	양손	놓고	BF	왼발 전진(LF)	Forward Walk
2보	R/45˚(1/8턴)	양손	놓고	BF	오른발 45˚턴(RF)	Turn
3보	R/45˚(1/8턴) 315˚(7/8턴)	양손	놓고	B	왼발 360˚턴(LF)	Turn

4보	없음	양손	놓고	BF	오른발 전진(RF)	Forward Walk
5보	R/45°(1/8턴)	양손	놓고	B	왼발, 오른발 R/45°턴	Turn
6보	L/45°(1/8턴)	양손	놓고	B	왼발, 오른발 모으면서 L/45°턴	Turn
7보	R/45°(1/8턴) 315°(7/8턴)	오른손	놓고	B	왼발 360°턴(LF)	Turn
8보	R/180° (1/2턴)	오른손	놓고	B	오른발 180°턴(RF)	Turn
9보	없음	오른손	놓고	BF	왼발 후진(LF)	Backward Walk
10보	없음	오른손	놓고	BF	오른발 후진하면서 왼발 옆에 모으고(RF)	Backward Walk

100번 R/540°턴 목걸이, L/360°회전 브레이크, R/540°턴

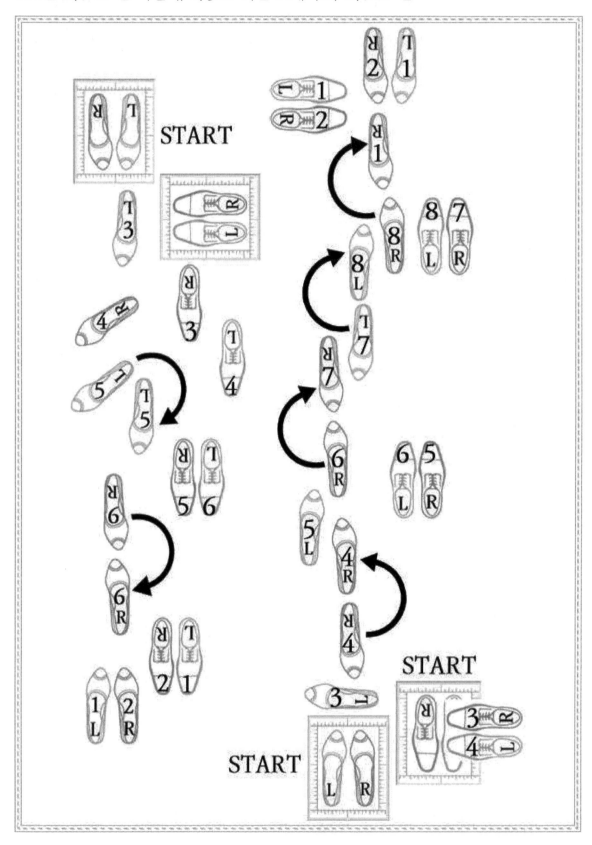

〈남성&여성〉

스텝	카운트	리듬	읽을 때	음악 타이밍	보수	핸드 포지션	악센트
1보	3	S	슬로우	쿵	1	One Hand Joined	
2보	4	&	엔	짝	1	One Hand Joined	
3보	5	Q	퀵	쿵	1	One Hand Joined	V
4보	6	Q	퀵	짝	1	One Hand Joined	V
5보	1	S	슬로우	쿵	1	One Hand Joined	
6보	2	&	엔	짝	1	One Hand Joined	
1보	3	S	슬로우	쿵	1	One Hand Joined	
2보	4	&	엔	짝	1	One Hand Joined	
3보	5	Q	퀵	쿵	1	One Hand Joined	V
4보	6	Q	퀵	짝	1	One Hand Joined	V
5보	7	Q	퀵	쿵	1	One Hand Joined	V
6보	8	Q	퀵	짝	1	One Hand Joined	V
7보	9	S	슬로우	쿵	1	One Hand Joined	
8보	10	&	엔	짝	1	One Hand Joined	

〈남성〉

스텝	핸드	방향	풋 워크	스텝 방식	액션
1보	오른손	6시	BF	놓고	Forward Walk
2보	오른손	6시	BF	놓고	Forward Walk
3보	오른손	6시	BF	놓고	Forward Walk
4보	오른손	6시	T/BF	찍고/놓고(선택)	Forward Walk
5보	오른손	6시	BF	놓고	Forward Walk
6보	오른손	6시	BF	놓고	Forward Walk
1보	오른손	9시	WF	놓고	Turn
2보	오른손	9시	HF	놓고	Backward Walk
3보	오른손	12시	BF	놓고	Forward Walk
4보	오른손	12시	BF	놓고	Forward Walk
5보	오른손	12시	BF	놓고	Forward Walk
6보	오른손	12시	T/BF	찍고/놓고(선택)	Forward Walk
7보	오른손	3시	WF	놓고	Side line(Left),Turn
8보	오른손	3시	WF	놓고	Side line(Left)

스텝	풋 포지션	회전량
1보	오른발 전진(RF)	없음
2보	왼발 전진(LF)	없음
3보	오른발 전진(RF)	없음
4보	왼발을 전진하면서 오른발 옆에 모으고(LF)	없음
5보	왼발 전진(LF)	없음
6보	오른발 전진하면서 왼발 옆에 모으고(RF)	없음
1보	오른발 R/90°턴(RF)	R/90°(1/4턴)
2보	왼발 오른발 옆에 모으고(LF)	없음
3보	오른발 R/90°턴(RF)	R/90°(1/4턴)

스텝		
4보	왼발 전진하면서 오른발에 모으고(LF)	없음
5보	오른발 전진(RF)	없음
6보	왼발 전진하면서 오른발에 모으고(LF)	없음
7보	왼발 R/90°턴(LF)	R/90°(1/4턴)
8보	오른발 왼발 옆에 모으고(RF)	없음

스텝	리드 / 사인 / 텐션
1보	
2보	
3보	오른쪽으로 540°턴 할 수 있도록 여성 머리 위로 오른손을 들어주고, 들어준
4보	손을 여성 목 쪽으로 손을 내려주면서 여성 목을 감아 준다.
5보	
6보	

스텝	리드 / 사인 / 텐션
1보	
2보	목걸이 상태에서 목걸이를 풀어주면서 여성을 왼쪽으로 360° 회전시켜준다.
3보	4보에 여성이 더 이상 회전하지 않게 브레이크
4보	
5보	
6보	여성 오른손을 들어주면서 오른쪽으로 540°턴 할 수 있도록 회전시켜준다.
7보	
8보	

〈여성〉

스텝	회전량	핸드	스텝 방식	풋 워크	풋 포지션	액션
1보	없음	오른손	놓고	BF	왼발 전진(LF)	Forward Walk
2보	R/45° (1/8턴)	오른손	놓고	BF	오른발 45°턴(RF)	Turn
3보	R/45° (1/8턴)	오른손	놓고	B	왼발 45°턴(LF)	Turn
4보	R/315° (7/8턴) 오른발-없음	오른손	놓고	B, BF	왼발 315°턴(LF) 오른발 전진(RF)	Turn
5보	R/180° (1/2턴) 왼발-없음	오른손	놓고	B, HF	오른발 180°턴(RF) 왼발 후진(LF)	Turn, Backward Walk
6보	없음	오른손	놓고	HF	오른발 후진하면서 왼발 옆에 모으고(RF)	Backward Walk
1보	L/90°(1/4턴)	오른손	놓고	B	왼발 L/45°턴(LF)	Turn
2보	L/90°(1/4턴) 180°(1/4턴)	오른손	놓고	B	오른발 L/360°턴(RF)	Turn
3보	없음	오른손	놓고	BF	왼발 전진(LF)	Forward Walk
4보	없음	오른손	놓고	BF	오른발 전진(RF)	Forward Walk

5보	R/180° (1/2턴)	오른손	놓고	B	오른발 180°턴(RF)	Turn
6보	R/180° (1/2턴)	오른손	놓고	B	왼발 180°턴(RF)	Turn
7보	R/180° (1/2턴) 왼발 후진	오른손	놓고	B, HF	오른발 180°턴(LF) 왼발 후진	Turn, Backward Walk
8보	없음	오른손	놓고	HF	오른발 후진하면서 왼발 옆에 모으고(RF)	Backward Walk

101번 후진 4박 어깨걸이, R/540°턴

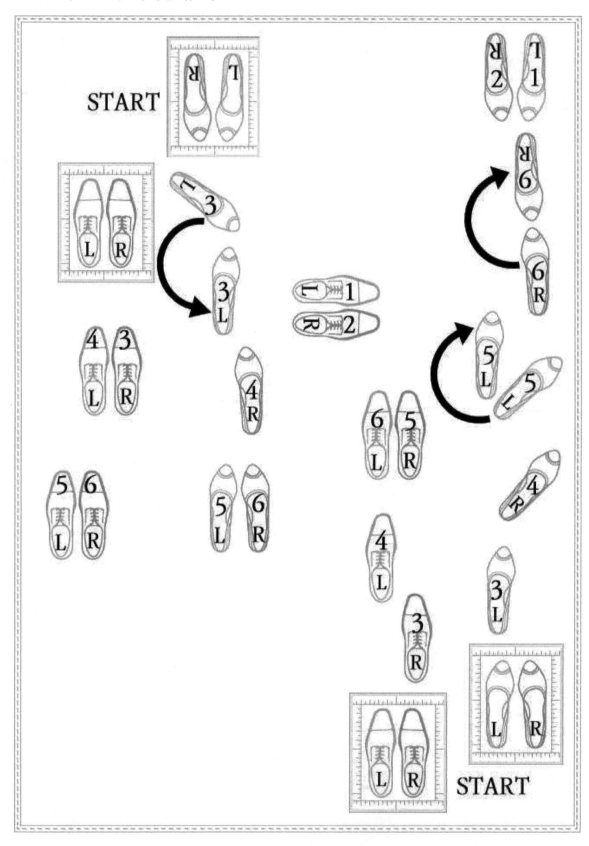

<남성&여성>

스텝	카운트	리듬	읽을 때	음악 타이밍	보수	핸드 포지션	악센트
1보	3	S	슬로우	쿵	1	One Hand Joined	
2보	4	&	엔	짝	1	One Hand Joined	
3보	5	Q	퀵	쿵	1	One Hand Joined	V
4보	6	Q	퀵	짝	1	One Hand Joined	V
1보	3	S	슬로우	쿵	1	One Hand Joined	
2보	4	&	엔	짝	1	One Hand Joined	
3보	5	Q	퀵	쿵	1	One Hand Joined	V
4보	6	Q	퀵	짝	1	One Hand Joined	V
5보	1	S	슬로우	쿵	1	One Hand Joined	
6보	2	&	엔	짝	1	One Hand Joined	

<남성>

스텝	핸드	방향	풋 워크	스텝 방식	액션
1보	오른손	12시	HF	놓고	Backward Walk
4보	오른손	12시	HF/T	놓고/찍고(선택)	Backward Walk
5보	오른손	12시	HF	놓고	Diagonally Backward Walk
6보	오른손	12시	HF	놓고	Diagonally Backward Walk
1보	오른손	12시	BF	놓고	Forward Walk
2보	오른손	12시	BF	놓고	Forward Walk
3보	오른손	12시	BF	놓고	Forward Walk
4보	오른손	12시	BF/T	놓고/찍고(선택)	Forward Walk
5보	오른손	3시	WF	놓고	Side line(Left),Turn
6보	오른손	3시	WF	놓고	Side line(Left)

스텝	풋 포지션	회전량
1보	오른발 후진(RF)	없음
2보	왼발 후진하면서 오른발에 옆에 모으고(LF)	없음
5보	왼발 왼쪽 사선으로 후진(LF)	없음
6보	오른발을 왼쪽 사선으로 후진하면서 왼발 옆에 모으고(RF)	없음
1보	오른발 전진(RF)	없음
2보	왼발 전진(LF)	없음
3보	오른발 전진(RF)	없음
4보	왼발을 전진하면서 오른발 옆에 모으고(LF)	없음
5보	왼발 R/90°턴 (LF)	R/90°(1/4턴)
6보	오른발을 왼발에 옆에 모으고(RF)	없음

스텝	리드 / 사인 / 텐션
1보	여성 왼발이 왼쪽으로 45°, 135° 턴하도록 여성 오른손 손바닥이 하늘 쪽으로
2보	보이도록 손목을 꺾어 주면서 여성 손등이 여성 어깨 쪽으로 유도(리드)해 준다.
3보	(어깨걸이)

4보	

1보	Shadow Position에서 여성이 전진할 수 있도록 왼손으로 살짝 여성 등을 밀어준다.
2보	여성이 회전 할 수 있도록 손을 여성 정수리 5-10cm 정도 위로 들어준다.
3보	여성의 왼발이 오른쪽으로 45°, 315° 턴 할 수 있도록 텐션을 준다.
4보	
5보	여성이 오른발이 오른쪽으로 180° 턴 하도록 계속 텐션주면서 여성 왼발이 댄스 라인에 위치하도록 손을 내리기 시작한다.
6보	여성 오른발이 후진하면서 왼발에 모으도록 손을 완전히 내려준다.

〈여성〉

스텝	회전량	핸드	스텝 방식	풋 워크	풋 포지션	액션
3보	L/45°(1/8턴)	오른손	놓고	B	왼발 45°턴(LF)	Turn
4보	L/135° (3/8턴) 오른발-없음	오른손	놓고	B, HF	왼발 135°턴(LF) 오른발 후진(RF)	Turn, Backward Walk
5보	없음	오른손	놓고	HF	왼발 후진(LF)	Backward Walk
6보	없음	오른손	놓고	HF	오른발을 왼발에 모으고(RF)	Backward Walk
1보	없음	오른손	놓고	BF	왼발 전진(LF)	Forward Walk
2보	R/45° (1/8턴)	오른손	놓고	BF	오른발 R/45°턴(RF)	Turn
3보	R/45° (1/8턴)	오른손	놓고	B	왼발 R/45°턴(LF)	Turn
4보	R/315° (7/8턴) 오른발-없음	오른손	놓고	B, BF	왼발 R/315°턴(LF) 오른발 전진(RF)	Turn
5보	R/180° (1/2턴) 왼발-턴 없음	오른손	놓고	B, HF	오른발 R/180°턴(RF) L(왼발) 후진	Turn, Backward Walk
6보	없음	오른손	놓고	BF	오른발을 왼발에 모으고(RF)	Backward Walk

1) 질곡 (桎梏)
몹시 속박하여 자유를 가질 수 없는 고통의 상태를 비유한 말.

2) 격정 (激情)
격렬한 감정. 강렬하고 갑작스러워 누르기 힘든 감정.

3) 유려
글이나 말, 곡선 따위가 거침없이 미끈하고 아릅답다.

4) 조:교 (弔橋)
양쪽 언덕에 줄이나 쇠사슬 등을 건너질러, 거기에 의지해 매달아 놓은 다리. 현교(懸橋). 현수교(懸垂橋).

5) 순망치한 (脣亡齒寒)
입술이 없으면 이가 시리다는 뜻으로, 이해관계가 밀접한 사이에서 한쪽이 망하면 다른 한쪽도 온전하기 어
   려움을 이르는 말.